*Nikt nie jest sędzią
we własnej sprawie*

Wojciech Jaruzelski

STAN WOJENNY DLACZEGO...

Współpraca:
Marek Jaworski
Włodzimierz Łoziński

POLSKA OFICYNA WYDAWNICZA „BGW"

Projekt okładki
Marek Zadworny

Zdjęcia na okładkę
Andrzej Machnowski, WAF

Opracowanie fotograficzne
Andrzej Machnowski

Współpraca fotograficzna
Longina Putka

Autorzy zdjęć
S. Dmochowski, S. Iwan, D. Kwiatkowski, A. Machnowski, G. Rogiński, CAF-PAP, ČTK, Bundesbildstelle-Bonn, Felici-Watykan, Official White House Photograph oraz zbiory archiwalne W. Jaruzelskiego

Redaktor
Piotr Ozięblo

Redakcja techniczna
Joanna Krawczykiewicz
Halina Staszkiewicz

Korekta
Zespół

ISBN 83-7066-345-1

Wydanie I
Warszawa 1992
Polska Oficyna Wydawnicza „BGW"
Skład i łamanie: „AMIGO", Warszawa, ul. Kaskadowa 1, tel. 33-61-16
Druk i oprawa: Rzeszowskie Zakłady Graficzne
Zam. 6070/92

Słowo wstępne

Minęły lata, a ja wciąż wracam myślą do tamtego dnia — do 12 grudnia 1981 roku. Wciąż dręczy mnie pytanie: dlaczego do tego doszło? Czy musiało do tego dojść? Czy nie można było postąpić inaczej? To pytanie dla historyka — potrzebne „mędrca szkiełko i oko". To pytanie dla polityka — jak tamto wczoraj, w imię jutra, odczytać dziś? To pytanie do własnego sumienia — potrzebne jako klucz moralny do ówczesnych decyzji i przeżyć.

Poeta mówi: „Trudniej dobrze dzień przeżyć niż napisać księgę". Niewątpliwie tak. Zwłaszcza że są takie dni, a w moim życiu było ich niemało, kiedy wydaje się, że ciężar jest nie do udźwignięcia. A opisać je trzeba. To mój obowiązek. Nie tylko wobec przyjaciół i sojuszników, ale i wobec ówczesnych przeciwników. Czynię to w intencji przedstawienia wielkiej złożoności tego czasu, całego dramatyzmu ludzkich uwikłań i losów.

Przystępując do pisania tej książki myślałem, że nie ma potrzeby, abym odnosił się w niej krytycznie czy polemicznie do współczesności. Z uwagą obserwuję wszystko, co dzieje się dziś w Polsce, z jakimi trudnościami musimy się zmagać. Nie zamierzam być zgorzkniałym recenzentem. Jest mi z gruntu obce myślenie „im gorzej, tym lepiej". I jako Polakowi, i jako politykowi. Wiem, że nie ma odwrotu z drogi demokracji parlamentarnej i gospodarki rynkowej. Doceniam swobodę słowa. Jej dowodem jest m.in. chociażby i to, że w minionej epoce podobna książka, pisana z przeciwnej pozycji, nie mogłaby się ukazać legalnie. Pragnę, ażeby obecne reformy zakończyły się powodzeniem. To, co się udaje — mnie cieszy. To, co idzie źle, martwi. Co więcej — jako człowiek, który przyczynił się do zmian systemowych — czuję się w jakimś sensie współodpowiedzialny za ich kierunek, przebieg, a zwłaszcza społeczno-ekonomiczne i polityczne skutki. Dlatego też chciałem raczej szukać wspólnego mianownika, pomijając różne przykre skojarzenia. Musiałem wszakże w pewnym stopniu odejść od tego zamiaru.

Po debacie i uchwale sejmowej z 1 lutego 1992 roku na temat stanu wojennego, po towarzyszącej temu i wciąż powracającej kampanii propagandowej powstała nowa politycznie i emocjonalnie sytuacja. Tym samym pewne nawiązania do współczesności okazały się konieczne. Oczywiście, nie w imię obrony rozwiązań i formuł, które nie zdały historycznego egzaminu, lecz raczej wartości i intencji, które nam przyświecały, naszego sposobu odczuwania.

Dziś, po blisko trzech latach nowej rzeczywistości, można powiedzieć — przy całym szacunku dla głębszych motywacji — że żadna ze stron nie stroniła od władzy. Jedni chcieli ją utrzymać, drudzy — zdobyć. Płaszczyzna rozważań musi więc sięgnąć do kwestii: czego broniono, a co atakowano, co zdobyto, a co stracono. Dokonany został doniosły historyczny krok — ale nie jest to krok z krainy absolutnego zła do krainy powszechnego dobra. Tak nigdy nie było i nie będzie w historii.

Postaram się w tej książce powiedzieć dużo, możliwie najwięcej. Czy są jednak takie okresy w historii, o których wie się wszystko? Historycy nie tylko po latach i dziesięcioleciach, ale i po wiekach „dokopują" się do nie znanych dotąd okoliczności i faktów, wyciągają nowe, częstokroć kontrowersyjne wnioski.

Trudności, z jakimi się zetknąłem, polegają na różnego rodzaju ograniczeniach. Po pierwsze — był to czas tak gęsty w wydarzenia, tak obfity w różnego rodzaju skomplikowane procesy, że aby opowiedzieć wszystko, trzeba by było napisać całe tomy. A przecież chodzi o to, ażeby ująć sprawy najważniejsze, o których mam stosunkowo dużą wiedzę. Po drugie — pamięć ludzka jest selektywna. Nie wszystko odnotowałem. Niektóre wydarzenia zapisywałem dla pamięci, niektóre nie. Może powstać wrażenie, iż daję naświetlenia nierówne. Bardziej szczegółowe, ale także i bardziej ogólne, zdawkowe. To nie celowa gradacja czy uniki. Po prostu nie zawsze dysponuję odpowiednią podbudową w materiale, dokumencie, relacji. Nie chcę zaś niczego konstruować sztucznie czy też podawać jako pewnik to, co do czego sam żywię wątpliwości.

Dodać także muszę, iż pisząc tę książkę napotkałem trudności w uzyskaniu relacji od niektórych uczestników opisywanych wydarzeń. Zasłaniali się niewiedzą lub niepamięcią. Czasami dostrzegałem obawy, nawet... strach. Okropnie demoralizujące uczucie. To jednak przypadki odosobnione. Czytelnik szybko spostrzeże, iż ta książka jest wzbogacona oryginalnymi wypowiedziami różnych osób, najczęściej moich byłych bliskich współpracowników. Opisują niektóre wydarzenia, naświetlają istotne problemy. Wiele innych relacji wykorzystałem w sposób pośredni. Wszystkim za tę pomoc serdecznie dziękuję.

Przez ostatni rok przeczytałem chyba więcej książek niż przez 10-15 poprzednich lat. W tym pisanych z różnych, często przeciwstawnych pozycji politycznych. Ożyły także w mej pamięci liczne lektury, nawet z wczesnej młodości. Czuję się nimi jak naelektryzowany. Stąd w książce tyle cytatów. Nie chcę, aby wyglądało to pretensjonalnie, jak popis erudycyjny. Po prostu odwołuję się również do świadectwa, do wiedzy innych. Podobnie liczne są dygresje — niekiedy nawet odległe od głównego tematu. To znów oznacza sposób rozmowy z czytelnikiem, chwilę zadumy czy odprężenia.

Moja polityczna droga jest zakończona. Droga życiowa — nie wiem jak długo potrwa. W każdym razie znacznie „bliżej niż dalej". Jedyne opory, jakie mam, są natury moralnej. Mówić ostro, krytycznie o tych, którzy nie żyją i nie mogą się bronić — zawsze wywołuje zahamowanie wewnętrzne. Być może czytelnik dostrzeże również pewien umiar w sądach na temat ludzi żyjących. Daję tu sporo charakterystyk. Ale nie jest to wystawianie cenzurek. Wolę kogoś nawet winnego rozgrzeszyć, niż niewinnego skaleczyć, dotknąć. Poza tym ludzie się zmieniają... Niektórych oceniałem kiedyś negatywnie, teraz widzę ich w zupełnie innym świetle. Bywa, niestety, i odwrotnie.

Historii i geografii się nie wybiera. W moim pokoleniu trudno o ludzi wyciosanych z jednej bryły. Życie tworzyło nas z odłamków losu, z odcinków drogi. Byliśmy dziećmi swojego czasu, środowiska, systemu. Wyłamywanie się z tych ram przebiegało różnie. Nie każdy, kto zrobił to wcześniej, zasługuje na szacunek. I nie każdy, kto zrobił to później, zasługuje na potępienie. Najważniejsze, czym się kierował, w jaki sposób to czynił, jakim człowiekiem jest dziś. Dlatego też napiszę wszystko, co wiem o sprawach. Ale nie wszystko będę mógł adresować według imienia i nazwiska. Historyk znajdzie w tym ślad, polityczny gracz nie powinien znaleźć pretekstu.

Bardzo pragnę uniknąć takiego odczucia, takiej oceny ze strony czytelnika, że przedstawiam moje postępowanie w możliwie najkorzystniejszym świetle. Niejednokrotnie publicznie mówiłem, że nie uchylam się od odpowiedzialności, biorę ją na siebie. Czuję się odpowiedzialny za działania innych ludzi i instytucji, które mi podlegały. Choć z najwyższego szczebla nie o wszystkim można wiedzieć i nie na wszystko można mieć wpływ, to jednak nie zamierzam szukać łatwego rozgrzeszenia. Najwyżej zrozumienia... Wyrażam ubolewanie wobec tych, którzy czują się przeze mnie skrzywdzeni, ale i wobec tych, których nadzieje zawiodłem.

Odchodząc z urzędu prezydenta, w wystąpieniu radiowo-telewizyjnym powiedziałem: „Jako żołnierz wiem, że dowódca, a więc każdy przełożony, odpowiada i za wszystkich, i za wszystko. Słowo «przepraszam» może zabrzmieć zdawkowo. Innego jednak nie znajduję. Chcę więc prosić o jedno: jeśli czas nie ugasił w kimś gniewu lub niechęci — niechaj będą one skierowane przede wszystkim do mnie. Niech nie dotkną tych, którzy w realnych warunkach, uczciwie i w najlepszej wierze, nie szczędzili przez lata całe swego trudu dla odbudowy i budowy naszej ojczyzny".

Jakże odległe, ale i jakże mądre są słowa Eurypidesa: „Z czasem wszystko staje się wiadome, nawet bez szczególnego o to starania". Istotnie, przemijający czas, powiększający się dystans pozwala na większy obiektywizm spojrzenia, na odkrycie i wyjaśnienie wielu spraw, które w danym momencie były czy nieznane, czy niezrozumiane. Czas, który nas dzieli od 13 grudnia 1981 roku, daje taką szansę. Jest on jednak jeszcze zbyt krótki, aby wyzbyć się emocji, bardzo osobistego spojrzenia na przebieg wydarzeń. Ja też nie jestem od tego wolny. Choć staram się wystrzegać skrajności, nietolerancji, uproszczonego klasyfikowania. Pragnę przedstawić, uzasadnić własne racje. Ale nie tylko. Mówiąc „my—oni", dokonując takich czy innych ocen będę próbował zrozumieć sposób myślenia drugiej strony. Brać pod uwagę również jej oceny, jej punkt widzenia, nasz wizerunek w jej oczach. Chcę więc mówić o racjach obydwu stron. Przenieść je w dzisiejszy czas. Skonfrontować z rzeczywistością. Przyczynić się przynajmniej do złagodzenia starych podziałów. To dziś tak potrzebne Polsce.

Przeszedłem długą i trudną drogę. Były na niej radości i tragedie, sukcesy i porażki. Było niemało goryczy. Dziś patrzę na nią z większym spokojem. Tylko samolubny, zarozumiały głupiec niczego nie żałuje. Uważa, że nie popełnił błędów. Ja mam świadomość, że je popełniałem. Jestem obecnie bogatszy o doświadczenia minionych lat. Nimi właśnie pragnę się z czytelnikiem podzielić.

Książka ta nie jest konspektem mowy obrończej. Adresuję ją do tych milionów Polaków, którzy starają się myśleć bezstronnie w kategoriach obywatelskiej współodpowiedzialności za losy kraju. Bez obrazy sądów i trybunałów, które — jak można przewidywać

— będą mnie oskarżać i osądzać — te właśnie miliony są dla mnie najwyższą moralną instancją orzekającą. Ich zdanie przyjmę z należnym respektem.

O stanie wojennym będzie się dyskutowało bez końca, tak jak się dyskutuje o różnych kontrowersyjnych wydarzeniach z naszej historii. Najważniejsze, aby była to dyskusja odpowiedzialna, rzeczowa. Jeśli ta książka stanie się jednym z jej konstruktywnych akcentów, uznam, że spełniła swoje zadanie.

Warszawa, kwiecień 1992

Rozdział 1

Dzwon kołysał dzwonnikiem

Jest sobota, 12 grudnia, minęła kolejna ciężka noc. Trudno ją nazwać nocą snu i odpoczynku. Cały ten okres — zwłaszcza ostatnie tygodnie i dni — były udręką, koszmarem. Może jako żołnierz nie powinienem ujawniać stanu swego ducha, ludzkiej słabości, która prowadziła do desperackich myśli. Nieraz kładłem dłoń na chłodnej rękojeści pistoletu. Ale to wspomnienie osobiste...

A więc była to ciężka noc. Spędziłem ją, jak zresztą wiele innych, w swoim gabinecie w Urzędzie Rady Ministrów. Położyłem się bardzo późno. Wstałem około godziny 7^{30}. Na biurku piętrzyły się stosy informacji i meldunków, a zwłaszcza teleksów płynących z różnych ogniw „Solidarności". Brałem je do ręki z wielkim niepokojem. Nieustannie powtarzało się w nich: „żądamy, protestujemy, oczekujemy". Wiedziałem, że nie jestem w stanie sprostać tym żądaniom.

Meldunki otrzymywałem z wielu źródeł. Z Komitetu Centralnego PZPR, z Ministerstwa Spraw Wewnętrznych, z Ministerstwa Obrony Narodowej. Wreszcie tzw. informacje DYSOR-u — Dyżurnej Służby Operacyjnej Rządu. Stworzyłem ją, będąc już premierem, po to, ażeby mieć jeszcze jeden kanał informacji, głównie o sytuacji gospodarczo-społecznej.

Wszystkie meldunki przyniosły w ową sobotę kolejną porcję wiedzy o niezwykle trudnej sytuacji w kraju. Różne ekscesy, w tym okupacje budynków publicznych, napięcia, niepokoje, zagrożenia. Chodziło zwłaszcza o zaopatrzenie ludności i przemysłu. W obliczu zbliżającej się, a właściwie trwającej już zimy, z największą troską odbierałem sygnały na temat energetyki i węgla. Ze szczególną uwagą, wręcz zachłannie, czytałem informacje o tym, co dzieje się w Gdańsku. 11 grudnia rozpoczęło się tam posiedzenie Krajowej Komisji Porozumiewawczej „Solidarności". Wiadomości nie były dobre. Przeciwnie. Potwierdzały, że panował tam klimat, nastroje, wypowiedzi i zapowiedzi podobne do tych, które wywołały nasz głęboki niepokój, wręcz wstrząs po spotkaniu Prezydium Komisji Krajowej oraz przewodniczących regionów „Solidarności" 3-4 grudnia w Radomiu. Wciąż także dźwięczała nam w uszach zapowiedź „dnia protestu", wielkich manifestacji, które miały się odbyć w Warszawie oraz w kilku innych miastach, 17 grudnia — w rocznicę wydarzeń na Wybrzeżu w roku 1970.

Temperatura gwałtownie rosła, a „benzyna była rozlana". Kto pierwszy rzuci zapałkę? Kto będzie gasił? Czy my sami? Czułem, że zbliża się moment, w którym trzeba będzie podjąć ostateczną decyzję.

Zarządziłem na godzinę 9^{00} rano spotkanie z generałami: Czesławem Kiszczakiem, Florianem Siwickim oraz Michałem Janiszewskim. Chcę powiedzieć kilka słów o każdym z nich. Każdy inny. Inny wygląd, inny temperament, inne pochodzenie, inna droga życiowa. Ale jedna cecha wspólna: poczucie obowiązku i odpowiedzialności.

Janiszewski. Poznaniak. Syn lekarza, uczestnika powstania wielkopolskiego, który zginął w obozie hitlerowskim. On sam przeżył czas okupacji w Poznaniu. Następnie Politechnika Gdańska, łączność. Od 1951 roku Wojsko Polskie. Droga sztabowa. Następnie, wraz ze mną, administracyjno-państwowa.

Kiszczak. Pochodzi z Podbeskidzia. Syn robotnika, przez lata bezrobotnego. Sam w czasie okupacji na robotach przymusowych w Niemczech. Od 1945 roku w wojsku. Kontrwywiad, wywiad, minister spraw wewnętrznych, do stanowiska wicepremiera włącznie.

Siwicki. Z Wołynia. Ojciec podoficer zawodowy, aresztowany w 1940 roku przez NKWD, ślad po nim zaginął. On sam wywieziony na daleką północ w okolice Archangielska. Od 1943 roku w Wojsku Polskim. Sprawował kolejno funkcje od dowódcy plutonu do ministra obrony narodowej.

Wreszcie ja — z całym swoim skomplikowanym życiorysem, z długą, trudną drogą życiową.

Czyni się dziś zarzut, że w tak przełomowym momencie spotkali się sami wojskowi. To prawda. Ale przecież wszyscy byliśmy członkami rządu: premier, minister spraw wewnętrznych, szef Sztabu Generalnego, a faktycznie pełniący obowiązki ministra obrony narodowej, szef Urzędu Rady Ministrów. Z istoty swych funkcji byliśmy przede wszystkim odpowiedzialni za bezpieczeństwo wewnętrzne i zewnętrzne kraju. Nasze spotkanie można też uznać za pierwszy akt konstytuowania się Wojskowej Rady Ocalenia

Narodowego. Później — już w trybie roboczym — dokooptowano jej dalszych członków.

Krótka dygresja. Warto zajrzeć do gabinetu, w którym wówczas urzędowałem — miejsca owej narady. W tym czasie stał się on moim domem. To była tzw. „piątka", z której prawie nie wychodziłem. W KC bywałem tylko od czasu do czasu. Budynek Urzędu Rady Ministrów przy Alejach Ujazdowskich jest znany w Warszawie. Chociaż sądzę, że niezbyt wiele osób wie, iż były tam kiedyś carskie koszary Korpusu Kadetów im. Suworowa. Po odzyskaniu niepodległości mieściła się tu szkoła podchorążych piechoty. Szkoła ta, pod dowództwem ówczesnego pułkownika, późniejszego generała Gustawa Paszkiewicza, wystąpiła w maju 1926 roku przeciwko marszałkowi Piłsudskiemu. Przeniesiono ją potem na głuchą prowincję — do Komorowa koło Ostrowi Mazowieckiej. Wówczas, po ponownych adaptacjach, został ulokowany w tym budynku Główny Inspektorat Sił Zbrojnych, Wojskowe Biuro Historyczne i Biblioteka Wojskowa.

Owa „piątka" to przybudówka do głównego budynku Urzędu Rady Ministrów. Mieszkał tam i pracował przez kilka lat Józef Piłsudski. W Belwederze przebywał raczej w dni świąteczne. Różne były wokół tego opinie. Okres ten opisuje w pamiętnikach ówczesny adiutant marszałka, major Mieczysław Lepecki. Krótko przed śmiercią Piłsudski został zabrany na noszach i przewieziony do Belwederu. Po wojnie owa „piątka" była jednym z segmentów rządowego obiektu. Od czasu premiera Jaroszewicza stała się miejscem urzędowania kolejnych premierów.

Spędziłem tam jeden z najbardziej dramatycznych okresów życia. A w sensie ciężaru gatunkowego — najważniejszy. Zachowałem ten gabinet również jako przewodniczący Rady Państwa i prezydent. Miałem tam swoje niezbędne zaplecze — materiały, książki, środki łączności. Kiedy przekazałem prezydenturę — Lech Wałęsa zdecydował, że będzie to gabinet ministra stanu zajmującego się sprawami obronności i bezpieczeństwa.

Tak więc o dziewiątej zebraliśmy się w tym gabinecie. Nastrój był bardzo ciężki. Znałem dobrze tych generałów z wielu lat współpracy jako ludzi odważnych, a jednocześnie życiowo doświadczonych, odpornych na trudności. Zapytałem, co wiedzą o sytuacji. Najobszerniej wypowiedział się Kiszczak, charakteryzując to, co dzieje się na posiedzeniu Krajowej Komisji „Solidarności" w Gdańsku. Następnie Siwicki, który wciąż był pod wrażeniem niedawnego posiedzenia

Komitetu Ministrów Obrony państw-stron Układu Warszawskiego w Moskwie. Zwrócił uwagę na sytuację zewnętrzną. Dochodziły informacje o jakichś ruchach wojsk w obszarach przygranicznych. Potwierdzało to i moją na ten temat wiedzę. Wreszcie Janiszewski poinformował o alarmujących sygnałach płynących od administracji terenowej. Podzielałem te oceny. Uzupełniłem je o znane mi elementy. Podsumowałem.

„Dzwon kołysał dzwonnikiem" — jak mawiał Stanisław Jerzy Lec. Nikt nie panował nad sytuacją — ani władza, ani „Solidarność", ani Kościół. Ale czy już nie ma wyjścia? Przecież nie ukrywaliśmy stanowiska władzy. Tyle apeli, wezwań, przestróg... Można by z nich skompletować całą bibliotekę.

Minęło wiele miesięcy, a napięcie wciąż rosło. Już nieraz zbliżaliśmy się do krawędzi. I znów przyszedł taki moment. 28 listopada na VI plenum KC PZPR, w szeroko upowszechnionym przemówieniu powiedziałem, że jeśli sytuacja się nie zmieni, to czeka nas „rozwiązanie typu stanu wojennego". Było to wręcz brutalne ostrzeżenie. Liczyłem, że wywoła ono pewien efekt, że sytuacja może nawet w ostatniej chwili ulec jakiejś zmianie, że obrady kierowniczego gremium „Solidarności" przyjmą inny obrót. Były przecież usilne starania Episkopatu i osobiście prymasa, a także różnego rodzaju organizacji i osób o wysokim społecznym autorytecie, działających na rzecz idei porozumienia narodowego. Wiedziałem, że w kierowniczych gremiach „Solidarności" też są — co prawda coraz mniej liczni — ludzie umiaru. Miałem nadzieję, że być może ich racje przeważą.

Do ostatniej chwili na coś liczyłem. Dziś oceniam to jako swoiste połączenie iluzji z lękiem, ze świadomością, jak dramatyczna jest ta decyzja i jak ciężka czeka nas próba. Dlatego powiedziałem: zaczekajmy na dalsze informacje. Było to zresztą kolejne odroczenie. Kiszczak sugerował podjęcie decyzji już w piątek, aby przez dwa wolne dni — sobotę i niedzielę — pozwolić wielu rodzinom na ochłonięcie, na uspokojenie nastrojów przed przyjściem do zakładu pracy. „Uważałem — pisze Kiszczak w swej książce — że należy zrobić wszystko, aby nie dopuścić do wcześniejszego zorganizowania strajków w zakładach, bo wówczas łamanie ich mogło być połączone z ofiarami".

Wracałem wciąż myślą do VI plenum. Ciężka, niezwykle przygnębiająca atmosfera. Najbliżej prezydium siedzieli delegaci Katowic, Poznania, Łodzi i Piotrkowa. Szczególnie zapamiętałem reakcje kobiet. Twarze poszarzałe, oczy podkrążone, płakały bez łez. Przecież to matki, żony, szanowane w pracy, w swoich środowiskach. W tych oczach czytałem wyrzut, żal, pytanie: Generale, co dalej? Były też ostre, dramatyczne wystąpienia. Dziś już nieżyjąca Gizela Pawłowska, lekarka z Katowic, niemal rozpaczliwie wzywała: „Kiedy wreszcie, zamiast w nieskończoność apelować, ostrzegać, mówić «nie pozwolimy» — nie krzyknąć wreszcie i wyegzekwować — «nie pozwalamy!»” Zrobiło to silne wrażenie.

Potwierdzenie tych nastrojów znalazłem w bezpośrednich rozmowach z ludźmi w czasie pobytu w Bełchatowie oraz Piotrkowie 25 listopada, a następnie 3 grudnia w Dąbrowie Górniczej. To była bardzo smutna Barbórka. Wszystko to odbierałem jako ówczesny stan myślenia, odczuwania większości członków partii. I w ogóle znacznej części społeczeństwa.

W tym okresie wszystko postrzegano według optyki manichejskiej: tu anioły, tam diabły. Polityczne podziały zaostrzały się z każdym dniem. Obejmowały różne środowiska, kolektywy pracownicze, nawet rodziny — powodując skutki o tragicznym niekiedy wymiarze.

Oceniałem sytuację jako groźną, ale starałem się jednocześnie uspokajać. Zapewniałem — wprawdzie z coraz mniejszym przekonaniem — że trzymam rękę na pulsie, nie dopuszczę do katastrofy. Są nadal pewne szanse. Trwały przecież poszukiwania jakiejś formy porozumienia. Lecz nadzieja, że można będzie rozwiązać nasze sprawy środkami politycznymi, oddalała się coraz bardziej.

Narada skończyła się około 10^{00}.

Pamiętam — generał Kiszczak uprzedzał, że potrzebuje przynajmniej ośmiu godzin na uruchomienie operacji, jeśliby miała rozpocząć się jeszcze tej nocy. Najpóźniej więc do godziny 14^{00} powinien uzyskać decyzję. Rozstaliśmy się z zapowiedzią kolejnego kontaktu. Następne godziny poświęciłem na czytanie napływających bez przerwy materiałów, a także na pilne rozmowy. Myślałem też o tym, jakie mogą być nie tylko polityczne, wojskowe, moralne, ale i formalne przesłanki upoważniające do wprowadzenia stanu wojennego. Po pierwsze — znałem opinię Sejmu PRL, wyrażoną w uchwale z 31 października 1981 roku — w sprawie pokoju społecznego. „Sejm kategorycznie domaga się położenia kresu niepokojom i wszelkim działaniom naruszającym ład społeczny i porządek prawny... Nie czas na przerywanie pracy i manifestacje, gdy kraj jest w najwyższej potrzebie... Zobowiązuje się rząd do wydania zdecydowanej walki anarchii i wszelkim przejawom łamania prawa". Po drugie — wiedziałem już, że większość członków Rady Państwa, która miała do tego konstytucyjne prawo, nie będzie takiej decyzji przeciwna. Zapewnił mnie o tym przewodniczący prof. Henryk Jabłoński. Kilka dni wcześniej przeprowadził on osobiście lub pośrednio sondażowe rozmowy z większością członków Rady. Ich opinie były zgodne: powinny być podjęte zdecydowane kroki.

Henryk **Jabłoński** to człowiek wielce doświadczony, o głębokim poczuciu odpowiedzialności za losy państwa. Poświadcza to jego droga życiowa. Żołnierz w bitwie o Narvik, członek ruchu oporu we Francji, działacz PPS, uczony-historyk, wreszcie przez wiele lat polityk wysokiego szczebla. Był w pełni świadom zagrożeń. Dawał temu niejednokrotnie, w tym publicznie, wyraz. Nie musiałem go przekonywać. Rozumieliśmy się dobrze.

Po trzecie — miałem przyzwolenie, a nawet zalecenie IV plenum KC PZPR na podjęcie odpowiednich decyzji, jeśli zawiodą nadzieje na osiągnięcie porozumienia. W uchwale tego plenum stwierdzono: „W sytuacji istniejącego zagrożenia bytu narodu i bezpieczeństwa państwa Komitet Centralny uważa za niezbędne sięgnięcie przez najwyższe władze PRL, w razie wyższej konieczności, do konstytucyjnych uprawnień w celu obrony najżywotniejszych interesów narodu i państwa". Z kolei w uchwale VI plenum podkreślono, że „nie może być tolerowany żaden czyn wymierzony w podstawy ustrojowe socjalistycznego państwa". Jednocześnie uznano „za konieczne wyposażenie rządu w pełnomocnictwa niezbędne do skutecznego przeciwstawiania się destrukcyjnym akcjom niszczącym kraj"... Konstytucja przyznawała partii kierowniczą rolę w państwie. Otrzymywałem więc tym samym mandat jej najwyższych organów.

Po czwarte — miałem prawo uważać, iż sojusznicze partie polityczne: Zjednoczone Stronnictwo Ludowe i Stronnictwo Demokratyczne, sądzą podobnie. Ich przywódcy, Roman Malinowski i Edward Kowalczyk, pytali mnie wręcz, kiedy zastosujemy nadzwyczajne środki ratowania kraju przed katastrofą. Na plenum NK ZSL, 2 grudnia, Roman Malinowski stwierdził, że Stronnictwo poprze wszelkie działania prowadzące do przeciwstawienia się anarchizacji.

Po piąte — czułem poparcie dla takiej decyzji ze strony autorytatywnych przedstawicieli wielu środowisk opiniotwórczych — naukowych, gospodarczych, zawodowych, wyznaniowych, a przede wszystkim ze strony milionów zwykłych ludzi, którzy z trwogą patrzyli w przyszłość.

Około godziny 14^{00} adiutant zameldował mi, że telefonował gen. Kiszczak. Nacisnąłem przycisk na pulpicie telefonicznym. Rozmawialiśmy krótko. Pytałem o stocznię. Co wynika z posiedzenia KK „Solidarności"? Nic pocieszającego. Z desperacją powiedziałem: „Nie mamy wyjścia, uruchamiaj operację". To był ten najtrudniejszy moment mego życia.

Następnie decyzję tę przekazałem Florianowi Siwickiemu. Henryka Jabłońskiego poinformowałem, iż jeszcze dziś wystąpię z wnioskiem do Rady Państwa. Poprosiłem do siebie dwóch sekretarzy KC PZPR, Kazimierza Barcikowskiego i Stefana Olszowskiego. Poinformowałem Mieczysława F. Rakowskiego. Wicepremierom Januszowi Obodowskiemu i Jerzemu Ozdowskiemu nie powiedziałem wprost, ale dałem do zrozumienia. Spotkałem się też z przewodniczącym NK ZSL Romanem Malinowskim oraz CK SD Edwardem Kowalczykiem. Powiadomiłem więc osoby, które z urzędu i z racji związków koalicyjnych powinny tę decyzję znać, ustosunkować się do niej, podjąć stosowne działania. Wszyscy przyjęli ją z pełnym zrozumieniem i akceptacją. Można powiedzieć, że się jej spodziewali, że na nią czekali. Po południu spotkałem się z delegacją zjazdu spółdzielczości mieszkaniowej. Było to przeżycie nieco surrealistyczne, gdyż w głowie miałem zupełnie co innego. Ale tajemnica musiała być zachowana, od tego zależało tak wiele. Nie chciałem więc zmieniać ustalonego wcześniej kalendarza zajęć.

W tym dniu odbywał się też Kongres Kultury Polskiej. Jego wyłącznie oskarżycielską tonację odczuwaliśmy boleśnie. Podobnie jak burzliwe zebranie Stowarzyszenia Dziennikarzy Polskich 11 grudnia. W tym wielce opiniotwórczym gronie padały słowa groźne. Ludzie skądinąd rozsądni, umiarkowani, wykrzykiwali: „Na pałki milicjantów będą od dziś kije oddziałów prawdziwej milicji robotniczej!"

Mówi się, iż nasze oceny były przesadne, gorączkowe. Nie wybito przecież ani jednej szyby. No cóż, można nie wybić szyby, a podpalić dom. Dalsza podróż ekspresem po zdezelowanych torach była już drogą donikąd... Inne scenariusze niż stan wojenny — były znacznie bardziej „czarne".

Prezydent Mitterrand w rozmowie z Helmutem Schmidtem mówił na ten temat tak: „Widziałem zawsze tylko dwie, a nie trzy możliwości: albo rząd Polski przywróci porządek w kraju, albo uczyni to Związek Radziecki. Trzecią hipotezę, zakładającą, że mogłoby dojść do zwycięstwa «Solidarności» i do rewolucji w Polsce, uważałem zawsze za czystą fikcję; w takim przypadku ruch zostałby zmieciony z powierzchni ziemi przez radzieckie oddziały". Schmidt, który przytacza słowa prezydenta Francji w swoich wspomnieniach („Die Zeit" nr 20-23 z 1987 roku), zajmuje podobne stanowisko; mówi też, że „tylko wariaci ze skrajnej prawicy sądzili, że Zachód powinien lub mógł w jakikolwiek sposób interweniować".

Również Alexander Haig w książce „Caveat: Realism, Reagan and Foreign Policy", wydanej w Nowym Jorku w 1984 roku, stwierdza wprost, że „dla Związku Radzieckiego Polska to *casus belli* — sprawa, dla której byłby gotów podjąć wojnę z sojuszem zachodnim". I dalej: „Sami Polacy nie mogą stać się panami własnego losu, dopóki ZSRR dysponuje przeważającą siłą i temu się sprzeciwia". Mówi też, że ruch reformatorski w Polsce byłby przez Związek Radziecki zdławiony, pozostawała tylko kwestia „kiedy się to stanie i czy bardziej brutalnie, czy mniej". Miałem tego gorzką świadomość. Czułem straszliwy ciężar odpowiedzialności.

Przekazywanie decyzji różnym osobom zabrało trochę czasu. Były to nie tylko rozmowy informujące, ale na przykład z Barcikowskim mówiliśmy, jak działać w partii, a z Olszowskim — jak w propagandzie. Z Rakowskim — o dalszym postępowaniu z „Solidarnością" i Wałęsą...

Po „naciśnięciu guzika" poczułem, że stało się coś nieodwracalnego. Zniknęło rozdarcie, które męczyło mnie tygodniami. Już się stało. Czułem ogromny ciężar, ale straszliwy dylemat zniknął. Zacząłem intensywnie pracować nad tekstem telewizyjnego wystąpienia. Wstępny projekt — na wszelki wypadek — na polecenie gen. Janiszewskiego przygotował Wiesław Górnicki. Dostałem ten projekt — o ile pamiętam — 8 grudnia. Odłożyłem go wówczas do sejfu. Obym nie musiał do niego sięgać.

Niestety, trzeba było sięgnąć. I właśnie dopiero 12 grudnia w godzinach popołudniowych siadłem i zacząłem nad nim pracować. Jestem pedantyczny, więc uwag było sporo. Wezwałem Górnickiego. Dalej już on męczył się nad tekstem.

Znowu krótkie rozmowy z Kiszczakiem, z Siwickim... Meldunki o sytuacji. Przegrupowanie wojsk. Zaostrzenie kontroli ruchu powietrznego. Nic nie powinno nas zaskoczyć. Z Barcikowskim ustaliliśmy, że po decyzji Rady Państwa pojedzie do prymasa.

***Mówi Jerzy Kuberski* *:**

Parę minut po północy zostałem poproszony przez Kazimierza Barcikowskiego, żeby towarzyszyć mu i generałowi Marianowi Rybie, zastępcy szefa Urzędu Rady Ministrów, w misji powiadomienia prymasa Glempa o podjętych decyzjach. Niestety, w jego siedzibie przy ulicy Miodowej brama była zamknięta. Nie mogliśmy się dostać. Odczekaliśmy godzinę, ale druga próba też nie dała rezultatu. Dozorca spał. Słychać było nawet, jak dzwonek gdzieś tam dzwonił, nikt jednak nie reagował. Pojechaliśmy trzeci raz około piątej nad ranem. Pojawił się wreszcie dozorca, który zaczął odśnieżać dziedziniec. Zwróciłem się do niego z prośbą, żeby nas wpuścił, bo mamy ważną wiadomość dla księdza prymasa. Kapelan księdza prymasa wprowadził nas do salki na parterze. Za kilka minut przyszedł ksiądz prymas, wyraźnie niedawno rozbudzony.

Barcikowski przedstawił powody ogłoszenia stanu wojennego. Prymas był bardzo przygnębiony. Powiedział: „No cóż, można się było z tym liczyć, ale myślałem, że jeśli to nastąpi, to po świętach Bożego Narodzenia. Te święta są takie bardzo rodzinne, łagodzące, może wpłynęłyby na zmianę sytuacji". W każdym razie jego pierwsza reakcja mogła świadczyć, iż Kościół liczył się z tego rodzaju decyzją. Wróciłem do biura. Po godzinie 7^{00} przyszedł do mnie biskup Bronisław Dąbrowski, sekretarz Episkopatu. Był bardzo zatroskany. Przeprowadziliśmy rozmowę, w której on akcentował głównie obawę o negatywny rozwój sytuacji. Czy władze dostatecznie wczuwają się w to, żeby nie spowodować jakiegoś lawinowego procesu, aby nie doszło gdzieś do dramatu. Przekazałem mu informacje, które miałem. Umówiliśmy się, że będziemy w stałej łączności. Ponieważ wówczas łączność telefoniczna została przerwana, tylko telefony sieci rządowej były czynne, więc zrodziła się myśl, aby zainstalować księdzu prymasowi taki właśnie telefon. Został na Miodowej do dzisiaj.

Po dwóch godzinach znów zjawił się biskup Dąbrowski z propozycją, aby radio nagrało homilię, jaką wygłosi dziś, to znaczy 13 grudnia, ksiądz prymas w kościele Jezuitów. Kiedy zapytałem, czy także telewizja wchodzi w grę — odpowiedział, że nie, że tylko radio. Przekazałem wiadomość wyżej o tej inicjatywie Kościoła. Zostało to natychmiast przyjęte. Przypomnę, że to było to słynne kazanie, w którym prymas zwrócił się do wszystkich ze słowami: „Nie ma większej wartości nad życie ludzkie. Dlatego sam będę wzywał o rozsądek, nawet za cenę narażenia się na zniewagi, i będę prosił, nawet gdybym miał boso iść i na kolanach błagać: Nie podejmujcie walki, Polak przeciwko Polakowi".

Tyle Kuberski.

A ja — byłem cały czas w kontakcie z Kiszczakiem. On z kolei śledził, co się dzieje w stoczni na posiedzeniu Krajowej Komisji „Solidarności". Około 22^{00} mówi — oni tam jeszcze są, o 23^{00} — są, 23^{30} — są, 24^{00} — są.

Zacząłem się bardzo denerwować. Może dojść do groźnych perturbacji. Na terenie stoczni przebywało wielu robotników. Nie

* Jerzy Kuberski — w 1981 roku profesor, minister-kierownik Urzędu do Spraw Wyznań.

sądziliśmy, iż posiedzenie KK „Solidarności" przeciągnie się do późnych godzin nocnych. Zwykle w soboty tego typu imprezy kończyły się wcześniej. Przeżywałem tę sytuację niezwykle mocno. Pytałem Kiszczaka dosłownie co kilka, kilkanaście minut: wychodzą czy nie wychodzą? Wreszcie około 30 minut po północy — wychodzą. Spadł mi kamień z serca.

Opowiadano mi, że kiedy opuścili stocznię — zebrała się mała grupka, wyraźnie zaniepokojona. „Słuchajcie, jest coś podejrzanego, jakieś ruchy, telefony nie działają". Podobno Kuroń wtedy powiedział: „Czego się boicie? Przecież ta władza ledwo zipie. Chodźcie do mnie na drinka".

Operacja „stan wojenny" brana była pod uwagę od dawna. Przygotowania planistyczne trwały, z różnym nasileniem, przez cały okres rozwijającego się kryzysu. To wcale nie oznacza, że byliśmy nastawieni na takie rozwiązanie. Warto sięgnąć do protokołu z posiedzenia Biura Politycznego KC PZPR z 5 grudnia 1981 roku, opublikowanego w „Polityce" z 7 grudnia 1991. Widać, jak się miotamy, jak się obawiamy tej ostateczności. Znamienne, że ten tak przecież „pikantny" protokół nie stał się przedmiotem zainteresowania prasy, polityków. Przyczyna wydaje się jasna. Jego treść dobitnie zaprzecza od lat forsowanej tezie, iż władza cały czas nie myślała o niczym innym, jak tylko o zniszczeniu „Solidarności".

Pytano mnie wielokrotnie, czy nie żałuję decyzji o wprowadzeniu stanu wojennego. Popełniłem w życiu wiele błędów, ale tej decyzji nie uważam za błąd. Uważam ją za gorzką, bolesną, dramatyczną konieczność. Mimo upływu czasu oceny tej nie zmieniam. Powiedziałbym nawet na odwrót: zyskuję coraz więcej dowodów i potwierdzeń, chociażby z opinii różnych mężów stanu Zachodu i Wschodu, że było to nieuchronne. Natomiast bardzo żałuję, że doszło do sytuacji, do procesu, który do tej decyzji doprowadził.

Czy wszystko, co wiązało się z jej wykonaniem, było prawidłowe? Niestety, nie. Mam wiele krytycznych i samokrytycznych ocen. Wiem, że słowo „przepraszam" to nie jest zbyt dużo. Ale kieruję je ponownie do tych wszystkich, którzy mają prawo mieć żal, czują się skrzywdzeni. Rozumiem ich gorycz i ból. I to jest najcięższym dla mnie brzemieniem, a nie sama decyzja. Jeszcze raz podkreślam — w pewnym momencie stała się nieuchronna.

Rozdział 2

Zostaję premierem

Podjęcie decyzji o wprowadzeniu stanu wojennego to splot i następstwo różnorodnych procesów, zjawisk, wydarzeń. Ich rodowód sięga częstokroć w odległą przeszłość. Z kolei wiele z tego, co działo się później — aż po dzisiejszy dzień — nie byłoby możliwe bez ówczesnych posunięć. Pisząc tę książkę nie chcę więc czuć się nadmiernie skrępowany barierami czasu. Nie chcę też wpaść w pułapkę ahistoryzmu, prezentyzmu, swego rodzaju infantylizacji historii, która tak często występuje w obiegowych ocenach przeszłości. Kiedy czytam różnorodne polityczne — publicystyczne i pamiętnikarskie wypowiedzi, pisane zresztą z różnych pozycji, nie mogę się nadziwić, ile w nich bywa przemądrzalstwa, apodyktycznych sądów. Wszystko wydaje się tak oczywiste, tak jednoznacznie proste. A gdzie błędy i rozterki, wątpliwości i wahania?

Upływ czasu powoduje, że tonie we mgle cała gęstwina ówczesnych realiów, zatraca się poczucie tego, co było, a co nie było wówczas możliwe. Realia to nie tylko „materia" — fakty, okoliczności, uwarunkowania: polityczne, społeczne, ekonomiczne — wewnętrzne i zewnętrzne. Niezwykle ważna jest również owa sfera psychologiczna. Ówczesny stan wiedzy, sposób myślenia, obustronna — podkreślam — obustronna podejrzliwość, częstokroć wrogość i agresywność. Kto wówczas działał, a dziś to neguje, niech „przejrzy się w lustrze".

Dotyczy to również historiograficznego potraktowania tematu. Historyk jest człowiekiem, na którego myślenie i sposób oceny mniejszy lub większy wpływ wywiera wybór ideowy i światopoglądowy, sympatie i antypatie. Wielość postaw i metod badawczych jest dla historiografii ożywcza. Pod warunkiem jednak, że jednej nieprawdy (lub nazwijmy to bardziej elegancko — nieścisłości) nie zastępuje się inną. I że zostają zachowane podstawowe rygory logicznego wnioskowania. Tym, jak wiadomo, historia różni się od baśniopisarstwa.

Jedna z zachodnioniemieckich gazet na początku roku 1981 napisała: „Polska potrzebuje nie tylko towarów, surowców i dewiz. Potrzebuje ona przede wszystkim nadziei, aby ludzie odzyskali ponownie wiarę w sens pracy. Generał jako posłanie nadziei? Ten człowiek potrzebuje nerwów jak stalowe postronki i nieskończonej siły..."

Czy obejmując urząd premiera przewidywałem tak wiele trudności, z którymi musiałem się zmierzyć? Czy liczyłem się z niepowodzeniem? Żaden odpowiedzialny polityk nie może liczyć tylko na sukcesy. Byłoby to naiwne. Trzeba wkalkulować i ryzyko porażek. Nasza ówczesna sytuacja polityczna, społeczna i gospodarcza była tak skomplikowana, że podejmowałem swe nowe obowiązki z poczuciem ogromnego ciężaru.

Długo zastanawiałem się nad przyjęciem funkcji premiera. „Zastanawiałem się" — to zbyt oględnie powiedziane. W pierwszej dekadzie lutego odbyłem wiele rozmów z I sekretarzem KC PZPR Stanisławem Kanią — o czym zresztą pisze on w swej książce. Przyjeżdżał do mnie kilka dni z rzędu na ul. Klonową do gabinetu ministra obrony narodowej. Rozmowy trwały godzinami. Jest on strasznie — jak się u nas mówi — po chłopsku uparty. „Chłop żywemu nie przepuści" — głosiła popularna kiedyś piosenka. I nie przepuścił. Z Kanią znaliśmy się i przyjaźniliśmy od kilkunastu lat. Ceniłem jego ideowość i pragmatyzm. Główna płaszczyzna naszego kontaktu dotyczyła pracy politycznej w wojsku. Ale i w innych sprawach rozumieliśmy się dobrze. Dlatego też gorąco popierałem jego kandydaturę na stanowisko I sekretarza KC PZPR. Wiedziałem, że chce znaleźć konstruktywne rozwiązanie polskich problemów — jak mówił — na drodze „porozumienia i walki", na gruncie szeroko rozumianego sojuszu „sił rozsądku i odpowiedzialności". Ta filozofia mi odpowiadała.

Mimo oporów, wahań i wątpliwości wreszcie zgodziłem się. Tym bardziej że miało to być rozwiązanie tymczasowe. Dlatego zachowałem stanowisko ministra obrony narodowej. Jak ocenialiśmy z Kanią, premier-generał, w którego bezpośredniej dyspozycji znajduje się armia — mieć będzie wymowę i wewnątrz, i na zewnątrz. Ta tymczasowość „premierowania" okazała się, niestety, długotrwała. Niezwykle dla mnie ciężka, znojna, dramatyczna.

Zadano mi kiedyś pytanie, czy żałuję tej decyzji. Istotnie — przyjęcie sugestii Kani uważam za jedną ze swych największych życiowych pomyłek. Sugerowałem kandydaturę Jagielskiego. To przecież ekonomista z dużym doświadczeniem, sygnatariusz porozumień. Z drugiej strony miałem świadomość, że ciąży na nim współodpowiedzialność za stan naszej gospodarki w latach 70. Był wtedy przez dłuższy czas *de facto* I wicepremierem. Kania podkreślał, że obecnie jest pasywny, nie wykazuje dostatecznej energii. Potwierdziło się to, kiedy zostałem premierem. Ze strony Jagielskiego nie uzyskałem wsparcia na miarę jego profesjonalnych możliwości. Być może wpływał na to nie najlepszy stan zdrowia.

Tak więc przeważyły perswazje przyjaciół, a także nadzieja, że uda się przezwyciężyć trudności, wyprowadzić kraj z niebezpiecznego zawirowania. Jednakże ryzyko było wielkie. W czasie dziesięcioleci służby wojskowej uzyskałem trwały dorobek, pozycję, autorytet. Wojsko, którym kierowałem, cieszyło się szacunkiem społeczeństwa. Byłem z nim głęboko związany. Wojsko było, jest i zawsze będzie moją wielką miłością. To moja droga życiowa, mój zawód, moja pasja. Przechodziłem na zupełnie inny obszar, w tak niezwykle trudnym czasie. Wszystko się waliło. Wiedziałem, że czeka mnie morderczy wysiłek. A wynik? Bardzo wątpliwy.

W sejmowym exposé powiedziałem: ,,Obejmując powierzony mi urząd, pragnę zapewnić Wysoki Sejm, że nadal czuję się przede wszystkim żołnierzem i oddam się do dyspozycji w każdej chwili, a zwłaszcza gdy rząd pod moim kierownictwem nie spełni oczekiwań..." To był wyraz moich obaw i rozterek.

Jak oceniałem polską scenę polityczną na przełomie lat 1980-1981? Jestem człowiekiem lewicy. Postrzegam i oceniam historię i rzeczywistość według kryteriów oraz systemów wartości właściwych dla tej formacji ideowo-intelektualnej. Miałem świadomość, że państwo, któremu z przekonaniem służyłem tak długo, weszło u progu lat 80. w fazę krytyczną. Wierzyłem jednak w żywotność i zdolność adaptacyjną systemu socjalistycznego, w jego reformowalność. Okres po sierpniu 1980 roku nie zachwiał moich zapatrywań. Humanistyczne przesłanie idei socjalizmu jest ponadczasową wartością moralną. Ludzie będą zawsze dążyć do jej realizacji w kształcie, który pozwoli uniknąć naszych błędów i porażek.

Liczyłem też, że można będzie się porozumieć z ,,Solidarnością", zwłaszcza — jak wówczas mówiliśmy — z jej robotniczym nurtem. Skala, masowość strajków sierpniowo-wrześniowych, a w ich rezultacie pojawienie się potężnego, niezależnego związku było dla nas, dla władzy, ogromnym szokiem. Mówię o tym otwarcie. Robiliśmy dobrą minę. Przyjęliśmy formułę: słuszny protest klasy robotniczej. Pocieszaliśmy się hasłem: „Socjalizm — tak, wypaczenia — nie". Odrzucając myśl o użyciu siły liczyliśmy jednocześnie, że to się jakoś ułoży. Emocje miną, a związek — chociaż kłopotliwy, chociaż pozostający „na bakier" w stosunku do modelu tradycyjnego — będzie mimo wszystko funkcjonować w naszej socjalistycznej rzeczywistości. Nawet ukułem takie powiedzenie: „Lepiej mieć dziesięć małych konfliktów dziennie niż jeden wielki konflikt raz na dziesięć lat". Tak też tłumaczyliśmy to sojusznikom.

Ówczesne wydarzenia w Polsce wywoływały w nich dezorientację, a równocześnie ostrą, dochodzącą do nas w różnej formie dezaprobatę. Na posiedzeniu Biura Politycznego uznaliśmy więc za celowe spotkanie przedstawicieli kierownictw polskiego i radzieckiego w celu wyjaśnienia sytuacji. Radzieccy propozycji nie przyjęli. Najwyraźniej zależało im na dystansie, na zarezerwowaniu sobie czasu na stosowną reakcję. Upoważniony do rozmowy został ambasador ZSRR — Borys Aristow. Gierek przyjął go w obecności Jagielskiego, Kani, Kowalczyka, Olszowskiego, Pińkowskiego i mojej. Uspokajająca wersja trafiła do Moskwy. Porozumienia gdańskie i szczecińskie zostały podpisane, a my uzyskaliśmy kilka tygodni „luzu", zwłaszcza że „Solidarność" dopiero tworzyła swoją infrastrukturę, jeszcze nie nabrała rozmachu.

Byłem działaczem Polskiej Zjednoczonej Partii Robotniczej — partii, która na swych sztandarach, w politycznych deklaracjach eksponowała, a nawet gloryfikowała rolę klasy robotniczej. I właśnie w tej klasie „Solidarność" uzyskała niezwykle szerokie poparcie. To był wyraźny sygnał — pogłębił się drastycznie rozbrat między doktryną realnego socjalizmu a oczekiwaniami ludzi.

„Solidarność" była politycznym fenomenem. Dyskontując społeczne niezadowolenie bardzo szybko zdobyła mocną pozycję i szerokie wpływy. Znalazło w niej miejsce kilka odmiennych nurtów politycznych. Od skrajnie prawicowych aż po zdecydowanych zwolenników socjalizmu, chociaż rozczarowanych praktyką jego realizacji. Wśród tych ostatnich były setki tysięcy członków PZPR, w tym kilkudziesięciu członków Komitetu Centralnego, a nawet takie osoby, jak Zofia Grzyb czy Alfred Miodowicz, późniejsi członkowie Biura Politycznego.

Miotaliśmy się między zrozumieniem dla dążeń tego ruchu a poczuciem, że stanowi on w strukturach państwa jakieś obce ciało, że rozrastając się może niszczyć jego żywotne tkanki, zagrozić całemu organizmowi. W rezultacie tak się stało. Oto gorzki paradoks: klasa robotnicza zniszczyła struktury zrodzone niegdyś w imię jej dążeń. A inteligencja, która w XIX wieku wniosła do ruchu robotniczego świadomość socjalistyczną — teraz zasila robotników w opozycyjne hasła. W istocie zaś antysocjalistyczni byli nie tylko ci, którzy tę ideę, ten ustrój zwalczali. Ale i ci, którzy mając pełną gębę socjalistycznych frazesów faktycznie ów ustrój obrzydzali ludziom swoją głupotą i arogancją, zachłannością i konserwatyzmem. Wtedy jednak wszystko było bardzo pomieszane, poplątane. Istny chaos idei, dążeń, nastawień o różnorakim pochodzeniu i treści.

Z tego chaosu mogło wyłonić się coś wielkiego — jakieś narodowe spotkanie i porozumienie. Ale mogła też nas dotknąć nieodwracalna tragedia. Tego pierwszego, niestety, nie udało się wówczas osiągnąć. Do tego drugiego na szczęście nie doszło. Ufam, że historia rozliczy sprawiedliwie wszystkie w tej mierze winy i zasługi.

Wszystko wskazywało, że musimy szukać grzechów przede wszystkim u siebie. W swoim myśleniu, w stylu rządzenia. Nie było to łatwe. Ale z kryzysu wyjść nie można bez porozumienia z „Solidarnością". Należało więc — w najlepiej pojętym interesie narodu i państwa — szukać kompromisowego rozwiązania. To myślenie miało jednak charakter bardziej pragmatyczny niż teoretyczny. Nie zamierzam też twierdzić, że prezentowałem w tamtym okresie jakąś „herezję" ideologiczną.

Mówi prof. Janusz Reykowski* :

Co się tyczy idei reform i postaw reformatorskich wewnątrz obozu władzy — w partii — był to ruch szeroki i heterogeniczny. Opierał się na założeniu, że w Polsce konieczne jest dokonanie takich zmian systemu politycznego, które zapewnią społeczeństwu wpływ na proces wyłaniania władzy i zagwarantują wolności polityczne oraz takie przekształcenia w gospodarce, które zniosą pętający jej rozwój system nakazowo-rozdzielczy. Ale sposób podejścia do realizacji tych celów różnił się od podejścia lansowanego przez szeroko rozumianą opozycję.

Przede wszystkim był on oparty na ugruntowanym przekonaniu o geopolitycznych determinantach losu Polski. I to pod wieloma rozmaitymi względami. Tak więc uważano, że państwowy czy imperialny interes ZSRR nie może zostać przez nas naruszony, ponieważ to musi się dla Polski skończyć źle. Ponadto uważano, że położenie Polski w Europie jest dość kruche — tak polityczno-militarne, jak gospodarcze — toteż oparcie o ZSRR jest gwarancją naszego, szeroko rozumianego, bezpieczeństwa, w tym zwłaszcza nienaruszalności granic. Z tego punktu widzenia wielu reformatorów partyjnych patrzyło na działanie opozycji z niepokojem

* Janusz Reykowski — profesor, w 1981 roku kierownik Zakładu Psychologii PAN.

i dezaprobatą — ponieważ niezależnie od deklaracji liderów wydawało się, że jej działalność grozi wypuszczeniem z pudełka diabła nacjonalizmu.

Kwestią drugą był stosunek do istniejącego państwa. Można mu było przypisać wiele nieprawości i dlatego konieczne były gruntowne zmiany, ale nie powinno się go destabilizować, niszczyć jego struktur. Doprowadzenie do osłabienia państwa i podważenia jego podstawowych funkcji musi doprowadzić do morza nieszczęść.

Trzecią kwestią była wizja stanu pożądanego. Otóż wielu reformatorów w PZPR nie uważało, że wolny rynek i demokracja typu zachodniego to prawdziwy ideał dla Polski. Łatwo bowiem może okazać się, że wolny rynek staje się po prostu rynkiem dla bogaczy, a z owoców demokracji korzystają głównie ci, którzy mają pieniądze. Tak więc wielkim dylematem było, jak realizować reformę, aby nie doprowadzić do masowego spauperyzowania polskiego społeczeństwa, i jak wprowadzić ład demokratyczny, aby jego dobrodziejstwa nie stały się luksusem dla niewielu. Tych dylematów zdawała się nie mieć opozycja, głosząc (i zapewne wierząc), że wystarczy obalić komunę, aby wkroczyć na królewską drogę dobrobytu i wolności. Historia sprawiła jej i właściwie większości Polaków srogi zawód.

Ludzie odbierali polityczną i społeczną rzeczywistość tak, jak ją widzieli. Nie przejmowali się zbytnio tym, że gdzieś wewnątrz partii ścierają się różne nurty i postawy.

Powstaje pytanie: czy z kolei ja wiedziałem o społeczeństwie wszystko, co powinien wiedzieć premier? Jako generał i poseł miałem kontakty z różnymi środowiskami. Nie było to jednak przebywanie w gąszczu życia cywilnego. W 1981 roku, kiedy zostałem premierem, częściej spotykałem się ze zwykłymi ludźmi. Otrzymywałem ponadto masę listów. Wpływały też do innych członków rządu. Były uważnie czytane, na najważniejsze staraliśmy się odpowiadać. W tym celował Rakowski, który osobiście, odręcznie odpisywał na wiele z nich. Jeździłem także do zakładów pracy. Ludzie oczekiwali od władzy, że będzie im lżej. Były to wizyty nie zapowiadane, choć mało kto w to wierzył. Ale naprawdę w większości przypadków o trasie i celu wizyty mówiłem dopiero w momencie odjazdu spod gmachu URM. W mikrobusie, bo najczęściej jeździłem na inspekcje takim właśnie samochodem, informowałem towarzyszące mi osoby oraz dziennikarzy, dokąd się udajemy.

Pamiętam dość dobrze choćby wizytę w Zakładach Farmaceutycznych „Polfa" w Tarchominie. A nieco później w warszawskiej dzielnicy Wola. Odwiedziłem tam, między innymi, wielki sklep spożywczy przy ul. Człuchowskiej. Rozmawiałem z setkami ludzi. Ich informacje o trudnościach dnia codziennego, o złym zaopatrzeniu, były dla mnie najboleśniejsze. Zostałem też *ad hoc* zaproszony do akademickiego osiedla na Jelonkach. Młoda kobieta z dzieckiem na ręku uskarżała się na brak środków czystości. Wchodziłem do skromnych mieszkań, widziałem bezmiar codziennych bolączek. Rozwiązanie tego wszystkiego jawiło się jak „kwadratura koła". Przypomina mi się — znany polskim telewidzom — film angielski pod takim właśnie tytułem. Przedstawiał w sposób groteskowy organizowanie tego rodzaju wizytacji. Według realizatora filmu, przed moją wizytą do sklepu przywożono kontenery pełne mięsa i wędlin, które po jej zakończeniu natychmiast zabierano. Było to ośmieszające, ale w owych czasach zupełnie nieprawdziwe. Nikt wówczas nie myślał o poprawieniu samopoczucia władzy. Na odwrót — starano się wykazać, jak jest ciężko i źle.

Z takich spotkań wracałem mocno przygnębiony. Najbardziej męczyła mnie świadomość, że szybko tego zmienić się nie da. Co więcej, że walka polityczna przenoszona na grunt gospodarki może doprowadzić do ostatecznej zapaści.

W tym miejscu uwaga. Jedną z głównych cech naszego systemu była swoista omnipotencja władzy, państwa. Pomijam, iż w praktyce nie była ona w pełni możliwa. W okresach kryzysowych tym bardziej stawała się iluzoryczna. Najgorsze jednak, iż osłabiała poczucie obywatelskiej odpowiedzialności. Obiektywnie tworzyła mechanizm roszczeniowy, postawy antykreatywne. Z tego psychologicznego schematu wychodzi się z trudem.

Dla ilustracji obrazek z życia. Odwiedzając jedną z wsi, bodajże województwa płockiego, zaszedłem do miejscowego sklepu spółdzielni „Samopomoc Chłopska". Zebrało się wielu rolników. Kierowane do mnie pretensje dotyczyły głównie niskiej jakości sprzedawanego chleba. Osłaniał mnie dzielnie sekretarz KC, Zbigniew Michałek. Świetny fachowiec, a jednocześnie człowiek niezwykle komunikatywny, dowcipny. Niewiele to jednak pomogło. Wreszcie zapytałem: „Gdzie jest wypiekany ten chleb?" Odpowiedziano: „W piekarni naszej spółdzielni". „A kto jest jej członkiem?" Podniósł się las rąk. Wszystko stało się jasne.

Moja nominacja na urząd premiera została przyjęta pozytywnie. Otrzymałem bardzo dużo listów, telegramów, gratulacji. Wiele było serdecznych, wręcz wzruszających. Dodawały otuchy. Słowa poparcia przyszły także z różnych ogniw „Solidarności". Jacek Kuroń w książce „Gwiezdny czas" pisze, że i w jego otoczeniu przyjęto ten wybór z aprobatą i nadzieją. Karol Modzelewski, ówczesny rzecznik prasowy „Solidarności", w wywiadzie dla „Życia Warszawy" z 16 lutego stwierdził, że: „Skład personalny i zasady polityki rządowej sformułowane w exposé premiera Jaruzelskiego stwarzają realną szansę odwrócenia niebezpiecznego biegu wydarzeń". Wystąpił jednocześnie z sugestią zaniechania akcji strajkowych. Dawało to przesłanki do ostrożnego optymizmu.

Ostateczną decyzję w sprawie objęcia funkcji premiera podjąłem uwzględniając szerszy kontekst personalny. Chodziło o dwie osoby. Funkcję I wicepremiera — koordynatora gospodarki — miał pełnić Mieczysław Jagielski. Druga kandydatura na wicepremiera wywołała wiele kontrowersji. Mieczysław Rakowski nie cieszył się w aparacie partii, zwłaszcza w Komitecie Centralnym, zaufaniem i sympatią. Tygodnik „Polityka" był często atakowany. Nie tylko zresztą w Polsce. Również część kadry oficerskiej, z powodu niektórych publikacji o wojsku, miała do niego sporo pretensji — niekiedy i ja je podzielałem. Z czasem przewartościowałem swoje poglądy. Rakowskiego ceniłem jako zdecydowanego zwolennika odnowy, reform. Jego głośny artykuł „Szanować partnera" był upomnieniem się o poważny dialog polityczny. Liczyłem, że uda mu się znaleźć wspólny język z „Solidarnością", że przygotuje grunt do porozumienia. Dlatego też powierzyłem mu przewodnictwo Komitetu Rady Ministrów do Spraw Współpracy ze Związkami Zawodowymi. W jego gestii znalazły się również sprawy z dziedziny „nadbudowy", co było precedensowym uszczupleniem wszechwładzy partii.

Rząd miał charakter koalicyjny. W jego składzie znaleźli się wicepremierzy — Roman Malinowski z ZSL i Edward Kowalczyk z SD; wicepremierem był także znany działacz katolicki Jerzy Ozdowski.

Roman **Malinowski**. Barwna, sympatyczna postać. Człowiek dobrej woli. Doceniał nadrzędny interes państwa, próbował nawet pozować na Witosa. Dbał o rolnictwo oraz pozycję swego stronnictwa. Rozumieliśmy się dobrze. Dynamiczny, typ: „szybki Bill". Potok słów trudny do zahamowania. Kiedy został marszałkiem Sejmu, żartobliwie nazywano go „feldmarszałkiem" — marszałkiem polnym. Pasjonowała go polityka zagraniczna, dawał temu wyraz często w pretensjonalnej, egzaltowanej wręcz formie. Ale też w dużej mierze jego zasługą było zorganizowanie i przeprowadzenie w 1988 roku w Warszawie w Sejmie PRL prestiżowego spotkania przewodniczących parlamentów państw europejskich, Stanów Zjednoczonych i Kanady. To zresztą jeden z licznych przykładów, że „komunistyczny reżim" w drugiej połowie lat 80. nie był na cenzurowanym, że Polska Rzeczpospolita Ludowa uważana była za poważnego, odpowiedzialnego partnera.

Edward **Kowalczyk**. Sumienny, energiczny, wręcz impulsywny. Dbał o interesy rzemiosła, o drobną wytwórczość. Entuzjasta informatyki. Jako były minister łączności żył wciąż jej sprawami. Miał alergię na kosmopolityzm, masonerię. Czuło się pewne inspiracje ze strony docenta Kosseckiego, jednego z przyszłych „ideologów" partii „X". Pasjonował się chyba psychosocjologią, posługiwał się często stwierdzeniami w rodzaju: „przeciwnicy odwołują się do krótkiej świadomości", „społeczeństwo wprowadzone jest w stan zawężonej świadomości" itp.

Jerzy **Ozdowski**. Ekonomista z poznańskiej szkoły Taylora. Zajmował się w rządzie obszarem polityki społecznej. Żywił niespełnione aspiracje jednoczenia i patronowania ruchom katolicko-społecznym. Chodząca uprzejmość. Przejmował się wyraźnie swą rolą.

W sumie Malinowski, Kowalczyk, Ozdowski, a później mój kolega z gimnazjum księży marianów — mądry, solidny, serdeczny człowiek — Zenon **Komender** — to nie byli wicepremierzy malowani. Samodzielnie i kompetentnie kierowali powierzonymi im odcinkami. Koalicyjność, chociaż realizowana w ramach doktryny o kierowniczej roli partii, była wówczas szersza i głębsza niż kiedykolwiek przedtem. To prawda, że była ograniczona. Ale tak można mówić tylko z dzisiejszej perspektywy. ZSL było wtedy siłą liczącą około pół miliona członków. SD było mniej liczne, lecz stanowiło jedyną autonomiczną reprezentację tzw. inicjatywy prywatnej, zwłaszcza rzemieślników, a także niektórych środowisk inteligenckich. Miałem świadomość, że trzeba uwolnić te stronnictwa od piętna „satelictwa". Z dnia na dzień nie daje się tego zmienić. Ale od czegoś trzeba zacząć. To był odpowiedni moment, aby te funkcjonujące w cieniu PZPR ruchy dowartościować, podnieść do rangi autentycznego partnera.

Lata służby wojskowej ukształtowały we mnie nawyk rozpoznawania sytuacji przed podjęciem każdego zadania. Również dążenie do perfekcjonizmu. Tego samego wymagałem od innych. W pewnych sytuacjach była to zaleta, a w innych wada. Kolejne zawodowe obciążenie — w wojsku rozkaz musiał być wykonany. Kiedy zostałem premierem, liczyłem więc, że tak samo będzie z każdą decyzją, z każdym zarządzeniem. Niestety, wiele poleceń zawisło w próżni. Musiałem więc, pod naciskiem wydarzeń, przestawić sposób myślenia i reagowania. W ówczesnej, szybko zmieniającej się sytuacji, efekty były niepełne.

A czas był gorący. Administracja państwowa wszystkich szczebli poddana została huraganowym atakom. Były one w większości przejawem sprawiedliwego niezadowolenia ludzi. Ale nierzadko też sięgano do metod i argumentów „poniżej pasa". W rezultacie totalny atak wywoływał totalną obronę. Jedno i drugie było niedobre.

Zarzucano mi, że na stanowiskach rządowych zbyt często dokonywałem zmian. Rzeczywiście. Jeśli ktoś nie potrafił uzyskać wyraźnych wyników, pospiesznie poszukiwałem innego człowieka, innego rozwiązania. Było to — jak sądzę — w niektórych przypadkach krzywdzące. Nie dawałem zbyt wiele czasu na sprawdzenie się. Takie jednak były realia i wymogi chwili. W jednym z przemówień powiedziałem: czujemy się jak ten, któremu przywiązano kamień do nogi, wołając przy tym: „Szybciej!" A on w ogóle iść nie może. Nawet najlepsi ludzie nie potrafili w tej sytuacji wykazać wszystkich swoich walorów.

W rządzie byli profesorowie, byli doświadczeni menadżerowie, było kilku wojskowych. Zwłaszcza ich nominacje budziły wątpliwości. Nikt z nas nie jest bez wad, ale uważam, iż generałowie Hupałowski, Janiszewski, Kiszczak, Piotrowski, a w późniejszym okresie Oliwa, nie byli złymi ministrami. To samo mogę powiedzieć o większości wojskowych wojewodów. Krytykom warto również przypomnieć, iż we władzach II Rzeczypospolitej kilku premierów, wielu ministrów, wojewodów i starostów też wywodziło się z wojska. Zresztą w latach 80. było to zjawisko przejściowe, stopniowo ograniczane.

Systemowe bariery, nie mówiąc już o zbrodniach i wypaczeniach pierwszej połowy lat 50., uczyniły niemało szkód, zabarykadowały możliwości awansu wielu wartościowym ludziom. Otworzyły jednocześnie furtkę dla różnej maści słabeuszy, biurokratów, karierowiczów. Biurokracja jest zjawiskiem znacznie starszym niż socjalizm. Parkinson widział w niej słusznie zjawisko ponadczasowe i ponadustrojowe. W warunkach naszej scentralizowanej władzy biurokracja pogłębiała podział na „my" i „oni", uwypuklała różne nonsensy. W tym miejscu przytoczę zabawny, a może raczej smutny fakt. Otóż pokazano mi kiedyś, przechowywaną w Ministerstwie Rolnictwa, instrukcję dojenia krów. Jeden z punktów brzmiał: „Przed rozpoczęciem dojenia trzeba przywiązać ogon krowy do jej nogi".

Fidel Castro powiedział kiedyś: „Idiota na stanowisku jest gorszy niż dziesięć tysięcy kontrrewolucjonistów". Dodam za Leninem, choć jego cytowanie nie jest już w modzie: „Jeżeli będziecie wymagali tylko samego posłuszeństwa, zgromadzicie dokoła siebie samych durniów". Państwa demokratyczne są pod tym względem znacznie zdrowsze. Ale i one nie działają idealnie, też nie są wolne od partyjnej stronniczości i fuszerki. Wystarczy spojrzeć i na obecną polską rzeczywistość.

W tym przeglądzie nie mogę pominąć wojska. Było głęboko związane z życiem narodu. Przeżywało mocno wszystkie niepokoje i troski tego okresu. Moja nominacja na premiera była traktowana jako wyróżnienie sił zbrojnych. W Sejmie, w exposé zacytowałem treść przesłania, z jakim zwróciłem się do żołnierzy, wskazując, że: „W zaufaniu, którym zostałem obdarzony, mieści się cząstka trudu każdego z nich, potwierdza społeczny autorytet, dobre imię wojska". Wojsko ze swej natury jest płaszczyzną patriotycznej, cywilizacyjnej i kulturowej integracji społeczeństwa — w jego ramach spotykają się różne środowiska społeczne i grupy zawodowe. Skupiają się w nim, jak w soczewce, różne problemy kraju. Tradycyjnie obdarzane jest sympatią Polaków. Ale wówczas — jak sądzę — dobra opinia o wojsku uzyskiwała dodatkowe uzasadnienie. W latach 70., w ramach reformy administracyjnej kraju, w większości nowo powstałych województw budowano okazałe gmachy komitetów wojewódzkich partii. Niektórzy wojewodowie i komendanci wojewódzcy MO też zadbali o „przestrzeń życiową". Natomiast wojsko było oszczędne, nie ulegało tej inwestycyjnej hossie. Dla nowo powstałych wojewódzkich sztabów wojskowych nie zbudowano żadnych obiektów. W tych latach, w odróżnieniu od wielu innych instytucji, nie powstały też żadne obiekty wypoczynkowe dla kierownictwa MON.

Pozytywny wizerunek społeczny sił zbrojnych sprawił, że objęcie przez ministra obrony narodowej funkcji premiera przyjęto jako zapowiedź, iż to, co w życiu wojskowym budziło uznanie, będzie przenoszone do innych sfer funkcjonowania aparatu władzy.

Mówi gen. Florian Siwicki* :

W latach 1980-1981 armia nie była „pod kloszem". Wojsko, a zwłaszcza kadra, jej rodziny razem z całym społeczeństwem przeżywały troski, wstrząsy i dylematy tamtych lat. Reformy, poszukiwanie zmian nie było obce wojskowym. Na odprawach, spotkaniach żołnierskich oraz zebraniach partyjnych krytykowano słabości występujące również w życiu wojska. Między innymi zwracano uwagę na

---

* Florian Siwicki — gen. broni, w 1981 roku wiceminister obrony narodowej i szef Sztabu Generalnego WP.

przejawy biurokratyzmu. W niektórych ogniwach sił zbrojnych, głównie w instytucjach centralnych, postulowano ograniczenie pozycji służbowej oficerów politycznych. Bardzo charakterystyczne było to, że odmiennie niż w środowiskach cywilnych oceniano formy demokracji występujące w wojsku. Część kadry uważała, że jest u nas nawet zbyt wiele różnych ciał społecznych, takich jak rady, komisje, zespoły itp. Wypowiedzi nosiły przeważnie konstruktywny charakter. Z nielicznymi skrajnie radykalnymi czy też demagogicznymi podejmowano polemikę. Znaczną część postulatów, a były ich setki, ujmowaliśmy w planach perspektywicznych, wiele w miarę możliwości wprowadzaliśmy na bieżąco w życie.

W miarę upływu czasu odnotowywaliśmy nasilenie oddziaływania ówczesnej opozycji na wojsko. Żołnierzy służby zasadniczej zarzucano różnymi odezwami, ulotkami, apelami. Na Pomorzu Zachodnim, na Dolnym Śląsku, a zwłaszcza w woj. jeleniogórskim akcje te przybrały znaczące rozmiary. Bardzo boleśnie odbierano rozpowszechniane opinie o rzekomo wysokim uposażeniu kadry, o „księżycowych" przywilejach, a także żądanie zmniejszenia budżetu sił zbrojnych. A przecież wydatki na wojsko, jak dobrze pamiętam, w latach 1975-1980 oscylowały w granicach 2,9-3,1% dochodu narodowego brutto oraz w granicach 6,9-7,0% budżetu państwa, przy tym z tendencją malejącą. Byliśmy bardzo wyczuleni na gospodarowanie państwowym groszem. Każdą pozycję wydatków analizowano przy udziale ekspertów i praktyków. Rozwinięta była tzw. gospodarka przykoszarowa oraz budownictwo własne. Ponadto we wszystkich ogniwach wojska funkcjonował system oszczędnego i racjonalnego gospodarowania. Systematycznie podsumowywano efekty gospodarcze. Działania te przynosiły korzyści materialne. Mimo to opozycja próbowała wmawiać społeczeństwu, że zmniejszenie budżetu wojska niemalże uratuje gospodarkę kraju.

Nastroje wśród kadry falowały. Z pewnymi obawami, ale w sumie ze zrozumieniem przyjęła porozumienia sierpniowe. Początkowo przejawiała duże zainteresowanie działalnością nowych związków zawodowych. W miarę upływu czasu i eskalacji działań „Solidarności" nastroje się zmieniały. Rósł niepokój kadry o byt własny i rodzin. Szczególnie w drugiej połowie 1981 roku, w różnych garnizonach miały miejsce bulwersujące fakty. Publicznie, najczęściej w miejskich środkach lokomocji, obrzucano żołnierzy zawodowych wyzwiskami i obelgami. Niekiedy nawet prowokowano do wszczęcia awantury. Rodziny, żony oficerów usuwano z kolejek po zakupy artykułów pierwszej potrzeby. Dochodziły także meldunki o przypadkach izolowania i obrażania dzieci kadry w szkole, a rodzin kadry w miejscach pracy. W niektórych garnizonach, m.in. w Koszalinie i Chełmie, miały miejsce próby przejęcia przez „Solidarność" mieszkalnych bloków wojskowych. W ostatnich miesiącach 1981 r. odnotowano dość liczne fakty znakowania mieszkań kadry. Możliwe, że były to wybryki nieodpowiedzialnych ludzi, ale wymowa tych zjawisk była jednoznaczna.

Polacy mieli w historii wiele okazji, aby szanować swe wojsko i upatrywać w nim ostatnią deskę ratunku, kiedy już wszystko inne zawodziło. Niestety, nie wszyscy tak wówczas myśleli.

Rozdział 3

Trochę optymizmu

Kilka dni po objęciu funkcji premiera zwołałem posiedzenie Zespołu MON, a następnie Rady Wojskowej MON. Kadra wojskowa nie ukrywała swojego niepokoju. Mówiono: „W terenie widać ostrzej". Obawiano się, że Warszawa nie dostrzega wszystkich zagrożeń. Nie były to jednak opinie awanturnicze. Liczono, że proces porozumienia będzie postępował, a konflikty stopniowo wygasną. Z wojskowym premierem wiązano nadzieje na zwiększenie skuteczności administracji. Wówczas nie oznaczało to, że do rozgrywki politycznej wkracza nowy czynnik. Wojsko nie było samodzielną siłą polityczną. Spełniało wolę władz, przede wszystkim partii — zgodnie z konstytucją i ustrojową praktyką stanowiła ona podstawową konstrukcję państwa.

Spotkanie z przedstawicielami sił zbrojnych, serdeczność i poparcie, które odczuwałem, umocniły nadzieję na pomyślne spełnienie powierzonych mi zadań. A ponadto: chociaż w lutym nadal było sporo strajków, różnych lokalnych większych lub mniejszych napięć, to ich fala nie narastała. W gospodarce było źle, ale nie był to jeszcze rozkład, chaos. Sytuacja ekonomiczna wyznaczała jednak granice, poza którymi realizacja postulatów społecznych stawała się iluzją.

Niestety, trwał strajk studentów. Negocjatorem ze strony rządu był minister nauki, szkolnictwa wyższego i techniki, prof. Janusz Górski, wcześniej wieloletni rektor Uniwersytetu Łódzkiego. I właśnie w swej macierzystej uczelni podjął rozmowy. Ich atmosfera, tonacja spowodowały, że człowiek ten, doświadczony przecież w kontaktach z młodzieżą, dosłownie gasł w oczach. Załamany i pełen goryczy, zrezygnował ze stanowiska. Trudno powiedzieć, jak zaciążyły nad nim te przeżycia — faktem jest jednak, że przedwcześnie zmarł.

Uznałem za konieczne podjęcie takich decyzji, które wykażą, iż generał-premier naprawdę pragnie porozumienia, dialogu, kompromisu. Przede wszystkim trzeba było doprowadzić do zakończenia tych akcji protestacyjnych, które wówczas najbardziej bulwersowały opinię publiczną. A więc: strajk studentów w Łodzi; ogólnopolski protest rolników w Ustrzykach i w Rzeszowie. Następnie strajk powszechny w województwie jeleniogórskim, spowodowany rozbieżnością stanowisk na temat przeznaczenia nowego sanatorium MSW w Cieplicach. Wreszcie konflikt między dyrekcją szpitala MSW w Łodzi a organizacją zakładową „Solidarności" wywołany zwolnieniem ze szpitala kilku pracowników cywilnych. Dwa pierwsze konflikty rozwiązaliśmy na drodze znacznych ustępstw. W pozostałych zarysował się też postęp.

Ostrożnemu optymizmowi sprzyjał moderujący głos Kościoła. 12 lutego Rada Główna Episkopatu Polski opublikowała oświadczenie podpisane przez prymasa — kardynała Stefana Wyszyńskiego oraz kardynała Franciszka Macharskiego: „Napięcia można rozwiązywać tylko na drodze uczciwego i ciągłego dialogu między władzą a obywatelami, zorganizowanymi w grupy społeczne i zawodowe". Bardzo na czasie były również słowa papieża wypowiedziane jeszcze 11 lutego na audiencji ogólnej w Watykanie: „Chodzi o to, aby sprawy dojrzewały do właściwego kształtu, żeby dojrzewały w spokoju, żeby również wśród napięć, które rozwojowi tych spraw towarzyszą, zachować umiar i poczucie odpowiedzialności za to wielkie wspólne dobro, jakim jest nasza Ojczyzna".

Wezwania i ostrzeżenia w podobnym duchu ogłaszały także liczne organizacje polityczne i społeczne. Oświadczenie Prezydium CK SD z 11 lutego mówiło: „Nadużywanie ostatecznego środka, jakim są strajki, to posuwanie się drogą gospodarczego i społecznego samobójstwa". Do zdrowego rozsądku apelowało też ZSL. Pamiętam wiele innych apeli, m. in. uchwałę Rady Głównej NOT.

To był dobry znak. Ale tuż przed 12 lutego, niemal w przededniu przyjęcia przeze mnie funkcji premiera, nadeszła z Waszyngtonu niepomyślna wiadomość. Rzecznik Departamentu Stanu, William Dyess, na konferencji prasowej oświadczył, że „administracja prezydenta Reagana podjęła decyzję o nieudzielaniu Polsce w najbliższym czasie pomocy ekonomicznej". Rzecznik stwierdził również, że „to, co jest Polsce potrzebne, to wewnętrzna reforma gospodarcza". Jego zdaniem jest ona „bardziej potrzebna niż pomoc ekonomiczna lub nowe pożyczki dopisywane do pokaźnych polskich zadłużeń". Natomiast mówiąc o sprawach wewnętrznych powiedział, jak pisał Reuter, że „jeżeli władze polskie użyją własnych sił dla zapewnienia ładu w imię polskiego prawa, będziemy to uważali za sprawę całkowicie polską".

Skomentować to oświadczenie można krótko — z niestabilnym partnerem nikt nie chce poważnie rozmawiać. Można bić brawa, zachwycać się pluralizmem politycznym, związkowym, ale nie można liczyć na poważne zaangażowanie. Tak było wczoraj, tak jest dzisiaj. I tak zawsze będzie.

Nigdy nie miałem złudzeń co do bezinteresownej miłości zagranicy do Polski i Polaków. Ale wolta dokonana przez niektóre kraje Zachodu była czymś zdumiewającym. Jeszcze „w epoce późnego Gierka" sławiono polską dalekowzroczność, samodzielność, ba! — niektóre francuskie gazety wręcz rozpisywały się o „nowym cudzie nad Wisłą". Po sierpniu ton prasy zachodniej zmienił się błyskawicznie. Nagle staliśmy się krajem trwoniącym cudze pieniądze, nieodpowiedzialnym, szkaradnie niedemokratycznym.

13 lutego spotkałem się z dziennikarzami. Na odbycie konferencji prasowej namówił mnie Rakowski. Celem było poinformowanie społeczeństwa o intencjach i zamierzeniach rządu. Chciałem pracować przy „otwartej kurtynie" — jak zaczęliśmy wtedy mówić. A to w dużej mierze zależało od dziennikarzy radiowych, telewizyjnych, prasowych. Przepływ wzajemnej informacji między władzą i społeczeństwem był niezadowalający. Chciałem szybko zmienić ten stan rzeczy. Reagowałem na sygnały prasowe. Od dużych konferencji z dziennikarzami wolałem jednak bardziej kameralne spotkania, w tym również te, które czasem organizował Urban.

Jerzy **Urban**. Ciężko narażę się wielu czytelnikom. Ale ja po prostu go lubię. Nawet ci, którzy Urbana nie cierpią, muszą przyznać, iż bez niego polska scena polityczno-publicystyczna byłaby uboższa, nudniejsza. Poznałem go osobiście w połowie 1981 roku. Wygląd niezbyt imponujący. Sposób bycia spokojny, nawet flegmatyczny. Taki „ścichapęk". Rzecznikiem rządu został z poręki Rakowskiego. Przystałem na to chętnie. Naprawdę „podnieść kurtynę", zainteresować, a nawet zaintrygować pracą rządu mógł tylko ktoś niekonwencjonalny, nie uwikłany w minionym okresie we współpracę z władzą. Urban w latach 60. i 70. kilkakrotnie znalazł się na cenzurowanym. Miał nawet zakaz publikowania. Był więc w innej sytuacji niż wielu dzisiejszych „bohaterów", którzy wówczas owijali się jak „bluszcz wokół tronu władzy".

Żelazne nerwy. Piekielna inteligencja. Sardoniczne poczucie humoru. Hedonistyczne podejście do życia. Autoironia posunięta aż do ekshibicjonizmu. Przeraźliwie chłodny pragmatyk. Prawie wszyscy uważają go za cynika. Ja do końca nie wiem, czy czasami nie jest to po prostu przekora albo poza, swego rodzaju „garda", spoza której wyprowadza polemiczne lub prowokujące ciosy. Bo przecież jednocześnie koleżeński, uczynny, w bezpośrednim, kameralnym kontakcie po pickwickowsku towarzyski i refleksyjny. Wbrew pozorom, zawsze bliska mu była orientacja reformatorska. Miał wiele śmiałych pomysłów oraz inicjatyw. Niestety, nie wszystkie udało się stosownie wykorzystać. Przypisywanie Urbanowi całej odpowiedzialności za ostrość jego retoryki jest nadużyciem. Po pierwsze — opierał się na dostarczanych mu informacjach i materiałach, które, jak dziś wiadomo, nie zawsze były — mówiąc delikatnie — wiarygodne. Po drugie — nie strzelał do pustej bramki. Opozycja 1981 roku — przez mikrofony Wolnej Europy oraz innych zachodnich rozgłośni, przy pomocy własnej prasy, biuletynów, ulotek, plakatów, radiowęzłów — nie głaskała władzy po głowie. Miały w tym swój udział i niektóre ambony, że przypomnę cytowane przez Urbana powiedzenie księdza Małkowskiego, iż władza „to pijana dziwka na czerwonym smoku". To wszystko nie mogło nie rzutować na tonację wypowiedzi rzecznika. Jednym słowem, Urban to postać, do namalowania portretu której potrzeba wielu barw i niewątpliwie lepszego, bardziej wnikliwego „malarza" niż ja.

Informacyjnej kurtyny nie udało się w pełni odsłonić. Odległość społeczeństwa od sceny politycznej była ciągle zbyt duża. Ludzi władzy paraliżowała obawa przed nieopatrznym słowem. Tych zahamowań nie mieli działacze „Solidarności", dzięki czemu łatwiej zdobywali punkty. Z „otwartej kurtyny" coś jednak zostało. Publikowano szczegółowe relacje prasowe z posiedzeń rządu, w tym rozliczanie z realizacji podjętych zobowiązań lub decyzji. Przygotowano wydawanie dziennika „Rzeczpospolita", uruchomiono telewizyjny „Monitor Rządowy". Kipiał aktywnością rzecznik prasowy. Wreszcie wiele różnego rodzaju spotkań ze społeczeństwem odbywali przedstawiciele rządu, w tym z udziałem telewizji. Najbardziej aktywni i najbardziej komunikatywni w mass mediach byli Rakowski, Obodowski, Baka, Krasiński. Była to nowa jakość w kontaktach ze społeczeństwem.

Wkrótce po objęciu funkcji premiera złożyłem wizytę w Polskiej Akademii Nauk, jej prezesowi prof. Aleksandrowi Gieysztorowi.

Doradzano mi, aby go zaprosić. Zdecydowałem inaczej. Pojechałem do profesora, do Pałacu Kultury i Nauki. Chciałem w ten sposób podkreślić szacunek dla polskich uczonych.

W spotkaniu uczestniczyli też profesorowie: Janusz Górski, Zdzisław Kaczmarek, Jan Karol Kostrzewski, Leonard Sosnowski. Nie była to tylko kurtuazyjna rozmowa. Zastanawialiśmy się wspólnie nad sposobami przezwyciężania konfliktów, niedopuszczania do sytuacji, w jakich mogą one powstawać. Profesor miał świadomość trudności realizacji tej prakseologicznej zasady w polskich warunkach wewnętrznych i zewnętrznych.

Liczyłem na moderujący wpływ oraz aktywny udział naukowców w pokonywaniu kryzysu, na doradztwo i ekspertyzy. Amatorszczyzna i woluntaryzm w rządzeniu przynoszą opłakane skutki. Wiele pozytywnych doświadczeń wyniesionych z MON skłaniało mnie do zacieśnienia współpracy z polską nauką, z jej wybitnymi, uznanymi w kraju i na świecie przedstawicielami. Wir bieżących wydarzeń zamiary te poważnie zredukował. I chociaż w następnych miesiącach miałem liczne kontakty z ludźmi nauki — to coraz częściej służyły one „gaszeniu pożarów'' niż spokojnej, przemyślanej budowie.

Rozdział 4

Nasza scheda

Czy można jednoznacznie ocenić lata 70.? Rzeczy dobre przeplatały się ze złymi. Pod koniec złe zdecydowanie przeważały. Trzeba więcej czasu, aby w pełni obiektywnie ocenić tak długi okres, jak dziesięciolecie — gdy fakty będzie można ujrzeć w szerszej perspektywie, porównać z późniejszymi doświadczeniami narodu i losami ludzi.

Jedno jest niewątpliwe. Gospodarka wchłonęła duży zastrzyk nowych technologii. 9 milionów osób wprowadziło się do nowych, tanich mieszkań. Wzbogacona została infrastruktura komunikacyjna. Rozwiązano kilka ważnych problemów socjalnych, jak chociażby zrównanie czasu urlopów pracowników fizycznych i umysłowych, a także zapewnienie rolnikom indywidualnym bezpłatnej opieki zdrowotnej. Dekada lat 70. zakończyła się jednak gospodarczym kryzysem oraz potężnym wybuchem społecznym.

Nie stanę w szeregu tych „czyściochów", którzy rzekomo nic nie widzieli, nic nie słyszeli, a olśnienia doznali już po wszystkim. Kto był w Biurze Politycznym, w rządzie, w innych, przy tym nie tylko centralnych organach władzy, dostrzegał, w różnym stopniu, narastanie sytuacji kryzysowej. W różny też sposób na nią reagował. Trzeba jednak pamiętać, że większość decyzji gospodarczych przygotowywano w węższych kręgach. Jako minister obrony narodowej byłem członkiem Biura Politycznego niejako z urzędu, „z klucza". Taka była ówczesna praktyka i u nas, i w większości krajów socjalistycznych. Miałem jednak prawo uważać, że I sekretarz, premier, wicepremierzy, ministrowie, zapraszani eksperci, ekonomiści — znają się dobrze na gospodarce, można im ufać.

Jak wyglądało omawianie tych spraw w kierowniczych gremiach? Argumentacja była zazwyczaj podobna: na inwestycje mamy kredyty, a realizujemy je na zasadzie samospłaty. Znane jest „skrzydlate" powiedzenie Szydlaka: „Niech martwią się nie ci, którzy biorą kredyty, ale ci, co je dają". Gierek publicznie powiedział, że nie zdarzyło się jeszcze, aby jakieś państwo zlicytowano za długi. Brylował też na światowych salonach, a jego osobiste stosunki z politykami Zachodu miały stanowić najlepsze gwarancje. Z ust licznie wizytujących Polskę mężów stanu płynęły pochwały i zachęty do rozszerzania współpracy.

Oczywiście, nie można zrzucić wszystkiego na Gierka i Jaroszewicza oraz na ich najbliższe otoczenie. Na zaciąganie kredytów naciskały także przeróżne lobbies — branżowe, regionalne, naukowe, technokratyczne, środowiskowe. Dziś ci różni kredytowi i inwestycyjni adwokaci nabrali wody w usta. Trudno się zresztą dziwić. Niejednemu zepsułoby to świetlany wizerunek odwiecznego bojownika przeciwko komunie. Tym bardziej że ówczesne ekspertyzy na ogół nie były sporządzane w czynie społecznym, a nieraz za sowite honoraria.

Brano więc kredyty chętnie, często lekkomyślnie. Ale również chętnie je dawano. Niekiedy, jak w przypadku „linii kredytowej Giscarda'', sięgającej 7 miliardów franków — nawet nie wymagając udokumentowanej listy przedsięwzięć inwestycyjnych. Najgorsze jednak, że niektóre cykle wykonawcze przeciągnęły się o kilka, a nawet kilkanaście lat. Nie osiągnięto więc przewidywanych samospłat. Można raczej mówić o samozadławieniu.

U schyłku lat 70. byliśmy obciążeni wysokim zadłużeniem. Warto przypomnieć jego naturę. Była bardzo osobliwa. W latach 1971-1980 Polska zaciągnęła kredyty wysokości ok. 39 mld dolarów, natomiast spłaty rat kapitałowych i odsetek wyniosły ok. 25 mld dolarów. Pod koniec lat 70. głównym przeznaczeniem nowych kredytów była spłata starych. Tak np. w 1980 roku zaciągnięto 8,7 mld dolarów kredytu, z czego na spłatę poszło 8,1 mld. Mimo to na koniec 1980 roku zadłużenie wyniosło 24,1 mld. Gospodarka polska znalazła się w tzw. pułapce zadłużenia.

Zupełnie inaczej przedstawiała się sytuacja w latach 1981-1988. Wielkość zaciągniętych kredytów wyniosła w owym czasie 8,6 mld dolarów, natomiast spłata rat i odsetek — 19,4 mld. A więc w latach stanu wojennego oraz następnych spłaty były większe od zaciąganych kredytów o 11 mld dolarów. Mimo to dług nasz wzrósł do ok. 39 mld dolarów.

Z czego to wynikało? Garb zadłużenia był wynikiem po pierwsze: drakońskich procentów od kapitału i odsetek sięgających okresowo nawet 18-20%. Po drugie: w tym samym czasie nastąpiła znaczna dewaluacja dolara w stosunku do innych zachodnich walut, która per saldo zwiększyła nasz dług. Wreszcie po trzecie: zastosowane wobec Polski restrykcje gospodarcze ograniczały możliwości opłacalnego eksportu naszych towarów. Sprzedawaliśmy więc je często po zaniżonych cenach, co z kolei pomniejszało zdolność do terminowej spłaty odsetek od kapitału. Na tym polega cała tajemnica. Nie trzeba więc na siłę tworzyć mitów.

Nad całą dekadą lat 70. jak groźne memento ciążyły sztucznie utrzymywane niskie ceny. Oznaczało to z biegiem lat coraz większe dotacje do produkcji wielu artykułów, głównie spożywczych. Przypomnę, że iskrą, która wywołała wybuch w grudniu 1970 roku, była podwyżka cen żywności o ok. 14%. Decyzja o jej cofnięciu podjęta została w lutym 1971 roku w obliczu kolejnych strajków, które ogarnęły głównie Łódź.

Zapewniło to na kilka lat spokój. Prowadziło jednak do ekonomicznego absurdu, do coraz większej nierównowagi rynkowej. Kolejna próba — w 1976 roku — zakończyła się także niepowodzeniem. Trzeba ocenić krytycznie metody podejmowania tych decyzji. Nie można jednak zapominać o skutkach. Utrzymywała się nienormalna struktura cen. Bez rozwiązania tego problemu — żadna racjonalizacja, a tym bardziej reforma gospodarki nie mogła się powieść. A bez racjonalizacji, bez reform, trwały spokój społeczny był nieosiągalny.

Krótki, choć boleśnie prawdziwy kurs ekonomiki przyniosła — u schyłku 1980 roku — społeczna i sejmowa dyskusja nad planem i budżetem na rok 1981. Ujawniła surową prawdę. Za diagnozą nie poszła jednak skuteczna terapia. Dlaczego? Otóż na wcześniejsze trudności i zaniedbania nałożyły się nowe perturbacje. Wezwania „do roboty" po porozumieniach sierpniowo-wrześniowych, zaczęły, niestety, przekształcać się w praktykę „odchodzenia od roboty".

12 lutego, obejmując urząd premiera, przedstawiłem w Sejmie ocenę sytuacji gospodarczej. Konsultowałem ją z fachowcami, zwłaszcza z Władysławem Baką i Manfredem Gorywodą.

Sprawy gospodarcze nie były mi jednak całkowicie obce. Potencjał obronny jest w ogromnej mierze funkcją siły ekonomicznej państwa. Wojsko działało wielostronnie na rzecz gospodarki narodowej. Ale też dla jego potrzeb pracowało wielu cywilnych specjalistów. Poza tym armia to także konsument — odbiorca sprzętu, paliw, surowców oraz odzieży, lekarstw, środków higieny itd.

Cele i zamierzenia rządu sformułowałem w dziesięciopunktowym programie. Jako pierwszoplanowe określiłem zadania o charakterze socjalnym. W dalszej kolejności odniosłem się do najważniejszych problemów gospodarczych. Było to zgodne z ówczesną zasadą ustrojową. Sprawiedliwość społeczna, tak zwane spożycie zbiorowe, zagwarantowanie pracy. Żywność, leki, mieszkania, dobra kulturalne, osłona ludzi starych, niedołężnych, weteranów walki i pracy. Tkwiłem w tej filozofii głęboko. Mam świadomość jej ekonomicznej ułomności. Nie mogę jednak zgodzić się z całkowitym wyrzucaniem jej na śmietnik. Tym bardziej, kiedy robią to ludzie, którzy w 1980 i 1981 roku żądali wciąż od władzy: daj, daj, daj!

Przecież umowy społeczne z Gdańska, Szczecina i Jastrzębia, a następnie 628 umów branżowych i branżowo-terytorialnych zawierały tyle socjalnych życzeń, że w sumie mogłyby zadusić znacznie bardziej efektywną gospodarkę niż nasza. Uczciwie uprzedzałem w lutym 1981 roku, że nie stać nas na zbyt wiele. Nie możemy łudzić obietnicami niemożliwymi do spełnienia. Rząd mógł dzielić tylko tyle, ile faktycznie miał. Mówiono i pisano o tym otwarcie. Tej gorzkiej prawdy nie przyjmowano jednak do wiadomości. Nie przyjmowano jej także i później. Jest ona do dziś aktualna.

Apelowałem też „o trzy pracowite miesiące — 90 spokojnych dni" — aby rząd mógł dokonać remanentu „pozytywów" i „negatywów", uporządkować elementarne sprawy, podjąć najpilniejsze tematy socjalne, przygotować program stabilizacji gospodarki oraz gruntownej, dalekosiężnej reformy gospodarczej. Szef Urzędu Rady Ministrów gen. Janiszewski zainstalował w sali posiedzeń rządu coś w rodzaju makiety — „kalendarza-zegara", który wskazywał, ile pozostało jeszcze z owych „spokojnych dni".

Chciałem, aby społeczeństwo wiedziało, że rząd nie zamierza wycofać się z linii przyjętej w sierpniu-wrześniu 1980 roku. Na odwrót — zamierza tę linię konsekwentnie realizować w warunkach spokoju społecznego, powstrzymania dewastacji gospodarki i rozkładu państwa.

Powiedziałem więc, że ręka władzy pozostaje niezmiennie, szczerze i życzliwie wyciągnięta na spotkanie wszystkim ludziom dobrej woli. Ostrzegałem jednak: „Dwie władze w jednym państwie zmieścić się nie mogą. Jeśli proces destrukcyjny będzie toczył się dalej — to grozi nam nie tylko ruina gospodarcza, ale w końcu — co najstraszliwsze — konflikt bratobójczy. Takich słów nie wypowiada się łatwo. Mam świadomość ich wagi i goryczy".

W sumie jednak w tym exposé — gdy odczytuję je dziś — dominowała oferta, szansa, nadzieja.

***Mówi prof. Władysław Baka* *:**

Wieczorem 30 stycznia 1981 roku otrzymałem telefon z adiutantury generała Jaruzelskiego, aby przybyć na spotkanie do siedziby MON w niedzielę, 1 lutego o godzinie 10^{00}. Ponieważ wcześniej nie miałem sposobności poznać Generała, było to dla mnie trochę zaskakujące. Zacząłem zastanawiać się, jakie mogą być przyczyny zaproszenia. Intuicja podpowiedziała mi, że zapewne wiąże się to z krążącymi pogłoskami, iż Generałowi powierzona będzie misja utworzenia rządu. Nowy premier musi podjąć problemy reformy gospodarczej. Stały się one bowiem pierwszoplanowe w życiu kraju.

Idea kompleksowej reformy gospodarczej, na nie znaną w przeszłości skalę, została uwierzytelniona porozumieniami sierpniowymi; o jej realizacji stanowił jeden z 21 punktów Porozumień Gdańskich. We wrześniu 1980 roku Biuro Polityczne i rząd utworzyły Komisję do Spraw Reformy. Przyjęto zasadę, że przewodniczącym komisji będzie premier. Chodziło o to, ażeby zapewnić wysoką rangę i egzekutywność działalności komisji oraz uniknąć dualizmu w kierowaniu gospodarką.

Mnie powierzono funkcję sekretarza Komisji do Spraw Reformy, czyli całą pracę organizacyjną, przygotowanie koncepcji, dokumentów, projektów itp. Zaprosiliśmy do udziału w pracach komisji przedstawicieli wszystkich liczących się środowisk społeczno-zawodowych, partii politycznych, związków zawodowych i naukowców. Wszystkie instytucje i organizacje odpowiedziały pozytywnie. Również „Solidarność". Z tym że zastrzegła sobie, ażeby jej przedstawiciele mieli status obserwatorów. Zostali nimi Ryszard Bugaj i Waldemar Kuczyński.

W komisji było ponadto liczne grono działaczy „Solidarności" i to prominentnych, delegowanych przez różne instytucje i organizacje, takie jak Polskie Towarzystwo Ekonomiczne, Uniwersytet Warszawski, Towarzystwo Naukowe Organizacji i Kierownictwa itd.

Komisja odbyła wiele spotkań. 17 grudnia 1980 roku przyjęła tezy dotyczące reformy gospodarczej, które 10 stycznia zostały opublikowane w formie podstawowych założeń reformy. Był to dokument jak na owe czasy niezwykły. Zapowiadał reformę zakrojoną bardzo śmiało — zarówno co do przekształceń w systemie funkcjonowania gospodarki i samodzielności przedsiębiorstwa na rynku, jak i nowego podejścia do różnych sektorów. Deklarował równość prawną i równość w dostępie do środków ze strony wszystkich sektorów: państwowego, spółdzielczego, prywatnego. Bardzo ważną rolę w tej koncepcji miała odegrać samorządność pracownicza.

Ten nowy model mógł powstać tylko w klimacie consensusu społecznego i dużej presji na zmiany modelowe. Podważał w istocie dotychczasowe struktury i zmieniał mechanizmy funkcjonowania władzy w relacji ze społeczeństwem.

W niedzielę — przekonałem się później, iż niedziela była często dniem pracy Generała — 1 lutego o godzinie 10^{00} zameldowałem się w siedzibie MON przy ulicy Klonowej. Generał był w cywilu, co ułatwiało kontakt, bo eliminowało barierę mundurową. Już po pierwszych słowach stwierdziłem, że moje wyobrażenia o nim były mylne. Sądziłem, że jest sztywny, oficjalny i przeraźliwie poważny. Tymczasem sposób, w jaki mnie przyjął i rozpoczął rozmowę, serdeczność, otwartość

* Władysław Baka — profesor ekonomii, w 1981 roku minister-członek Rady Ministrów, pełnomocnik rządu do spraw reformy gospodarczej.

— wszystko to od razu przełamało pierwsze lody. Podczas blisko trzygodzinnej rozmowy wyjaśniliśmy sobie, o co chodzi. Generał, mając na uwadze, że sprawą absolutnie pierwszoplanową jest gospodarka, zaczął od rozmowy ze mną. Mimo, że nie zabierał głosu, kiedy na posiedzeniach Biura Politycznego referowałem sprawy komisji, wsłuchiwał się uważnie w to, co mówiłem; czytał również przygotowywane przeze mnie dokumenty. Stwierdził, że odpowiada to jego poglądom na problemy gospodarcze. Dlatego chciałby swój program oprzeć na ideach wyrastających z reformy.

Punkt po punkcie omówiliśmy różne sprawy. Generał skonkretyzował, że jeżeli gotów byłbym podjąć się ścisłej współpracy z nim, to chciałby rozpocząć ją od zaraz. Pierwszym krokiem byłoby przygotowanie koncepcji części gospodarczej exposé, które ma wygłosić w Sejmie. Miałem na to trzy dni. Na zakończenie dodałem, że nie jest wykluczone, iż w toku dalszych dyskusji może dojść między nami do rozbieżności. Zawsze byłem lojalny w stosunku do swojego otoczenia, do przełożonych i nie mam zamiaru odstępować od tej zasady, ale muszę być lojalny również wobec siebie.

Wyszedłem od Generała z zadaniem bardzo odpowiedzialnym, ale także z ufnością, że wysiłki reformowania gospodarki zyskały mocnego sojusznika i szanse na to, aby je przeprowadzić, stały się większe niż kiedykolwiek. W ten sposób rozpoczęła się nasza bliska, dziesięcioletnia współpraca.

Podobnie jak prof. Baka wierzyłem, że zasadnicza reforma gospodarki stanie się jednym z najważniejszych czynników przezwyciężania kryzysu, szansą rozwoju kraju.

I chociaż w jej realizacji wystąpiły różne zahamowania, poważne mielizny i słabości, jednak jest faktem, że po głębokim, w latach 1981-1982 około 20% załamaniu dochodu narodowego, gospodarka, poczynając od drugiej połowy 1982 roku, zaczęła odzyskiwać siły. W 1988 roku dochód narodowy był już wyższy o ok. 8% od dochodu narodowego z 1980 roku. Nie byłoby to możliwe bez reformy gospodarczej.

Rozdział 5

W zaklętym kręgu

22 lutego razem z Kanią pojechałem do Moskwy na XXVI Zjazd KPZR. Opis tej wizyty wymaga pewnej retrospekcji, cofnięcia się w czasie. Kiedy w bólach konstruowano plan gospodarczy na rok 1981, Stanisław Kania otrzymał 11 listopada 1980 roku list od Leonida Breżniewa. Sekretarz generalny KC pisał: ,,Biuro Polityczne KPZR z dużą wnikliwością rozpatrzyło problem okazania pomocy finansowej i ekonomicznej Polskiej Rzeczypospolitej Ludowej. Biorąc pod uwagę nasze możliwości podjęto decyzję udzielenia Polsce kredytu na sumę 190 mln dolarów na zakup zboża i artykułów żywnościowych, a także dodatkowej pomocy finansowej w wysokości 150 mln dolarów. Zgadzamy się z tym, żeby odłożyć na dwa lata płatności na sumę 280 mln dolarów, przypadające na pierwszy kwartał 1981 roku za wcześniej udzielone przez Związek Radziecki kredyty w walucie wymienialnej..."

W dalszej części listu Breżniew zapowiadał odłożenie na pięć lat płatności za kredyty rublowe, wynikające ze zmiany cen w drugiej połowie lat 70., sięgające 350-400 mln rubli. Oprócz tego przyrzekł zwiększenie dostaw bawełny, artykułów chemicznych, maszyn rolniczych, niektórych artykułów żywnościowych i powszechnego użytku na łączną sumę 150 mln rubli transferowych. Miały to być również dostawy na kredyt.

Breżniew nie poprzestał na tym. Obiecał, po rozmowach z Husakiem, Honeckerem, Kadarem i Żiwkowem, zmniejszyć dostawy ropy naftowej do ich państw. Ropę tę miano sprzedać na rynkach wolnodewizowych, a uzyskane w ten sposób dolary przeznaczyć na sfinansowanie części polskich zakupów w krajach zachodnich. ,,W zasadzie przyjaciele wyrazili na to swoją zgodę" — pisał Breżniew i w zakończeniu listu życzył nam ,,wszelkich sukcesów w tym trudnym dla bratniej Polski okresie".

To była dobra wiadomość, spadła jak z nieba. Ucieszyliśmy się. Takiego wsparcia nie udziela się przecież bankrutom. Nie jest więc zupełnie źle. Sojusznicy są zaniepokojeni, ale uważają, że panujemy nad biegiem wydarzeń. Nie trwało to jednak długo. Na przełomie listopada-grudnia doszło do gwałtownego zaostrzenia. Kulminacyjny punkt to 5 grudnia — o czym później.

Staram się dziś, z perspektywy ponad dziesięciu lat, a więc z pewnym dystansem, odtworzyć naturę i przyczyny powstałej wówczas sytuacji. Złożył się na nią kompleks czynników wewnętrznych i zewnętrznych.

Pierwsze — to narastające w Polsce konflikty. Ich szczególne zaostrzenie nastąpiło około 20 listopada w związku z tzw. sprawą Narożniaka. Skala protestu, jaką wywołała, była sygnałem, że „Solidarność" staje się wielką siłą, mobilną i krnąbrną wobec władzy. Ustępstwo w tej sprawie, bo nie był to przecież kompromis — sąsiedzi przyjęli źle. Uznali, że nie panujemy nad sytuacją, cofamy się, kapitulujemy.

Ale była i druga — w długofalowym wymiarze nawet ważniejsza przyczyna zaostrzenia kursu wobec Polski. Wówczas nie uświadamialiśmy sobie tego tak wyraźnie. Otóż Wschód i Zachód weszły w nową fazę konfrontacji. 4 listopada Ronald Reagan wygrał wybory prezydenckie. W trzynaście dni później prezydent-elekt zapowiedział zwiększenie wydatków wojskowych. Cel — przeciwstawienie się „agresywnej polityce radzieckiej". Reagan dążył do umocnienia pierwszorzędnej pozycji Waszyngtonu, nadwerężonej w czasie prezydentury Jimmy Cartera. Miało to też związek z konfliktem irańsko-amerykańskim. W jego szczególnie gorącym momencie Związek Radziecki stutysięczną armią wkroczył do Afganistanu. W Stanach Zjednoczonych przyjęto to jako zamach na interesy amerykańskie w newralgicznym punkcie strategicznym.

17 listopada w Brukseli obradowała Grupa Planowania Nuklearnego NATO. Jej członkami są ministrowie obrony państw sojuszu. Obrady zakończyły się podjęciem dwóch ważkich decyzji: o corocznym zwiększaniu budżetów wojskowych o 3% i przyjęciu strategii „odstraszania nuklearnego". Zakładała ona, że w przypadku konfliktu państwa NATO jako pierwsze będą mogły użyć broni jądrowej. W tym samym dniu w Genewie zakończyła się fiaskiem pierwsza runda radziecko-amerykańskich rokowań poświęconych redukcji zbrojeń eurostrategicznych. W podobnym impasie znalazły się wiedeńskie rokowania przedstawicieli państw NATO i Układu Warszawskiego w sprawie redukcji broni konwencjonalnych w Europie.

Powiało chłodem zimnej wojny.

Polska — jak to już nieraz w okresach międzynarodowych napięć bywało — stała się znów swego rodzaju poligonem politycznej konfrontacji mocarstw. Stany Zjednoczone i Związek Radziecki — oczywiście, w różny sposób i z różnymi wynikającymi stąd reakcjami — widziały w nas słabnące, „rozwichrzone" ogniwo socjalistycznej wspólnoty. Ze strony sojuszników odczuliśmy to wówczas bardzo wyraźnie. Zagęściły się i zaostrzyły krytyczne wobec sytuacji w Polsce sygnały i wypowiedzi.

Na 1 grudnia zaproszony został do Moskwy przedstawiciel Sztabu Generalnego WP. Pojechał gen. Tadeusz Hupałowski — I z-ca szefa sztabu. Przyjął go szef sztabu sił zbrojnych ZSRR — marszałek Nikołaj Ogarkow. Obecni byli również przedstawiciele sztabów generalnych z Czechosłowacji i NRD. Ogarkow nie ukrywał zaniepokojenia sytuacją w Polsce. Mówił, że od informacji o wydarzeniach w naszym kraju zaczynają i kończą każdy dzień. „To nasza nastolnaja kniga" — książka leżąca stale na naszych biurkach.

Powołując się na kierownictwo radzieckie oraz kierownictwa innych krajów socjalistycznych — poinformował gen. Hupałowskiego, że planowane jest ćwiczenie, a właściwie przegrupowanie i rozmieszczenie wojsk państw Układu Warszawskiego na terenie polskich poligonów położonych w pobliżu dużych aglomeracji.

Zezwolono gen. Hupałowskiemu skopiować plan ćwiczenia z mapy na oleat. Spotkanie trwało około dwóch godzin. Hupałowski próbował wyjaśniać, kwestionować — bez skutku. Tego samego dnia wrócił do Warszawy.

Poinformowałem Kanię. Co z oleatu wynikało? Do Polski ze wschodu, zachodu i południa miałyby wejść wojska Układu Warszawskiego. Tylko w pierwszym rzucie byłoby to 18 dywizji, w tym 15 radzieckich, 2 czechosłowackie i 1 NRD-owska. To ostatnie, poza wszystkim, wydało się nam szczególną głupotą i skandalem. W tym samym czasie doszły informacje o ruchach wojsk w pobliżu naszych granic.

3 grudnia kolejny sygnał. Naczelny Dowódca Zjednoczonych Sił Zbrojnych marszałek Kulikow zwrócił się o wyrażenie zgody na ustalenie terminu planistycznej gotowości do ćwiczeń „Sojuz-80" — na 8 grudnia 1980. Wcześniej Kania został powiadomiony, że 5 grudnia odbędzie się narada kierownictw państw Układu. Nie musieliśmy więc odpowiadać Kulikowowi. Nastawiliśmy się na rozmowę w Moskwie.

Przed wyjazdem uczuliłem kierowniczą kadrę wojska na spokój, porządek i dyscyplinę w armii. Przez cały ten groźny czas naszym głównym argumentem było: gdy zajdzie potrzeba, sami własnymi siłami damy sobie radę.

Wylecieliśmy do Moskwy 4 grudnia. Nasza delegacja: I sekretarz KC PZPR Stanisław Kania, premier Józef Pińkowski, sekretarze KC Kazimierz Barcikowski i Stefan Olszowski oraz ministrowie Józef Czyrek, Mirosław Milewski, Wojciech Jaruzelski.

Kania, mając świadomość zagrożenia, kilkakrotnie zabiegał o wcześniejsze spotkanie z Breżniewem, ale nic z tego nie wyszło.

Nie muszę mówić, w jakim nastroju weszliśmy na salę obrad. Znałem atmosferę tego typu spotkań, zwłaszcza posiedzeń Doradczego Komitetu Politycznego Państw-Stron Układu Warszawskiego. Zawsze przed rozpoczęciem trochę luzu — powitania, uściski, pogwarki. Tym razem było chłodno.

Co się działo dalej? Sporządziłem dokładne notatki. Udostępniłem je Kani, kiedy pisał swą książkę.

Naradę otworzył Breżniew. Mówił krótko, twardo. Ocenił sytuację międzynarodową jako niedobrą. Narastają napięcia. W tych warunkach to, co dzieje się w Polsce, staje się szczególnie groźne. Obowiązkiem wszystkich reprezentowanych tutaj państw jest zajęcie stanowiska. To sprawa wspólna.

Potem Kania. Mówił spokojnie, rzeczowo. Przyznał, że sytuacja jest bardzo trudna. Mamy poczucie internacjonalistycznej odpowiedzialności. Nasze problemy musimy rozwiązać sami i jest to wciąż jeszcze realne. To najgłębszy kryzys w naszej historii. Mimo pozorów nie ma podobieństwa do kryzysu w innych krajach. Jego osobliwością jest to, że objął nie tylko klasę robotniczą, ale również środowiska inteligenckie, młodzież. W tej sytuacji część partii reaguje tak, jak jej baza — klasa robotnicza. Przeciwnik stara się nadać temu politycznie negatywny kierunek. Działalność zagranicy, Zachodu: emigracja, Radio Wolna Europa, wsparcie materialno-finansowe. Po 1976 roku głównie z kręgów rewizjonistycznych wyłonił się KOR, a z nacjonalistycznych KPN. Ich cele są jawnie kontrrewolucyjne. Aresztowaliśmy czołowych działaczy KPN, co zawęziło jej możliwości. Wkrótce dalsze aresztowania tej grupy. Przygotowujemy polityczne warunki do podobnych działań w stosunku do KOR. Polityczne rozwiązanie konfliktu strajkowego w sierpniu-wrześniu bieżącego roku było słuszne. Alternatywa — to krwawe wydarzenia, obciążające realny socjalizm. Nie mieliśmy jednak złudzeń, że powstały warunki dla wykorzystania organizacji związkowej przez opozycję. Od tego czasu trwa więc ostra walka polityczna. Sytuacja jest zróżnicowana. Najtrudniejsza na Wybrzeżu i w Warszawie. Lepsza na Śląsku, w Krakowie, Poznaniu, Bydgoszczy.

Już wkrótce ta polityczna topografia okazała się w znacznym stopniu nieaktualna.

Dalej Kania: „Istotnie, to nie socjalizm winien, a jego wypaczenia. Dlatego robimy wszystko, żeby przywracać jego ideowe, moralne normy. Ale nastrój rozliczeniowy będzie trwał długo i cofał nas. Przeciwnik próbuje to wykorzystać, kompromitować całą kadrę. Stopniowo, powoli odbudowujemy siły partii. Jest znaczny odpływ członków, ale i przyjęcia — w I półroczu 26 tysięcy. Związki branżowe utrzymały się, mają około 5 mln członków. Strajki umocniły «Solidarność», dały jej masowe poparcie zwłaszcza młodych robotników. Ostatnie konflikty i akcje strajkowe nabierają charakteru wyłącznie politycznego. Stają za nimi siły kontrrewolucyjne.

Został powołany sztab na czele z premierem Pińkowskim, który przygotowuje działania nadzwyczajne. Mobilizujemy aktyw partyjny. Do końca grudnia grupy zaufanych członków partii liczyć będą około 30 tysięcy osób. Jeśli trzeba będzie, to otrzymają broń. Przygotowujemy zjazd, chociaż bez pośpiechu. Wymieniamy kadry. Sprawy gospodarcze stanowią kulę u nogi. Destrukcja rynku — zaczynamy racjonować mięso. Uzależnienie ekonomiczne od Zachodu, zadłużenie. Prosimy o pomoc sojuszników. Materialną i intelektualną, m.in. aby doradzili, jak wykorzystać posiadane moce produkcyjne. Wysoka ocena wojska i bezpieczeństwa. Poprawa społecznego odbioru działalności Sejmu, który obecnie pracuje bardziej spektakularnie, żywo i krytycznie. Osłabia to naciski opozycji na przyspieszone wybory parlamentarne. Słowem, to okres bardzo trudny. Będziemy robili wszystko, aby odbudować nasze pozycje. Oczywiście, rozwój sytuacji może nas skłonić do działań nie tylko politycznych. Wówczas odwagi nam nie zabraknie".

Następnie wypowiedzieli się przewodniczący pozostałych delegacji. Tonacja bardzo charakterystyczna — towarzysząca nam w różnym wydaniu przez cały 1981 rok.

A więc Żiwkow: „Polska nie jest i nie pozostanie samotna. Wpływ tego spotkania, poparcie dla zdrowych sił w partii, ostrzeżenie dla wroga. Polska jest drugim co do wielkości krajem socjalistycznym. Wywiera to wpływ na sytuację w Europie, na stosunek sił. Skutki tego mogą być bardzo poważne. Przeciwnik chce zamienić Polskę w inkubator idei przeciwko socjalizmowi. Eurokomuniści pragną, aby wszystkie kraje socjalistyczne przeszły przez takie wydarzenia. Jugosławia zaś uważa, że to jest potwierdzenie ich drogi".

Przy okazji dygresja. Każdorazowo kiedy spotykałem się z Bułgarami czy Jugosłowianami, zawsze jedni na drugich „psy wieszali". Zwłaszcza z powodu Macedonii. Ponadto u Jugosłowian stale pojawiał się wątek, że Bułgaria w czasie II wojny światowej była sojusznikiem Hitlera, jednym z okupantów Jugosławii.

Wracam do wypowiedzi Żiwkowa. „Do czego mogą doprowadzić kompromisy? — pytał. — Konieczna jest zdecydowana postawa partii i rządu. Trzeba zastosować odpowiednie środki. W Polsce cofanie odbywa się pod antysocjalistycznym naporem bez kontrofensywy ze strony partii. Zachód liczy, że w Polsce można będzie obalić socjalizm, wyjść z Układu Warszawskiego, zmienić mapę Europy. To jest ich zamiar strategiczny. Możliwości polskie są już prawie wyczerpane. Siły kontrrewolucji umacniają się. Siły socjalizmu słabną. W «Solidarności» — miliony członków partii. Czy reprezentują «Solidarność», czy reprezentują partię? Trzeba działać zdecydowanie, wykorzystując możliwości wojska, bezpieczeństwa. Jeśli miałby nastąpić rozkład państwa i dyktatury proletariatu, to pozostanie tylko internacjonalistyczna pomoc".

Kolejnym mówcą był Kadar. „To spotkanie umocni siły socjalizmu w Polsce. Będzie ostrzeżeniem dla wrogów. Obszary napięcia rozszerzyły się. Bliski Wschód, Środkowa Azja, zbrojenia NATO, wreszcie Polska. A więc Europa — Układ Warszawski. Przemyślna polityka wroga wewnętrznego. Kryje się pod hasłami uznawania kierowniczej roli partii, respektowania socjalizmu. W rzeczywistości partia i socjalizm atakowane są ze wszystkich stron.

Proces korozji — destabilizowanie partii i aparatu państwowego. Od lipca PZPR tylko się cofa. Sprawa polska bardzo niepokoi. Reakcja węgierskiego społeczeństwa: Polacy nie chcą pracować, a my musimy harować. Kompromis nic nie da. Nie słowa, a pryncypialne działanie musi określić linię polityczną. Trzeba egzekwować konstytucyjny ład i porządek. Umacniać władzę państwową. Zapewnić właściwe działanie środków masowego przekazu. Aresztujecie i zwalniacie. Powiedzcie, że władza nie będzie strzelać, ale obronę porządku zapewni przy użyciu wszystkich środków. Centralną sprawą są racje Układu Warszawskiego. Kryzys jest polski, ale jesteście integralną częścią naszej wspólnoty, Europy, polityki międzynarodowej, pokoju. Gdy sprawy przekroczą pewne granice — wiadomo, jakie mogą być skutki. Takie myślenie podtrzymują również zdrowe siły międzynarodowe. Nawet nie postępowe, ale takie, które nie chcą konfliktu w Europie. Najważniejsze to wyraźna, zdecydowana platforma polityczna".

Potem, przy różnych okazjach Kadar tłumaczył, że trzeba na jednej stroniczce napisać sensowny program, który by porwał społeczeństwo. Stale do tego wracał. Najwyraźniej też chciał się dostroić do tonacji innych krytycznych mówców. Być może dlatego, że na Węgrzech jego gwiazda już przygasała, program ograniczonych reform został wyczerpany, a bardziej śmiałych zmian się obawiano.

Następny był Honecker: „Poczuwamy się do odpowiedzialności przed swymi narodami. W Polsce powstało zagrożenie socjalizmu. Trzeba je zlikwidować. Kania zapewniał, że nie cofnie się ani o krok. A rejestracja «Solidarności» i ustępstwa w sprawie Narożniaka to przecież ciężki cios. Porozumienie z Gdańska, Szczecina jest kapitulacją, błędem. To sukces wroga. «Solidarność» szantażuje strajkami. KOR działa metodycznie. Walczy o władzę. Atakuje ZSRR. Pokazać, co socjalizm przyniósł Polsce. Chronić autorytet partii. Było kiedyś hasło: rewolucja bez bolszewików. Wykazać, że bez partii nie można zbudować socjalizmu. Ustępstwa to kapitulacja. Odnowa tylko jako rozwój leninizmu. Oprócz przedsięwzięć politycznych konieczne są takie, które pozwolą umocnić władzę państwową, rozgromić kontrrewolucję. Kontrrewolucja bowiem może być wprowadzona i w sposób pokojowy. A więc trzeba stosować metody przymusu. Dubczek też przekonywał, że to nie kontrrewolucja, a odnowa socjalizmu. PZPR ma dość zdrowych sił, które zgodnie z wyraźną koncepcją potrafią rozwiązać problemy. Imperializm chce przenieść sprawę polską na teren NRD. Zachęca do naśladowania. Gotowi jesteśmy pomóc w walce z kontrrewolucją".

Następnie Ceausescu. Tu trzeba wspomnieć, że kiedy w 1968 roku ważyły się losy Czechosłowacji, Ceausescu nie uczestniczył w spotkaniu w Bratysławie. Jego obecność w Moskwie mogła więc być dla nas znakiem uspokajającym. „Wyrażamy zatroskanie — mówił — kierując się internacjonalistyczną solidarnością z narodem polskim. Rozwój socjalizmu w Polsce leży w interesie, polityki pokoju i odprężenia. Kryzys wynikł z trudności ekonomicznych, ale również moralnych, z niedostatku kierowniczej roli partii, braku więzi z masami. Siły antysocjalistyczne próbują dyskredytować niektórych działaczy, aby obciążyć całą partię. W Polsce jest sektor socjalistyczny, ale również prywatny, z elementami kapitalistycznymi. Siły antysocjalistyczne i kontrrewolucyjne zawsze będą wykorzystywać dla swych celów błędy i trudności. Trzeba wykazać zdecydowanie i postawić im tamę. Nie wolno ustępować szantażowi. Nie uda się tego rozwiązać tylko działaniami politycznymi. Bezpieczeństwo i wojsko. Uciec się do tych środków trudno bez poparcia klasy robotniczej. I dopiero razem z nią trzeba wystąpić przeciwko kontrrewolucji. Dziwimy się — kontynuował Ceausescu — że mogła powstać «Solidarność». Ale gdy stało się to rzeczywistością, trzeba budować jedność klasy robotniczej na bazie socjalizmu. Rekomendować robotników na różne stanowiska kierownicze. Trudności można przezwyciężyć tylko z pomocą aktywu robotniczego.

Rola Polski w życiu międzynarodowym, jej znaczenie dla pokoju, odprężenia. Kto występuje przeciwko interesom narodu polskiego — tego trzeba pociągnąć do odpowiedzialności. Polscy towarzysze, waszym internacjonalistycznym obowiązkiem jest zapewnienie zwycięstwa socjalizmu. Interwencja z zewnątrz byłaby niekorzystna dla odprężenia. Trzeba więc pomóc, aby polscy towarzysze sami rozwiązali problemy. Potrzebne będzie wkrótce nowe spotkanie na tym szczeblu dla omówienia koordynacji".

Następnym mówcą był Husak: „Jesteśmy wspólnotą ideowo-polityczną, wojskową, gospodarczą. Wspólna odpowiedzialność za pokój w Europie i świecie. Mamy z Polską najdłuższą granicę. Zagrożenie socjalizmu w Polsce — zagrożeniem wspólnych interesów. W Czechosłowacji w 1968 roku też było śmiertelne zagrożenie, groźba wojny domowej. Są różnice, ale wspólne jest to, że siły kontrrewolucyjne chcą wyrwać Polskę z obozu socjalistycznego. Komunistyczna Partia Czechosłowacji wypuściła z rąk inicjatywę i tak jak w Polsce pod hasłem naprawiania błędów nastąpiło dyskredytowanie całej partii. Imperializm odczytał, że otwiera się przed nim możliwość destabilizacji socjalizmu.

Czechosłowacja też była przykładem «odradzania», «odnowy». Nawet papież za to wznosił modły. Chcą przenieść wydarzenia w Polsce do innych krajów socjalistycznych. Dubczek nie uwzględnił dobrych rad sojuszników. Nie widział niebezpieczeństwa kontrrewolucji, w rezultacie czego narastała antysocjalistyczna fala. Wciąż nowe ustępstwa. Wszystko oczerniano. Manipulowano opinią publiczną. Należy i w Polsce położyć temu kres. Telewizja, którą

Czesi odbierają z Polski, jest jeszcze gorsza niż telewizja czechosłowacka w 1968 roku.

Wciąż mówi się o ulepszaniu socjalizmu, o uwzględnianiu specyfiki narodowej. W krajach socjalistycznych każdy nacjonalizm prowadzi do antysocjalizmu. Kto bronił socjalizmu, uznawany był za konserwatystę. Kilkudziesięciu ludzi popełniło samobójstwo. Siły antysocjalistyczne żądały nadzwyczajnego zjazdu. Nie wolno spieszyć się ze zjazdem. W Pradze zjazd odbył się dopiero po oczyszczeniu, po uporządkowaniu władzy. Ponieważ w czechosłowackim kierownictwie dominowała prawica, nie udało się zrealizować dobrych rad krajów socjalistycznych. KC przestał odgrywać rolę sztabu rewolucyjnego, a kontrrewolucja stawała się coraz bardziej bezczelna. Rozłożono organa władzy — bezpieczeństwo, aparat ścigania i wymiaru sprawiedliwości. Rozkładano armię, osłabiano jej dyscyplinę, jednoosobowe dowodzenie. Dążono do rozbicia związków zawodowych. Szerzono hasła: związki zawodowe bez komunistów.

Rozbito jedność ruchu młodzieżowego. Kościół też aktywizował się, odegrał rolę reakcyjną. Powstał szeroki front — od faszystów do trockistów. Aktywizowały się nawet elementy z czasów przedmonachijskich. Wrogów mogli odeprzeć sami, ale byli niezdecydowani. Wciąż ustępstwa. Część kierownictwa zajęła prawicowe stanowisko, co przeszkodziło w zahamowaniu kontrrewolucji. Pomoc krajów socjalistycznych pozwoliła zapobiec wojnie domowej, wyrwaniu Czechosłowacji z orbity socjalizmu. Walka klasowa ma swe prawa. Trzeba doprowadzić do porażki wroga. Należy położyć kres dwuwładzy. Trzeba przycisnąć; mamy dość siły, aby sparaliżować reakcję".

Słowo końcowe Breżniewa też było krótkie. Był już zmęczony, mówił mniej wyraźnie. Potwierdził niepokój. Wyraził nadzieję, że polscy towarzysze wyciągną wnioski z tej narady. Związek Radziecki będzie wierny zobowiązaniom sojuszniczym. Wtedy też usłyszałem po raz pierwszy: „My bratniej Polsce nie damy krzywdy zrobić — nie zostawimy jej w biedzie". Ten sakramentalny, a jednocześnie złowieszczy zwrot chodził za nami przez cały 1981 rok.

Potem Breżniew odbył z Kanią krótką rozmowę w cztery oczy. I właśnie wtedy oświadczył: „Nie wajdiom, no jesli budiet osłażniatsia — wajdiom". To „jesli budiet osłażniatsia" — jeśli będzie się komplikować — było dla nas nieustającym ostrzeżeniem. Bowiem cały czas „osłażniałos'". Nigdy nie było więc wiadomo — że posłużę się zwrotem z dialektyki — kiedy ilość może przejść w jakość.

W tym czasie, kiedy Kania spotkał się z Breżniewem, pozostali członkowie naszej delegacji prowadzili krótkie rozmowy ze swoimi odpowiednikami. Ja z Ustinowem. Był to zdolny, energiczny, wyróżniający się inżynier, szybko awansował, osiągając w czasie wojny rangę komisarza-ministra do spraw produkcji zbrojeniowej. Zapytałem go kiedyś, czy był w Polsce. Odpowiedział, że owszem — przejeżdżał przez Polskę w 1940 roku w drodze do Niemiec. Chodziło, oczywiście, o ówczesną niemiecko-radziecką współpracę zbrojeniową.

Charakterystyczne, że ci radzieccy wojskowi, którzy w 1939 roku uczestniczyli w inwazji na Polskę, m. in. marszałkowie: Golikow, Jeremienko, Czujkow (ten ostatni zresztą wielce zasłużony w walkach o wyzwolenie Polski w latach 1944-1945) — bardzo niechętnie mówili o 17 września. Czuli się tym tematem jakby skrępowani. Podobnie było zresztą i z naszej strony. Marszałek Michał Żymierski też unikał opowiadań, jak w maju 1920 roku na czele 2. polskiej dywizji piechoty wkraczał do Kijowa. Nie słyszałem także wspomnień generała Zygmunta Berlinga o udziale w wojnie z bolszewikami. Było to tabu — omijanie materii niewygodnej, skomplikowanej.

Innym tematem, który radzieccy działacze wysokiego szczebla niezbyt chętnie poruszali, był stosunek do Stalina. Właściwie ze znanych mi ludzi tylko trzech podkreślało z poczuciem ważności, że współpracowali bezpośrednio ze Stalinem: Ustinow, Gromyko, Bajbakow. Jestem przekonany, że — może z wyjątkiem Gromyki — ich bezpośredni kontakt z dyktatorem nie był zbyt bliski. A mimo to z tej stalinowskiej szkoły coś w nich zostało. W ogóle stosunek starych działaczy radzieckich do Stalina cechowała jakaś dwoistość. Z jednej strony krytycyzm, potępienie zbrodni, ale z drugiej szacunek, podziw, połączony nawet z pewną dozą sentymentu. Zresztą trudno się dziwić. Jakże wielu z nas, a zwłaszcza starszych od nas — mądrych, doświadczonych, dalekich od komunizmu ludzi — co najmniej do XX Zjazdu KPZR przeżywało to zaćmienie mózgu.

Wracam do rozmowy z 5 grudnia. Ustinow bardzo stanowczo i twardo stawiał sprawę: „Z tym, co się u Was dzieje, godzić się nie można. Dlaczego to tolerujecie, Wojciechu Władysławowiczu? Wy, taki wybitny specjalista wojskowy, a nie widzicie, że to grozi bezpieczeństwu i Polski, i Układu Warszawskiego”.

Z Kanią uzgodniliśmy wcześniej sposób stawiania sprawy. Minimalizowanie zagrożeń przyniosłoby wręcz odwrotny skutek. Powtarzaliśmy więc: „Jesteśmy świadomi wszystkich niebezpieczeństw. Jednocześnie wiemy, co na to się złożyło. Mamy przy tym na tyle sił, że jeśli zajdzie potrzeba — potrafimy się przeciwstawić zagrożeniu, zapewnić stabilność kraju, nie narazić na szwank strategicznych interesów wspólnoty". Taka argumentacja niewątpliwie studziła zamiary tych, którzy skłaniali się do radykalnego rozwiązania kwestii polskiej. Ale liczyła się przede wszystkim wymowa wydarzeń, a te coraz bardziej działały na naszą niekorzyść.

Powrót naszej delegacji do Warszawy był jednak inny niż wcześniejsza podróż w przeciwną stronę. Przede wszystkim odprężenie, uczucie ulgi. Jednocześnie świadomość, iż to tylko odroczenie, polityczny kredyt krótko-, a najwyżej średnioterminowy. Bo przecież naszych realiów nie przeskoczymy. Co więcej, powstała jakościowo nowa sytuacja — publiczne, wręcz demonstracyjne „umiędzynarodowienie" polityki nacisku wobec Polski.

Wciąż wraca pytanie, dlaczego wówczas się udało? Co zdecydowało, że do interwencji nie doszło? To chyba jedno z tych pytań, na które historia dawać będzie różne odpowiedzi. Spróbuję odpowiedzieć i ja.

Po pierwsze: polska herezja trwała jeszcze stosunkowo krótko. Nie zostały wyczerpane wewnętrzne możliwości jej hamowania. Struktury państwa były jeszcze stabilne. Partia wprawdzie osłabiona, ale wciąż masowa, funkcjonująca. Jej kierownicze kadry od góry do dołu pozostają w większości w dotychczasowym składzie. Podstawowe środki masowej informacji, mimo narastających emocji, nadal dyspozycyjne. Stronnictwa oraz inne organizacje, chociaż podniecone sytuacją, znają jeszcze swoje miejsce w szeregu. Również Kościół z właściwą sobie ostrożnością dopiero zaczął wchodzić w nową rolę. Nawet „Solidarność", mimo rejestracyjnej przepychanki, uznaje realia kierowniczej roli partii — świadczyła o tym m.in. odbyta w połowie listopada rozmowa Kani z Wałęsą. To było jeszcze daleko do tego, co nastąpiło późną jesienią 1981 roku — do hasła, a nawet do prób wyprowadzania organizacji partyjnych z zakładów pracy. A więc choć biegu rzeki odwrócić już się nie da, to wciąż jeszcze można ją uregulować.

Po latach dowiedziałem się, że przed rozmową z nami, jeszcze 4 grudnia wieczorem, spotkały się wszystkie pozostałe delegacje. Wtedy zapadła decyzja, aby jeszcze nie wkraczać. Z nieoficjalnych informacji wiem, że najbardziej przeciwne interwencji były dwie skrajnie różne postaci — Kadar i Ceausescu, chociaż ten ostatni sytuację w Polsce oceniał szczególnie ostro. Bardzo radykalne stanowisko zajęli Honecker i Bilak. To, co działo się później w naszej obecności, było więc przede wszystkim demonstracją, naciskiem, poważnym ostrzeżeniem. W pewnym sensie ta narada przypomina słynne spotkanie w Bratysławie (3 sierpnia 1968 roku). Tylko że tam było ostatnie ostrzeżenie, a w naszym przypadku było to ostrzeżenie pierwsze.

Po drugie: aby interweniować z zewnątrz, trzeba mieć niezbędne zapotrzebowanie i wsparcie wewnątrz, przy tym dostatecznie silne i w jakiś sposób skonsolidowane. Kania pisze żartobliwie, że na „komitet powitalny starczyłoby chętnych". Niewątpliwie — może nawet na więcej. Ale to jeszcze nie ten etap. Dopiero w 1981 roku stopniowo, w coraz szerszym wymiarze i z coraz silniejszą artykulacją powstaje swego rodzaju kompleks, infrastruktura dezaprobaty dla naszej polityki. To było źródło płynących na zewnątrz alarmistycznych informacji i sygnałów. Byłoby błędne, nawet krzywdzące traktowanie tego w całości w kategoriach „Targowica". Większość tych ludzi na pewno nie pragnęła interwencji. Ale, niestety, obiektywnie rzecz biorąc, do niej prowokowała, podniecając nieufność naszych sąsiadów. Dawała im argument, z którym było najciężej walczyć: „To przecież Wasi towarzysze mówią, że trzeba, a przede wszystkim, że można inaczej, ostrzej, skuteczniej. To oni twierdzą, że tej sytuacji dłużej tolerować nie można". Powstawał efekt synergiczny. W żagle naszych „pryncypialnych recenzentów" dął wicher radykałów „Solidarności". To paradoksalnie się sumowało. Stan wojenny to ich wspólna „zasługa".

Po trzecie: dyskusyjny jest stopień wpływu opinii oraz możliwych reakcji Zachodu na ewentualną interwencję. Były one — jak sądzę — brane przez Kreml pod uwagę, ale na pewno nie miały zasadniczego znaczenia. Jest na to wiele późniejszych dowodów. Wrócę do nich w dalszej części książki.

Ale jest jeszcze i po piąte: wszystko to, co wcześniej powiedziałem, nie oznacza, że można zminimalizować grozę tego dnia, że można nie docenić roli Kani i postawy całej naszej delegacji. Otóż — gdyby wśród polskich uczestników narady publicznie ujawnione zostały jakieś wewnętrzne szczeliny i podziały — sytuacja mogłaby się poważnie skomplikować i rozwinąć niebezpiecznie.

Na szczęście tak wówczas się nie stało.

Rozdział 6

„Nie damy Polski skrzywdzić"

Wróćmy do chronologii wydarzeń — do XXVI Zjazdu KPZR. Odbył się on od 23 lutego do 3 marca 1981 roku.

Polskiej delegacji przewodniczył Stanisław Kania. W jej skład, obok mnie, wchodzili: zastępca członka Biura Politycznego, sekretarz KC Emil Wojtaszek oraz I sekretarz KW PZPR w Katowicach Andrzej Żabiński. Do delegacji włączono naszego ambasadora w Moskwie. Był nim Kazimierz **Olszewski** — lwowiak, człowiek z życiorysem typowym dla wielu rodaków zza Buga. Wcielony do Armii Czerwonej. Walczył pod Stalingradem. Potem w I Armii WP, w szeregach Brygady Pancernej im. Bohaterów Westerplatte. Doskonale wyczuwał radzieckie realia. Dobrze znał stosunek radzieckich polityków i wojskowych do Polski — ich oceny, kompleksy, obawy. Informował mnie o tym osobiście. Przez cały 1981 rok sygnalizował niepokoje. Późną jesienią mówił: „jeśli nie my, to oni".

Istotną sprawą na zjeździe, obok zaprezentowania programu „wszechstronnego rozwoju", było zademonstrowanie siły i jedności państw socjalistycznych oraz partii komunistycznych w całym świecie. Miał to być istotny argument w warunkach zaostrzających się sprzeczności między Wschodem a Zachodem.

Na zjazd zaproszono przedstawicieli 123 partii ze 109 państw. Przygotowano kraj do tego wydarzenia w stylu imponującej zwartości i potęgi. W poprzedzających obrady sprawozdaniach dziennikarskich pojawiły się opisy wspaniałych dekoracji, masówek, zebrań partyjnych. Niejako z góry udzielano na nich poparcia decyzjom, mającym dopiero zapaść na zjeździe. Moskwa była pełna wystaw dorobku gospodarczego i społecznego oraz gigantycznych zamierzeń. Ściągano delegacje i wycieczki z całego kraju oraz z zagranicy, pokazując zgromadzone tam eksponaty. Mieliśmy, oczywiście, świadomość, że jest to świąteczna pompa — ale mimo to wrażenie było duże.

Zamieszkaliśmy w rezydencji na Leninowskich Wzgórzach. Był taki zwyczaj, że kierownictwo każdego państwa Układu Warszawskiego miało do dyspozycji okazałą, solidnie zbudowaną willę, otoczoną ogrodem. Gościnność z kulinarnym rozmachem — w stylu rosyjskim. Proponowano również do obejrzenia wybór ostatnich radzieckich filmów. Nie skorzystaliśmy. Jechaliśmy przecież do Moskwy z teczkami pełnymi problemów do załatwienia. Siedziałem na zjeździe jak „na szpilkach". Wiedziałem, co dzieje się w kraju. Powinienem być tam. Po trzech dniach wróciłem więc do Warszawy. Wziąłem udział w pierwszym posiedzeniu Komitetu do Spraw Współpracy ze Związkami Zawodowymi, a następnie Komitetu Ekonomicznego Rady Ministrów. Spotkałem się też z przedstawicielami różnych organizacji społecznych i naukowych, co zaowocowało reaktywowaniem przy Radzie Ministrów Komisji do Spraw Walki z Alkoholizmem. Zapoznałem się z trudnościami zaopatrzeniowymi w dzielnicy Wola.

Ponownie przyjechałem do Moskwy pod koniec zjazdu — w kiepskim nastroju, przytłoczony naszymi problemami i dylematami. Kierownicza ekipa KZPR nie miała dla nich zbyt wielkiego zrozumienia. Za stołem prezydialnym w pierwszym rzędzie siedzieli ludzie, których średnia wieku przekraczała grubo siedemdziesiątkę. Leonid Breżniew, sekretarz generalny — 76 lat. Arwid Pelsze, stary komunista łotewski, przewodniczący Centralnej Komisji Kontroli Partii — 82 lata. Susłow, główny ideolog — 81 lat. Nikołaj Tichonow, ówczesny premier, był rówieśnikiem Breżniewa — 76 lat. Gromyko uchodził ciągle za młodszego, a przecież miał 72 lata. Najmłodszy był Jurij Andropow — 67 lat. Czernienko, który został sekretarzem generalnym po śmierci Andropowa — 70 lat.

W Moskwie krążył dowcip, że oto podczas parady na Placu Czerwonym dano znowu pokaz siły: kierownictwo partii i rządu o własnych siłach weszło na trybunę. Gorzkie i smutne.

Wracam do zjazdu, do jego atmosfery. Delegacje armii i młodzieży, sztandary i fanfary. Wyreżyserowane — ale imponujące. Dyskusja natomiast dość szablonowa. Zapamiętałem, że I sekretarz gruzińskiej partii, Szewardnadze, odbiegał od schematu. Widać było, że to człowiek mądry i odważny. Mówił krytycznie, co spotkało się z dużym aplauzem. Charakterystyczne było też wystąpienie jakiejś Niemki — przewodniczącej kołchozu z Kazachstanu. Przemawiała zresztą znów po pięciu latach — na XXVII Zjeździe KPZR. Była to więc swego rodzaju dyżurna mówczyni — a jednocześnie był to pewien gest w stosunku do Niemców. Żałowałem, że żaden delegat nie przedstawił się z trybuny zjazdowej — jako Polak. Pamiętam też owacyjne powitanie przez salę Fidela Castro. Jego stosunek do nas, podobnie zresztą jak Kadara, był całkiem sympatyczny. W sumie jednak odczuwaliśmy chłód, a nawet pewną izolację. Kontrastowało to z sytuacją na XXV Zjeździe, na którym byłem razem z Gierkiem. Teraz czuliśmy się jak ci, którzy nie potrafią czy też nie chcą twardą ręką rozwiązywać problemów Polski, narażając w ten sposób interesy całej wspólnoty.

W referacie, wygłoszonym z trudem przez Leonida Breżniewa, a także w dyskusji podkreślano znaczenie jedności państw socjalistycznych. Mówiono o ograniczaniu zbrojeń, o zmniejszaniu konfrontacji. Ale jednocześnie, że nie wolno sobie pozwolić na słabość, że trzeba rozwijać i ofensywę polityczną, i potęgę obronną. My ze szczególną uwagą wysłuchaliśmy: „Tam, gdzie do dywersyjnej działalności imperializmu dołączają się błędy i pomyłki w polityce, powstaje grunt dla aktywizacji wrogich elementów. Tak stało się w bratniej Polsce, gdzie przeciwnicy socjalizmu, przy poparciu sił z zewnątrz, wywołując anarchię, dążą do odwrócenia rozwoju wydarzeń i skierowania ich w nurt kontrrewolucyjny".

W kuluarach zjazdu spotkałem kilku marszałków, wielu generałów, oficerów, których znałem od lat. W ich zachowaniu i wypowiedziach ujawniała się jak gdyby dwoistość. Z jednej strony jak zwykle serdeczni. Podkreślali przyjaźń, wspominali wspólne żołnierskie doświadczenia. Z drugiej zaś — natychmiast sztywnieli, mówiąc o sytuacji w Polsce. Tu już przejawiała się owa partyjna pryncypialność, specyficzne mocarstwowe pojmowanie internacjonalizmu.

Muszę w tym miejscu odwołać się do bardzo osobistych wyznań. Wychowywany byłem w atmosferze głębokiej niechęci, a właściwie wrogości do Rosjan. Postawę antyrosyjską i antysowiecką kształtowały: dom rodzinny, szkoła, literatura. W wyobraźni dziecka, potem młodego chłopca, Rosjanie, a zwłaszcza bolszewicy, jawili się jako uosobienie wszelkiego zła. Bolesne doświadczenia przechodziły w naszej rodzinie z pokolenia na pokolenie. Dziadek — powstaniec styczniowy — osiem lat spędził na syberyjskim zesłaniu. Znaczna część rozległych wówczas dóbr mojej rodziny została skonfiskowana. Drugi dziadek — ojciec matki, w 1920 roku tylko jakimś cudem, w ostatniej chwili uniknął szubienicy. Ojciec, ochotnik w wojnie 1920 roku, w słynnym oddziale zagończyka Jaworskiego, któremu swą książkę pod tytułem „Pożoga" poświęciła Zofia Kossak-Szczucka. Kolejny etap mojego życia — to deportacja, Syberia. Tam też, w rezultacie wycieńczenia, po wyjściu z obozu, umarł mój ojciec. Nie

AP Photo/MIKHAIL METZEL

Gorbachev birthday

Former Soviet President Mikhail Gorbachev, right, and former Polish Communist leader Wojciech Jaruzelski toast during a dinner celebrating Gorbachev's 70th birthday Friday in Moscow.

Hometown Editor	Kirby Sprouls	
AME/Administration	Ken Klimek	235-6322
Managing Editor	**Tim Harmon**	**235-6323**
Editor and Publisher	**David Ray**	**235-6241**

Newspaper Delivery (starts, stops, problems) **235-6464**
800-220-7378

South Bend Tribune e-mail address: sbtnews@sbtinfo.com

World Wide Web:
www.southbendtribune.com

Subscriber Services:
subscriberservices@sbtinfo.com

BUREAUS

MICHIGAN

Niles: 684-6802
St. Joseph: (616) 983-3927

INDIANA

Plymouth: 936-3000
Elkhart: 295-7000
LaPorte: 324-8932
Indianapolis: (317) 634-1707

The SOUTH BEND TRIBUNE (USPS 501 980) is published every morning except Christmas in the Tribune Building, Colfax Avenue at Lafayette Boulevard, South Bend, In 46626.

MONTHLY HOME DELIVERY RATES
Daily and Sunday $12.75
A SPECIAL 8% DISCOUNT is available to home delivery subscribers who either pay annually or take advantage of our EZ-Pay credit card payment program. An annual payment with the 8% discount is $140.76. A monthly payment using the EZ-Pay program is $11.73. The Tribune also accepts subscription payments by mail for 3 months and six months. Visa, MasterCard and Discover are accepted. All subscription payments must be addressed to: South Bend Tribune, Subscription Accounts Payable, 225 W. Colfax Avenue, South Bend, IN 46626. For more information, please call 235-6464. If you are dialing long distance, call 1-800-220-7378.
SINGLE COPY PRICE:
Daily $.50
Sunday $1.50

MAIL SUBSCRIPTIONS (within the U.S.A.):

Daily and Sunday — per year, $192.00; six months, $96.00; three months, $48.00; one month, $16.00. Daily only — per year, $174.00; six months, $87.00; three months, $43.50; one month, $14.50. Saturday and Sunday* — per year $144.00; six months, $72.00; three months, $36.00; one month, $12.00. Sunday only* — per year, $132.00; six months, $66.00; three months, $33.00; one month, $11.00. Back issue by mail–daily, $3.50; Sunday $4.50.

Special mail rates are available for On-Campus and Active Military personnel.

All mail subscriptions payable in advance. Visa, Discover and MasterCard accepted. Mail orders not accepted where carrier delivery is available. Periodical postage paid at South Bend, Indiana.

POSTMASTER: Send address changes to the South Bend Tribune, South Bend, IN 46626 rozczulam się jednak nad swym życiorysem. Żyją w Polsce tysiące ludzi, których wojenne losy były bardziej okrutne niż moje.

Mój stosunek do Rosjan, do obywateli ówczesnego Związku Radzieckiego, przechodził długą ewolucję. Z bliska poznałem warunki życia zwykłych ludzi, ich ciężką, często wręcz katorżniczą pracę, ofiarność, bohaterstwo na froncie. A przede wszystkim poznałem tzw. rosyjską duszę, rosyjską mentalność, obyczaj, literaturę. Patologia systemu to jedno, a ludzie to drugie. Oni przecież pierwsi stali się ofiarą stalinizmu.

Właściwie przypadek przesądził o tym, na jakim znalazłem się froncie, z jakiego kierunku wracałem do Polski. Życiowa droga — jakkolwiek by to dziwnie brzmiało — uwolniła mnie od jednostronności ocen, od — najogólniej mówiąc — antyrosyjskiej i antyradzieckiej idiosynkrazji.

W tym miejscu pragnę przywołać słowa Ksawerego Pruszyńskiego opublikowane w londyńskich „Wiadomościach Polskich", nr 41 z 1942 roku: „Polacy w kraju, wy myśląc o Polakach w Rosji pamiętajcie o tym krzyżu w Tockoje. On symbolizuje wszystko. On rozpiął swoje ramiona wysokie nad wszystkimi nieznanymi mogiłami rozsianymi na ziemi obcej. On wyrósł ze wszystkich nędz i cierpień, i mąk Polaków. On urósł i uciosany został z drzewa polskiej niewoli, polskiej krzywdy, ale on urósł także na znak polskiego wybaczenia. Polacy biorąc za karabin, aby na ziemi rosyjskiej obok żołnierza rosyjskiego walczyć przeciw Niemcom, o wolność Polski, nie na darmo postawili wielki, wysoki, z dala widny znak przebaczenia, znak zapomnienia, znak pojednania. Wykrzesali ów znak z tego wszystkiego, co przeszli. Raz jeszcze to wszystko, co przeszli, składali na ołtarzu Polski jak największą ludzką ofiarę. Ofiarę z własnej krzywdy. I odchodząc pozostawili na tej ziemi obcej właśnie ów znak pokoju, by pomiędzy dwoma narodami z ich ofiary największej pokój przecież nastał".

Warto też przypomnieć, co mówił Cyprian Kamil Norwid: „Jeżeli Polacy nie mają i nie chcą uprawiać zdolności podniesienia nieprzyjaciół Ojczyzny do godności znośnych sąsiadów, to wszystko na nic się nie zda".

Wielu Polakom wszystko, co rosyjskie i radzieckie, kojarzy się głównie z brakiem wolności. Mnie natomiast te rozważania przywodziły często na myśl... radzieckie czołgi. Myślałem o nich jak najgorzej, kiedy jako młody chłopak zobaczyłem je po raz pierwszy we wrześniu 1939 roku, kryjąc się w lesie pod Grodnem. Pamiętam chrzęst ich gąsienic, strzały, krew, zabitych polskich żołnierzy. Później widziałem te czołgi na froncie, ratowały mi życie. A po wojnie wspólnie z naszymi czołgami zapewniały bezpieczeństwo granic. Byłoby najstraszliwszą tragedią, gdyby te czołgi znalazły się na polskiej ziemi — w innym celu, z innymi zadaniami.

Jest jeszcze coś, co biorę pod uwagę. Otóż dziś w tzw. sprawach radzieckich odwaga nie tylko staniała, ale po prostu jest za darmo. Na wyścigi odbywa się poszturchiwanie rozczłonkowanego kolosa. Częstokroć ci, którzy traktowali go nie tak dawno z nabożeństwem, a w każdym razie z respektem, nagle poczuli ducha bojowego. Tu muszę oddać sprawiedliwość Leszkowi Moczulskiemu, chociaż jak wiadomo jest nam bardzo nie po drodze. Jedynie jego orientacja próbowała ostentacyjnie drażnić niedźwiedzia. W owych czasach to była donkiszoteria. Moczulski „chodzący na Kreml'' to tak jak Kmicic na Chowańskiego. Odważnie, choć bezproduktywnie.

Przez całe dziesięciolecia byłem przekonany o potrzebie sojuszu i przyjaźni polsko-radzieckiej. W ówczesnych warunkach uważałem to za optymalne dla Polski. Dziś nie będę wypierał się swej przeszłości. Byłoby to pokrętne i koniunkturalne. Powinniśmy, parafrazując słowa mądrego prezydenta Finlandii Urho Kekkonena, „mieć przyjaciół i blisko, i daleko'', na Wschodzie i Zachodzie. Po raz pierwszy w historii pojawia się taka szansa. Nie wolno jej zaprzepaścić.

Na tle wieloletnich doświadczeń nasuwa się jeszcze jedna uwaga. Otóż Związek Radziecki reagował na rozwój sytuacji w krajach obozu w sposób wyraziście różny. Zależało to od charakteru wydarzeń i sił, jakie za nimi stały. Co było znamienne? Nawet na bardzo groźne, wstrząsowe sytuacje powstające na tle ekonomiczno-społecznym reakcje kierownictwa radzieckiego były nacechowane umiarem. Oto przykłady:

Wydarzenia grudniowe 1970 roku w Polsce. Ich tło było głównie roszczeniowe. Wybuch spontaniczny, żywiołowy. Nie stała za tym żadna siła polityczna. Kierownictwo radzieckie stanęło wówczas zdecydowanie na stanowisku politycznych rozwiązań. Dało temu wyraz w liście Biura Politycznego KC KPZR do Biura Politycznego KC PZPR.

Przekonałem się o tym osobiście. Z rana 19 grudnia 1970 roku telefonował do mnie marszałek Andriej Greczko, minister obrony ZSRR. Pytał o ocenę sytuacji. Przedstawiłem ją w wersji uspokajającej. Greczko — a niewątpliwie mówił nie tylko w swoim imieniu — też dał wyraz zrozumienia dla potrzeby politycznych rozwiązań.

Inny przykład: Łódź w lutym 1971 roku. Rozległy strajk, protesty, żądania cofnięcia podwyżki cen wprowadzonej w grudniu poprzedniego roku. Rozmowy prowadzone przez Jaroszewicza, a także ówczesnego szefa CRZZ Kruczka, Szydlaka i innych nie przekonały strajkujących. W końcu zwołano posiedzenie Biura Politycznego. Co robić? Przecież cofnięcie podwyżki stworzy wielką lukę w budżecie, zdeformuje rachunek ekonomiczny. Już nie pamiętam, kto zasugerował, aby zapytać radzieckich, czy możemy liczyć na pomoc. Wyszedł Jaroszewicz, po 15 minutach wrócił. „Rozmawiałem z Kosyginem. Rząd radziecki przekaże na polskie konto w jednym z banków szwajcarskich 100 mln dolarów". Miało to wartość znacznie większą niż dziś. W rezultacie podwyżka cen została cofnięta.

Z kolei wydarzenia w roku 1976 — Radom, Ursus. Zawieszenie decyzji o podwyżce cen. Tak się złożyło, że w kilka dni później w Berlinie odbywała się narada przywódców partii komunistycznych i robotniczych. Z relacji Babiucha wiem, że doszło do rozmowy delegacji polskiej z radziecką. Gierek poinformował, że po przeprowadzeniu konsultacji zamierzamy — co prawda w złagodzonym wymiarze — wprowadzić jednak podwyżki. Breżniew wyraził zdecydowaną dezaprobatę. Kierownictwo radzieckie obawiało się, zresztą słusznie, że doprowadzi to do kolejnego wybuchu. Do podwyżki nie doszło. Zresztą w konsekwencji oznaczało to ekonomiczną klęskę.

Wreszcie wydarzenia sierpniowo-wrześniowe 1980 roku. Niosły one sygnały bardzo niepokojące dla Związku Radzieckiego. Odczytywane jednak wówczas jeszcze były jako bunty roszczeniowo-ekonomiczne. Zrodziły wprawdzie wielce podejrzany związek zawodowy, jednakże liczono, że jego aspiracje utrzymają się w ramach socjalno-ekonomicznych. W rezultacie udzielono nam dużej pomocy gospodarczej, finansowej.

Cofnijmy się teraz do 1956 roku. Na polski Październik przychodzi gwałtowna reakcja Chruszczowa. Wraz z nią symptomy przygotowań wojskowych. Dalej wydarzenia węgierskie 1956 roku i czechosłowackie 1968 roku. Wreszcie Polska — przełom 1980/81 roku i cały rok 1981. Tu już zachowanie zupełnie inne — zdecydowane, jednoznaczne. Dlaczego tak? Otóż w grę wchodziły już nie racje społeczne, roszczeniowe, lecz procesy polityczne. Co więcej, stały za nimi zorganizowane, potężne siły o charakterze opozycyjnym, przejawiające w dodatku skłonności antyradzieckie. Stąd i nasze wyczulenie, nasze obawy przed konsolidowaniem się „Solidarności" jako ruchu politycznego o rosnących aspiracjach. Tu bowiem kończyła się radziecka tolerancja.

Podczas zjazdu spotkałem się z premierem Tichonowem. Przedłożyłem mu cały pakiet spraw gospodarczych. Odpowiedział, iż mimo własnych trudności ZSRR wychodzi na spotkanie naszym potrzebom i postulatom, że wywiąże się ze wszystkich uzgodnień i zobowiązań. Ustaliliśmy, że w miarę możliwości radziecki eksport do Polski zostanie ponadplanowo zwiększony na warunkach kredytowych. Tichonow pytał też z niepokojem o rozwój sytuacji w naszym kraju. Ubolewał z powodu antyradzieckich wystąpień. Nie ukrywał, że może to się odbić na współpracy gospodarczej.

Tłumaczyłem, że to historycznie uwarunkowane, ale w sumie naskórkowe, przejściowe. Tichonow był człowiekiem komunikatywnym, uprzejmym. Widać było dobrą ,,szkołę" Kosygina. Tkwił po uszy w sprawach gospodarczych, ale też — jak wspominają radzieccy działacze — z nabożeństwem odwoływał się zawsze do decyzji partii. Nic więc dziwnego, że i w rozmowie ze mną podkreślał wyraźnie zależność gospodarki od polityki. Bez przezwyciężenia napięć politycznych, bez odparcia ,,pełzającej kontrrewolucji", nie ma co liczyć na uporanie się z trudnościami gospodarczymi. Ja z kolei przekonywałem, że dopóki nasza sytuacja gospodarcza będzie zła, nie ma szans na odbudowę politycznego zaufania, na stabilizację. Odpowiedź: aby uzdrowić gospodarkę, trzeba najpierw opanować sytuację polityczną, rozprawić się z przeciwnikami. Argumenty rozmijały się. Każdy miał swoją logikę i swoje racje.

W czasie zjazdu KPZR dotarły z Polski nowe wieści. Niektóre ogniwa ,,Solidarności" oprotestowały wystąpienie Stanisława Kani. Zgodnie z ówczesną standardową formułą pozdrowił on w imieniu narodu polskiego uczestników obrad. Kwestionowano powołanie się na ,,polski naród", a także sformułowanie o ,,kontrrewolucji". Informacja o tych protestach wywołała w Moskwie fatalne wrażenie, odcisnęła się piętnem na rozmowach z Tichonowem. Zwrócił on uwagę, że każdy działacz radziecki realizujący politykę gospodarczą z goryczą komentuje wieści z Polski. Wtedy traktowałem tę wypowiedź w kategoriach moralnych. Przyszłość wykazała, że było to również ostrzeżenie.

4 marca odbyło się spotkanie całej delegacji polskiej z kierownictwem radzieckim. Głos zabrał Breżniew, a po nim Ustinow, Susłow, Andropow. Ogólna tonacja: niepokój związany z sytuacją w Polsce rośnie. Siły kontrrewolucyjne działają bezkarnie. Odbywają się nie-

legalne spotkania i zjazdy. Na przykład zjazd rolników indywidualnych. Michnik, Kuroń wciąż nie aresztowani. Te dwa nazwiska oraz Wałęsy i Moczulskiego przewijały się w różnej kolejności, z różną częstotliwością i różną ostrością w bardzo wielu rozmowach z sojusznikami. Przyznaję, że poza Wałęsą, którego staraliśmy się na ogół oszczędzać, pozostałych ocenialiśmy bardzo źle. Robiliśmy jednak uniki w sprawach aresztowań czy sądzenia. Dziś zabrzmiałoby dobrze, gdybym powiedział, że kierowaliśmy się poczuciem humanitaryzmu czy praworządności. Otóż nie. Nie zamierzam „upiększać" swych ówczesnych motywacji. Po prostu mieliśmy świadomość, że polityka represyjna wywołać może niekorzystne społeczne reperkusje.

Ktoś może też spytać, dlaczego słuchaliśmy innych, kiedy tak ostro, krytycznie mówili o obywatelach naszego kraju? Dlaczego sami mówiliśmy w podobny sposób? Po pierwsze — w tych sprawach nasze poglądy nie były zbyt odległe. A po drugie — rad byłbym poznać podobnie szczegółowo, jak ja to opisuję, rozmowy prowadzone z cudzoziemcami przez ówczesną opozycję. Trochę wiem na ten temat. Zarówno wówczas, jak i dziś, zarówno w czasie wizyt zagranicznych, jak i na spotkaniach w ambasadach krajów zachodnich nie zostawiano „suchej nitki" na ludziach komuny. Jeśli więc grzech, a raczej niesmak — to wspólny.

Dalej mówiono nam: dobrze, iż na czele rządu stanął generał, ale nadal widać przejawy dwuwładzy. Co więcej, nowe ustępstwa, chociażby w sprawach studentów. Wiem, że miano do mnie duże pretensje w związku z wygaszeniem strajku studenckiego w Łodzi kosztem niektórych postanowień, m.in. w sprawie nauczania języka rosyjskiego, szkolenia wojskowego studentów, rejestracji Niezależnego Zrzeszenia Studentów itd. Wreszcie to, co dzieje się w Polsce, przynosi również szkody innym krajom socjalistycznym. Granica morska jest otwarta — z Zachodu może być przerzucana broń. Dojrzały warunki do ostrych środków, do zdecydowanego kontrnatarcia.

Z naszej strony wystąpił Kania. Później mówiłem ja. Główne akcenty naszych wystąpień: kluczem do rozwiązania naszych problemów jest znalezienie wspólnego języka ze społeczeństwem, odbudowa zaufania do władzy, do partii. To z kolei jest bardzo utrudnione z powodu: po pierwsze — grzechów przeszłości; po drugie — działań przeciwnika; i po trzecie — sytuacji ekonomicznej. Potrzebny jest więc czas i odpowiednia praca, którą prowadzimy we wszystkich sferach. Lepsza aktywna obrona niż chaotyczny atak. Mamy świadomość miejsca Polski w koalicyjnym systemie polityczno-obronnym. Jeśli sytuacja rozwinie się niebezpiecznie, będziemy przygotowani, aby jej sprostać również przy użyciu środków nadzwyczajnych. Nasze wyjaśnienia przyjęte zostały z dużą rezerwą. Widać to było po minach, gestach, po chłodnym pożegnaniu. Sytuacja „osłażniałas' ".

Do dziś słyszy się opinie: dlaczego pozwalaliśmy sobie na wysłuchiwanie różnych pretensji i oskarżeń? Dlaczego wciąż tłumaczyliśmy się? Dlaczego byliśmy w defensywie?

Obca mi była odwaga koguta, który nazajutrz wraz z całym stadem pójdzie do rzeźni. Obca mi też była postawa strusia, który liczy, że jakoś tam będzie. Zawsze starałem się pamiętać, że między strachem a brawurą istnieje szerokie pole dla odwagi i rozwagi. Wówczas zaś chodziło o najwyższą stawkę — o los Polski. Kania i ja nie mamy sobie nic do wyrzucenia. Ani godność osobista, ani interesy państwa polskiego nie zostały nadwerężone. Ale jest oczywiste, że słaby mówi słabym głosem. Może nawet krzyczeć, może się denerwować, ale ten głos jest wyciszony, jest słabiutki. A czy dzisiaj nasz głos jest silny? Wypinanie piersi do przodu robi coraz mniejsze wrażenie. Po prostu jesteśmy słabi, biedni. Potrzebujemy innych, sami zaś jesteśmy już mniej potrzebni. Do podobnego wniosku dochodzi Stefan Kisielewski w artykule „Komu jest Polska potrzebna", zamieszczonym w „Tygodniku Powszechnym" dnia 20 lutego 1990 roku. A w owych latach było przecież znacznie gorzej. Inna była konstelacja międzynarodowa. My — geostrategicznie rzecz biorąc — w środku żelaznej obręczy. Środek miękki, a obręcz twarda. A ponadto wciąż wyciągaliśmy rękę: dajcie, pomóżcie, bo giniemy. Darujcie, że nie dostarczamy węgla, ale przyślijcie trochę mięsa, papierosów, środków czystości. A ten, kto prosi, jest z natury rzeczy w kiepskiej sytuacji. Musieliśmy więc wysłuchiwać. Nie my pierwsi i nie my ostatni.

Historycy, specjaliści dobrze wiedzą, jak na przykład traktowali nas Francuzi w czasach Księstwa Warszawskiego. Jak marszałek napoleoński Louis Davout strofował, wręcz beształ poniektórych polskich polityków, ministrów i generałów, łącznie z Janem Henrykiem Dąbrowskim. A jakim tonem Churchill rozmawiał niejednokrotnie z Sikorskim, a zwłaszcza z Mikołajczykiem? Jak potraktował de Gaulle'a w Casablance? Historia zna podobnych przykładów bardzo wiele. Wniosek tylko jeden — nigdy nie być słabym, skazanym na cudzą opiekę i pomoc.

Uniknęliśmy, jak sądzę, błędu Dubczeka, który w 1968 roku wciąż przekonywał, że sytuacja w Czechosłowacji nie jest zła, że dokonują się tam zdrowe procesy. Wczesną wiosną 1968 roku uczestniczyłem w spotkaniu — naradzie szefów sztabów generalnych armii państw Układu Warszawskiego. Odbyła się ona chyba nieprzypadkowo w Pradze, w armii czechosłowackiej zaczynał się już bowiem ferment.

Charakterystyczny przykład: ówczesny szef Głównego Zarządu Politycznego Armii Czechosłowackiej generał Vaclav Prchlik wypowiadał się, że należy rozluźnić więzi z Układem Warszawskim, a nawet wyjść z niego. Nie wiem, skąd mu się to wzięło. Pamiętałem go z wielu czołobitnych wypowiedzi i toastów na cześć Związku Radzieckiego — „S Sovětskym Svazom na vše časy, a nikdy jinak!" Te wynurzenia Prchlika i wraz z nimi „wolnościowe" nastroje oraz postępujące rozprzężenie w armii naszych południowych sąsiadów nie mogły w owym czasie nie wywołać niepokoju. U nas zresztą też. Było to przecież jeszcze z górą dwa lata przed podpisaniem 6 grudnia 1970 roku układu Polska — RFN. Pamięć o 1939 roku, o oskrzydleniu Polski od południa, była wciąż żywa. Na tym tle chcę przypomnieć 1981 rok i krytykę „fundamentalizmu" naszego GZP, jego ówczesnego szefa generała Józefa Baryły. A może właśnie ten fundamentalizm był jednym z czynników, że Wojsko Polskie nie dało pretekstu do „bratniej pomocy"?

Wracam do narady. Poświęcona była nowym koncepcjom sztabowo-organizacyjnym, uwzględniającym również zdobycze informatyki. W spotkaniu uczestniczył ówczesny dowódca Zjednoczonych Sił Zbrojnych marszałek Iwan Jakubowski oraz szef sztabu gen. Michaił Kozakow. Przyjął nas Aleksander Dubczek. Wydał mi się skromny, sympatyczny. Dobrze mówił po rosyjsku. Deklarował nieustannie przyjaźń i sojusz ze Związkiem Radzieckim. Jednocześnie uzasadniał, iż to, co dzieje się w Czechosłowacji, należy ocenić pozytywnie. Socjalizmowi nic nie zagraża. A to, co niepokoi sojuszników, jest głównie odreagowaniem na rządy Novotnego, ma charakter przejściowy i marginalny. Mówił to w sposób bardzo uczuciowy — odnieśliśmy wrażenie, że miał łzy w oczach. Widać było, że to człowiek ideowy, uczciwy, ale niezbyt mocny, momentami wręcz bezradny. W owych czasach oznaczało to, że trzeba „pomóc".

W 1981 roku ten obraz miałem wciąż w pamięci. Wiedziałem, że po pierwsze — nie wolno minimalizować niebezpieczeństw; po drugie — nie wolno okazywać słabości, bezradności; po trzecie — nie wolno dopuścić do dezintegracji organów państwa, a zwłaszcza wojska.

My nie kwestionowaliśmy zagrożeń, widzieliśmy je też ostro. Staraliśmy się natomiast uzyskać zrozumienie dla polskich realiów, wykazać sojusznikom, że trzeźwo oceniamy rozwój wydarzeń, że armia, organy władzy państwowej — gdyby powstała sytuacja skrajna — będą w stanie podjąć nawet drastyczne decyzje. Jednakże z biegiem czasu część kierownictwa PZPR traciła zaufanie sojuszników. Podejrzewano nas nawet o „podwójną grę". Brało się to — jak sądzę — z reliktów „umysłowej esencji stalinizmu". Ciągle była jedna prawdziwa wiara, jedna obowiązująca wykładnia teorii. Kto ją w jakimś stopniu rewiduje, ten albo nie objął umysłem całej „teologii", albo działa z jakichś niezrozumiałych lub podejrzanych pobudek. Mówię to nie bez ironii. Marksizm z samej swej istoty jest nie tylko zbiorem dogmatów, ale sposobem myślenia. Marks kazał przecież „wątpić we wszystko". Niestety, to wskazanie nie było w modzie. A jeśli już tak, to na zasadzie odwrotności: „nie wierzyć nikomu".

W komunikacie po naszych moskiewskich rozmowach znalazło się znamienne zdanie: „Wspólnota socjalistyczna jest nierozerwalna, zaś jej obrona jest sprawą nie tylko każdego państwa, lecz także całej socjalistycznej koalicji". Niewiele pomogły nasze próby przeredagowania tego tekstu. Przekazanie prasie ostatecznej wersji takich wiadomości należało do gospodarzy. W istocie było to potwierdzenie „doktryny Breżniewa". Tym bardziej że z trybuny zjazdowej popłynęły w świat znane słowa: „Komuniści polscy, polska klasa robotnicza, ludzie pracy tego kraju mogą absolutnie polegać na swoich przyjaciołach i sojusznikach. Socjalistycznej Polski, bratniej Polski nie opuścimy w biedzie i nie damy jej skrzywdzić".

Na wielu rzeczach się nie znam, ale znam się na mapie. W korytarzu prowadzącym do mego gabinetu w Alejach Ujazdowskich wisiała wielka mapa. Wpatrywałem się w nią często. Podział Europy i świata widoczny był jak na dłoni. Miejsce Polski również.

Sięgnę do Zbigniewa Brzezińskiego. Rozmawiałem z nim kilkakrotnie. Ostatnio przed rokiem w moim mieszkaniu. Wiele nas dzieli. Ale doceniam jego wiedzę, polityczny temperament, a zwłaszcza zainteresowanie Polską i w ogóle Wschodem. Jego liczne, zwłaszcza niedawne wypowiedzi cytuje się dziś „na klęczkach". Warto jednak przypomnieć i inne publikacje. Otóż w książce „Jedność i konflikty", wydanej w Londynie w 1964 roku, pisze on: „Wrodzy wobec komunizmu i Rosji Polacy nie powinni zapominać, co znaczyłaby Polska w ramach przymierza zachodniego. Zajmowałaby w skali świata miejsce po Ameryce, Niemczech, Francji, Italii i wielu innych państwach. Z uwagi na podstawowe znaczenie Niemców dla Ameryki, byłaby przegrana w jakimkolwiek konflikcie polsko-niemieckim. W obozie socjalistycznym proporcje są odwrotne. Polska jest największą demokracją ludową, trzecią po Związku Radzieckim i Chinach, a drugą w Europie".

Ale jeszcze ważniejsze było to, co ten sam autor powiedział 20 lat później. W wydanej również w Londynie w 1987 roku książce „Plan gry", pisząc o znaczeniu Polski dla Związku Radzieckiego, dla Układu Warszawskiego, nazwał ją krajem osiowym. „Znaczenie osiowego kraju może się brać z jego geopolitycznej pozycji, promieniującej politycznym bądź ekonomicznym wpływem na cały region, bądź też z położenia geostrategicznego, co czyni go ważnym w sensie wojskowym..." I dalej: „Panowanie nad Polską jest dla Sowietów kluczem do kontrolowania Europy Wschodniej... Geostrategiczne znaczenie Polski wykracza poza fakt, że leży ona na drodze do Niemiec. Moskwie potrzebne jest panowanie nad Polską również dlatego, że ułatwia to kontrolę nad Czechosłowacją i Węgrami i izoluje od zachodnich wpływów nierosyjskie narody Związku Sowieckiego. Bardziej autonomiczna Polska poderwałaby kontrolę nad Litwą i Ukrainą (...) 37-milionowa Polska — pisze dalej Brzeziński — jest największym krajem Wschodniej Europy pod panowaniem sowieckim, a jej siły zbrojne stanowią największą niesowiecką armię Układu Warszawskiego. Ta pozycja kosztuje Moskwę dużo, ale jeszcze kosztowniejsze byłoby jej poniechanie".

Brzeziński wie, co mówi. A mówi to w drugiej połowie lat 80. Czy w 1981 roku słowa te nie brzmiałyby jeszcze mocniej? Miałem tego świadomość. Powiedziałbym więcej. NRD to dla Układu Warszawskiego „perła w koronie", a Polska to „korona". Najlepszy dowód, że berliński mur mógł upaść dopiero po zmianach w Polsce.

Logika podziału świata była bezwzględna, rzekłbym brutalna. W Teheranie, Jałcie, Poczdamie powiedziano „A". Dopóki nie nastąpił historyczny przełom czasów Gorbaczowa — obowiązywało

„B”. Radzieccy generałowie też potrafią czytać mapy. I pod tym kątem patrzyli na ówczesne polskie sprawy. Gdybym był na ich miejscu, patrzyłbym chyba podobnie. Kto tego wszystkiego nadal nie rozumie, to jest albo politycznym analfabetą, albo politycznym manipulantem.

Dla mnie — mówię to, mając świadomość, że się narażę — nie jest najważniejsza ocena polityków. Najważniejsza jest i będzie ocena polskich matek. Ich synowie wrócili do domów.

ROZDZIAŁ 7

Rozmowa z Wałęsą

10 marca 1981 roku spotkałem się z Lechem Wałęsą. Polska Agencja Prasowa podała, że rozmowa była „konstruktywna". Najważniejsze — to uznanie negocjacji za jedyną metodę rozwiązywania sporów. Zaraz po spotkaniu — wyjątkowo dokładnie zanotowałem przebieg tej blisko trzygodzinnej rozmowy.

Widzieliśmy się po raz pierwszy. Obserwowałem co prawda działalność Lecha Wałęsy już od czasu strajków sierpniowo-wrześniowych. Ponadto Kania zrelacjonował mi „na gorąco" rozmowę, jaką przeprowadził z nim na jesieni 1980 roku. Wynikało z niej, że Wałęsa jest człowiekiem o dużej energii, sprycie, nawet specyficznej chytrości. Nie w pełni jednak rozumie całą złożoność sytuacji, a na szerszych wodach polityki porusza się dość nieporadnie. Po kilku miesiącach miałem możliwość przekonać się, że Wałęsa, bogatszy o zdobyte doświadczenia, patrzy szerzej, racjonalnie i odpowiedzialnie. Kiedy dochodziły informacje o różnych jego spotkaniach, wypowiedziach, niepokoiły mnie i gniewały ostre, bezpardonowe akcenty. Zapamiętałem słowa, które padły na jakimś wiecu, co prawda dotyczyły jeszcze rządu Pińkowskiego: „Ja ten rząd będę prowadził na smyczy". Ale dostrzegałem także, że Wałęsa próbuje studzić gorące głowy, do tego ma wielką umiejętność wyczuwania i grania na nastrojach, jak na instrumencie muzycznym.

Interesowałem się jego drogą życiową. Wiedziałem, że pochodzi z biednej, wielodzietnej rodziny chłopskiej. W latach 1964-1965 pełnił służbę wojskową w batalionie łączności 8 Dywizji Zmechanizowanej w Koszalinie. Zameldowano mi, że jego ówczesny dowódca plutonu, Władysław Iwaniec, to obecnie podpułkownik, docent, pracownik naukowy Wojskowej Akademii Politycznej. Wezwałem pułkownika Iwańca i zasięgnąłem opinii. Okazało się, że Lech Wałęsa był dobrym żołnierzem — kapralem, dowódcą drużyny. Miał duży wpływ na swoich kolegów, był takim nieformalnym liderem. Jeśli czasami należało przeprowadzić jakąś niepopularną sprawę, dowódca plutonu korzystał z pomocy Wałęsy. I to z powodzeniem.

Ja — niejako na kredyt — miałem i mam sentyment do ludzi, którzy odbyli służbę wojskową, a tym bardziej jeśli ją odbyli w sposób godny szacunku. To z góry usposobiło mnie życzliwie do Wałęsy. Później podpułkownik Iwaniec, na moje polecenie, jeszcze kilkakrotnie spotykał się z Lechem Wałęsą w czasie jego internowania. Spędzili na rozmowach kilkanaście, a może i więcej godzin. Iwaniec sondował opinię Wałęsy, jak wyjść z powstałej sytuacji. Przekazywał sugestie strony rządowej. Szukaliśmy wtedy jakiejś płaszczyzny rozwiązania skomplikowanych problemów związkowych. Z relacji Iwańca wynikało, że Lech Wałęsa również gorączkowo się nad tym zastanawia, ma różne koncepcje. W sumie jednak widzi odbudowę „Solidarności" w zbliżonym do poprzedniego kształcie. Proponowane przez niego ustępstwa i korekty miały charakter raczej kosmetyczny. Przyznaję, że wtedy mnie to denerwowało. Byłem rozczarowany. Dzisiaj patrzę na to inaczej. Doceniam konsekwencję Wałęsy.

Nasze pierwsze spotkanie zorganizowałem tak, aby wcześniej mogło dojść do osobistego kontaktu podpułkownika Iwańca z Lechem Wałęsą. Pamiętam, że idąc długim korytarzem Urzędu Rady Ministrów już z daleka widziałem ich stojących obok sali, w której mieliśmy się spotkać. Dostrzegłem, że rozmowa jest żywa, a nawet serdeczna. Jak się okazało, wspominali okres wspólnej służby. Tworzyło to sympatyczną atmosferę. Pożegnaliśmy Iwańca. W sali, do której weszliśmy, stał okrągły stół. Nikt z nas nie mógł wówczas przewidzieć, że za blisko 10 lat podobny stół stanie się symbolem. Wiele czasu zajęła ocena sytuacji, obraz zagrożeń, jakie się wówczas nad Polską zagęściły. Zwróciłem szczególną uwagę, że spada produkcja, a płace rosną. Fatalny był styczeń i luty. Jeśli będzie tak dalej, to sytuacja skomplikuje się jeszcze bardziej. Przy tym newralgiczny problem to gwałtowne zmniejszenie wydobycia węgla i wynikająca z tego konieczność pracy w soboty. Wałęsa wykazał zrozumienie. Jednakże zainspirowany najwidoczniej przez swych współpracowników, stwierdził, że praca w soboty na warunkach, jakie proponujemy, jest nie do przeprowadzenia. Owszem, „Solidarność" może zwrócić się do górników o podjęcie dodatkowej pracy, ale bez dodatkowej zapłaty, jak gdyby honorowo. Okazało się potem, że nadzieje na zwiększone wydobycie węgla, bez odpowiedniego materialnego usatysfakcjonowania, nie miały szans.

W rozmowach nie brakowało bardziej lub mniej uzasadnionych zastrzeżeń i pretensji. Ale „rachunek krzywd" nas nie dzielił. Nie była to rozmowa głuchych. Szukaliśmy wspólnego mianownika. Rozumieliśmy się dobrze. Wielokrotnie podkreślałem dobre intencje Wałęsy. Wspomniałem między innymi o rozsądnym, wyważonym stanowisku Krajowej Komisji Porozumiewawczej z 5 grudnia 1980 roku stwierdzającym, iż działalność strajkowa, nie uzgodniona z instancjami związku, uderza również w „Solidarność". Wałęsa oświadczył, że nie będą zajmować się polityką, lecz problemami związkowymi. Było to odpowiedzią na moje uwagi na temat manipulacji politycznej uprawianej w związku przez środowisko KOR-owskie. Powiedziałem, że nie wiem, czy przedstawiciele KOR-u przemawiają w imieniu „Solidarności", czy własnym. To negatywnie rzutuje na stosunki władzy ze związkiem. Na to Wałęsa: „Nie pozwolę Kuroniom i Michnikom tak rozjeżdżać się po Polsce. Nikt nie będzie nami sterował. Musimy pozostać czystym, związkowym ruchem". Dodał, że dostrzega jakieś płynące z kraju inspiracje skierowane przeciwko prymasowi Wyszyńskiemu, które znajdują odbicie w publikacjach paryskiej „Kultury". W pewnym momencie powiedział, że następne posiedzenie Komisji Krajowej będzie „rozliczeniem i rozwiązaniem KOR-u". Ponieważ wspomniałem również coś na temat KPN-u, stwierdził: „Ja ich znam, Moczulskiego i innych. To ludzie niepoważni, myśmy się często z nich śmiali". Jednocześnie Wałęsa wyraźnie podkreślał, iż nie należy stosować represji, a w szczególności więzić korowców. „Zrobili przecież dla nas dużo, pomagali «Solidarności» w jej budowie i jej działaniu. Tworzenie męczenników nic dobrego nie przyniesie".

„Bez wzajemnego zrozumienia i zaufania — mówiłem — trudno żyć na jednej ziemi. Chcemy i będziemy zmieniać styl rządzenia, być bliżej ludzi, realizować linię odnowy. Władza powinna być społecznie kontrolowana. To nie jest doraźna taktyka. Bez zasadniczych zmian nie rozwiążemy polskich problemów. Zagrozi nam kolejny kryzys".

Wałęsa w pełni to potwierdził. Użył określenia: „nie socjalizm się skompromitował, tylko ludzie go skompromitowali". Nawiązując do roku 1970 przypomniał, iż wówczas już miał świadomość, że powielanie starych metod wywoła znowu sytuację kryzysową. Musimy więc spokojnie, rozsądnie, wspólnymi siłami zrobić wszystko, aby zapewnić normalny rozwój Polski. Naświetlił sytuację, zwłaszcza w małych miastach i wioskach. Występuje tam klikowość, biurokracja, różnego rodzaju schorzenia aparatu władzy. Widział w związku z tym konieczność uznania chłopskich związków zawodowych. Akcentował to mocno i kilkakrotnie uporczywie do tego wracał. Dla mnie była to sprawa skomplikowana, nie klarowna pod względem prawnym. Chłopi są przecież właścicielami, a nie pracownikami najemnymi. Chłopski związek to nie jest to samo, co pracowniczy związek zawodowy. Sprawa jest jednak otwarta, będziemy badać możliwości. Wiele będzie zależało od sytuacji w kraju.

Nie negowałem, że część aparatu administracyjnego nie zdaje egzaminu. Wyciągam i będę wyciągał stosowne wnioski. Nie można jednak uogólniać, potępiać w czambuł całej administracji. Totalny atak — wywołuje totalną obronę, tworzy antagonizmy między nowym wielkim związkiem a administracją jako całością.

Wałęsa powiedział, że nie uogólnia. Są w administracji ludzie, z którymi pracuje się dobrze. Szczególnie zaimponował mu wiceminister rolnictwa, Andrzej Kacała. W czasie rozmów prowadzonych z rolnikami w Rzeszowie i Ustrzykach wykazał duży takt i odporność. Obecnie krążą pogłoski, że ma być odwołany. Powiedziałem, że pierwszy raz o tym słyszę, a Kacałę oceniam również wysoko. Wałęsa pozytywnie wypowiedział się także o współpracy z I sekretarzem KW PZPR w Gdańsku oraz gdańskim wojewodą. Poruszył też sprawę przekazywania służbie zdrowia niektórych budynków zajmowanych dotychczas m.in. przez partię i milicję. „Jesteśmy za tym — odpowiedziałem — ażeby jak najwięcej budynków administracyjnych przeznaczyć na cele społeczne — mieszkania, szpitale, żłobki itd. Powołałem komisję pod przewodnictwem ministra administracji i gospodarki komunalnej, która dokona przeglądu tych obiektów, a także budynków mieszkalnych, zajmowanych przez urzędy. Liczymy na współpracę i pomoc związków w tej akcji. Należy jednak wystrzegać się emocji. Nie można z góry, bez fachowej ekspertyzy, przesądzać przeznaczenia tych budynków. Poza tym wskazywanie wyłącznie obiektów zajmowanych przez konkretne instytucje czy organizacje sugeruje, że związek ma do nich nieprzyjazny stosunek. Tworzy to niepotrzebne punkty zapalne".

Przy tej okazji sięgnąłem do sprawozdania przygotowanego na posiedzenie Rady Ministrów. Wynikało z niego, że do marca 1981 roku na mieszkania przekazano 152 lokale biurowe w 17 województwach. 22 obiekty w 13 województwach otrzymało szkolnictwo. 79 obiektów w 16 województwach — służba zdrowia na szpitale, przychodnie i żłobki. 7 budynków w 6 województwach przekazano na placówki kulturalne.

Wałęsa mówił również o zwolnieniach w szpitalu MSW w Łodzi, o zwolnieniach w Szczecinie, o napiętej sytuacji w Jeleniej Górze i Radomiu. Sugerował, że są tam ludzie podstawieni specjalnie po to, żeby siać niepokój. Ja z kolei starałem się wykazać, że wszystko można spokojnie rozpatrzyć, m.in. problem radomski już rozwiązujemy. Reakcje związkowe powinny być proporcjonalne do skali sprawy. Im mniej podejrzliwości, tym lepiej. Niedawno np. z hałasem ogłoszono zaginięcie jakiegoś działacza związkowego, twierdząc, że to robota MSW. „Zguba" odnalazła się na drugi dzień, a jej zniknięcie miało charakter ściśle prywatny — męska przygoda. Inne przypadki. Znaleziono gdzieś powieszonego, gdzieś indziej spalonego. Śledztwa wykazały, że były to nieszczęścia, jakie chodzą po ludziach. Nie powinno się więc takich wypadków przedwcześnie nagłaśniać, a tym bardziej pochopnie strajkować. Mówiłem o przestrzeganiu prawa. Jeśli prawo jest złe, trzeba będzie je zmienić. Ale dopóki obowiązuje, trzeba je szanować. Będziemy reagowali, kiedy naruszają je przedstawiciele władz. Ale nie możemy być obojętni na liczne przypadki naruszania prawa przez działaczy „Solidarności".

Powiedziałem, iż rząd, którym kieruje generał, nie może być popychadłem. Nie da się żyć i pracować jak na wulkanie. Polska to duży kraj, miliony ludzi. Są mądrzy, ale są i nieodpowiedzialni. Chodzi więc o to, aby nie reagować nerwowo na różnego rodzaju incydenty. „Ja — mówiłem — oczywiście, nie mogę zagwarantować, że w jakiejś gminie czy województwie ktoś nie zrobi głupstwa. Pan też nie zagwarantuje, że któryś z członków związku głupstwa nie popełni. Ale jedno powinniśmy zapewnić, że jeśli coś takiego się zdarzy, to nie należy przechodzić od razu do kontrakcji, lecz dążyć do rozładowania napięcia". Działa Komitet do Spraw Związków Zawodowych z wicepremierem Rakowskim, jest Komisja Interwencyjna „Solidarności". Doszliśmy do wniosku, iż celowe byłoby uruchomienie telefonicznej „gorącej linii" od upełnomocnionego ogniwa „Solidarności" do MSW. Powinna ona służyć operatywnemu zapobieganiu, względnie likwidowaniu różnorodnych incydentów. Po rozmowie przekazałem MSW odpowiednie dyspozycje w tej sprawie. „Gorąca linia" okazała się, niestety, martwą linią. Do dziś nie jestem w stanie ocenić, z czyjej to było winy.

Mówiłem też, że Polska nie jest sama w świecie. Już blisko 40 lat żyjemy bez wojny. To trzeba docenić. W tym kontekście poinformowałem, iż w dniach 16-25 marca odbędzie się, między innymi na terenie Polski, duże koalicyjne ćwiczenie. Powinniśmy zadbać wspólnie, ażeby w tym czasie panował w kraju spokój. Niestety, w różnych publikacjach „Solidarności" pojawiają się nieodpowiedzialne wystąpienia antyradzieckie. Tak igrać z losem nie można. Odważny jest ten, kto idzie z butelką na czołgi, jeżeli to robi na własny rachunek. Ale nie wolno narażać innych, zwłaszcza naszej młodzieży. Co kilkadziesiąt lat płonie ona na stosie. Ostatni tragiczny stos to powstańcza Warszawa.

Pokazałem również Wałęsie ulotkę z Dąbrowy Górniczej, w której miejscowa „Solidarność" deklarowała mi pomoc w odszukaniu latarni, na której kiedyś lud warszawski wieszał zdradziecką magnaterię. Powiedziałem, że jeśli taką ulotkę przeczyta jakiś młody chłopak, to jej treść może pobudzić jego niedojrzałą wyobraźnię. Będzie może nawet szukał tej latarni. Reakcja Wałęsy była znamienna. Nie wolno wymachiwać szabelką. Trzeba krok po kroku, uczciwie, spokojnie rozwiązywać problemy. „Zrobię wszystko — powiedział — aby zapobiec różnym ekscesom. Pamiętam grudzień na Wybrzeżu. Były tam, podobnie zresztą jak w 1976 roku w Radomiu, prowokacje ze strony przedstawicieli władz, a raczej milicji czy bezpieczeństwa. Ale gdy już doszło do masowych zajść, to pół Gdańska by spłonęło, gdyby ta sprawa nie była jakoś przecięta. Potrzebny był szok. Bo ludzie, bo sklepy, bo kolejne budynki — doszłoby do jeszcze większej tragedii. Natomiast Gdynia — to co innego. A więc usuwać konfliktowe sprawy, przeciwdziałać prowokacjom". Jak z tego widać, towarzyszyła nam wciąż podejrzliwość, przeświadczenie, że jeśli dochodzi do prowokacji, to głównie z winy drugiej strony.

Nawiązaliśmy też do spraw międzynarodowych. Powiedziałem, że możemy się różnić w wielu sprawach, zawsze jednak pamiętając, że są to nasze wewnętrzne sprawy. Nie wolno nikomu wynosić ich na zagraniczny bazar. Pogratulowałem Wałęsie jego postawy we Włoszech, gdzie nie dał się uwikłać w niezręczne sytuacje. Wałęsa zastanawiał się, czy powinien skorzystać z zaproszenia do Francji. Odradzałem mu. W tym czasie trwała tam prezydencka kampania wyborcza. Francuzi sugerowali przesunięcie wizyty związkowej. Do kolejnej kadencji prezydenckiej startował Giscard d'Estaing. Znając jego życzliwy stosunek do Polski, proponowałem uwzględnić tę sugestię. Nie było to, oczywiście, bezinteresowne. Liczyliśmy na pomoc finansową. Wydawało się, że pod tym względem lepszy będzie Giscard niż socjalista Mitterrand. Jak z tego widać, decydował interes Polski, a nie sympatie ideowo-polityczne.

Wątek międzynarodowy uzupełnialiśmy o inne elementy. Spokój w Polsce to nie tylko nasza wewnętrzna sprawa. Destabilizacja w okresie ostrego podziału świata mogłaby zakończyć się dla nas tragicznie. Podkreśliłem znaczenie radzieckich gwarancji dla naszej zachodniej granicy. Ciąży na nas historyczna odpowiedzialność za obecny kształt Polski, z szerokim dostępem do morza, na który czekaliśmy przez blisko tysiąc lat.

Bardzo ważne są stosunki gospodarcze z Moskwą. Dbajmy o nie, bo to stabilny partner. Weźmy problem ropy naftowej. Wystarczy, że obalą szacha, że jakiś szejk zwariuje, że Arabia podniesie ceny i już są w świecie duże kłopoty. My jak dotąd mamy z ropą spokój. Przy tej okazji wróciłem do kampanii antyradzieckiej, przypominając szeroko kolportowaną karykaturę Breżniewa przedstawiającą go jako groźnego niedźwiedzia. „Panie Generale, ja te misie zlikwiduję" — odpowiedział z uśmiechem Wałęsa. Potem mówił o trudnościach z uruchomieniem „Tygodnika Solidarność". Wracał zresztą kilkakrotnie do tego tematu. Wiedziałem, że jest pozytywna decyzja, natomiast nikt mi nie sygnalizował trudności. On też w szczegółach nie był zorientowany. Wyjaśniliśmy to sobie w dalszej części spotkania, już w szerszym gronie.

Mówiąc o współpracy gospodarczej Wałęsa wypomniał, że ludzie zarabiają mniej, kiedy robią statki dla Związku Radzieckiego. Natomiast kiedy na Zachód, zarabiają więcej. Przeliczniki są więc dla nas niekorzystne. Wyjaśniłem, że tego nie można oceniać selektywnie, lecz w skali całej wymiany handlowej. My importujemy z ZSRR dużo surowców po cenach niższych niż światowe. Tylko wynik per saldo daje pojęcie, co jest korzystne, a co niekorzystne.

Zmieniając temat — powołałem się na artykuł z „New York Timesa", w którym sytuację w Polsce porównywano do ringu. W dwóch przeciwległych narożnikach stoją rząd i „Solidarność". Nie możemy dopuścić do starcia. Już od kilku miesięcy ponosimy przecież wspólną odpowiedzialność. Potrzebujemy spokoju i pracy. Wałęsa odpowiedział, że też chciał wyjść z apelem o lepszą pracę, o przeciwdziałanie strajkom, ale mu przeszkodziły konflikty, zwłaszcza w Łodzi i Radomiu. Zapowiedział, że uporządkuje swoje szeregi, zrobi wszystko, nawet — jak się wyraził — przegrywając własną sprawę. Odpowiedziałem szczerze, że w żadnym razie nie powinien przegrać.

Widziałem w nim autentycznego przywódcę robotniczego, który ma szansę kierować „Solidarnością”, tak aby była potężnym związkiem, o specjalnym statusie, zasadniczo innym niż dotychczasowy, klasyczny dla krajów socjalistycznych, chociaż nie przekraczającym ustrojowych ram. Przyszłość pokazała, iż było to z różnych przyczyn założenie nierealne.

Zwróciłem uwagę, że „Solidarność” korzysta z zagranicznej pomocy pieniężnej. Wałęsa zareagował w sposób rozbrajający: „My nie musimy brać dolarów, możemy brać kukurydzę, nawozy, niech pan podpowie, co jeszcze. Kiedyś w rozmowie z panem Kanią powiedziałem, że od nieprzyjaciela to ja wezmę wszystko, a nawet jeszcze więcej, aby go osłabić”. Był to trochę humorystyczny fragment naszej rozmowy.

Zachęcałem Wałęsę do podjęcia dialogu z przewodniczącym związków branżowych, Albinem Szyszką. Branżowcy widzą możliwość współpracy, chcieliby usiąść z „Solidarnością” przy jednym stole. Wałęsa odniósł się do tego niechętnie. Mówił, że branżowcy przeszkadzają, są niekulturalni i do tego tak nieładnie naskoczyli na premiera Pińkowskiego. Wydawało mi się to dość osobliwe: „Solidarność” stanęła w obronie byłego premiera. Jednakże czułem, że Wałęsa ma dobrą wolę. Z przekonaniem twierdził, że wyjdziemy z obecnych trudności. Stwierdził, że docenia moją rolę i możliwości związane zwłaszcza z wysokim autorytetem wojska. Ma do mnie zaufanie, wierzy mi, gotów jest podjąć działania, które uznam za konieczne. Odpowiedziałem, że jeżeli wyprowadzimy Polskę z obecnego impasu, będzie to historyczne dzieło. Jeśli nie — ludzie nas przeklną.

Pod koniec rozmowy Wałęsa zaproponował, ażeby w jakimś nieodległym terminie doprowadzić do mojego spotkania z Krajową Komisją „Solidarności”. Przyjąłem tę propozycję. Do dzisiaj myślę z ogromną goryczą i smutkiem, że gdyby nie wydarzenia bydgoskie, które zadały cios temu zapowiadającemu się dobrze kierunkowi wzajemnego zrozumienia i współpracy, doszłoby do takiego spotkania.

W sumie, w takiej właśnie koncyliacyjnej, życzliwej atmosferze przebiegała cała nasza pierwsza, długa rozmowa. Kiedy wracam dziś do niej, myślę, jak daleko odeszliśmy od tamtego czasu, jak zmienił się świat, jak zmieniła się sytuacja każdego z nas. Prawdopodobnie

Wałęsa w najśmielszych oczekiwaniach nie przewidywał tego, co nastąpi, co przeżyje i kim będzie. Ja zaś odrzucałem myśl, że nie uda nam się rozwiązać ówczesnych problemów, że dojdzie do dramatycznych wydarzeń, że naród doświadczy tak wiele w tak krótkim czasie.

W trakcie rozmowy Wałęsa skarżył się na ból głowy. Widziałem, że jest zmęczony. Jednakże na zakończenie zasugerował spotkanie z oczekującym w sąsiednim pomieszczeniu Marianem Jurczykiem. Pamiętałem, że Jurczyk w sposób niezbyt taktowny wypowiedział się publicznie na temat wystąpienia Stanisława Kani na XXVI Zjeździe KPZR. Powiedziałem, że Kania jest dobrym patriotą, że broni interesów naszego kraju, a więc sformułowania użyte przez Jurczyka są nieodpowiedzialne i krzywdzące. Wałęsa przyznał mi rację. Sam zwrócił Jurczykowi na to uwagę. Niemniej prosił jednak, żebym się z nim spotkał, bo to może pomóc ich dalszej współpracy. Już wtedy zauważyłem, a znalazło to odbicie w późniejszym okresie, że narastały między nimi rozbieżności.

W rozmowie z Marianem Jurczykiem uczestniczyli ponadto Rakowski, Ciosek oraz bodajże Celiński. Obecna była również ładna czarnulka, ówczesna sekretarka Wałęsy, Bożena Rybicka. Jurczyk wyglądał bardzo młodo, chociaż na wstępie powiedział, że ma już 46 lat i siwe skronie, jak gdyby podkreślając w ten sposób swoją życiową powagę i doświadczenie. Po przywitaniu poinformowałem o głównych tematach zakończonej przed chwilą rozmowy. Potwierdził to i rozwinął Wałęsa. Mówił o potrzebie wspólnego działania, w duchu konstatacji, do których doszliśmy.

Witając Jurczyka przypomniałem, że jest byłym żołnierzem pułku artylerii wchodzącym w skład 12 Dywizji Zmechanizowanej, którą dowodziłem w drugiej połowie lat 50. Jurczyk wyraził zadowolenie z możliwości spotkania. Następnie uderzył w patetyczne struny. „Jesteśmy wszyscy Polakami, jemy polski chleb, naszą matką jest Polska, chcemy współpracować dla dobra Ojczyzny". Potem mówił o niepokojących wydarzeniach. W szczególności dotyczyło to porwania i pobicia dwóch związkowców ze Stargardu Szczecińskiego. Podejrzewał, że zrobiła to milicja. Zaznaczył przy tym, że nie narzeka na współpracę z władzami wojewódzkimi, ale wypadek w Stargardzie ją zakłócił. Wicepremier Rakowski i minister Ciosek poinformowali, że sprawa jest badana, że nie będziemy wobec takich sytuacji bezczynni. W nawiązaniu do rozmowy z Wałęsą sugerowałem, aby nie reagować pochopnie. Przecież różne ekscesy zdarzają się też wobec członków partii czy przedstawicieli administracji. Potrzebny jest nam spokój, ale nie spadnie on z nieba. Musimy przeciwdziałać wszystkiemu, co by zakłócało wzajemne zrozumienie i zaufanie. Odniosłem się krytycznie do niektórych publikacji w piśmie szczecińskiej „Solidarności" — „Jedność". M.in. ostro tam krytykowano służbę wojskową absolwentów wyższych uczelni. Zaznaczyłem, że o wojsku, o żołnierskim trudzie pisać trzeba z większym zrozumieniem. Obecni tu znają przecież ten trud dobrze.

Jurczyk mówił też o swoich spostrzeżeniach z wizyty we Francji, gdzie zapoznawał się z przemysłem stoczniowym. Co prawda warunki pracy u nas są gorsze, ale nie mamy czego się wstydzić. Nasz przemysł stoczniowy jest dobry, chociaż w procesie produkcji występują różnego rodzaju słabości. Nie wszyscy kierownicy na stanowiskach brygadzistów, majstrów, dyrektorów są na poziomie. Później powiedział — i Wałęsa to potwierdził — że konieczne jest wzmocnienie roli samorządów pracowniczych. Jakże inaczej wygląda dziś ten problem!

Do konkretnych spraw ustosunkował się Ciosek. Poinformował m.in. o tym, że przywrócono do pracy trzech pracowników zwolnionych ze szpitala MSW. Jednocześnie wskazywał na złożoność problemu uzwiązkowienia w resorcie spraw wewnętrznych i wojska. Dobrze byłoby — kontynuował — wypracować zgodny z kulturą polityczną model rozstrzygania spraw spornych. Teraz na przykład Radom się wycisza, ale w Łodzi sytuacja nadal napięta. W Katowicach też coś się dzieje, w Gdańsku coś się szykuje. Wałęsa potwierdził, że istotnie jest lekkie poruszenie. Wiemy, kto i wiemy, co. Jutro, pojutrze ten temat będzie załatwiony. Ale jeśli musiałby teraz jechać do Łodzi, to nie uda mu się tego wygasić. Dziś, kiedy wracam pamięcią do owego czasu, widzę, jak było ciężko, jak towarzyszyło nam stale społeczne „bulgotanie".

Rakowski, potwierdzając poparcie dla powstania „Tygodnika Solidarność", wspomniał o trudnościach lokalowych. Na siedzibę redakcji „Solidarności" przewidziane są pomieszczenia zajmowane obecnie przez Region „Mazowsze", dla którego znaleziono inny budynek. Ponieważ tych nie chcą opuścić dotychczasowi użytkownicy, w tym też Zakładowa Komisja „Solidarności". Warto przypomnieć, że rozwijający się gwałtownie związek miał wtedy ogromne potrzeby. Zatrudniał około 40 tysięcy pracowników.

Dalej Rakowski mówił — z żalem i niepokojem — o różnego rodzaju drobnych raczej incydentach, nadproporcjonalnie nagłaśnianych i w rezultacie wywołujących napięcia. „Zobaczcie, co się dzieje na świecie. Cała Europa krzyczy: 90 dni generała zostało zakłóconych". Dawał przykład spotkania z wyborcami w Sieradzu, dokąd przyjechała delegacja Ziemi Lubuskiej. „Przystawiła mu pistolet do głowy" żądając pertraktacji na oczach 300 ludzi. W takich warunkach nie można rozmawiać. A potem w związkowym biuletynie napisano, że wicepremier arogancko się zachował. Przypomniał swój artykuł „Szanować partnera", mówiąc, że druga strona też musi szanować partnera.

W sumie rozmowa trwała około godziny. Dominowała — jak to odczuwałem — chęć wzajemnego zrozumienia, świadomość, że trzeba szukać mechanizmów pozwalających uniknąć napięć. Rozstaliśmy się przyjaźnie. Lech Wałęsa wywarł na mnie w sumie dobre wrażenie — trochę chropowaty, ale dziarski, realistycznie myślący, z szybkim refleksem i poczuciem humoru. Żałuję, że nie byłem przygotowany, aby poczęstować gości kolacją.

Wyszedłem z tego spotkania z nadzieją. Z Rakowskim i Cioskiem uznaliśmy, że być może jest to otwarcie nowego, ważnego etapu. Niestety, już wkrótce sprawy potoczyły się inaczej.

Rozdział 8

Bydgoski paroksyzm

Ze zjazdu KPZR wróciłem do kraju względnie spokojnego, choć raz po raz wybuchały lokalne strajki. Apel o 90 spokojnych dni był już nadwerężony, lecz jeszcze aktualny. A tu nad krajem zawisła groźba strajku generalnego. 19 marca Polską wstrząsnęła tzw. sprawa bydgoska.

16 marca 1981 roku w Bydgoszczy grupa NSZZ Rolników Indywidualnych „Solidarność" wtargnęła do budynku Wojewódzkiego Komitetu Zjednoczonego Stronnictwa Ludowego, proklamując bezterminowy strajk okupacyjny. Na czele komitetu strajkowego stanął Michał Bartoszcze. Strajkujący postawili wiele żądań. Między innymi domagali się uznania NSZZ „Solidarność" RI jako społeczno-zawodowego reprezentanta rolników; przekazania całego funduszu rolnictwa do dyspozycji samorządu wiejskiego; zagwarantowania bezpieczeństwa osobistego uczestnikom strajku. 17 marca komitet strajkowy przekształcił się w Ogólnopolski Komitet Strajkowy NSZZ RI „Solidarność".

Swoje postulaty strajkujący chcieli przedstawić na sesji plenarnej Wojewódzkiej Rady Narodowej, która miała się odbyć 19 marca. Porządek dzienny przewidywał m.in. rozpatrzenie projektu planu i budżetu, interpelacje oraz wolne wnioski. Uzgodniono z Prezydium WRN, że w posiedzeniu Rady weźmie udział 6 przedstawicieli Komitetu Strajkowego. Na sesję przybyło nie 6, a około 30 osób z Janem Rulewskim na czele. Całą grupę wpuszczono na salę obrad. W przededniu, tj. 18 marca, do większych zakładów pracy Bydgoszczy skierowane zostały teleksy, wzywające do wysłania swoich delegacji przed budynek WRN w dniu jej posiedzenia. Chodziło o to, ażeby w ten sposób wywrzeć większy nacisk na władze wojewódzkie. W odpowiedzi na wezwanie, 19 marca przed gmachem WRN zaczęli się gromadzić ludzie.

W czasie sesji padł wniosek, aby przełożyć obrady WRN w związku z licznymi interpelacjami, które mogą mieć wpływ na projekt planu i budżetu. Radni, przy 4 głosach wstrzymujących się, wniosek przyjęli. Na sali obrad pozostało jednak 45 radnych oraz przedstawiciele Międzyzakładowego Komitetu Założycielskiego. Około godziny 18^{00} podpisano wspólny komunikat, w którym ustalono, że na kolejnym posiedzeniu Rady przedstawiciele MKZ będą mieli możliwość przedstawienia swoich postulatów. Mimo to nie opuścili sali obrad. Z relacji niektórych świadków wynikało, że mieli śpiwory, zapasowe ubrania.

Próby skłonienia do opuszczenia sali podejmował wicewojewoda Roman Bąk, a także wezwany prokurator. Robiono to kilkakrotnie, w sposób perswazyjny — co zresztą było widoczne na przedstawionym przez telewizję filmie. Jednak bez rezultatu. Wówczas wezwano siły porządkowe. Major milicji ponowił wezwanie. Rulewski zwrócił się o przedłużenie pobytu o 15 minut. Major wyraził zgodę. Po upływie tego czasu Rulewski prosił o dalsze 15 minut. Też uzyskał zgodę. Na prośbę o kolejne 15 minut — odpowiedź majora była również pozytywna. Wreszcie, po ostatecznym wezwaniu, część osób opuściła salę. Część stawiała opór. Doszło do szamotaniny na sali, a zwłaszcza poza nią. Kilku działaczy „Solidarności" odniosło obrażenia. Odwieziono ich do szpitala.

Następnego dnia MKZ NSZZ „Solidarność" i „Solidarność" wiejska ogłosiły pogotowie strajkowe w województwie bydgoskim oraz skierowały apel do KKP NSZZ „Solidarność" o proklamowanie strajku generalnego w całym kraju. (Przyp. od redakcji na podstawie opublikowanych źródeł).

Pragnę uniknąć faktograficznej polemiki. Przedstawiona relacja to jedynie krótki opis zajść. Wiadomo, że do dziś nie znalazły wiernego kronikarza. Natomiast co do tego, że ich przebieg wyglądał dwuznacznie, większość komentatorów jest zgodna.

Nie ukrywam, że bardzo zastanawiał mnie wówczas zdumiewający zbieg następujących okoliczności. Otóż na początku marca oficjalnie zapowiedziano, że w połowie miesiąca odbędą się wielkie koalicyjne ćwiczenia wojskowe „Sojuz-81". Rozpoczęły się 16 marca na terytorium Polski i krajów sąsiednich. I właśnie w tymże dniu rozpoczęła się okupacja budynku WK ZSL, z kolei 17 marca Komisja Krajowa podjęła decyzję o utworzeniu sieci zakładowych organizacji „Solidarności" i wreszcie 19 doszło do wydarzeń w gmachu WRN. Czy więc skrajna lekkomyślność, czy jakieś nieczyste moce?

„Solidarnościowy" historyk prof. Jerzy Holzer w swojej książce napisał, że ktoś — bliżej nie określony — nie dopuścił do doręczenia Rulewskiemu, przebywającemu w gmachu WRN, telegramu Prezydium KKP, w którym jakoby namawiano działaczy bydgoskich do opuszczenia sali obrad. Ileż niewiadomych kryje się w tym jednym zdaniu!

Również Lech Wałęsa — w wywiadzie dla „Sztandaru Młodych" — podkreślał niejasny charakter wydarzeń. Wiadomo, że osobiście dwukrotnie rozmawiał z Rulewskim przez telefon — prosząc o rozsądek i opuszczenie sali, o czym pisze w książce „Droga nadziei". W tej samej książce Andrzej Celiński relacjonuje tak: „(...) odbyły się cztery rozmowy między Gdańskiem a Bydgoszczą, w których dwukrotnie rozmówcą Wałęsy był Rulewski, później Gotowski, a potem już nikt. W tej trzeciej rozmowie Gotowski brał udział dlatego, że Rulewski odmówił podejścia do telefonu. Wałęsa namawiał Rulewskiego do opuszczenia obrad od samego początku, natomiast Rulewski oponował. (...) Był to, jak na Wałęsę, bardzo silny nacisk z jego strony na Rulewskiego. Wałęsa tak silnych nacisków w innych sprawach nie wywierał".

Zażądałem informacji z MSW i WSW. Wszczęto dochodzenie prokuratorskie. Do Bydgoszczy pojechała specjalna komisja pod przewodnictwem ministra sprawiedliwości, prof. Jerzego Bafii. Opracowała raport o przebiegu wydarzeń, zresztą w kilku punktach zakwestionowany przez KKP „Solidarność". Niejasności budziło przerwanie obrad WRN przed wyczerpaniem porządku sesji. Działacze „Solidarności" uznali, że wskutek tego uniemożliwiono im zabranie głosu w wolnych wnioskach, mimo wcześniejszych uzgodnień.

Wyprowadzenie delegacji z budynku miało jednak swoje uzasadnienie. Przedstawiciele władz wojewódzkich mogli się obawiać akcji okupacyjnej w gmachu WRN. Taki wariant był przecież rozważany, o czym wspomina także Jerzy Holzer. Wprawdzie — jak twierdzą — odrzucono go, ale nie zapominajmy, że wówczas już prawie nikt nikomu nie wierzył. Ponadto dwa dni wcześniej zajęto siedzibę WK ZSL. To wszystko się nawarstwiało. Kto oglądał potem w telewizji fragmenty wydarzeń, widział także, iż Rulewski zachowywał się czupurnie wobec wicewojewody, zakomunikował mu nawet: „Już pan nie jest wojewodą", a także wobec prokuratora i majora milicji, którzy wielokrotnie apelowali o wyjście.

Niestety, dziś o tej sprawie wiem niewiele więcej, niż wówczas. Wszystkie wersje są tak samo prawdopodobne. „Solidarność" uznała, że sprawa bydgoska zagroziła jej bezpośrednio. Dla władzy Bydgoszcz była symptomem narastającej agresywności ze strony radykalnej części związku, dążeniem do wywołania konfrontacyjnej atmosfery. Niemniej sposób rozwiązania konfliktu — pomijam, czy formalnie uzasadniony, czy nie — faktycznie naruszył zasadę koncyliacyjnego postępowania, którą uważaliśmy za podstawową. I w tym sensie przyjmuję również krytykę pod adresem nas, władzy.

Wydarzenia bydgoskie dotkliwie zaważyły na nastrojach w kraju. Doszło do ogromnego napięcia. Jan Olszewski porównał sytuację do tej, jaka miała miejsce tuż przed powstaniem styczniowym. W kilkudziesięciu miastach na znak protestu ogłoszono lub zapowiedziano strajki.

W tamtym czasie każdy incydent urastał do horrendalnych rozmiarów. Wszyscy stawaliśmy się więźniami tego nienormalnego stanu. Wzajemna podejrzliwość przybierała rozmiary wręcz chorobliwe. Karierę robiły dwa słowa: prowokacja i manipulacja — oczywiście, przypisywane wyłącznie drugiej stronie. Komu mogło zależeć na prowokacji? Najkrócej mówiąc — tym, którzy myśleli wyłącznie w kategoriach: kto — kogo?

W tych okolicznościach spotkaliśmy się z Lechem Wałęsą po raz drugi. Tym razem w hotelu rządowym przy ulicy Parkowej. Pamiętam, że była to niedziela, 22 marca. Wróciłem właśnie z ćwiczeń „Sojuz-81", w związku z czym spóźniłem się nieco i nie zdążyłem nawet przebrać się. Byłem więc w umundurowaniu służbowym, w długich butach. Później dopiero uświadomiłem sobie, iż w tej napiętej sytuacji mój ubiór mógł działać drażniąco.

Mając w pamięci optymistyczną wymowę spotkania odbytego przed niespełna dwoma tygodniami, żaden z nas nie spodziewał się tak gwałtownego, niekorzystnego obrotu wydarzeń. Atmosfera w sumie krótkiej rozmowy stawała się chwilami nerwowa. Wałęsa był wyraźnie przejęty, podekscytowany. Sytuacja wyglądała groźnie. Poza tym spieszyliśmy się. Ja też byłem spięty. Poligon, ćwiczenia dawały mi zazwyczaj odprężenie, byłem w swoim żywiole. Tym razem reagowałem inaczej — wyczuwałem ukryte ostrze. Obserwowałem fragmenty ćwiczenia na poligonie Świetoszów. Przed odlotem do Warszawy na lotnisku Północnej Grupy Wojsk — Stara Kopernia — rozmawiałem z Kulikowem oraz ministrami Heinzem Hoffmanem i Martinem Dzurem. Powtarzali wciąż te same opinie, przestrogi. Gdyby nie powaga sytuacji — można by powiedzieć, że do znudzenia.

Wracam do rozmowy z Wałęsą.

Lech Wałęsa przekazał mi swoje poglądy i uwagi na temat wydarzeń w Bydgoszczy, a ja ustalenia, którymi dysponowałem. Każdy z nas miał częściowo inną wersję. Zrozumiałe, że Wałęsa nie mógł być obojętny, zwłaszcza wobec pobicia związkowców. To była także sprawa jego prestiżu jako przewodniczącego. Mówił więc ostro i krytycznie o postępowaniu władz. Przy okazji przypomniał różne incydenty z przeszłości. Z kolei ja rewanżowałem się informacjami o anarchizujących działaniach wielu ogniw związku. Wałęsa oświadczył, że stara się zapanować nad sytuacją, ale napięcie jest bardzo duże. Chociaż nasze spojrzenie na przyczyny powstałej sytuacji było odmienne, łączyła nas świadomość, iż znaleźliśmy się na ostrym zakręcie. Obaj wyrażaliśmy niepokój.

Poinformowałem też o koalicyjnych ćwiczeniach. Mówiłem, że sprawę bydgoską bacznie obserwują sojusznicze rządy i armie.

Prosiłem, apelowałem o chłodną ocenę wydarzeń, o wyciszenie emocji. Nie możemy dopuścić, aby ten incydent doprowadził do nieobliczalnych skutków. Musimy wyrwać się z pułapki, w którą wepchnęły nas te wydarzenia. Zapewniłem, że osobiście interesuję się wyjaśnieniem spraw, że zrobię wszystko, co możliwe, aby nie zaciążyła na dalszej współpracy rządu ze Związkiem. Niestety, komisji rządowej pod przewodnictwem prof. Bafii nie udało się wyjaśnić okoliczności pobicia. Kto i kiedy, kogo i dlaczego, czym i jak uderzył — to naprawdę w ówczesnej sytuacji trudne było do rozwikłania.

Do dziś uważam, że za pierwszą część wydarzeń w większym stopniu winę ponosi strona solidarnościowa. Usunięcie siłą rolników, w tym posłów, z budynku Ministerstwa Rolnictwa w 1990 roku potwierdza, że nie tylko stara władza podejmowała takie środki. Natomiast za pobicie ponoszą odpowiedzialność służby porządkowe, a więc władza.

Po dzień dzisiejszy nie wykluczam, że ktoś był zainteresowany takim właśnie przebiegiem zajścia. Ale też nie mogę wykluczyć, że pobicie miało charakter, nazwijmy to — spontaniczny. Doszło do szamotaniny. Milicjanci byli rozwścieczeni i skorzystali z okazji, żeby w ciemnym korytarzu kogoś poturbować.

Lech Wałęsa i ja mieliśmy świadomość, że z jednej i z drugiej strony siły ekstremalne „naciskają do oporu". Muszę z uznaniem podkreślić, że w trakcie incydentu w Bydgoszczy reagował on bardzo odpowiedzialnie. Jednakże pod wpływem narastającej temperatury wysuwał pretensje przede wszystkim do władzy. Był nimi naładowany przez swoje otoczenie. Na posiedzeniu Komisji Krajowej rzucił jednak na szalę swój autorytet. Dominowała tam tendencja, ażeby od razu podjąć strajk generalny. Wałęsa — nawet z naruszeniem demokratycznych procedur, co zresztą miano mu za złe — przeforsował decyzję o strajku jedynie ostrzegawczym, protestacyjnym. Ogłoszenie strajku generalnego uzależniono od rozwoju sytuacji.

Szczęście, iż do tego nie doszło. W sytuacjach ekstremalnych łatwo może dojść do wybuchu. Detonatorem I wojny światowej stało się zabójstwo arcyksięcia Franciszka Ferdynanda w Sarajewie. *Toutes proportions gardées* — z powodu poturbowania Rulewskiego mogła stanąć w ogniu Polska. Tym razem Polacy okazali się wszakże mądrzy przed szkodą. Przyszłość nie rysowała się jednak różowo.

W rozmowie z przewodniczącym „Solidarności" pojawiły się jeszcze dwa elementy zasługujące na odnotowanie. Otóż nasze służby wywiadowcze zdobyły we Włoszech dziennikarskie materiały, robione z myślą o złośliwym wykorzystaniu ich przeciwko Wałęsie. Korzystając z okazji spotkania przekazałem mu je. Zapewniałem jednocześnie, że uczynię wszystko, aby nikt nie zrobił z nich użytku. Był to z mojej strony po prostu ludzki odruch, wyraz sympatii, której nić, jak sądzę, między nami istniała.

I druga, poważniejsza sprawa. Wałęsa przewidywał, iż rozwój sytuacji wcześniej czy później może doprowadzić do nadzwyczajnych rozwiązań. Prosił więc o poinformowanie, że istotnie taki moment się zbliża. Obiecałem mu to. Po 13 grudnia miał prawo mieć pretensje, że nie spełniłem obietnicy. Dlaczego tak się stało? Otóż od marca do grudnia nieraz było gorąco. Jednak dopiero na przełomie listopada i grudnia niebezpieczeństwa skumulowały się w najwyższym stopniu. I właśnie wtedy, to jest na VI plenum Komitetu Centralnego PZPR, wprawdzie po raz kolejny, ale zarazem po raz pierwszy tak jednoznacznie, publicznie ostrzegłem o możliwości wprowadzenia rozwiązań typu „stanu wojennego". Jak wiadomo, odzew nie był zachęcający. Całkowicie zaś zwolniony z obietnicy poczułem się 4 grudnia 1981 roku, po radomskim posiedzeniu Prezydium Komisji Krajowej „Solidarności".

Nawiązałem do tej sprawy podczas rozmowy z prezydentem Wałęsą w końcu grudnia 1990 roku. Odniosłem wrażenie, że zrozumieliśmy się.

Wracam do przerwanego wątku. Ustaliliśmy, iż to nasze drugie spotkanie potraktujemy poufnie, nie ogłosimy komunikatu. Pożegnaliśmy się. Widziałem, że Wałęsa jest niezadowolony. Byłem również pełen niepokoju. W kraju wrzało. Nadzieje na 90 spokojnych dni, wcześniej wielokrotnie już podważane, teraz legły w gruzach. Zegar-kalendarz generała Janiszewskiego nadawał się tylko na makulaturę.

I jeszcze kilka ogólniejszych refleksji. Jest stare, ludowe rosyjskie powiedzenie: „Posle draki kułakami nie maszut" — po bójce nie wymachuje się pięściami. Nawet dzisiaj w różnych publikacjach pisanych z radykalnych pozycji „Solidarności" można znaleźć opinie, że należało wtedy przycisnąć, „iść na całość"... Był to — zdaniem rzeczników tych poglądów — czas, kiedy „Solidarność" osiągnęła największy stopień spiętrzenia swego impetu i potencjału, a w społeczeństwie wywołała najwyższą falę emocji. Takiej temperatury społecznego wrzenia już potem wywołać się nie udało. Gdyby więc wtedy przeprowadzono strajk generalny, to obalenie władzy było możliwe. Nie chcę dyskutować szerzej na temat temperatury nastrojów i emocji. Takim termometrem nie dysponuję. Wiem natomiast, że falowanie napięcia w ciągu 1981 roku miało w sumie tendencję wzrastającą.

Próba przejęcia władzy doprowadziłaby wówczas do straszliwego konfliktu. Wydarzenia miały charakter żywiołowy, niesterowalny, a to groziło kompletnym chaosem. Owe spiętrzone fale niosły wielką siłę niszczącą, nie były zdolne do budowy czegokolwiek. Miał tego świadomość i prymas Wyszyński, kiedy tak żarliwie przestrzegał, prosił o umiar, opamiętanie. To nie był przecież wyraz sympatii do władzy, lecz poczucie odpowiedzialności za kraj.

Niebezpieczne zaostrzenie ocen istniało wówczas i w obrębie organów władzy. Wzrastająca po obydwu stronach fala emocji nieuchronnie prowadziła do zderzenia. Dodatkowym czynnikiem były wielkie sojusznicze ćwiczenia, przebiegające na terenie i na obrzeżach naszego kraju. Wolę nie myśleć o tym, co by było, gdyby...

Po jakimś czasie przyjąłem u siebie bydgoskiego wicewojewodę Bąka. Odwołaliśmy go ze stanowiska dla świętego spokoju. Wywarł na mnie wrażenie człowieka rozsądnego, rozważnego. Argumenty, które przedstawił, wydawały się racjonalne.

W owym czasie przebywał w Bydgoszczy wicepremier Stanisław Mach z zadaniem przedstawienia kandydatury na stanowisko wojewody. To właśnie on powiadomił mnie o wydarzeniach w sali WRN. **Mach** to człowiek poważny, odpowiedzialny. Ceniłem go. Poprzednio był energicznym i skutecznie działającym ministrem przemysłu lekkiego. Kiedy zaczęły się przepychanki — zadzwonił do mnie. Poleciłem, żeby został, obserwował, trzymał rękę na pulsie.

Dzisiaj uważam, że winni byli właściwie wszyscy. Winien był Rulewski. Wina była i po naszej stronie. Postępowanie wszystkich było zbyt nerwowe. Czuję się też winny — może należało wtedy w to wkroczyć, zastosować jakieś inne rozwiązanie? Jakże tu pasuje powiedzenie Augusta Cieszkowskiego z traktatu „Ojcze Nasz": „Wszyscy zawinili przeciwko wszystkim". Uważałem, że problemu bydgoskiego ciągnąć w nieskończoność nie wolno, a jednocześnie starałem się, żeby wszyscy mogli wyjść z twarzą.

Sprawa jednak wciąż żyła, była jednym z tych trudnych i bolesnych tematów, który nam towarzyszył przez wiele miesięcy, a potem może nawet i lat. Władza na tym straciła. Powiem więcej.

Wszystkie tzw. prowokacje z reguły zwracały się przeciwko władzy. W sumie wydarzenia bydgoskie odczułem bardzo jako uderzenie w program, w nadzieje, które ożywił nowy rząd. Stały się one szczególnie niebezpiecznym punktem w burzliwym 1981 roku. Złożyłem w Sejmie publiczne ubolewanie. Incydent bydgoski przyniósł niepowetowaną szkodę tym wszystkim, którzy w kompromisie, porozumieniu widzieli szansę przełamania kryzysu. Już nigdy jednak nie udało się wrócić do stanu umysłów i nerwów sprzed Bydgoszczy. 30 marca Wałęsa i Rakowski, biorąc na swe barki trudną, kontrowersyjną decyzję, doprowadzili do podpisania porozumienia, nazywanego odtąd „warszawskim". Groźba strajku generalnego została oddalona, ale osad pozostał.

Porozumienie warszawskie zarówno w obozie władzy, jak i w kręgach „Solidarności" odebrano jako ustępstwo, wręcz kapitulację. Na ogół wtedy tak bywało, że każda ze stron uważała jakiekolwiek uzgodnione rozstrzygnięcie za niegodne ustępstwo. W rezultacie, jeśli baza krytykowała ustępliwość swojego kierownictwa, to tym samym zawężała pole jego działania, możliwość osiągania dalszych kompromisów. Co więcej, wyzwalała tendencje kompensacyjne, chęć odegrania się na innym polu, w innej sytuacji. Bo jeśli ustąpiłeś, nie poszedłeś na całego, to następnym razem musisz pokazać, że jesteś twardy. Jeśli jest porażka, to trzeba ją zrekompensować sukcesem. W przypadku władzy sukces to: ani kroku do tyłu. A w przypadku „Solidarności" sukces to: kolejny krok naprzód, kolejna wyrwa w obszarze władzy. A więc spirala politycznych nerwic. Nieustanna próba sił. To osłabiało kręgi umiarkowane, ograniczało ich możliwości.

Zdarzały się jednak i „cudowne ocalenia". Mam na myśli mało znany, a jednocześnie bardzo ważny — w sensie jego możliwych skutków — incydent. Wspomina o nim krótko, aczkolwiek wyraziście, Mieczysław Rakowski w książce „Jak to się stało". Parafrazując ten tytuł opowiem „jak to się nie stało". Późno wieczorem 19 marca przyszedł do mojego gabinetu Rakowski. Wyglądaliśmy chyba jak dwa nieszczęścia. Złość, rozgoryczenie, obawy. Zastanawialiśmy się, czy wszystko to, co się stało w Bydgoszczy, cały ten splot wydarzeń, to wynik głupoty czy prowokacji, przypadek czy premedytacja. Harce Rulewskiego w Wojewódzkiej Radzie Narodowej ocenialiśmy, oczywiście, jednoznacznie. Ale pobicie? Co z tego wyniknie?

Nagle telefon. Dzwoni Kania, który niemal przed chwilą wrócił z Budapesztu. Czułem, że nie jest sam, że wyraża opinię innych osób.

Mówił, że trzeba jeszcze dziś w nocy usunąć grupę chłopów, którzy od kilku dni okupują budynek Wojewódzkiego Komitetu ZSL w Bydgoszczy. W tym momencie uświadomiłem sobie, że w godzinach popołudniowych telefonował w tej sprawie wicepremier Mach. Bardzo zdenerwowany przekazał mi wiadomość, iż siły porządkowe — jakoby zgodnie z decyzją Biura Politycznego — mają wieczorem szturmować ten budynek. Zostały nawet w tym celu ściągnięte jakieś posiłki, m.in. z Poznania, Piły oraz ze szkoły milicyjnej w Słupsku. Nie znałem takiej decyzji Biura. Zresztą asekuracyjne powoływanie się na czynniki wyższe było praktykowane dość często. Zabroniłem podjęcia jakichkolwiek działań do czasu powrotu Kani. Gdy więc usłyszałem, o co chodzi — pociemniało mi w oczach. Z wcześniejszych informacji wiedziałem, że wśród rolników panuje skrajna determinacja, że uzbrojeni są w siekiery, toporki strażackie, łańcuchy, noże itp., że znajduje się z nimi dwóch czy trzech księży. Można sobie wyobrazić, co by się działo, jak mogłoby się to skończyć. Podniosłem głos, zacząłem krzyczeć, protestować, żądać spotkania w szerszym gronie dla omówienia sytuacji. Rakowski mówił później, że w takim stanie jeszcze mnie nie widział. Przyznam, iż Kania potrafił ze spokojem przyjmować moje nieraz nerwowe reakcje. Postanowiliśmy spotkać się w KC. W gabinecie I sekretarza, w gronie kilku osób odbyła się dyskusja. Za użyciem siły wypowiedzieli się Olszowski i Stachura, przeciwko Milewski i oczywiście ja. Kania został przekonany. Poturbowanie Rulewskiego i jego dwóch towarzyszy postawiło Polskę na krawędzi. A co by było, gdyby w budynku ZSL polała się krew? Gdyby te dwa wydarzenia się zsumowały? Strach pomyśleć.

Pora w tym kontekście na kilka słów o Mirosławie Milewskim. Wiele lat pozostawał w bardzo bliskich, serdecznych stosunkach z Kanią. To wpłynęło na moje ówczesne oceny i stosunek do niego. W końcu lat 70. zetknąłem się z nim nieco bliżej na gruncie służbowym. **Milewski** wydał mi się inteligentny, kulturalny i wręcz do przesady skromny. Ta cecha wśród ludzi władzy nie występuje nadmiernie. Było to więc nawet ujmujące. Rozsądnie oceniał sytuację. Nie mogło zatem dziwić, iż Kania w październiku 1980 roku spowodował wysunięcie go na stanowisko ministra spraw wewnętrznych. Ale po pewnym czasie coś zaczęło się psuć. Milewski wygłaszał pryncypialne tyrady, wyraźnie ciążył w stronę sił „twardych i niezłomnych". Nasi zagraniczni przyjaciele przy różnych okazjach podkreślali, jaką to znakomitość mamy na czele organów

Jednocześnie, nieoficjalnie, docierały do nas infor-
komitość" ma rzekomo związane ręce z powodu
, strachliwej polityki Kani i Jaruzelskiego. Na tym
oku zaczęły się pogarszać stosunki między MSW
dziwnych pretensjach do wojska sygnalizowała mi
siedzeniach Rady Wojskowej. Z dowództwa i szta-
h Sił Zbrojnych Układu Warszawskiego dochodziły
o się dystansuje, że organa bezpieczeństwa są
ne sobie.
m, może wydawać się sprzeczne z postawą Milews-
gestii siłowego zlikwidowania okupacji budynku
Jest to człowiek po prostu niezwykle ostrożny, niechętnie wychodzący z cienia. Nie zamierzam więc go usprawiedliwiać, ale też, nie mając niezbitych dowodów, demonizować.

Co było robić? Postąpiono w sposób, wypraktykowany już w połowie 1968 roku przez Gomułkę w stosunku do Moczara. Milewski został sekretarzem KC, a ministrem spraw wewnętrznych Kiszczak. Znałem go od wielu lat, ceniłem i lubiłem. Wyróżniał się zawsze spokojem, logiką, otwartym spojrzeniem. Inteligentny, solidny, można było na nim polegać. Wiedziałem, że może, jak zresztą każdy z nas, zrobić głupstwo — ale nie powinien zrobić świństwa. Powiedziałem mu wówczas: „Czesławie, pamiętaj, że jesteś przede wszystkim żołnierzem, generałem, a dopiero później policjantem". Starał się utrzymać w tych ramach. Wiem, że było mu niełatwo. O tym, że nie miał zachowawczych skłonności, świadczy wiele faktów, a w ostatecznym wyniku jego rola przy „okrągłym stole".

Nie chcę pójść drogą oskarżania ówczesnych organów bezpieczeństwa. To dziś bardzo proste, nawet dobrze notowane. Sąd musi być jednak wyważony. Rozumiem niechęć, nawet odrazę wielu osób z byłej opozycji, które doznały różnego rodzaju prześladowań, mają poczucie krzywdy. Chociaż na ogół tak się składa, że im mniej poszkodowani — tym większe skłonności przejawiają do rozliczeń, do odwetu. Ze szczególnym jednak niesmakiem obserwuję tych ludzi z dawnego obozu władzy, wszystkich zresztą szczebli, którzy chętnie zrzuciliby całą odpowiedzialność na „onych" — na bezpiekę, ZOMO, ROMO itp. Nie zamierzam bronić przestępców, zwyrodnialców czy po prostu durni. Skrajne przykłady to pobicie w Bydgoszczy, skandaliczne w wielu przypadkach internowania, a przede wszystkim zabójstwo księdza Jerzego Popiełuszki. Także inne paskudne metody i nadużycia władzy, które w ówczesnej politycznej sytuacji „kto — kogo" tworzyły swego rodzaju państwo w państwie.

Nie może być jednak odpowiedzialności zbiorowej. W organach milicji i bezpieczeństwa było wielu ludzi ideowych, uczciwych, rozumnych. Spełniali swe funkcje w ramach realnego systemu, w warunkach antydemokratycznych schorzeń, ale i toczącej się walki, w której żadna ze stron nie nosiła białych rękawiczek. To była przecież swego rodzaju wojna domowa, tyle że bez ostrej amunicji.

Nie udawajmy dziś świętoszków. Działalność bezpieczeństwa i tarcze zomowców broniły stabilności ówczesnego państwa, jego funkcjonowania. Osłaniały więc i nas — władzę. Pamiętam częste pretensje kierowane do tych organów, że są mało skuteczne, że tolerują, że pozwalają... Tak bywało na spotkaniach z członkami KC, na których musiałem nieraz wspierać Kiszczaka czy też jego niektórych zastępców, tłumaczących się z tej nieskuteczności. Podobne sygnały dochodziły z terenowych instancji partyjnych, stronnictw sojuszniczych, aparatu administracyjnego. To zresztą nic nowego pod słońcem. Te organa służą zawsze konkretnemu państwu, a więc systemowi. Wiem, że w tym miejscu obecne władze wzniosą oczy ku niebu, mówiąc o praworządności. To prawda, demokracja parlamentarna to system pod tym względem bez porównania lepszy, zasadniczo zdrowszy. Ale czy bezgrzeszny?

Po wydarzeniach bydgoskich przekazałem polecenie Ministerstwu Spraw Wewnętrznych, aby lepiej kontrolowało, czuwało nad przebiegiem działań w różnych złożonych sytuacjach i aby je szczegółowo dokumentowało. W tym też czasie powstała Komisja Koordynacyjna do Spraw Przestrzegania Prawa, Praworządności i Porządku Publicznego. Na jej czele postawiłem generała Czesława Kiszczaka, wówczas jeszcze szefa Wojskowej Służby Wewnętrznej. Głównym zadaniem Komisji było zapobieganie i przeciwdziałanie konfliktom. Burzliwy rozwój wydarzeń przerósł jej możliwości.

Rozdział 9

Spotkanie z wielkością

Mocno utkwił mi w pamięci 26 marca 1981 roku. W tym dniu w Natolinie spotkałem się z prymasem Polski, kardynałem Stefanem Wyszyńskim. Rozmawiałem z nim wtedy po raz pierwszy i jak się okazało po raz ostatni. Była to długa, ponad trzygodzinna rozmowa.

Ale przedtem kilka słów o moim stosunku do Kościoła i religii.

Urodziłem się i wychowałem w rodzinie o głębokich tradycjach katolickich. Dziadkowie i rodzice zaangażowani byli w różnych stowarzyszeniach katolicko-społecznych. W każdą niedzielę jechaliśmy do kościoła parafialnego w Dąbrowie Wielkiej. Zajmowaliśmy miejsce w prezbiterium w tzw. kolatorskiej ławie. Od 1933 do 1939 roku — przez sześć lat — byłem uczniem gimnazjum księży marianów na warszawskich Bielanach. Serdecznie wspominam te lata — nauczycieli, wychowawców, kolegów.

Przyszła wojna. Na Syberii — co oczywiste — nie miałem żadnego kontaktu z Kościołem. Nie wszystkim wystarcza własna wewnętrzna rozmowa z Bogiem. Człowiek na ogół potrzebuje potwierdzania swej religijności poprzez obecność w kościele, komunię. Tak było i ze mną.

Znalazłem się w wojsku. Znów daleko od Kościoła. Jednak w zachowanych do dziś listach z frontu do matki i siostry dawałem wyraz swej wierze. Po wojnie oddalałem się stopniowo od religii. Nie był to proces intelektualny. Zresztą i moja młodzieńcza religijność to nie tyle przemyślenia, co praktyka, uczucie zaszczepione przez dom, szkołę, obowiązujące powszechnie kanony. Polak-katolik — to był dogmat, rzecz święta z dziada, pradziada.

Moje „niebo w płomieniach" przyszło znacznie później niż u bohatera książki Jana Parandowskiego. Odejście od religii to bowiem dopiero druga połowa lat 40. Przełomowe politycznie i światopoglądowo były dla mnie lata 1947-1948 — okres studiów w Centrum Wyszkolenia Piechoty (późniejsza Wyższa Szkoła Piechoty, po której ukończeniu zostałem wykładowcą taktyki i służby sztabów). Lektury z zakresu filozofii materialistycznej, liczne dyskusje, także — co dziś może wydać się dziwne — z wykładowcami i starszymi kolegami wywodzącymi się z armii przedwrześniowej — zrobiły swoje.

Odpowiadało mi pojęcie i krzewienie, jak mówiliśmy, naukowego poglądu na świat. Nie stałem się jednak zwolennikiem wulgarnego, wojującego ateizmu. Żywię głęboki szacunek do tych historycznych wartości, które Kościół, religia wniosły do naszego życia narodowego. Niezwykle cenne — choć niestety, nie zawsze skuteczne — jest etyczne oddziaływanie Kościoła. Wiara sama w sobie jest moralną wartością. Szanuję ludzi autentycznie wierzących. Nawet zazdroszczę im religijnej, moralnej przystani — to daje swego rodzaju komfort psychiczny, emocjonalny. Natomiast nie znosiłem i nie znoszę postępowania tych, którzy — jak w starym porzekadle — modlą się pod figurą, a diabła mają za skórą. Mam również wątpliwości wobec licznych i chyba w części koniunkturalnych „nawróceń", które pojawiły się w minionych latach. Więcej tam strachu przed obecną władzą, przed utratą stanowiska, niż przed Panem Bogiem! A już tym bardziej — nie mogę zrozumieć tych maszerujących pod katolickim sztandarem osób, w których postępowaniu jest tyle tupetu, nietolerancji, nienawiści.

W nowych warunkach Kościół ma powód do satysfakcji. Ale i do niepokoju. Satysfakcja znajduje wyraz w dynamicznym, często wręcz triumfalnym wkraczaniu na obszary dotychczas dla niego mało dostępne lub w ogóle niedostępne. A niepokój? W odczuciu ludzi Kościół identyfikuje się z obecnym systemem. Pozbawia go to pozycji arbitra, mediatora. W rezultacie niezadowolenie społeczne, zwłaszcza spowodowane pogarszającymi się warunkami życia, pośrednio godzi również w Kościół, osłabia jego prestiż.

Po wojnie Kościół po raz pierwszy zetknął się z realnością socjalistycznego państwa. To dla jednej i drugiej strony były trudne doświadczenia. Trzeba było przejść długą drogę. Katolicyzm — od encykliki Piusa XI z 1937 roku „O bezbożnym komunizmie". Socjalizm — od prymitywnego hasła „religia — opium dla ludu".

Stosunki państwo — Kościół w latach 50. były bardzo złe, a w 60. złe. Lata 70. przyniosły poprawę. Aktywnie w kierunku ich racjonalizacji działali Stanisław Kania oraz biskup Bronisław Dąbrowski. Ich kontakty porównać można do swego rodzaju partii szachów, rozgrywanych czarnymi i czerwonymi figurami. Wychodzili zwykle na remis, co w owych czasach było dla obu stron sukcesem. Pierwsze spotkanie Gierka z prymasem odbyło się dopiero w 1977 roku, a więc gdy już „zaczęły się schody". Pamiętam, ile cierpkich uwag na temat działalności prymasa, a jeszcze bardziej kardynała Wojtyły, wypowiadali Gierek i Jaroszewicz oraz wielu innych. Trójkąt: Wydział Administracyjny Komitetu Centralnego, Ministerstwo Spraw Wewnętrznych, Urząd do Spraw Wyznań — wykonywał bieżącą robotę. Nie będę jej tu oceniać.

Dziś wielu byłych dygnitarzy i działaczy aż ściga się w prawieniu duserów zmarłemu prymasowi. Jak to zawsze go szanowali, podziwiali, niemal miłowali! Różne wypowiedzi i pamiętniki aż ociekają uwielbieniem. To hipokryzja. Owszem, wobec prymasa wszyscy czuliśmy respekt. Tej wybitnej postaci nikt nie mógł lekceważyć. Zauważano i doceniano te jego posunięcia, które władza uważała za korzystne dla państwa. Ale daleko było do sympatii.

Nie chcę nikogo osądzać. Sam nie jestem bez winy. Taka była logika owego czasu. Nie był to zresztą „ruch jednostronny". Kościół nieraz wkraczał w obszary tego, co „cesarskie". Było różnie z jego skromnością, z polityczną wyobraźnią, zwłaszcza do czasów Jana XXIII. W sumie jednak to właśnie prymitywny, doktrynerski, występujący z różnym nasileniem w owych dziesięcioleciach stosunek do Kościoła i do religii zaważył w ogromnym stopniu na losach realnego socjalizmu. To był jeden z największych historycznych błędów naszej formacji.

Jako premier, mając pełne poparcie Kani, starałem się ożywić kontakty rządu i administracji z Kościołem. Wzajemne uprzedzenia były jednak bardzo silne. Duże zasługi w ich przezwyciężaniu trzeba przypisać Komisji Wspólnej Rządu i Episkopatu, której współprzewodniczyli wówczas kardynał Franciszek Macharski i Kazimierz Barcikowski. Chcę też odnotować rolę ministra Kuberskiego, który z dużym wyczuciem, taktem i zręcznością amortyzował różne kolizyjne sytuacje.

W czasie wydarzeń lat 1980-1981 Kościół zdecydowanie popierał „Solidarność". Udzielał znacznej pomocy jej strukturom, autoryzował przywódców, desygnował duszpasterzy i doradców, wypracowywał filozoficzne założenia rodzących się ruchów. Przez wielu duchownych uprawiana była swego rodzaju teologia strajkowania. Szeroko wykorzystywano symbolikę religijną. Mogło to dziwić w zestawieniu z krytycznym stosunkiem Kościoła do teologii wyzwolenia w Ameryce Łacińskiej, angażującej duchowieństwo w konflikty społeczne. Kościół jednak nie był zainteresowany w pogłębianiu kryzysu, obawiał się form ekstremalnych. Stąd próby wyciszania emocji, usługi mediacyjne. Był — i słusznie — przekonany, że w owych czasach niemożliwe jest obalenie systemu ustrojowego Polski, osłabienie jej związków sojuszniczych. Do osiągnięcia tych celów potrzebny był długi marsz. Kościół liczył na taką perspektywę, ale nie chciał jej sztucznie przyspieszać. Miał świadomość, czym w owych czasach mogłoby się to skończyć. Znałem słowa prymasa wypowiedziane z okazji odsłonięcia tablicy ku czci Stefana Starzyńskiego: „Naród nie jest na dziś ani też na jutro. Naród jest, aby był!" Znamienne, iż słowa te padły 1 marca 1981 roku. A więc wtedy, gdy w Polsce z dnia na dzień rosła polityczna temperatura. Za niespełna trzy tygodnie osiągnęła niemal stan wrzenia.

W sytuacji specyficznego zadomowienia w coraz „strawniejszym" polskim socjalizmie Kościół nie widział sensu w potęgowaniu ryzyka, które groziło katastrofą. Istniejący system, do tego przez nas reformowany, był dla Kościoła bezsprzecznie mniejszym złem niż zagrażająca całkiem realnie klęska narodowa. Gdyby wszyscy działacze „Solidarności" wzięli sobie poważnie do serca mitygujące wskazówki Kościoła, prymasa Wyszyńskiego, a następnie Glempa — wprowadzenie stanu wojennego okazałoby się niepotrzebne. „Doczołgalibyśmy się" do czasów pieriestrojki — a i ona być może nastąpiłaby wcześniej.

W homilii wygłoszonej 26 sierpnia 1980 roku na Jasnej Górze, prymas Stefan Wyszyński mówił o odpowiedzialności za własny naród, o prawach i obowiązkach wobec narodu. „To wszystko — powiedział — wymaga rozwagi, roztropności, ducha pokoju i pracy. Bez tego nie ma właściwego rozwiązania sytuacji, pomimo najsłuszniejszych racji, jakie moglibyśmy przytoczyć". Prymas podkreślał, że „żądania mogą być słuszne i na ogół są słuszne, ale nigdy nie jest tak, aby mogły być spełnione od razu, dziś. Ich wykonanie musi być rozłożone na raty. Trzeba więc rozmawiać: w pierwszym rzucie wysuwamy żądania, które mają podstawowe znaczenie, w drugim rzucie następne. Takie jest prawo życia codziennego".

W niezwykle obrazowy sposób zwrócił uwagę, że nie należy przekreślać wszystkiego z dorobku ostatniego trzydziestopięciolecia, że trzeba pamiętać, na jakim etapie rozwoju się znajdujemy. „Pamiętajcie — powiedział — jesteśmy narodem na dorobku.

Doszliśmy do wolności przez gruzy. Jeszcze jako nowo mianowany biskup Warszawy szedłem do swojej katedry, prokatedry po stertach gruzów. Polska odrodzona przez cierpliwość i pracę odbudowała sprawnie Warszawę, Gdańsk, Wrocław, Poznań i tyle innych miast zrównanych z ziemią. Ale nie nastąpiło to od razu".

Wielki trud odbudowy Polski doceniony został w przemówieniu prymasa nie pierwszy raz, choć — jak powiedział — jeszcze „dużo pozostało do zrobienia. Trzeba ciągle zwielokrotniać wysiłek pracy, pogłębiać jej poziom moralny, poczucie odpowiedzialności zawodowej, ażeby nastąpił należyty ład i porządek".

Jak wyglądają w świetle tych słów ci wszyscy „czciciele" kardynała, ze swą gadaniną o tym, że w ciągu minionych 40 lat Polska została zrujnowana? Niektórzy nawet twierdzą, iż bardziej niż w czasie okupacji hitlerowskiej.

Prymas powiedział wreszcie, że trzeba „szanować dar wolności". A wcześniej, w przytoczonym już fragmencie, że „doszliśmy do wolności..." Nie wahał się więc publicznie nazwać „wolnością" — choć oczywiście miał pełną świadomość jej ograniczenia — tego, co dzisiaj tak wielu nazywa totalnym zniewoleniem.

Kazanie prymasa — na które zwróciło uwagę wielu komentatorów zagranicznych — było niezwykłe, odpowiedzialne, łączące otwartość z realizmem. Niestety, wówczas nie dojrzeliśmy jeszcze do politycznej mądrości. Cenzura usunęła więc z tekstu jakieś niewygodne zdania, a telewizja nadała je tylko we fragmentach. A w ogóle to najbardziej odpowiadałoby nam, gdyby udało się wygasić strajki bez pomocy Kościoła.

Opowiadano mi — co chciałbym potraktować jako anegdotę — że po jasnogórskiej homilii do prymasa doszły słuchy, iż część kościelnej hierarchii przyjęła jego słowa z dezaprobatą. Prymas spotkał się więc z biskupami i powiedział: „Po pierwsze — to, co mówiłem, uważam za uzasadnione i słuszne. Po drugie — jeśli miałbym jeszcze raz wystąpić, powiedziałbym to samo. A po trzecie — błogosławię waszą roztropność..." W tej opowiastce odbija się mimochodem nie kwestionowany przez nikogo wielki autorytet kardynała.

W kardynale Wyszyńskim widziałem wtedy i przeciwnika, i sprzymierzeńca. Przeciwnika — pod wpływem dotychczasowej optyki. Jednocześnie wiedziałem już, że prymasa — przy całym jego sentymencie i poparciu dla „Solidarności" — bardzo niepokoił rozwój skrajnych tendencji w jej łonie. Dawał temu wyraz w licznych wystąpieniach i homiliach.

Z wypowiedzi do delegacji „Solidarności" z Lechem Wałęsą 19 stycznia 1981 roku: „Na pewno chcielibyście osiągnąć bardzo wiele. Ale by chcieć wiele i osiągnąć wiele — trzeba mieć dużo cierpliwości na dziś i na jutro. Potrzeba umiejętności przewidywania tego, co jest do zrobienia dziś, a co jutro..."

Z wystąpienia do przedstawicieli „Solidarności" w Gdyni: „Płacić dobrem za zło jest niekiedy rzeczą nieuniknioną, zwłaszcza w wymiarze społecznym, gdy wchodzą w grę olbrzymie rzesze ludzi i gdzie walka nie może się rozpalać w nieskończoność, bo może się skończyć katastrofą dla własnej Ojczyzny, dla jej niezależności i suwerenności..."

Z wypowiedzi do „Solidarności" wiejskiej z kwietnia 1981: „Pragnę całym sercem Wam życzyć, abyście działali cierpliwie. My w Polsce nie możemy się awanturować, bo nie jesteśmy sami". I dalej: „Możemy powiedzieć, iż obok władzy partyjnej jest w Polsce władza społeczna. Dowody na to mieliśmy 27 marca. Dzięki Bogu, że nie było innego dowodu, a mianowicie zapowiadanego strajku generalnego. Tego należało uniknąć. Chociaż bowiem moralnie jest uzasadnione prawo użycia tego środka przez ludzi broniących się, jednakże zawsze środki muszą być proporcjonalne do zamierzeń, do zadań i osiągnięć".

W myśleniu prymasa Wyszyńskiego obecny był zawsze interes państwa, polska racja stanu. Nawoływał do roztropności. Słowa „roztropność" używał zresztą często. „Zawsze układajcie to tak — zalecał — żeby była ta proporcja między postulatem, wymaganiem a środkiem, który się będzie stosowało. Żeby do ptaków nie strzelać z granatów". Trudno się dziwić temu, iż kardynał był niezbyt biegły w terminologii wojskowej („strzelanie z granatów"). Natomiast zasługuje na szacunek jego wielkie poczucie realizmu i odpowiedzialności.

Do spotkania i rozmowy z prymasem doszło w niespełna tydzień po wydarzeniach bydgoskich. Moment był groźny. Napięcie rosło. Późno wieczorem 25 marca zgłosił się do mnie doradca prymasa, profesor Romuald Kukołowicz. Poinformował, iż w związku z niepokojącą sytuacją prymas chciałby się ze mną spotkać. Przystałem na to z zadowoleniem. Sprawa pilna, a więc termin spotkania już nazajutrz, 26 marca w godzinach porannych.

Do Natolina pod Warszawą przyjechałem wcześniej, ażeby godnie powitać gościa. Pierwsze słowa prymasa: „A więc jestem, zgodnie z życzeniem pana premiera". Doszło do swoistego *qui pro quo*, ale w dobrej sprawie. Profesor Kukołowicz, jeśli nawet uchybił prawdomówności, to zasłużył w pełni na rozgrzeszenie. Spotkanie było bowiem bardzo na czasie i ze wszech miar potrzebne. Zasadnicza kanwa rozmowy: Polska, Polska... Historia i współczesność, nadzieje i szanse, zagrożenia i troski. Tym ostatnim poświęciliśmy najwięcej uwagi. Zachowałem obszerne notatki z tej rozmowy. Zsumuję najpierw moje wypowiedzi, a następnie księdza prymasa.

Podkreśliłem na wstępie złożoność sytuacji i wolę konstruktywnego rozwiązania problemów — zarówno dalekosiężnych, jak i tych, które niesie dzisiejszy dzień. Zilustrowałem to intencją i praktyką nazywaną przez nas socjalistyczną odnową. Będziemy ją kontynuować. Uwiarygodniają to liczne zmiany personalne — nie są one zresztą sprawą zamkniętą. Jesteśmy gotowi do różnego rodzaju kompromisów. Są one konieczne. Kiedy objąłem urząd premiera, przyczyniłem się — nie bez oporów we własnych szeregach — do polubownego rozwiązania kilku konfliktowych spraw. To musi jednak mieścić się w ramach ustroju. Mamy do czynienia z dwuwładzą. „Solidarność" staje się faktycznie wielką partią polityczną. Jej działanie jest sprzeczne ze zobowiązaniami, ze statutem, z tym, co zwykło się uważać za sferę związkową.

Zwróciłem uwagę, że propozycja, która wyszła ze strony rządowego Komitetu do Spraw Związków Zawodowych odnośnie powołania komisji mieszanej — z udziałem przedstawicieli „Solidarności", związków branżowych, autonomicznych i rządu — została odrzucona. Trudno to uznać za zgodne z głoszonym hasłem demokratyzacji.

Najbardziej niepokoi — mówiłem — sytuacja gospodarcza. Zbliża się katastrofa. To, co się dzieje, jest swego rodzaju samounicestwianiem zbiorowym. Opracowujemy raport o stanie gospodarki oraz plan jej stabilizacji. Ale to nic nie da, jeśli nie nastąpi uspokojenie, jeśli nie wróci normalny rytm produkcji. Władze nie mogą zajmować się nieustannie gaszeniem pożarów zamiast tym, co przede wszystkim do nich należy. Szczególnie groźna jest sprawa węgla. Drugie — to kooperacyjne oraz importowo-eksportowe zobowiązania wobec sąsiadów. Nagminne ich naruszanie podważa naszą wiarygodność nie tylko gospodarczą, ale, co bardziej niebezpieczne — polityczną. W pewnej mierze dotyczy to również zobowiązań wobec Zachodu, co w świetle naszego zadłużenia jeszcze bardziej utrudnia współpracę.

Prymas był szczególnie zainteresowany obszarem moralności społecznej. Powiedziałem więc o działaniach, które podejmujemy w zakresie zwalczania różnych społecznych patologii, zwłaszcza alkoholizmu. To było, jak wiadomo, jedno z moich uczuleń — nie tylko zresztą na stanowisku premiera. Wspomniałem, że komitetowi przeciwalkoholowemu przewodniczy człowiek bliski Kościołowi, profesor Jerzy Ozdowski. Moralność społeczna — to płaszczyzna, na której współpraca państwa i Kościoła powinna coraz pełniej owocować.

Wyraziłem niepokój z powodu różnych działań radykałów „Solidarności". Mówiłem, że widać dużo nienawiści, że to jątrzy, kaleczy. Wskazałem na KOR oraz na radykalizm niektórych lokalnych przywódców. Upojeni powodzeniem tracą oni poczucie rzeczywistości. W rezultacie paraliżowanie władzy, terror psychiczny w stosunku do dyrekcji zakładów. Wojna ulotkowa. Tworzenie psychozy zagrożenia. Działacze i w ogóle członkowie „Solidarności" nie przyjmują krytyki, utożsamiając ją od razu z atakiem na związek. Nikt nie ma monopolu na patriotyzm. Liczą się nie hasła, a realne skutki.

Z tą myślą zwróciłem uwagę na instrumentalne politycznie wykorzystywanie symboli narodowych. Biało-czerwona flaga, hymn narodowy — czy to właściwa oprawa i akompaniament dla niszczącej gospodarkę narodową kampanii strajkowej?

Prymas niejednokrotnie dawał wyraz zrozumienia realiów geopolitycznych Polski, w tym zaś kontekście nienaruszalności granic. Obecnie nasza wiarygodność sojusznicza jest kwestionowana. Pretekstem stają się m. in. różnego rodzaju antyradzieckie ekscesy, a także perturbacje w przemyśle obronnym. Trudno też nie zauważyć wyjazdów przedstawicieli „Solidarności" na Zachód po różnego rodzaju inspiracje oraz zasilanie materialne.

Jesteśmy właściwie postawieni pod ścianą. Incydent bydgoski przerósł w absurdalny sposób swe rzeczywiste znaczenie. Chcemy znaleźć rozsądne rozwiązanie. Ale jeśli lawina potoczy się dalej, to jakieś środki nadzwyczajne — nie jako atak, lecz samoobrona — okażą się konieczne. Sytuacja jest groźna. Mam sygnały, że jeśli przekroczone zostaną pewne ramy, przestanie to być naszą wewnętrzną sprawą. Co byłoby dalej — nie potrafię sobie nawet wyobrazić. Przedstawiając złożoność tej sytuacji starałem się pokazać ją na szerszym historycznym tle. Żyjemy w czasach, w których rozstrzygnie się na długie lata przyszłość, los Polski.

Prymas słuchał z wielką uwagą. Z widocznym zatroskaniem. Zaznaczył, że ma za sobą kilka rozmów z kierownictwem kraju. Powołał się na spotkanie z Edwardem Gierkiem, któremu w listopadzie 1979 roku złożył memoriał, nawet nie konsultując go z Episkopatem, aby nie nadawać temu rozgłosu. Wskazał na różne nieprawidłowości w postępowaniu władz. Między innymi wysiedlanie ludzi, pozbawianie ich ziemi po to, aby wybudować jakieś własne obiekty. Powiedział: „To partii głęboko szkodzi. Nie mam powodu do jej adorowania, ale w tym ustroju, w tym bloku jest ona realnością, po prostu musi istnieć. Aby tak było, partia musi być na poziomie, musi być zdrowa, silna. Inaczej zniknie, a blok da nam inną. Gierek w tej sprawie nic nie zrobił. A przecież można było uniknąć wielu zapalnych punktów. Można było uniknąć niezadowolenia społecznego".

Prymas przypomniał również rozmowę z Gierkiem w Klarysewie w sierpniu 1980 roku: „Gierek był obolały, nie chciałem więc go męczyć. Proponowałem, aby do porozumienia nie wprowadzać zapisu o przewodniej roli partii. Sojusz — zgoda, socjalizm — zgoda, ale po co przewodnia rola? Gierek, niestety, na to się nie zgodził.

Poprosiłem też pana Gierka, żeby nie dopuszczać do konfliktowych sytuacji, unikać drastycznych casusów. Później też pana Kanię, aby przeciwdziałać różnego rodzaju incydentom — między innymi niewłaściwemu zachowaniu bezpieczeństwa, milicji, która pochopnie bije ludzi".

To było nawiązanie do bydgoskich wydarzeń. „Znam tę sprawę — mówił prymas — z relacji biskupa Michalskiego, który przebywał tam całą noc. Rozumiem, że był to «wypadek przy pracy», pobili ludzi. Dla zaufania społecznego trzeba jednak to ujawnić, a nie kluczyć w radiu i w telewizji. Co więcej, ogłoszono od razu komunikat Biura Politycznego, podczas gdy profesor Bafia dopiero tam jechał.

Dzisiaj ludzie stoją w kolejkach i plotkują. Trzeba z tym jak najszybciej skończyć. Cieszyliśmy się, że po objęciu urzędu przez pana premiera nastąpiła pewna stabilizacja. Rząd uzyskał zaufanie, poparcie społeczne. To była duża szansa. Chodzi o to, aby obecne napięcia przyhamować — tu użył określenia «narastająca masa socjalno-psychiczna». Władza musi być w społeczeństwie, a nie bez społeczeństwa.

W rozmowie z panem Kanią — mówił dalej kardynał — potwierdziłem, iż «Solidarność» powinna iść po linii społeczno-zawodowej. Napięcia, które się pojawiają, są wręcz irracjonalne. Ludziom trudno zrozumieć, o co idzie. «Solidarność» to taki romantyczno-renesansowy prąd. Obecnie jednak następuje infiltracja, aby uczynić z niej ruch polityczny. To jest obce, narzucane z zewnątrz. Wałęsa to rozumie. To człowiek dobrej woli, ale wpływy z zewnątrz, zwłaszcza KOR-owskie, popychają go niekiedy do niefortunnych posunięć.

Mam tutaj artykuły Kuronia, w których mówi, że władzę po kawałku można przejmować. Myśli on, że jak się wyrzuci jednego czy drugiego wojewodę lub ministra, to coś się rozwiąże. Taka też linia przewija się w propagandzie «płotowo-parkanowej».

Mówiłem Wałęsie, niech nigdzie nie jeździ, a uczy robotników, jak służyć sprawom zawodowym. Niepotrzebnie pojechał do Włoch. Jego wizyta była wykorzystywana przez różne ugrupowania polityczne dla własnych interesów".

Kiedy mówiliśmy o newralgicznym politycznie i strategicznie położeniu kraju — prymas użył bardzo plastycznej metafory: „Jeżeli człowiek stoi w jakimś pomieszczeniu, to nie może jednocześnie opierać się o dwie przeciwległe ściany. Kraj nasz znajduje się jak gdyby między dwiema ścianami — germańską i słowiańską. Polska w tej sytuacji powinna opierać się o ścianę słowiańską..."

Dziś, po jedenastu latach, słowa te mogą niektórych dziwić. Wówczas, gdy inna była Polska, Europa i świat, gdy inaczej wyglądał problem naszych granic, były one świadectwem właśnie roztropności i realizmu.

Jednakże najwięcej uwagi kardynał Wyszyński poświęcił uzasadnieniu celowości powołania związków zawodowych na wsi. Do tego tematu wracał wielokrotnie. Mówił: „Jestem wnukiem rolnika, wiem, jaka to ciężka praca. Zostawiłem panu Kani specjalną notatkę w tej sprawie. Skoro prawo do zrzeszania się zostało uznane dla pracowników przemysłu, to powinno też objąć ludzi wsi. Ich status jest inny, są właścicielami ziemi. Ale ta własność obciążona jest obowiązkami społecznymi. Dlatego rząd dobrze zrobi, jeśli nie będzie się opierał powołaniu tych związków. To nie grozi ani państwu, ani blokowi.

Przed wojną było kilka stronnictw chłopskich, ale był również mocny ruch agrarny, który nie chciał się wiązać z partiami. Dziś też nie trzeba się bać, że chłopi stworzą partię, że skonsolidują się jako siła antagonistyczna w stosunku do PZPR. Prymas jak gdyby domniemywał, że boimy się odbudowy czegoś podobnego do mikołajczykowskiego PSL.

W 1932 roku były strajki chłopskie, były bardzo bolesne wydarzenia na wsi. Dziś jest to też teren zapalny. Trzeba uważać, aby nie pojawiły się strajki rolne, aby nie rozpaliły się znów jakieś chłopskie bunty. Byłoby źle, gdyby te dwie «Solidarności», miejska i wiejska, podały sobie ręce. Na zasadzie instrumentalnego wspierania — tej wiejskiej przez miejską. Im szybciej wiejską uznamy, tym bardziej będzie ona samodzielna, niezależna od inspiracji zewnętrznych. Gdy są takie trudności, jak dziś, trzeba szukać sojuszników, a nie walczyć ze wszystkimi. Chłopi będą sprzymierzeńcami, jeśli da się im prawo do zrzeszania. To uspokoi wiele milionów ludzi. Niestety, nie doszedłem do porozumienia z panem Kanią. Prosiłem, żeby jeszcze raz spokojnie przeanalizował tę sprawę".

Odczuwałem, że problemy wsi, rolnictwa indywidualnego, leżały prymasowi głęboko na sercu. Wieś to w tradycyjnym rozumieniu filar polskości i Kościoła. Nie mogłem jednak podzielić niektórych opinii. Wydały mi się anachroniczne. Prymas oceniał w sposób wręcz alarmistyczny wyludnianie się wsi i przeludnianie miast. Tymczasem wedle nowoczesnych standardów europejskich nasza wieś jest zbyt rozdrobniona i tym samym przeludniona. To zresztą jest nasz wielki społeczno-ekonomiczny dylemat.

„W Polsce — mówił prymas — jest wielu biednych ludzi. Kościół miał kiedyś instytucje opieki społecznej, w tym «Caritas». Liczymy na ich zwrot. Jest komisja wspólna, rozwiązuje problemy. Tam, gdzie sprawa jest słuszna, można mieć pewność co do poparcia Kościoła".

Prymas był zdecydowanym przeciwnikiem marksizmu, przeciwnikiem panującego ustroju. Ale jego poszukiwania intelektualne były śmiałe, nieszablonowe. Odnosił się z powagą do niektórych nurtów socjalizmu — jak nazywał — spirytualistycznego, w wydaniu francuskim i angielskim z XIX wieku, wskazując na ich aspekty humanistyczne. Na pewno to zdziwi czytelników, ale mówiąc o Rewolucji Październikowej w listopadzie 1977 roku, prymas stwierdził, że „elementy wspólnotowe, komunistyczne, egalitarne tej rewolucji stanowią trwały wkład do dorobku kultury ogólnoludzkiej. Wzbogaciły jej rozwój, dały pożyteczne impulsy..." Powiedział też wówczas, że „antykomunizm duchownego był czymś naturalnym i zrozumiałym. Dziś, gdy komunizm stanowi rzeczywistość polityczną naszego kraju, nie ma miejsca na tego typu automatyzm; sprawa jest bardziej złożona, wymaga przemyśleń, stawia wobec odpowiedzialności za postawy współobywateli". Stanowisko Kościoła w tej kwestii nie było więc spetryfikowane, skrajne, raz na zawsze zamknięte.

Tak, to była niezwykła rozmowa. Surowy, wręcz ascetyczny kardynał był jednocześnie człowiekiem pełnym ciepła i zrozumienia. Choć znać już było wyniszczenie chorobą, był perfekcyjny w doborze słów, jasny i otwarty.

27 marca, a więc nazajutrz po naszym spotkaniu prymas przyjął na audiencji generalnego dziekana Wojska Polskiego, księdza pułkownika Juliana Humeńskiego. Z jego relacji wynikało, iż kardynał Wyszyński wysoko ocenił naszą rozmowę i jednocześnie na tym tle wypowiedział się pochlebnie na mój temat. Nie kryję, że sprawiło mi to dużą satysfakcję.

Przed powołaniem mnie na stanowisko premiera Kania rozmawiał z prymasem Wyszyńskim, informując go o przewidywanych zmianach w rządzie. Jak mi potem opowiadał, zamiar powierzenia mi funkcji Prezesa Rady Ministrów prymas przyjął życzliwie. Niewątpliwie wiedział o mnie wiele. O różnych okresach mojego życia, łącznie z dzieciństwem, w tym od żywych ludzi, którzy mnie w owym czasie znali. W szczególności od profesora polonisty, Romana Kadzińskiego, z którym mam po dzień dzisiejszy serdeczny kontakt. Był on człowiekiem bliskim prymasowi, znanym mu jeszcze z okresu działalności we Włocławku. Spotykali się też w późniejszych latach, aż do śmierci kardynała. Profesor pokazywał mi zdjęcia z prymasem, różne serdeczne dedykacje.

Myślę — być może nieskromnie — że i mój przypadek, dość kuriozalny, musiał w ich rozmowach się pojawiać. Nigdy jednak nie próbowałem indagować profesora Kadzińskiego na ten temat.

Chcę przywołać jeszcze inny akcent osobisty. Otóż Stefan Wyszyński był niegdyś uczniem gimnazjum Górskiego w Warszawie. Tę znaną szkołę ukończył jeszcze przed I wojną światową również mój ojciec. Kilka lat wcześniej niż prymas. To jakoś zapadło mi w pamięci. W rozmowie jednak osobiste wątki pominęliśmy. To było pierwsze spotkanie — przy tym w bardzo napiętej sytuacji. Żałuję, że tych spotkań nie mogło być więcej. Wtedy z pewnością znalazłby się czas i na tematy osobiste. 28 maja, a więc w dwa miesiące po tej rozmowie, kardynał zmarł.

Opuszczając pałac w Natolinie prymas powiedział, akcentując każde słowo: „Zrobię wszystko, co w mojej mocy, żeby panu pomóc. Będę się modlił za pańskie powodzenie".

Wsiadł do samochodu i ze znakiem krzyża odjechał.

Prymas był człowiekiem wielkiego rozumu, serca i odpowiedzialności.

Rozdział 10

Lot i lądowanie

Marzec, czerwiec, wrzesień, nie mówiąc o grudniu — to były dla mnie najcięższe miesiące tego roku.

Marzec zaczął się nie najgorzej — lekkie uspokojenie nastrojów, spotkanie z Wałęsą. Ale 16 rozpoczęło się ćwiczenie „Sojuz-81". Koalicyjne przedsięwzięcie szkoleniowe pod tym kryptonimem odbywało się rokrocznie. Tym razem doszło do niego dość osobliwie. Planowane było jak zwykle na miesiące letnie — miało się odbyć w czerwcu 1981 r. Niespodziewanie nastąpiło sztuczne przyspieszenie i zapowiedź przeprowadzenia go w grudniu 1980 r. Wiadomo, z czym się to wiązało — do „ćwiczenia" na szczęście nie doszło. Kolejne przyspieszenie — właśnie marzec. I w tym czasie wydarzenia bydgoskie. Jak to się stało? Przecież to nie Kulikow skierował Rulewskiego do budynku Wojewódzkiej Rady Narodowej. Ale taka zbieżność w czasie nastąpiła. Wielka awantura i wielkie ćwiczenia. A wszystko to już po licznych ostrzeżeniach ze strony radzieckiej i po wielu zapewnieniach Kani i moich, że panujemy nad sytuacją.

Marszałka Wiktora **Kulikowa** przyjąłem 17 marca. Średniego wzrostu, korpulentny. Z ruchów i z mowy przebijała energia. Wojskowo wysoce kompetentny. Politycznie sztywny — „na linii" KC KPZR. Myśli formułował precyzyjnie. Jako wyróżniający się generał był wysoko ceniony przez marszałka Andrieja Greczkę i chyba po cichu kreowany na jego następcę. Świadczą o tym kolejno pełnione funkcje: dowódca prestiżowego Kijowskiego Okręgu Wojskowego, dowódca Grupy Wojsk Radzieckich w Niemczech, wreszcie szef Sztabu Generalnego Sił Zbrojnych ZSRR. Wielka kariera. Po śmierci Greczki i przyjściu Ustinowa akcje Kulikowa spadły. Szefem sztabu został marszałek Nikołaj Ogarkow, a Kulikow — naczelnym dowódcą Zjednoczonych Sił Zbrojnych Układu Warszawskiego. Nie oznaczało to awansu, ale odbyło się *lege artis*. Zasięgano — jak zawsze w takich przypadkach — opinii ministrów obrony, premierów i I sekretarzy. Była pozytywna. Znaliśmy się od wielu lat.

Byłoby dziś w modzie powiedzieć o nim wszystko, co najgorsze. Tego nie chcę i nie potrafię. Miał cechy typowe dla radzieckiego dowódcy wysokiej rangi. Pewność siebie, świadomość potęgi, której mundur nosi. Ale jednocześnie duże poczucie humoru, gotowość do prowadzenia rozmowy „na luzie". Nigdy nie uchybił randze mojego urzędu. Zawsze odnosił się z taktem i szacunkiem. Chociaż widziałem nieraz, jak potrafił być ostry, nawet brutalny wobec wojskowych radzieckich. Bzdurne są zresztą publikacje, że jakoby ministrowie obrony byli jego zastępcami, podwładnymi. Nic podobnego. Zastępcy naczelnego dowódcy ZSZ sprawowali w swoich krajach funkcje wiceministrów — u nas gen. Eugeniusz Molczyk.

Kulikow w tamtym czasie bywał w Polsce najczęściej. Ale bywał również często w innych stolicach państw Układu Warszawskiego. Z reguły po kilku takich wizytach przyjeżdżał do nas, przekazując sumaryczną ocenę i wnioski, m. in. jako stanowisko przywódców tamtych krajów. Najczęściej jednak powoływał się na Komitet Centralny KPZR, na Breżniewa. Nie było przypadkiem, że głównym emisariuszem był właśnie on — dowódca Zjednoczonych Sił Zbrojnych. Ta płaszczyzna nacisku liczyła się najbardziej. Nasza sytuacja wewnętrzna była bowiem konfrontowana z racjami sojuszniczymi, z bezpieczeństwem Układu. A tu zastrzeżeń było wiele.

Jak obliczył mój adiutant, w roku 1981 spotkałem się z Kulikowem aż 22 razy. Można zażartować, że spędziłem z nim wtedy więcej czasu niż z żoną i córką. Dla szczegółowego opisania tych rozmów nie wystarczyłaby dwutomowa książka. Tu z konieczności będę mówił tylko o istocie poruszanych spraw. Jest to o tyle ułatwione, że właściwie wszyscy radzieccy rozmówcy — od góry do dołu — prezentowali identyczne oceny, wysuwali podobne argumenty. Różnice wynikały jedynie z momentu i tematu, szczebla, osobowości i inteligencji rozmówcy.

Kulikow był twardy, ale inteligentny. Wiercił mi więc dziurę w brzuchu w sposób taktowny, ale konsekwentnie, metodycznie. Argumentacja i konkluzja główna — rozwój sytuacji w Polsce godzi w interesy Układu Warszawskiego.

Kolejne spotkanie — 27 marca, a więc w dniu, w którym po wydarzeniach bydgoskich „Solidarność" proklamowała strajk ostrzegawczy. Wraz z Kulikowem przyleciała do Warszawy duża grupa wyższych radzieckich wojskowych z dowództwa i sztabu

Zjednoczonych Sił Zbrojnych Układu Warszawskiego: generałowie Gribkow, Mierieszko, Titow, Katricz, admirał Michajlin. Także, co symptomatyczne, generał-pułkownik Nikołajew, który jako ekspert sztabu generalnego Armii Radzieckiej działał w 1956 roku na Węgrzech i w 1968 roku w Czechosłowacji. Jak mi zameldowano, przywiózł on i chciał wręczyć w naszym sztabie generalnym projekt-plan wprowadzenia stanu wojennego w Polsce. Podziękowano. Nie skorzystano. W grupie tej znaleźli się również ówczesny zastępca szefa KGB — Kriuczkow oraz przedstawiciel Państwowej Komisji Planowania ZSRR — Inoziemcow.

Kulikow nalegał na Kanię i na mnie, aby przyspieszyć opracowanie i podpisanie dokumentów dotyczących stanu wojennego. Po raz kolejny wyjaśnialiśmy nasze racje. Do Kani dwukrotnie telefonował Breżniew. Rozmowy trudne. Wyraźna dezaprobata dla naszych działań. Mówił: sytuacja weszła w krytyczną fazę. Socjalizm śmiertelnie zagrożony. Dojrzewa konieczność stanu wojennego. Aluzja, że jeśli nie rozstrzygniemy sprawy własnymi siłami — to może zdarzyć się coś poważniejszego. Ponadto sugestia, abyśmy „znaleźli" 2-3 magazyny broni zgromadzonej przez opozycję. To do złudzenia przypominałoby „odkrycia" dokonane w 1968 roku w Czechosłowacji. Mówił coś o krwi, o tym, że to wszystko skończy się krwawo. Kania był tą rozmową głęboko przejęty. Podobne akcenty odczytałem w swych rozmowach z Kulikowem. Wkrótce Kriuczkow, którego sposób myślenia Kania oceniał pozytywnie, przedstawił mu sugestię spotkania na wysokim szczeblu — z Andropowem i Ustinowem. Obaj należeli do ścisłego kierownictwa Kremla. A poza tym armia i KGB. Zestaw znamienny — na owe czasy wszechmocny.

W rezultacie udaliśmy się w podróż — bardzo specyficzną. Tajemniczość jej przygotowań, przebieg, gorący czas, w jakim się odbyła — wszystko to zostawiło w mojej pamięci dość głęboki, emocjonalny ślad. Podróż ta stwarzała jakąś szansę pozyskania zrozumienia dla naszej polityki. Ale też w ówczesnej sytuacji mogła stać się podróżą-porażką, klęską z bardzo różnymi tego konsekwencjami. Wyjazd utrzymany był w absolutnej tajemnicy. Nie ma o nim wzmianki w żadnych dokumentach.

Na miejsce naszego poufnego spotkania zaproponowano Brześć. To miasto niesie tyle różnorakich skojarzeń historycznych i politycznych!

O prawdziwym kierunku naszej podróży poinformowałem generała Janiszewskiego. Jeśli mój powrót się „skomplikuje”, miał powiadomić w pierwszej kolejności generała Siwickiego. Wojsko powinno wiedzieć najwcześniej. Prosiłem także o zaopiekowanie się żoną i córką. Z mojej więc strony tylko on oraz mój adiutant, ówczesny chorąży Stepnowski, znali prawdę. Kierunek lotu był zaszyfrowany. Pozostałym współpracownikom przekazano informację, że lecimy do Legnicy.

***Mówi porucznik Marian Stepnowski* *:**

Pracowaliśmy „pod piątką” w Alejach Ujazdowskich, w gmachu Urzędu Rady Ministrów. 3 kwietnia ok. godz. 17^{00} do gabinetu szefa wszedł generał Janiszewski. Po wyjściu poprosił mnie do siebie. Kazał mi podnieść dwa palce i złożyć przysięgę, że to, co powie, zostanie tajemnicą. Oświadczył, że generał Jaruzelski i Stanisław Kania udają się do Związku Radzieckiego. Nie można wykluczyć, że mogą zostać tam zatrzymani, a w kraju wprowadzony będzie tak zwany porządek, na „wzór i podobieństwo”. Zasugerował szefowi, żeby mnie zabrał ze sobą. Generał wzbraniał się przed moim udziałem w tej podróży, ale w końcu wyraził zgodę. Moja rozmowa z generałem Janiszewskim była krótka. Przy pożegnaniu Janiszewski — pamiętam jak dziś — objął mnie za szyję, ucałował i powiedział: „Trudno, taki wybrałeś etat, mam nadzieję, że wszystko dobrze się skończy”.

O siedemnastej z minutami w sekretariacie zadzwonił telefon od szefa: „Niech wejdzie chorąży Stepnowski”. Wszedłem. Generał wstał, spojrzał mi w oczy i zapytał: „No to co, lecimy?” „Lecimy” — odpowiedziałem. Wziąłem teczkę szefa. Jeszcze przed drzwiami, pamiętam dokładnie, przed samym wyjściem zatrzymał się, odwrócił i spojrzał na gabinet. W samochodzie powiedział: „Jedziemy do Kani”.

Kania czekał przed swoim domem. Nie było żadnej rozmowy. Wyczuwałem jakieś napięcie. Chyba coś ze dwa zdania na temat pogody.

Pojechaliśmy na Okęcie. Podjeżdżając na płytę lotniska wojskowego zobaczyłem samolot — nie polski, lecz radziecki, TU-134. Żadnych oficerów z obsługi polskiej nie było w pobliżu. Gdzieś zza węgła wystawały jakieś twarze, ale nie widziałem nikogo ze znajomych. Przy samolocie stał tylko szef sztabu Zjednoczonych Sił Zbrojnych Układu Warszawskiego — generał Gribkow.

Przywitanie było, delikatnie mówiąc, oziębłe. Gribkow wskazał ręką na schodki do samolotu. Szef odwrócił się do niego ze złością, szczęki mu chodziły, powiedział: „Może byście przynajmniej wprowadzili mnie na pokład”. Do salonki Gribkow już nie wszedł, przy samych drzwiach pożegnał się i wyszedł. W samolocie oprócz nas trzech i radzieckiej stewardessy nie widziałem nikogo.

Obserwując słońce ustaliłem, że lecimy w kierunku południowo-zachodnim. Byłem zdezorientowany. Generał Janiszewski mówił przecież, że udajemy się do Związku Radzieckiego, a samolot leciał w kierunku Wrocławia, Legnicy. Później sprawa się wyjaśniła. Chodziło o zmylenie naziemnych służb radarowych. Po pewnym czasie samolot zawrócił i polecieliśmy w kierunku północno-wschodnim.

---

* Marian Stepnowski — w 1981 roku starszy chorąży, adiutant gen. Jaruzelskiego.

Podczas schodzenia do lądowania zobaczyłem pod nami mokradła. Wszędzie woda. Pomyślałem: gdzie my tu wylądujemy, czy tu jest jakieś lotnisko? Byliśmy 20-30 metrów nad ziemią i w pewnym momencie usłyszałem ryk silników. Samolot przyspieszył, poszedł wzdłuż pasa startowego, zrobił nawrotkę i lądował z drugiej strony. Zaskoczyło mnie to, gdyż pogoda była w tym czasie bezwietrzna, a więc obojętne, z której strony wylądujemy... Później zorientowałem się, iż gospodarzom chodziło o to, aby po zatrzymaniu samolotu na płycie lotniska i otwarciu drzwi — nikt nie widział, nawet za pomocą lornetki, kto wysiada. Tak więc po wylądowaniu mieliśmy port po prawej stronie, a wysiedliśmy — po lewej.

Do samolotu podjechały trzy wołgi z oknami zasłoniętymi firankami. Zjawiło się kilka osób po cywilnemu, w kapeluszach, w skórach, w jesionkach — takie typowe KGB-owskie postaci. Szef i Kania wsiedli do środkowego samochodu, a ja z nimi. Jechaliśmy pustą, ale dobrze pilnowaną szosą. Co kilkaset metrów, na prawo i na lewo, stali cywile — prawdopodobnie funkcjonariusze. W pewnym momencie skręciliśmy w polną drogę. W oddali, jakieś 300 metrów przed nami, zobaczyłem mur z czerwonej cegły. Koniec? Gdzie my jesteśmy? Odpowiedzi udzielił mi... drogowskaz. Brześć. Byliśmy w tym słynnym Brześciu...

Dojechaliśmy do przystanku kolejowego. Wyszliśmy z samochodu. Na torach stało kilka wagonów. Jeden z ochrony poprosił, aby Kania i szef weszli do wskazanego przedziału. Szef wziął ode mnie swoją teczkę. Oddalili się. Mnie gospodarze kazali siedzieć w sąsiednim przedziale. Byłem sam. Godzina 19^{30} — 20^{00}. Usłyszałem jakieś głosy, rozmowę. Przyznaję, że mimo wysiłku nie udało mi się poznać jej treści. Początkowo było dość głośno, słyszałem rosyjskie słowa. Zasychało mi w ustach. Po około dwóch godzinach dostałem herbatę i kilka kanapek, które pozostawiłem nietknięte... Starałem się też zobaczyć, jak wygląda sytuacja na zewnątrz, ale co odsłoniłem firankę, to widziałem stojącego przed moim oknem KGB-owca. Patrzył stale na mnie. Ja nie widziałem nic ciekawego, więc zasłaniałem okno i siedziałem...

W pewnym momencie dyskusja przycichła. Chyba mówił Kania, bo on mówi dość cicho. Później usłyszałem głos szefa. Generał Jaruzelski w zasadzie też mówi cicho, ale wtedy usłyszałem podniesiony głos. Brzęk naczyń stojących na stole, jak gdyby uderzenie pięścią w stół. Pamiętam jak dziś, mówiłem sam do siebie: „Szefie kochany — głośniej, mocniej, może wrócimy, może wrócimy..."

W Brześciu czekali na nas Andropow i Ustinow. Zostaliśmy zaproszeni do wagonu kolejowego, odstawionego na bocznicę. Rozmowy prowadziliśmy w salonce. Były trudne. Ale niech nikt nie szuka sensacji. W sumie ton był rzeczowy. Byliśmy przecież wówczas sojusznikami, przyjaciółmi. To był nasz sojusznik na dobre i na złe, czasami nawet bardzo złe. Ale sojusznik realny, taki, a nie inny. Bardzo wielu Polakom można postawić piątkę za brawurę. Natomiast wielu polskich polityków — jak wykazały nasze dzieje — zasłużyło na dwójkę z historii i z geografii. Płaciliśmy za to nieraz najwyższą cenę. My nie chcieliśmy jej zapłacić.

Była to długa i niezwykle ważna rozmowa. Kierownictwo radzieckie uznało rozwój wydarzeń w Polsce za bardzo groźny. Andropow i Ustinow, najbliżsi współpracownicy Breżniewa, oczekiwali od nas odpowiedzi na pytanie: czy nie widzimy, że prowokacja bydgoska, „zmontowana przez wroga", stanowi uwerturę do generalnego ataku na socjalistyczne państwo? Czy polska partia potrafi się otrząsnąć? Ostrzegali, iż możemy stracić kontrolę nad sytuacją, w tym i nad własnymi siłami. Dlatego też tak ważne jest działanie ofensywne. Zwłaszcza w wypowiedziach marszałka Ustinowa przewijały się często słowa: trzeba „rieszitielno, nastupatielno" (zdecydowanie, ofensywnie). To sprawa nie tylko wewnętrzna, ale dotyczy również bezpieczeństwa całej socjalistycznej wspólnoty.

Nawiązywali także do poprzednich rozmów. Mówili: „Twierdziliście, że uda się jakoś ustabilizować sytuację, że władza będzie władzą, a tu okazuje się: ustępstwa, ustępstwa, ciągle tylko ustępstwa". Tu padł nowy zarzut. Otóż Kania solennie zapewniał radzieckich przywódców, osobiście Breżniewa, że nie zezwolimy na legalizację „Solidarności" Rolników Indywidualnych. Tymczasem znów nie dotrzymano słowa.

Wyciągano różne przykłady, w tym powołując się na spostrzeżenia ambasady, konsulatów, a także jednostek radzieckich stacjonujących w Polsce. Zarzucano nam, że jesteśmy zbyt ostrożni, że przeceniamy siły opozycji. Powoływano się także na opinie „polskich towarzyszy", zaniepokojonych naszą ustępliwością. To była walka z cieniem, a mówiąc dosadniej z donosem. Brzydkie moralnie, ale i niebezpieczne politycznie. Bowiem jeśli „nasi ludzie" oceniają negatywnie, to trudno się dziwić krytycznemu stanowisku radzieckich przywódców. Chodziliśmy więc po linie, w dodatku nadwerężonej przez naszych rodaków. Byli to nie tylko członkowie partii.

Staraliśmy się z Kanią wnikać w intencje rozmówców. Zrozumieć ich uwrażliwienie na stabilność Układu Warszawskiego w świetle komplikującej się sytuacji międzynarodowej. Jak zwykle graliśmy zgodnie, na dwa głosy. Mnie było nawet łatwiej, bo nie mieliśmy tłumacza — mówię biegle po rosyjsku, Kania ma pewne trudności.

Co odpowiedzieliśmy na przedstawione zastrzeżenia i niepokoje? No cóż, ponownie trzeba było wyjaśniać od Adama i Ewy. Zależało nam przede wszystkim, aby nasi rozmówcy zrozumieli specyfikę polskich wydarzeń. Tu już mieliśmy pewien schemat stale wykorzystywany i jedynie aktualizowany w kolejnych rozmowach. W tym przypadku mówiliśmy, że porozumienie warszawskie daje nam możliwość oddechu, uspokojenia. Będziemy poszukiwali różnych dróg do umocnienia władzy. Akcentowaliśmy trudności naszej gospodarki. Obok różnych usprawnień konieczne jest jej reformowanie. Temat ten poruszaliśmy zresztą ostrożnie. Reformatorska retoryka mogłaby postawić nas w jeszcze trudniejszej sytuacji. Wskazywaliśmy, że wraz z opanowaniem kryzysu gospodarczego zdołamy ustabilizować sytuację polityczną.

Potwierdzaliśmy poważne zagrożenia ze strony „Solidarności". Ale są jeszcze szanse porozumienia z jej realistycznym, tzw. robotniczym nurtem. Tym bardziej że trzon tej organizacji stanowią największe zakłady pracy. Wskazywaliśmy, iż Kościół jest przeciwny ekstremizmowi. W tym miejscu powołałem się na moją niedawną rozmowę z prymasem Wyszyńskim — na jego patriotyzm, na zrozumienie nadrzędnych racji państwa. To pozwalało liczyć na poparcie Kościoła w budowie jakiejś formy porozumienia narodowego.

Poinformowaliśmy naszych rozmówców, że duże znaczenie dla dalszego rozwoju wydarzeń może mieć najbliższe posiedzenie Sejmu. Liczymy, że Sejm podejmie uchwałę wzywającą do zaniechania strajków przynajmniej na okres 2 miesięcy. Powiedziałem także, iż zamierzam przedstawić gotowość rezygnacji z funkcji premiera, argumentując sytuacją, w której sprostanie zadaniom staje się niemożliwe. Wtedy miało to pewną wymowę. Sądziłem, że znaczna część społeczeństwa przyjęłaby zapowiedź mojego odejścia z obawą, z drugiej zaś strony, że taka ewentualność powinna zmiękczyć naciski sojuszników.

Rozmowa zakończyła się z obustronnym niedosytem. Co jednak najważniejsze? Pozostawało nam nadal jakieś pole manewru do dalszych politycznych wysiłków. Potwierdzeniem było zakończenie wreszcie w dniu 7 kwietnia ćwiczenia „Sojuz-81".

Przy okazji tych ćwiczeń doszło do paradoksalnego nieporozumienia między Husakiem a Breżniewem. Otóż 6 kwietnia na zjeździe KPCz Husak, atakując ostro kontrrewolucyjne siły w Polsce, powiedział, że obrona socjalizmu „jest także wspólną sprawą państw wspólnoty socjalistycznej, które są zdecydowane obronić swe interesy..." Jakby mimochodem dodał do tych słów zapewnienie, że celom tym służą odbywane właśnie ćwiczenia „Sojuz-81". Breżniew przemawiał nazajutrz na zjeździe. Przy okazji zgłaszania pod adresem Zachodu propozycji powstrzymania dalszego rozmieszczania rakiet średniego zasięgu w Europie na dowód dobrej woli oświadczył, że właśnie zapadła decyzja o przerwaniu tych długotrwałych ćwiczeń. Jak widać obaj przywódcy przeoczyli uzgodnienie tekstów i stanowisk.

Mówi porucznik Marian Stepnowski:

Było już około 2^{00}. Powiadomiono mnie, że jedziemy. Te same czarne wołgi odwiozły nas na lotnisko. Kania i szef nie rozmawiali w samochodzie. Była całkowita cisza. Zasychało nam w ustach. Kania poczęstował mnie pastylkami eukaliptusowymi.

Na lotnisku nikt nas nie żegnał. Wsiedliśmy do samolotu. Wystartowaliśmy. Ciągle nie miałem pewności, w którym kierunku lecimy. Dopiero po wylądowaniu zobaczyłem, że to Warszawa. Byliśmy w domu. Nigdy polska ziemia nie była mi tak droga.

Tu też nikt nas nie witał, ale czekał nasz samochód z naszym kierowcą. Odwieźliśmy najpierw Kanię. Jadąc już do szefa na ul. Ikara pomyślałem, że powinienem powiadomić generała Janiszewskiego, który prawdopodobnie oczekuje jeszcze w pracy. On słynął z tego, że pracował długo: do 4^{00} —5^{00} rano. Zapytałem więc szefa: „Co mam powiedzieć?" Generał Jaruzelski odpowiedział: „Przekazać, że wszystko w porządku".

Generał Janiszewski, kiedy mnie zobaczył, mało nie przewrócił biurka. Opowiedziałem, co i jak było, z wyjątkiem treści rozmów, których nie znałem. Z Urzędu Rady Ministrów pojechałem do domu.

Wracałem do Warszawy raczej z ulgą. Traktowałem to spotkanie jako kolejne odroczenie. Najgorsza jednak była świadomość, że prawdopodobnie nie uda się uniknąć dalszych nacisków. Oni mimo wszystko nie czują zbyt dobrze tego, co w Polsce jest możliwe, a co możliwe nie jest.

Jeśli miałbym różnicować naszych rozmówców, to trzeba powiedzieć, że z Ustinowem rozmawiało się trudniej. Andropow był bardziej otwarty na argumenty. Miał zapewne w pamięci 1956 rok w Budapeszcie, gdzie był radzieckim ambasadorem. W sumie był człowiekiem raczej refleksyjnym. Wygląd i mentalność inteligenta, spokój i kultura. Tak go widziałem również podczas kontaktów w końcu 1982 roku, gdy został sekretarzem generalnym KC KPZR.

A tak nawiasem: Kukliński pisze w swoich szpiegowskich wyznaniach, że 3 kwietnia odbyła się nasza rozmowa z Breżniewem w Moskwie. Jak widać, zapewniliśmy skutecznie poufność, „szczelność" naszego wyjazdu do Brześcia.

10 kwietnia Sejm podjął uchwałę w sprawie zaprzestania strajków. Moje wystąpienie na tym posiedzeniu zawierało mocne akcenty.

Zapowiedziałem też dymisję: „Jest moim obowiązkiem przypomnieć Wysokiemu Sejmowi, iż obejmując urząd prezesa Rady Ministrów oświadczyłem z tej wysokiej trybuny, iż «oddam się do dyspozycji w każdej chwili», zwłaszcza gdy rząd nie będzie mógł spełnić oczekiwań. Taka chwila nadeszła. Działanie w obecnych warunkach — bez potwierdzonego wolą Sejmu i niezbędnymi uchwałami społecznego zaufania — jest wręcz niemożliwe".

Liczyłem, że te słowa wywołają jakiś społeczny oddźwięk, że i opozycja zastanowi się, co taka decyzja może oznaczać. Byłem naiwny. Ani uchwała Sejmu, ani zapowiedź mojego odejścia nie wywołały większego wrażenia. Nasz polski okręt, wstrząsany konwulsjami, zanurzał się coraz głębiej.

Rozdział 11

Szukając partnerów

30 marca doszło do podpisania porozumienia warszawskiego. Zapobiegło ono strajkowi generalnemu, który wisiał na włosku. Poprzedziły je trudne negocjacje. Pięć dni wcześniej odbyło się spotkanie Komitetu Rady Ministrów do Spraw Związków Zawodowych z delegacją KKP NSZZ „Solidarność". Prasa opublikowała wystąpienie Mieczysława Rakowskiego. Dramatycznie brzmiały jego słowa: „... Nie mogę uwolnić się od myśli, że są w «Solidarności» tacy działacze, którzy doszli do wniosku, że 90 spokojnych dni, pokoju społecznego, sprzyjać będzie powrotowi do normalizacji, a więc do ostudzenia emocji, bez których nie można podrywać ludzi do coraz to nowych akcji protestacyjnych". Jeszcze jeden fragment wystąpienia Rakowskiego: „Kraj zalany jest ulotkami, plakatami, gazetkami o treści antykomunistycznej. Oglądałem na ulotce wydanej pod firmą «Solidarności» szubienicę, z objaśnieniem, kto ma niej wisieć. Jedna z gazetek zakładowych napisała: 90 dni rządu Jaruzelskiego — 90 szubienic prominentów PZPR. Trudno to nazwać «partnerstwem»".

Kilka zdań pragnę poświęcić Mieczysławowi Rakowskiemu. Wiem, że zderzą się one z opinią części czytelników. Nie zamierzam schlebiać krwiożerczym gustom. **Rakowski** to utalentowany polityk, wybitny publicysta. Emocjonalny i ambicjonalny, wrażliwy, a nierzadko nadwrażliwy. Z rozmów z „Solidarnością" przychodził tak zmaltretowany, aż mi go było żal. Może byłoby lepiej, gdyby pertraktował z nimi ktoś o grubszej skórze (chociaż i Ciosek, który miał skórę jak nosorożec, też „pękał"). Gdy wpadał w depresję, mówiłem: „Trzymaj się, nie hamletyzuj". Gdy mnie było ciężko, starał się poprawić nastrój.

Jak zresztą wszyscy ludzie wyrastający ponad przeciętność, a zwłaszcza kontrowersyjni, był przez jednych lubiany, a przez innych traktowany z głęboką niechęcią. Tak zresztą jest do dziś.

Koledzy z aparatu władzy, z partii, z rządu mieli do niego różne zastrzeżenia i pretensje. Wciąż przylegała do niego „łatka" rewizjonisty, oportunisty, liberała. Częstokroć była to po prostu zawiść. Zazdroszczono mu kontaktów z „salonami" stolicy, a także przyjaznych stosunków z szefem rządu. Pamiętam, iż niejednokrotnie podpowiadano mi, że jest kiepskim organizatorem, chorobliwym egocentrykiem, nie zajmuje się tym, co do niego należy. Między innymi napomykano, że w czasie posiedzeń rządu, czy Biura Politycznego, pisze albo książkę, albo pamiętniki — widocznie zaglądano mu przez ramię. Przypominało to nieco słynne spostrzeżenie Wańkowicza o bezinteresownej polskiej zawiści: szewc ma za złe kanonikowi, że został prałatem.

Rakowski rzeczywiście pisał dużo — także listów i notatek, które kierował do mnie. Zachowałem ich wiele. Ceniłem to sobie, bo odważnie sygnalizował różne istotne sprawy. Miał kontakty w rozmaitych środowiskach, przenosił też opinie z licznych listów, które otrzymywał. Na przykład, 26 kwietnia 1981 pisał o sprawie bydgoskiej, że „trzeba jakoś ją rozładować, ponieważ radykałowie w «Solidarności» potrzebują paliwa pod wygasający kocioł ekscytacji narodowej. (...) Biuro Polityczne już powinno postawić sobie pytanie, co należy uczynić, aby nie dopuścić przed IX Zjazdem do zakłóceń spokoju. (...) W związku z rosnącą rolą Sejmu w każdym ministerstwie trzeba zainstalować parlamentarnego podsekretarza stanu". Rzeczywiście, poszliśmy w tym kierunku, wyznaczeni zostali wiceministrowie do roboczych kontaktów z organami Sejmu. Lub też inny list: „Bardzo ważna sprawa. Ścisłe przestrzeganie praworządności. W tym kontekście jak oka w głowie trzeba pilnować MSW. Twój sympatyczny K. (chodzi o Kiszczaka, nie będącego jeszcze wtedy ministrem, a szefem Wojskowej Służby Wewnętrznej) powinien codziennie wysłuchiwać od Ciebie ostrzeżeń, aby pilnował sytuacji, ostrzegał Cię przed każdą próbą prowokacji. Nigdy nie zapomnę Bydgoszczy, jeszcze dziś zimno mi się robi na myśl, czym mogłaby się skończyć, gdyby nie Twoja determinacja".

Rakowski miał na myśli moją reakcję na zamiar usunięcia siłą chłopów zabarykadowanych w budynku Komitetu Wojewódzkiego ZSL.

Napisał jeszcze tak: „Proszę Cię, nie wierz nikomu bezkrytycznie, również mnie. Przyjmij metodę de Gaulle'a. Nie wierzył żadnej policji. Jedna pilnowała drugą". Właśnie powołanie ponadresortowego komitetu Kiszczaka — Komisji Koordynacyjnej do Spraw

Przestrzegania Prawa, Praworządności i Porządku Publicznego — miało być narzędziem takiej kontroli. A potem — po zabójstwie księdza Popiełuszki — powołanie w MSW tzw. Zarządu Ochrony Funkcjonariuszy, a faktycznie kontroli i zapobiegania nieprawidłowościom. Okazało się jednak, że nie było to takie proste.

A oto fragmenty innych notatek Rakowskiego: „Ponieważ obu wam, tj. Olszowskiemu i Tobie, nie jest po drodze, jest rzeczą oczywistą, że telewizja nie będzie działać na korzyść rządu. Musimy mieć świadomość, że wszystko, co złe w telewizji, idzie na nasze konto".

„Nie unikaj telewizji. Musisz prowadzić styl bycia odpowiadający duchowi odnowy". Niestety, mam tutaj sobie wiele do zarzucenia, choćby niedostatek konferencji prasowych, do których się zobowiązałem..., a potem nie realizowałem. Miałem też silne zahamowania przed wystąpieniami telewizyjnymi. Kamera działa na mnie paraliżująco. To jeszcze jeden dowód, że nie miałem predyspozycji polityka funkcjonującego w erze środków masowej informacji. W jakiś sposób zazdroszczę wszystkim tym, którzy z wielką pewnością siebie, głosząc nawet „duby smalone", mają dobre samopoczucie. Dowiodła tego dobitnie ostatnia kampania wyborcza.

„Twój szaleńczy tryb życia, wiem skądinąd, że od lat pracujesz niezwykle intensywnie, skończy się katastrofą. Ten fragment listu pokaż swojej żonie".

Oczywiście, nie pokazałem. Moja żona i córka ciężko przeżyły ten okres. Mam w stosunku do nich nieustające wyrzuty sumienia. Nie tylko z powodu, że były prawie cały czas same. Ale również dlatego, że przychodząc znękany do domu już nie miałem siły na zwykły ludzki odruch. Potrzebowały więcej ciepła. Ja zaś wnosiłem nieraz nerwowość, ponury nastrój. Podobnie niełatwo było mojej siostrze mieszkającej w Łodzi, a doświadczonej ciężko latami Syberii.

Wysunięcie Rakowskiego na „pierwszą" wówczas linię, jako wicepremiera — Przewodniczącego Komitetu do Spraw Związków Zawodowych, było decyzją logiczną. Znany od dawna zwolennik reform, dialogu, demokratyzacji systemu, który taką konieczność widział wcześniej i głębiej niż Kania i ja — oto idealny rozmówca według filozofii: „szanować partnera". Decyzja ta była przyjęta z obrzydzeniem przez tzw. siły pryncypialne oraz przez sojuszników. Stanowiło to jednak — jak wówczas sądziłem — jego dodatkowy atut, czynnik wiarygodności w rozmowach z „Solidarnością". Niestety, stało się inaczej. Partnerzy związkowi atakowali ostro, niektórzy wręcz brutalnie. Rakowski czuł się urażony, dotknięty jako człowiek, którego dobra wola nie jest doceniana. Narastała obustronna niechęć.

Dramat Rakowskiego to również ostracyzm — zwłaszcza w okresie stanu wojennego i w latach późniejszych — ze strony części środowiska, w którym tkwił przez lata. A przecież właśnie on był aktywnym rzecznikiem dialogu, łagodzenia różnych rygorów, oczywiście, na gruncie nadrzędnych wówczas racji państwa. Wielu go potępiało za ostrą retorykę w stosunku do opozycji. Ale nie wszyscy wiedzą, że wewnątrz własnego obozu równie ostro krytykował on konserwatyzm, zacietrzewienie, głupotę. Taki jest jego polityczny temperament, taka stylistyka.

Wróćmy do chronologii wydarzeń. Na terytorium Polski oraz w pobliżu jej granic odbywały się wtedy koalicyjne ćwiczenia „Sojus-81". Społeczeństwo rozdygotane. Nastrój gniewu i martyrologii. „Solidarność" zaciska pięści. Wiele regionów — m.in. Łódź, Wrocław, Wałbrzych, Kalisz, Gdańsk — opracowuje instrukcje, co robić na wypadek strajku generalnego, stanu wyjątkowego czy wreszcie interwencji z zewnątrz. W części z nich poleca się „wszelkimi dostępnymi środkami" przeciwdziałać „przesuwaniu się w głąb kraju sił okupacyjnych". Ciekawe, jak autorzy wyobrażali sobie te środki. W powstałej sytuacji starałem się rozmawiać ze wszystkimi, którzy mogli mieć wpływ na opinię publiczną, na tok dalszych wydarzeń. Z tą intencją 26 marca spotkałem się z kierownictwem Polskiej Akademii Nauk. Uczestniczyli profesorowie: Gieysztor, Kaczmarek, Kostrzewski, Sosnowski, Wiewiórowski. Rozmówcy z zaufaniem odnieśli się do moich starań. Uzyskałem zapewnienie, że będą w miarę swych możliwości wpływać moderująco na nastroje społeczne. Z życzliwością mówili o armii, która nie obciążona grzechami lat 70. jest czynnikiem stabilizującym. Sugerowali, aby rząd publicznie wyraził ubolewanie oraz maksymalnie przyspieszył wyjaśnienie przyczyn i okoliczności incydentu. Mówili, że i w „Solidarności", i we władzy jest wcale niemało amatorów konfrontacji. Dostrzegali wielkie zróżnicowanie poglądów i opinii w społeczeństwie. Wyraźnie opowiedzieli się po stronie sił umiarkowanych, niezależnie od tego, z jakich obozów się wywodzą. Prof. Gieysztor w tym kontekście stwierdził, że „Solidarność" niesłusznie uważa się za monopolistę odnowy.

Spotykałem się wówczas, a także wcześniej i później, z prof. Janem Szczepańskim, przewodniczącym Sejmowej Komisji do Spraw Kontroli Wykonania Umów Społecznych. Wspaniały człowiek, „Jan mędrzec" — jak go nazywaliśmy — robił co mógł, szczególnie w poszukiwaniu dróg porozumienia narodowego. Zrobił wiele, ale nie mógł zrobić wszystkiego. Walec wydarzeń toczył się nieubłaganie.

Spotkałem się też z wojewodami i prezydentami miast. Ogólnie dominowało zadowolenie, że udało się zapobiec strajkowi generalnemu. Ale czuło się też kompleks przegranej. Podkreślano, że wciąż nasilają się żądania wyrażane w agresywnej, aroganckiej formie, że administracja terenowa traktowana jest jak „chłopiec do bicia". Zwłaszcza w Bydgoszczy, Radomiu, Koszalinie — stosunki z „Solidarnością" układały się coraz gorzej. Natomiast jako poprawne określali je wojewodowie z Poznania, Gdańska, Zielonej Góry.

Ze wzmożoną częstotliwością obradowała Rada Ministrów. Z niepokojem mówiono o gospodarczych reperkusjach bieżącej sytuacji.

Przypominam sobie posiedzenie Rady Wojskowej MON. Wyczułem, że nawet na tych chłodno kalkulujących zawodowych żołnierzach nastrój owych dni wywarł silne wrażenie. Nie rwali się do siłowych rozwiązań, ale rozpalona emocjami rzeczywistość przypierała do ściany. Niepokoiły ich wypowiedzi wyższych oficerów, dowódców z armii sojuszniczych, którzy niezwykle krytycznie oceniali wydarzenia w Polsce. Wielu członków Rady Wojskowej wyrażało pogląd, że możliwości ugodowego, pojednawczego działania wyczerpują się coraz bardziej. Jeden z wiceministrów powiedział wprost: „Nie wierzę w metody misjonarskie".

Spotkałem się również z kierowniczą kadrą MSW. Sytuację oceniano bardzo krytycznie. Ze źródeł wywiadowczych dochodziły informacje, że obce służby penetrują polskie placówki dyplomatyczne. Mówiono, że Zachód czerpie korzyści z sytuacji w Polsce, że trzymają nas na wolnym ogniu, aby stwarzać kłopoty Związkowi Radzieckiemu.

Przebieg tych spotkań wyraźnie wskazywał, że w szeroko rozumianych kręgach władzy sytuacja oceniana jest jako bardzo groźna. Rozumiałem ten nastrój. Kania i ja staraliśmy się jednak, aby emocje nie przekroczyły racjonalnych granic.

W grudniu 1990 roku część prasy nadała wielki rozgłos planom związanym z ewentualnym wprowadzeniem stanu wojennego, przygotowanym w resorcie spraw wewnętrznych, które podobno były gotowe już w sierpniu 1980 roku. Rozpisywano się o planie „Brzoza", planie „Malwa", planie „Jodła"... Kiedy słyszę o takich rewelacjach, odnoszę wrażenie, że „gorączka odkrywców" przeważa nad rozsądkiem. Były, oczywiście, plany.

Przypomnijmy kilka faktów. W sierpniu 1980 roku, pod przewodnictwem ówczesnego ministra spraw wewnętrznych Stanisława Kowalczyka, został utworzony specjalny sztab tego resortu, którego celem było przeciwdziałanie zagrożeniom prowadzącym do paraliżu gospodarki i życia społecznego. Późną jesienią powstał zespół kierowany przez premiera Józefa Pińkowskiego, w którego skład weszło kilku członków kierownictwa partii i rządu, m.in. Kazimierz Barcikowski, Tadeusz Grabski, Mieczysław Jagielski, Stefan Olszowski, Jerzy Waszczuk, Lucjan Czubiński, Mirosław Milewski, Florian Siwicki. Przewodnictwo zespołu objąłem dopiero po powierzeniu mi funkcji premiera. Zespół ten, prawdę mówiąc, istniał tylko formalnie, nie zbierał się. Jego członkowie realizowali swoje zadania w ramach własnych kompetencji. Jeśli weźmie się pod uwagę zasięg i ostrość ówczesnych wydarzeń, to zrozumiałe jest, że w tym właśnie okresie podjęto odpowiednie czynności aktualizujące plany na ewentualność działań nadzwyczajnych. Nie była to jednak budowa od fundamentów. Polska, jak chyba zresztą każde państwo, miała od lat pewne wyjściowe dokumenty na okoliczność stanu wyjątkowego. U nas niefortunnie nazwanego w konstytucji stanem wojennym. To raczej dowód, że zbyt poważnie o takim rozwoju wydarzeń nigdy nie myślano.

Z czasem liczba resortów biorących udział w tych pracach została zwiększona. W marcu 1981 roku dokumenty były jeszcze niekompletne. Jako premier znałem, oczywiście, kierunek prowadzonych prac. Szczegóły przygotowywano w zainteresowanych ministerstwach.

Twierdzenie, że już latem 1980 roku plany wprowadzenia stanu wojennego były niemalże gotowe, jest po prostu nieprawdziwe. Nawet relacja Kuklińskiego — do której mam wiele zastrzeżeń — potwierdza powyższą ocenę. Oczywiście, różne prace były prowadzone, ale robiono to ciągle. Jeżeli — jak teraz głoszą niektórzy — kompletny plan stanu wojennego wraz ze spisem osób przeznaczonych do internowania był gotowy już w sierpniu 1980 albo w marcu 1981, albo w sierpniu 1981, a z pewnością w listopadzie 1981 — to co właściwie sprawiło, że nie został on wprowadzony w życie? Czym wyjaśnić opieszałość władz, które wszystko miały w ręku, a zwlekały tak długo? Odpowiedź, choć dziś dla wielu niewygodna, jest tylko jedna. Wciąż liczono na porozumienie.

Rozdział 12

Koszary i poligony

Cały ten rok „pachniał prochem". Czynnik wojskowy nabierał coraz większego znaczenia. Śledziłem uważnie, co dzieje się w tej sferze.

Mówi gen. Florian Siwicki:

Pierwszy raz zagrożenie interwencyjnego wkroczenia na obszar Polski miało miejsce w grudniu 1980 r. Kolejna faza to wiosna 1981 r. Od tego czasu trwał właściwie permanentny, nasilający się nacisk, m. in. w formie różnorodnych sojuszniczych przedsięwzięć wojskowych. W Rembertowie, w jednostce łączności Armii Radzieckiej pod kierownictwem gen. Miereszki rozwinięto grupę operacyjną sztabu Zjednoczonych Sił Zbrojnych. Prawdopodobnie było to, oprócz Legnicy, pomocnicze stanowisko dowodzenia Naczelnego Dowódcy Zjednoczonych Sił Zbrojnych, bowiem marszałek Kulikow często tam przebywał.

W marcu rozpoczęło się, głównie na obszarze Polski, sojusznicze strategiczno-operacyjne ćwiczenie z oznaczonymi wojskami „Sojuz-81". Aby zwiększyć jego rozmach, włączono do niego przedsięwzięcia mniejszej rangi — wojsk lądowych „Drużba-81" oraz morskie Zjednoczonej Floty Bałtyckiej „Wał-81". W ćwiczeniu tym udział wzięły sztaby i wojska Armii Radzieckiej, Czechosłowackiej Armii Ludowej, Armii Ludowej NRD oraz Wojska Polskiego. Charakterystyczne było, iż w szerszym zakresie, niż wymagały tego cele szkoleniowe, rozwinięta została sieć łączności wojsk radzieckich, włącznie z troposferyczną, której część pozostała po ćwiczeniach. Zorganizowano także grupę operacyjną sztabu Zjednoczonych Sił Zbrojnych w Legnicy, która pozostawała tam do końca 1981 roku. W skład tego mini-sztabu pod kierownictwem gen. Tiereszczenko weszli narodowi zastępcy szefa sztabu ZSZ — z CzAL gen. Kuczera, z NAL NRD gen. Gottwald. Przebywający tam również generał Wojska Polskiego Antos miał bardzo ograniczone pole działania. Oficerowie armii wchodzących w skład tej grupy mogli w wypadku interwencji przejąć w pierwszym okresie jej trwania dowodzenie podległymi wojskami. Potwierdzeniem specyficznej misji tej grupy był obowiązek pozostawania oficerów w obrębie koszar, a w przypadkach szczególnych — wychodzenie z obiektu wojskowego w ubiorze cywilnym.

Latem odbywały się dość liczne planowe i dodatkowe specjalistyczne szkolenia wojsk sojuszniczych. W ćwiczeniach kwatermistrzowskich pod kryptonimem „Przeładunek" głównym zainteresowaniem strony radzieckiej były rejony przeładunkowe na naszej wschodniej granicy. Wzmocniono również ośrodki kierowania sojuszniczymi przelotami wojskowymi. Zwiększono liczbę oficerów radzieckich na

Centralnym Stanowisku Dowodzenia WOPK, które działało w jednolitym systemie obrony powietrznej państw Układu Warszawskiego.

Wojskowa Służba Wewnętrzna, którą kierował gen. Edward Poradko, aktywnie śledziła narastające zagrożenia. Posiadano dotarcie do różnych osób w sojuszniczych armiach oraz na placówkach dyplomatycznych. Wiedza uzyskiwana przez WSW potwierdzała i uzupełniała informacje MSW o ściśle wojskowe elementy.

Jeden z wysoko usytuowanych pracowników ambasady węgierskiej informował, że w państwach Układu Warszawskiego co pewien czas, poczynając od jesieni 1980 roku aż do 13 grudnia 1981, rozpatrywano problem wkroczenia sojuszniczych sił zbrojnych do Polski. Poznałem osobiście tego węgierskiego dyplomatę. Jego wypowiedzi cechowała trzeźwość polityczna i duża sympatia do naszego kraju. Jak się zorientowałem, na jego kontakty z nami miał wpływ mój przyjaciel, ówczesny szef Sztabu Generalnego Węgierskiej Armii Ludowej, gen. Istvan Olah.

Intencje uruchomienia sojuszniczej „pomocy" wynikały z wypowiedzi zwłaszcza oficerów radzieckich i czechosłowackich przy towarzyskich spotkaniach z naszymi oficerami w sztabie Zjednoczonych Sił Zbrojnych. Meldował o tym zastępca szefa sztabu ZSZ do spraw wydzielonych sił Wojska Polskiego gen. Stanisław Antos. Podkreślał jednocześnie, że stopniowo coraz więcej przedstawicieli sojuszniczych armii unika kontaktów z naszymi oficerami. Dowódca Marynarki Wojennej admirał Ludwik Janczyszyn przebywając w listopadzie w Rostocku spotkał się z dowódcą Floty Bałtyckiej ZSRR admirałem Sidorowem, dowódcą floty NRD admirałem Ehmem oraz zastępcą Naczelnego Dowódcy ZSZ do spraw morskich admirałem Michajlinem. Wyczuł nastrój bojowy. Nie ukrywali gotowości do interwencji w Polsce.

Stosowaliśmy także różne formy potwierdzenia uzyskanych sygnałów. Obywatele polscy, zwłaszcza oficerowie, przywozili z przygranicznych obszarów sąsiednich państw istotne spostrzeżenia, na przykład:

— Stwierdzano ruchy kolumn wojskowych ze zmiennym natężeniem, zwłaszcza późną jesienią 1980, ale także wiosną i jesienią 1981 roku. Na nasze pytania sojusznicy określali te ruchy jako poprawę dyslokacji wojsk w ramach różnych ćwiczeń. Według naszych ocen podtekst był inny;

— W krajach sąsiadujących z Polską w okresach wzmożonych napięć, w tym późną jesienią 1981 roku, uzupełniono stany osobowe niektórych dywizji. Powoływano rezerwistów znających język polski. Uzupełniano ruchome zapasy materiałowe, tj. paliwo, smary, żywność, medykamenty itp., a także zwalniano dla potrzeb armii znaczną część łóżek szpitalnych w przygranicznej strefie. Były to posunięcia dalece wykraczające poza ćwiczebny charakter;

— W jednostkach Północnej Grupy Wojsk Armii Radzieckiej w zależności od rozwoju sytuacji w naszym kraju podwyższano gotowość bojową. Pod osłoną różnych ćwiczeń, których wówczas było wiele, uzupełniano jednostki rozpoznawcze i desantowo-szturmowe, a także środki transportu powietrznego.

Kilkakrotnie indagowałem w tych kwestiach sztab Zjednoczonych Sił Zbrojnych Układu Warszawskiego. Argumentacja była wciąż taka sama. Wzrastające napięcie w Europie, podsycane wyścigiem zbrojeń przez NATO, oraz wielce złożona sytuacja w Polsce wymagają intensywnych ćwiczeń i utrzymania wysokiej sprawności bojowej wojsk Układu Warszawskiego.

Znamienne były również oceny wielu polityków i wojskowych państw zachodnich. Ówczesny szef Zarządu II Sztabu Generalnego WP, płk Roman Misztal, opierając się na informacjach nadsyłanych przez nasze attachaty wojskowe meldował, jakie w świetle rozwoju sytuacji w Polsce przewidywane są reakcje państw Układu Warszawskiego. Były to prognozy wielce niepokojące.

Ta mozaika zewsząd napływających danych układała się w wyrazisty obraz zagrożenia.

Przedstawiciele sojuszniczych armii nie ukrywali swego niezadowolenia z tego, co widzieli w Polsce. Do najbardziej ,,nerwowych" należeli oficerowie armii naszego południowego sąsiada. Wydaje mi się, że utrwalili oni w sobie pewien przykry kompleks historyczny. Armia czechosłowacka była przed wojną jedną z najlepiej wyposażonych armii ówczesnej Europy. Wydana na pastwę Hitlera w wyniku haniebnej kapitulacji monachijskiej — nie oddała ani jednego strzału. Po raz drugi okazała się bezczynna w roku 1968. Czy można się dziwić oficerom tej armii, że chcieli na swój sposób ,,odegrać się" na Polsce?

Radzieccy i Czesi nieraz mówili nam: ,,Patrzcie, rozprawiliśmy się z kontrrewolucją w 1968 i jak obecnie w Czechosłowacji dobrze!" Przez kilka lat po 1968 roku na wszystkich spotkaniach, naradach dwustronnych oraz międzysojuszniczych Czesi i Słowacy wyrażali nam wdzięczność za internacjonalistyczną pomoc. Było to czasami aż żenujące. Później ich stosunek do naszych wydarzeń był zapewne w jakiejś mierze dyktowany i tym, że ,,internacjonalistyczna pomoc" to tak ważna cnota, iż koniecznie trzeba ją okazać.

Trzeba też przyznać, że Czesi mieli pewne uzasadnienia dla swoich urazów wobec Polski. Było Zaolzie — w 1938 roku. Potem był rok 1968. Ale była jeszcze i pewna niezręczność z naszej strony, o której chciałbym powiedzieć. Mówił mi minister obrony narodowej Czechosłowacji, Martin Dzur, że Husak był niewymownie zdegustowany, kiedy Gierek, który eksplodował dobrym samopoczuciem, zaproponował mu federację ze stolicą... w Warszawie. Można sobie wyobrazić, jak taka oferta została przyjęta. Przecież Czechosłowacja w rozwoju cywilizacyjnym stała wyżej od Polski i nie można było odnosić się do niej jak do ubogiego krewnego.

Nigdy nie zapomnę tego, co opowiadał mi ojciec, który ukończył bezpośrednio przed I wojną światową Akademię Rolniczą w Czechach, w Taborze. Ojciec, przebywając na praktyce jako student w czeskiej wiosce, znalazł się w domu jakiegoś chłopa. Co widzi? Córka gospodarza wieczorem wychodzi z domu, idzie do obory, zakłada białe rękawiczki, doi krowy, wraca, zdejmuje rękawiczki, siada przy fortepianie i gra. Podczas gdy u nas, nie wiem czy połowa chłopów w ogóle wiedziała, co to jest fortepian. Może to skrajny przypadek. Na pewno nie cała czeska wieś była taka. Ale na pewno była znacznie bardziej zaawansowana w rozwoju. Jeśli możemy w ogólności mówić, komu socjalizm dał najmniej, to chyba właśnie Czechom. Mieli przy tym bardzo rozbudowaną, a więc nadmiernie kosztowną armię. Czołgów więcej niż my, a kraj o połowę mniejszy.

Reasumując, dla Czechosłowacji okazanie nam „internacjonalistycznej pomocy" byłoby nie tylko mniejszym złem, ale pożądaną politycznie i prestiżowo operacją. Takie ciągoty okazywali aż do 13 grudnia 1981 roku.

A NRD? Polityczny establishment NRD-owski należał do najostrzejszych krytyków sytuacji w Polsce. Podniecał w tym kierunku stronę radziecką. Był zdecydowanym zwolennikiem siłowych rozwiązań. Z drugiej jednak strony miał świadomość, a zwłaszcza wyczuwali to wojskowi, że udział żołnierzy niemieckich w ewentualnej interwencji byłby wręcz niewyobrażalną prowokacją. A więc: „I chciałabym, i się boję". Natomiast w tym okresie dostrzegli okazję, aby stać się pierwszym, najważniejszym sojusznikiem ZSRR. Oczywiście, naszym kosztem. To w pewnej mierze wówczas im się udało.

Skoro dotknąłem problemu militarnego, nadszedł czas, by powiedzieć coś o naszym wojsku. Jego pozycja w Układzie Warszawskim — to był nasz, a tym samym i mój mocny atut. Oczywiście, największą decydującą siłę stanowiła Armia Radziecka. Ale Wojsko Polskie zajmowało zawsze miejsce szczególne. Przy różnych „koalicyjnych okazjach" dawano temu wielokrotnie merytoryczny i prestiżowy wyraz. Taki stosunek odczuwałem również osobiście. Wiem, że bolało to trochę niektórych znacznie starszych ode mnie — i z wieku, i na urzędzie — kolegów-ministrów obrony.

Status naszych sił zbrojnych wynikał nie tylko z liczebności, z bojowego potencjału, z historycznych zasług — jako jedynej armii, która obok radzieckiej uczestniczyła w szturmie Berlina. Również poziom wyszkolenia i dyscypliny, nowatorskie rozwiązania w sferze organizacji i mobilizacji, techniki i gospodarki, nauki, kultury i służby zdrowia — sytuowały nas zdecydowanie w czołówce zaprzyjaźnionych sił zbrojnych. Różne nasze doświadczenia były chętnie studiowane, a w wielu przypadkach przyswajane. Nasze wojsko miało swój specyficzny, dalece je wyróżniający narodowy styl i koloryt. Tradycje — chociaż w wyniku kryteriów owego czasu spłycone i zawężone — były jednak o niebo bogatsze niż w innych armiach. A nasz ceremoniał wojskowy, etyka i estetyka, zwyczaje i obyczaje — wszystko to korzystnie wyróżniało Wojsko Polskie. Byliśmy armią na dobrym europejskim poziomie. Takie były opinie i oficjalne, i poufne. Potwierdzali ją wizytujący nasze jednostki wojskowe w koszarach i na poligonach przedstawiciele armii obcych, w tym wielu zachodnich. Nie były to oceny na wiarę czy na piękne oczy.

To właśnie polscy oficerowie i żołnierze od lat uczestniczyli i uczestniczą w bezprecedensowej skali (są rekordzistą wśród krajów Zachodu i Wschodu) w operacjach międzynarodowych, w misjach kontroli i nadzoru ONZ, rozsianych po całym świecie. To o czymś świadczy. Tego nie uzyskuje się na kredyt. Dużo słów uznania usłyszałem na ten temat od sekretarza generalnego ONZ, Pereza de Cuellara. Wpłynęło wiele innych podziękowań i pochwał.

Kwalifikacje zawodowe naszej kadry były też oceniane wysoko. Na początku lat 70. uznałem, że i politycznie, i wojskowo nie jest rzeczą dobrą i normalną kierowanie oficerów na studia wyłącznie do ZSRR. Próbowałem to zmienić. Napotkałem na opory. Potrzebny był pierwszy krok. Zaproponowałem go ministrowi obrony NRD, gen. Heinzowi Hoffmanowi. Wyniki okazały się pozytywne. Przykład stał się zaraźliwy. W rezultacie wymiana objęła również słuchaczy z Armii Radzieckiej, Czechosłowackiej Armii Ludowej oraz Węgierskiej Armii Ludowej. Studiowali oni w naszej Akademii Sztabu Generalnego, Wojskowej Akademii Technicznej, Wojskowej Akademii Politycznej. Nie musieliśmy się wstydzić ani naszych uczelni, ani naszych słuchaczy studiujących w innych krajach. Oczywiście, w owych czasach mogły to być tylko uczelnie państw Układu Warszawskiego. W 1981 roku, kiedy sytuacja w Polsce zaostrzała się coraz bardziej, nasi słuchacze zaczęli sygnalizować różne niepokojące zjawiska — przede wszystkim skrajny krytycyzm ze strony wykładowców oraz kolegów z innych armii wobec sytuacji rozwijającej się w Polsce. Dochodziło na tym tle do przykrych, nawet prowokacyjnych incydentów. Reagowaliśmy z różnym powodzeniem.

Poziom wyszkolenia poszczególnych armii Układu Warszawskiego ilustrowały liczne wspólne ćwiczenia, w tym strzelania rakietowe. Ze względu na niezbędne warunki przestrzenne większość odbywała się na poligonach radzieckich: w pobliżu Astrachania, gdzie odpalano rakiety przeciwlotnicze i lotnicze, oraz na poligonie Kapustin Jar w obwodzie wołgogradzkim, gdzie odbywano strzelania rakietami operacyjno-taktycznymi. Kilkakrotnie uczestniczyłem w tych strzelaniach. Odczuwałem wielką satysfakcję obserwując ich skuteczność. Również gospodarze poligonów informowali mnie, że polskie załogi osiągają z reguły wyróżniające wyniki.

Dowódcą Zjednoczonych Sił Zbrojnych Układu Warszawskiego był zawsze marszałek radziecki. Pierwszym po podpisaniu Układu — Koniew, a następnie Greczko, Jakubowski, wreszcie Kulikow. W NATO naczelnym dowódcą jest też zawsze Amerykanin. Nie chcę przez to powiedzieć, iż identyczny był stopień integracji, zależności, samodzielności. Nasza ograniczona suwerenność przejawiała się wyraźnie i w tej sferze. Ale nie było to tak uproszczone i prymitywne, jak się wielu wydaje. Co więcej, występowały i takie elementy, które naszą sytuację czyniły korzystniejszą niż armii Paktu Północnoatlantyckiego. Otóż nasze wojsko w czasie pokoju podlegało wyłącznie rozkazom polskiego ministra obrony narodowej. Jedynie w przypadku wojny, w uzgodnionym trybie i momencie, jego wydzielona część — to jest Polski Front w składzie trzech armii ogólnowojskowych oraz armii lotniczej — miała przejść pod wspólne dowództwo.

Na tym tle chcę podzielić się wspomnieniem z wizyty w Belgii w roku 1967 marszałka Mariana Spychalskiego, któremu towarzyszyłem jako szef Sztabu Generalnego. Był wraz z nami również generał Edwin **Rozłubirski**, dzielny oficer ruchu oporu, zastępca dowódcy batalionu „Czwartaków" w Powstaniu Warszawskim, a w owym czasie dowódca 6 Dywizji Powietrzno-Desantowej. Dzielny, inteligentny, z charakterem. Przyznaję, nie zawsze potrafiłem go docenić. Ludzi poznaje się najlepiej w trudnych sytuacjach. Jedni niegdyś bardzo bojowi, wręcz hałaśliwi, chowają się dziś w „mysią dziurę", częstokroć wołając nawet w panice „to nie my". Inni — tacy właśnie jak Rozłubirski — potrafią znaleźć się w sposób godny oficera.

Wracam do wizyty. Pan Posvick, minister obrony Belgii, podczas pierwszej rozmowy powiedział, że jest mu miło poinformować o uzyskanej od dowódcy Sił Zbrojnych NATO zgodzie na naszą wizytę w niektórych jednostkach belgijskich. Spychalski wyraził z tego powodu zadowolenie. Jednocześnie — zresztą nie bez ironii — dodał, że w czasie ubiegłorocznej wizyty pana Posvicka w Polsce, on — jako minister — nie musiał prosić o taką zgodę dowódcy Zjednoczonych Sił Zbrojnych Układu Warszawskiego. Nigdy zresztą tego nie praktykowaliśmy. Nigdy nie uzgadniałem takich spraw. A różnych wizyt było sporo — naszymi gośćmi byli ministrowie obrony, szefowie sztabów generalnych, dowódcy różnych szczebli zarówno niektórych państw NATO, jak też i wielu państw neutralnych.

Na przykład ostatnia przed strajkami lipcowo-sierpniowymi 1980 roku była czerwcowa wizyta ministra obrony narodowej Francji pana Yvone Bourge. Wizyta wypadła bardzo dobrze. Postanowiliśmy rozszerzyć kontakty między naszymi armiami, a zwłaszcza między szkołami oficerskimi, flotami morskimi, naukowcami i historykami wojskowymi, dziennikarzami. Jak widać — na miarę realiów owego czasu — nie izolowaliśmy się od Zachodu. Zapamiętałem z tej wizyty taki obrazek. Podczas oficjalnych rozmów, a także przyjęcia wydanego na cześć gościa, minister Bourge kilkakrotnie, przepraszając mnie, wychodził z sali. Cel: odbycie telefonicznej rozmowy. Później wyjaśnił mi przyczyny. Otóż — jak wiadomo — we Francji wielu wysokiej rangi polityków, nierzadko łącznie z premierem, pełni jednocześnie funkcję mera jakiegoś miasta. Tak było i w tym przypadku. Okazuje się, że okoliczni rolnicy, niezadowoleni z cen na produkty rolne, protestując wysypywali całe góry ziemniaków i różnych warzyw pod drzwiami merostwa. No cóż, każdy ma swoje kłopoty.

Co było dla nas wielce charakterystyczne, a w ówczesnej sytuacji szczególnie istotne? Żadne z państw Układu Warszawskiego nie miało tak jak Polska — doktrynalnie, organizacyjnie i szkoleniowo — zbudowanego systemu terytorialnej obrony kraju. System ten nie miał żadnego związku z Układem Warszawskim. Był naszą wewnętrzną, wojskowo-cywilną strukturą. W ramach istniejących możliwości ekonomicznych funkcjonował właściwie. Potwierdziły to m.in. dwa wielkie ćwiczenia ,,Kraj-67'' i ,,Kraj-74''.

Dlaczego napisałem tak wiele o sprawach wojska i obronności? Nie tylko dlatego, że są mi one serdecznie bliskie. Wiem, że nie wszystko było idealne — ale niech mi ktoś pokaże idealną armię. Dzielę się tymi uwagami dlatego, aby oddać to, co należne wszystkim, którzy w minionym 45-leciu, w różnym czasie i w różnej formie, spełnili swój żołnierski obowiązek. Co jednak przede wszystkim chcę podkreślić? Właśnie międzynarodowy autorytet i pozycję naszego wojska, jego zwartość i kondycję. Przyczyniły się one w sposób decydujący do tego, że mogliśmy podejmować nasze trudne, bolesne sprawy we własnym zakresie, własnymi siłami. Najważniejsze zaś w tym było zaufanie i sympatia, jaką społeczeństwo polskie żywi do naszego wojska. Czuło się to i czuje na co dzień. Potwierdzeniem były i są badania opinii publicznej. Sondaże prowadzone od wielu lat przez Ośrodek Badania Opinii Publicznej „Polskie Radio i Telewizja" zawsze wykazywały i wykazują wciąż wysoką pozycję wojska.

Zaufanie społeczne w połowie 1981 roku do: Kościoła — 94%; „Solidarności" — 90%; Wojska Polskiego — 89%; Sejmu — 82%; rządu — 69%; PZPR — 32%. Jeśliby ktoś nawet podejrzewał manipulację, to musi się rozczarować. Najlepiej poświadcza to przedstawiany bez upiększeń niski wskaźnik „kierowniczej siły".

W listopadzie 1981 roku zaufanie do wojska jeszcze wzrosło — do 93%. To niewątpliwie wynik działania tzw. terenowych grup operacyjnych. I w ogóle nadzieje związane ze stabilizującą rolą sił zbrojnych. Dalsze lata (wybrano dla ilustracji po jednym wyniku w każdym roku): 1982 — 83%, 1983 — 84%, 1984 — 81%, 1985 — 86%, 1986 — 85%, 1987 — 88%, 1988 — 80%.

Są to wskaźniki wyższe od uzyskiwanych w ostatnich latach, oscylujących w granicach 70%. Co prawda obecnie w tych notowaniach wojsko wyprzedza Kościół. Ale wyprzedza go i policja. Jest to więc już inny problem. Nie tyle ku radości wojska, co ku zmartwieniu Kościoła.

Co w świetle tego warto podkreślić? Zdecydowana większość obecnej kadry zawodowej pełniła służbę w okresie stanu wojennego. Jeśli więc badania opinii społecznej przynoszą niezmiennie od lat wysoką ocenę wojska, to tym samym potwierdzają szacunek i zrozumienie dla każdego etapu naszej żołnierskiej drogi.

Oficer, chorąży, podoficer — to zawód twardy, męski. Sprzeczne więc z jego naturą, z jego etosem jest zacieranie własnych śladów. Ja daję wszystkim komfortową sytuację — biorę odpowiedzialność na siebie. Chcę jednocześnie bronić godności naszej kadry. Przecież ci, którzy próbują dystansować się od stanu wojennego, udawać naiwnych, zapominać, co kiedyś mówili i robili, wyrządzają wielką szkodę dobremu imieniu naszego zawodu. Obiektywnie prowadzą do interpretacji: albo „bezmyślne stado", które wykonywało rozkazy, nie wiedząc, o co chodzi; albo — „zbiorowisko cyników", które je wykonywało w imię spokoju i kariery. Tego i obecne władze — jak sądzę — nie oczekują. Kto bowiem dziś wypiera się swego wczoraj, ten jutro gotów się wyprzeć swego dziś. A przecież tak nie było i nie jest. Żołnierz służy wiernie, lojalnie narodowi i realnemu państwu. Takim państwem była wówczas Polska Rzeczpospolita Ludowa. Takim państwem jest obecnie Rzeczpospolita Polska. Kadra Wojska Polskiego ma prawo chodzić z podniesioną głową.

ROZDZIAŁ 13

Kłótnie o gospodarkę

Od początku 1981 roku pogłębiały się niekorzystne tendencje w gospodarce. Procesy roszczeniowe przybierały na sile. Coraz większy stawał się rozdźwięk między tym co pożądane, a tym co możliwe. Przypomnijmy niektóre z tamtych żądań i postulatów, np. spór o dodatek drożyźniany zwany wówczas „wałęsówką". Zgodnie z porozumieniem gdańskim miał wynosić do 1000 złotych na jednego zatrudnionego. Stanowiło to ponad jedną trzecią średniego zarobku. W niektórych umowach zakładowych wymuszano jeszcze wyższą kwotę. Wiele postulatów, mimo ich zupełnej absurdalności, zyskiwało popularność z uwagi na chwytliwy, populistyczny charakter. Zapamiętałem jeden, zgłoszony przez ogólnopolską reprezentację pracowników PGR: „Po 20 latach pracy — obligatoryjne skierowanie do sanatorium". W praktyce oznaczałoby to dodatkowy, bezpłatny urlop na koszt państwa i do tego bez względu na stan zdrowia.

Szczególnie utkwiła mi w pamięci batalia o Kartę Portowca. Teren czuły — Wybrzeże. Na dodatek zaangażował się w sprawę czołowy działacz „Solidarności" Andrzej Gwiazda. Później znalazł się tam również Wałęsa. Nie chciał pozostać w tyle. W rezultacie obaj poparli żądania portowców. Przewyższały one nawet przywileje zawarte w Karcie Górnika czy Stoczniowca. Dziwna też była rola Romualda Kukołowicza, który powoływał się na pełnomocnictwa Episkopatu. Niestety, zamiast uspokajać, dolewał oliwy do ognia. Sprawa ta była klasycznym przykładem roszczeniowej gorączki, jej politycznego tła.

Ale najgorsze były narastające zakłócenia i, co za tym idzie, głęboki spadek produkcji. Nie przerażało to organizatorów strajków. Nie brano pod uwagę, że naruszając kooperację, wywołują one tym samym reakcję łańcuchową, tzw. efekt mnożnikowy, uruchamiają „zasadę domina". Dokumentację jego skutków można jeszcze — jak sądzę — znaleźć w archiwach Ministerstwa Górnictwa i Energetyki. Przedsiębiorstwa miały prawo występować do elektrowni o pokrycie strat wynikających z wyłączeń prądu. Sporządzano więc kalkulację. Niedostarczenie energii kosztujące ,,X'' spowodowało zmniejszenie produkcji określonego towaru wartości ,,Y''. Ale przysłowiowa nitka prowadziła przez fabrykę tkanin do zakładów odzieżowych, która nie dostarczyła przez to na rynek produkcji finalnej wartości ,,Z''. W rezultacie — elektrownia wyłączała prąd do fabryki nici, ale płaciła nie tylko za nici, lecz i za nie uszyte garnitury. Szczególnym memento dla całego 1981 roku stała się sprawa wolnych sobót. W porozumieniu gdańskim uzgodniono stopniowe ich wprowadzanie, zakładając, że docelowo, tzn. w okresie pięcioletnim, wszystkie będą wolne. Rząd opracował odpowiedni kalendarz na rok 1981, wyznaczając ich 25. Szeroko konsultowano tę propozycję, w tym również z kierownictwem ,,Solidarności'', które początkowo ją zaakceptowało. Sytuacja gwałtownie się jednak zaostrzyła przy negocjowaniu konkretnych dat. Nie będę szczegółowo opisywał wszystkich perypetii, jakie towarzyszyły tej sprawie. Rezultat był taki, że pod wpływem nacisków, szantażu strajkowego, rząd wprowadził w 1981 roku 38 wolnych sobót. ,,Solidarność'' osiągnęła cel. Oprócz wolnych dni uzyskała zwiększone poczucie siły. Wymuszono rozwiązanie wielce niekorzystne w danym momencie dla ginącej gospodarki, a w konsekwencji dla społeczeństwa. Bilans czasu pracy zmniejszył się w 1981 roku poważnie. Strat w produkcji nie nadrobiono nigdy. Nikt też nie czuł się za to odpowiedzialny.

W różnych krajach wprowadzano wolne soboty w warunkach gospodarki funkcjonującej normalnie, a także dokonując zawczasu takich zmian organizacyjnych i technologicznych, które pozwolą zrekompensować ubytek czasu pracy. A u nas gospodarka nie funkcjonowała normalnie, jak też nie było czasu i możliwości, aby tę operację dobrze przygotować. Był tego świadom premier Józef Pińkowski. Walczył, tłumaczył, jak tylko mógł. Niewiele pomogło. W moim przekonaniu podważyło to najbardziej jego pozycję, utrudniło pracę. Miałem to na względzie dziękując mu 12 lutego z trybuny sejmowej za pracę, jaką wykonał na czele rządu w minionym, wyjątkowo trudnym czasie.

Mobilizując ludzi do walki o wolne soboty ,,Solidarność'' uzasadniała to nerwowością życia społecznego, która wymaga dłuższego relaksu, a trudności rynkowe sprawiają, że dużo czasu trzeba przeznaczać na zakupy. Nie wiem, czy więcej w tym było naiwności, czy demagogii. Nadzieje na wypoczynek okazały się, oczywiście, mrzonką. Zakupy wcale nie były łatwiejsze, gdyż handel w soboty również zamierał. Prawa do zamkniętych sklepów w soboty broniły zresztą solidarnie wszystkie związki zawodowe, samorządy organizacji handlowych, rady spółdzielcze. W efekcie — mniej pracy, mniej towarów na rynku, dłuższe kolejki w sklepach. Istna paranoja.

Roczny bilans czasu pracy w latach 70. wahał się wokół 2000 godzin. W 1980 roku oficjalnie wynosił już tylko 1920, a w 1981 — 1785 godzin. Faktycznie było ich jeszcze mniej w wyniku różnych akcji protestacyjnych, rozluźnienia dyscypliny, wzrostu absencji itd.

W tym samym czasie przez naszą prasę przemknęła wiadomość agencyjna cytująca komunikat japońskiego Ministerstwa Pracy. Wynikało z niej, że w 52% przedsiębiorstw w ogóle nie było wolnych sobót, w 18% była jedna wolna sobota w miesiącu, tylko w 5% stosowano w pełni system pięciodniowy. W pozostałych przyznawano od 1 do 3 wolnych sobót miesięcznie. Urlop pracowniczy określono na ok. 15 dni, ale średnia faktycznego urlopu nie przekraczała 9 dni. Łącznie statystyczny Japończyk pracował rocznie 2131 godzin, a u nas — przypominam — czas pracy wyniósł 1785. To nie przeszkadzało, że właśnie w Polsce robiło karierę hasło „drugiej Japonii". A jak to wyglądało w skali tygodnia? Otóż czas pracy w przemyśle przetwórczym w 1980 r. wynosił: w USA — 39,7 godz., we Francji i Grecji — 40,7 godz., w Holandii — 41,0 godz., w Japonii — 41,2 godz., w RFN — 41,6 godz., w Czechosłowacji — 43,5 godz., w Polsce — 39,0 godz. Oczywiście w 1981 roku stał się jeszcze krótszy.

Najtrudniejsza sytuacja była w górnictwie. Produkcja węgla kamiennego wciąż spadała. Plan na rok 1981 zakładał wydobycie 188 mln ton. Dawało to gospodarce jeszcze pewne szanse. W porozumieniu jastrzębskim uzgodniono, iż górnicy będą pracować 5 dni w tygodniu. Ewentualna praca w soboty będzie dobrowolna. Całą jesień trwały rozmowy i prace nad rozwiązaniami organizacyjnymi. Środowisko górnicze — od rębacza po kadrę kierowniczą — wiedziało, że jest fikcją możliwość nadrobienia niedoborów powstałych w wyniku wolnych sobót produkcją zwiększoną w pozostałe dni. Kluczowe znaczenie ma bowiem transport, a nade wszystko — przepustowość kopalnianych szybów. A tu rachunek był precyzyjny. W ciągu 24 godzin można wywieźć na powierzchnię najwyżej 635 tysięcy ton węgla i ani tony więcej! Kiedy więc pojawiło się później hasło: „Wolne soboty i lepsza praca w dni czarne" — to jego autorzy albo nie znali tej prawdy, albo nie przyjmowali jej do wiadomości.

Kwestia dobrowolności miała wiele wymiarów. Kopalnia to niezwykle skomplikowany organizm. Nie można pracować bez służb naziemnych, bez kilku układów transportu, energetyki, wentylacji, odwadniania, ratownictwa. Teraz chodziło o to, żeby te różne zespoły ludzkie w określonym miejscu i czasie „chciały chcieć". 19 marca rozmawiałem na ten temat z górnikami kopalni „Knurów" głęboko pod ziemią. Powiedziałem im to, co później, 12 czerwca, powtórzyłem w Sejmie: „Mówi się, że węgiel to czarne złoto. Dziś trzeba powiedzieć inaczej — węgiel to nasz tlen. Bez złota można żyć. Bez tlenu nie". Górnicy te słowa rozumieli. Traciły one jednak sens w dyskusjach z działaczami związkowymi. Apelowałem do nich wielokrotnie o wspólne opracowanie formuły wprowadzenia 6 dni pracy w kopalni. Dodatkowe zatrudnienie w liczącej się skali nie było możliwe. Przy braku rąk do pracy na Śląsku szacunkowo chodziłoby o szybkie zapewnienie 40 000 miejsc w hotelach robotniczych. Wcześniejsze zwolnienia z wojska tych, którzy zdecydowali się pracować w górnictwie, okazały się tylko półśrodkiem. Coraz bardziej dawało się zauważyć, iż walka o węgiel staje się specyficznym narzędziem i ma swoje polityczne tło. Jeżeli nawet udało się w jakiejś kopalni wynegocjować uruchomienie choćby jednej zmiany w sobotę, natychmiast pojawiały się „niewidzialne ręce" i zrywały nić porozumienia. Nie pomagały dodatkowe deputaty żywnościowe, nagrody pieniężne lub rzeczowe, przyznane uchwałą Rady Ministrów z 26 lutego 1981 roku. Wręcz odwrotnie — wywołały protesty, zarzut przekupstwa, pikietowanie kopalń, szykanowanie górników stawiających się do pracy w wolne soboty (m.in. niszczono ich ubrania pozostawione w szatniach). Uszkadzano środki transportu i sieci energetyczne.

20 czerwca 1981 roku zwołałem wyjazdowe posiedzenie prezydium Rady Ministrów w Katowicach. Śląsk — przemysłowe serce Polski — wymagał szczególnego zainteresowania rządu. W godzinach rannych, bezpośrednio przed posiedzeniem, wicepremierzy, ministrowie, kierownicy centralnych urzędów oraz prezesi niektórych central spółdzielczości udali się do 25 kopalń woj. katowickiego, zapoznając się z pracą górników pod ziemią. Odbyli spotkania z przedstawicielami załóg. W rezultacie posiedzenie Prezydium Rządu z udziałem władz województwa katowickiego było bardzo konkretne. Byliśmy „naładowani" wiedzą i emocjami przekazywa-

nymi przez górników. Zresztą zapoznanie się z ich ciężką pracą zawsze robiło wrażenie. Podjęte zostały wtedy różne decyzje, zwłaszcza w sprawie zaopatrzenia, komunikacji, służby zdrowia. Wszystko to jednak przytłaczała świadomość ciągłego spadku wydobycia węgla. Podsumowaliśmy wyniki. W soboty wydobywano średnio około 100 000 ton. Łącznie oszacowano wydobycie w I półroczu na około 82 mln ton. Oznaczało to, że nawet zmniejszony do 166 mln ton plan roczny jest nierealny. Przedyskutowaliśmy jeszcze raz projekt uchwały Rady Ministrów oznaczonej później numerem 199.

Jak wiadomo, 24 kwietnia Krajowa Komisja Porozumiewawcza „Solidarności" odrzuciła projekt. 27 kwietnia Wałęsa w rozmowie z Rakowskim powtórzył sprzeciw, uznając, że resort postępuje źle przekupując górników. „Dodatkowe świadczenia — mówił — robią «złą krew». Trzeba wycofać te świadczenia i dopiero wtedy można uzyskać poparcie załóg". Rząd nie uchylał się od dyskusji nad projektem uchwały 199. Wszystko można było ponownie wynegocjować, poprawić, zmodyfikować. A jednak „z tamtej strony" usłyszeliśmy: „Nie!" Wycofaliśmy się więc z uchwały, mimo że w toku narady kierowniczej kadry górnictwa projekt uznano za jedyne realne, konstruktywne rozwiązanie. Naciski i pretensje były jednak tak duże, że nie chcieliśmy dłużej przeciągać sprawy.

Nie chcę w tej sprawie występować z pozycji sędziego. Władzy brakowało wówczas wiarygodności. Płaciliśmy wysoką cenę za propagandę sukcesu, za tępotę biurokracji, za błędy w zarządzaniu. Były różne pretensje do dyrekcji, do dozoru. Niektóre na wyrost. Ale wiele na pewno uzasadnionych. Zwłaszcza tam, gdzie nie szanowano ludzi, gdzie traktowano ich jak przedmioty. To wszystko prawda. Ale w tamtej sytuacji sprawą nadrzędną, narodowym SOS było wydobycie węgla. I tu stanął mur. Był to mur złej woli.

Gospodarczych realiów nie da się przeskoczyć. W kwietniu 1981 roku deficyt energii osiągnął 550 MW — tyle, ile wynosiła moc średniej elektrowni. Co zatem mogło grozić w zimie?

Wielokrotnie na posiedzeniach Rady Ministrów dosłownie popędzałem jej członków. Z drugiej strony miałem świadomość, że stajemy się swego rodzaju „strażą pożarną". Skrupulanci URM wyliczyli nawet, że ministrowie tylko 10% czasu pracy mogą poświęcić na działania systemowe, a resztę zajmuje im załatwianie spraw awaryjnych, bieżących. Co więc działo się na niższych szczeblach?

Gospodarka polska faktycznie zamierała wskutek zadawanych jej ciosów. Tymczasem domagano się pełnej zapłaty za czas strajku. W porozumieniu szczecińskim uzgodniono, że wypłacone będzie łącznie 100% zarobków wynikających z kategorii osobistego zaszeregowania. Było to zgodne z konwencjami Międzynarodowej Organizacji Pracy. Natomiast Gdański MKS argumentował, że osobiste zaszeregowanie stanowi zbyt niską podstawę. Większość zarobków stanowią bowiem wynagrodzenia za akord, godziny nadliczbowe i dodatki oraz pochodne. Uzgodniono więc, a raczej wymuszono na wicepremierze Jagielskim — jak wynika ze stenogramu rozmów i podpisanych dokumentów — zapłatę za strajk jak za urlop wypoczynkowy, a więc ze wszystkimi dodatkami.

Był to groźny precedens. Wszędzie już żądano zastosowania formuły gdańskiej. Uchwała Rady Ministrów z 2 lutego 1981 roku przyznawała za czas strajku 50% wynagrodzenia z osobistego zaszeregowania. Miało być ono płacone po przystąpieniu do pracy i podjęciu zobowiązania o nadrobieniu strat. Jednocześnie przewidywała możliwość zwiększenia wypłaty proporcjonalnie do nadrobionych strat.

Uchwałę oprotestowały władze „Solidarności". Zresztą w zakładach pracy mało kto się nią przejmował. Nie było żadnej siły administracyjnej czy politycznej — aby ją wyegzekwować. Pod pistoletem strajkowym dyrekcje kapitulowały. Gospodarka wchodziła w stan anarchii. Także związki branżowe i autonomiczne atakowane przez „Solidarność", chcąc utrzymać się na powierzchni, licytowały się w żądaniach. Lawina pieniądza pustoszyła rynek. Sprawdziły się przewidywania, jak wyglądać będzie pluralizm związkowy, jeśli związki nie będą ze sobą współpracować.

***Mówi Paweł Chocholak* *:**

W tym okresie NSZZ „Solidarność" grała już w ruchu związkowym „pierwsze skrzypce". Kluczem do sprawy były bowiem wielkie zakłady pracy, gdzie „Solidarność" bez wyjątku znalazła się na pozycjach niemal monopolistycznych.

Związki branżowe, po rozwiązaniu Centralnej Rady Związków Zawodowych, zdołały zachować część swojej bazy członkowskiej, szacowanej na około 4 mln osób. Jednakże połowa z nich to byli renciści i emeryci. Branżowe związki zawodowe były więc w mniejszości. Poza pewnymi wyjątkami. Należał do nich przede wszystkim Związek Nauczycielstwa Polskiego, który zachował w swoich szeregach większość

---

* Paweł Chocholak — w 1981 roku dyrektor Biura do Spraw Związków Zawodowych Urzędu Rady Ministrów.

nauczycieli. Po części Związek Pracowników Służby Zdrowia. W jednym tylko środowisku branżowe związki zawodowe właściwie do końca zachowały swoją niepodważalną pozycję: był to Związek Pracowników Państwowych Gospodarstw Rolnych.

Ukształtowane w międzyczasie autonomiczne związki zawodowe były nieliczne, istniały poza wielkimi zakładami pracy. W swojej formule organizacyjnej były dość naiwne. Przyjęły zasadę, iż co miesiąc zmienia się ich kierownictwo. Tak się też przez kilka dobrych miesięcy działo. W efekcie związki te nie miały szansy uczestniczenia w rozwiązywaniu problemów pracowniczych na szerszą skalę. Warto przy tym zwrócić uwagę na ich duże zróżnicowanie. Dzięki np. energicznej działalności Krzyżanowskiego w Miejskich Zakładach Komunikacyjnych w Warszawie, uzyskały one na tym terenie znaczne wpływy.

W najlepszej kondycji przetrwał okres przemian Związek Nauczycielstwa Polskiego pod kierownictwem Kazimierza Piłata. Po roku 1982 odrodził się, a jego przewodniczącym ponownie został Piłat. Kolejni przewodniczący branżowych związków — Albin Szyszka i Eugeniusz Mielnicki — w istocie rzeczy byli organizatorami pracy komisji porozumiewawczej. Chyba nawet nie pretendowali do osobistego przywództwa.

Rozdział 14

Wizyta Susłowa

23 kwietnia przyjechał do Polski Michaił Susłow, sekretarz KC KPZR. Uchodził za prawą rękę Breżniewa przede wszystkim jako ideolog, teoretyk. Wysoki, szczupły, wygląd ascetyczny, kulturalny w obejściu. Susłow, któremu towarzyszył sekretarz KC KPZR Konstantin Rusakow, prosił o spotkanie z Biurem Politycznym. Niewątpliwie chodziło o to, aby stanowisko radzieckie dotarło do całego kierownictwa polskiej partii. Odczytaliśmy to z Kanią jako swoisty wyraz dezaprobaty dla naszej działalności po spotkaniu w Brześciu.

Spotkaniu z Susłowem poświęcę nieco więcej miejsca. Dlaczego? Oczywiście, z uwagi na jego pozycję w kierownictwie radzieckim. Ale nie tylko. Po latach stało się wiadome, iż we wrześniu 1980 roku w KC KPZR powołana została komisja do spraw polskich — nazywana „polskim klubem". Przewodniczył jej wówczas właśnie Susłow, a w jej skład wchodzili: Andropow, Gromyko, Ustinow, Rusakow, Zamiatin (kierownik Wydziału Propagandy), Ziemianin (sekretarz do spraw ideologicznych), Rachmanin (kierownik Wydziału Międzynarodowego). Zadaniem komisji było śledzenie i reagowanie na rozwój sytuacji w Polsce. Wśród wielu źródeł informacji i sugestii, z których korzystała, istotne znaczenie miały komitety partyjne obwodów przygranicznych. Dotyczy to zwłaszcza Lwowa, z wyjątkowo ortodoksyjnym I sekretarzem Obkomu Dobrikiem, oraz Brześcia z Sokołowem. W ogóle problem kontaktów międzywojewódzkich, zwłaszcza w strefie przygranicznej, nabrał wówczas specyficznego znaczenia. Nie chcę dziś spekulować: co, kto, komu i dlaczego powiedział. Jedno jest niewątpliwe, że wspomniane wyżej komitety KPZR, a także m.in. komitet wojewódzki KPCz w Ostrawie z sekretarzem Mamulą oraz komitety wojewódzkie NSPJ w Dreźnie, Frankfurcie nad Odrą i Rostocku odgrywały ważną rolę dla swych central — informacyjną, zaś dla swych polskich partnerów — bojowo-inspirującą.

„Klub polski" został rozwiązany dopiero w lipcu 1985 roku. Mam prawo sądzić, iż przyczyniła się do tego moja pięciogodzinna rozmowa z Gorbaczowem w maju tegoż roku, a więc zaledwie w kilka tygodni po objęciu przez niego funkcji Sekretarza Generalnego KPZR. Odbyliśmy ją w cztery oczy w moim gabinecie w budynku KC PZPR. Była bardzo otwarta. Powiedziałem, co mi leży na sercu. To właśnie wtedy zarysowała się realna szansa nadania biegu sprawie „białych plam". Mówiłem o naszej sytuacji. Podzieliłem się polskim doświadczeniem, naszymi — jak na tamte czasy — śmiałymi, nowatorskimi rozwiązaniami. Mówiliśmy też krytycznie o systemowych schorzeniach. Niech jednak czytelnik nie oczekuje, iż zareklamuję się jako ten, kto wówczas już widział upadek realnego socjalizmu. Nie — wtedy z Gorbaczowem myśleliśmy przede wszystkim o reformowaniu. Niemniej mogę z satysfakcją stwierdzić, iż my — w Polsce — byliśmy wówczas znacznie dalej. Gorbaczow stwierdzał to niejednokrotnie. Jak mówili mi m.in. prezydenci Mitterrand i Weizsaecker, dzielił się też z nimi opinią o znaczeniu naszych rozmów.

Nasza pierwsza, długa rozmowa stworzyła fundament wzajemnego szacunku i zrozumienia, zaufania i przyjaźni. Bardzo to sobie cenię. Gorbaczow jest i pozostanie w historii jako jedna z największych postaci naszych czasów.

Wracam do Susłowa. Susłow zaczął od tego, że mimo rozmów, które się odbyły w Moskwie w czasie XXVI Zjazdu, mimo innych kontaktów (miał, jak sądzę, na myśli spotkanie w Brześciu), sytuacja w Polsce jest wielce niepokojąca. „W Związku Radzieckim, w pozostałych krajach socjalistycznych panuje «wielikaja triewoga»", a więc „wielki niepokój". W rosyjskiej terminologii wojskowej „triewoga" oznacza również „alarm" — mogłem to więc i tak odebrać. „Niedawno odbyło się posiedzenie Biura Politycznego KPZR, na którym uznano, że trzeba przekazać kierownictwu PZPR ten właśnie niepokój". „Kontrrewolucja bierze partię za gardło". Działanie opozycji nie spotkało się ze strony kierownictwa partii i rządu z należytym odporem. Porozumienie zawarte po konflikcie w Bydgoszczy zapobiegło strajkowi generalnemu. Jednocześnie „Solidarność" nabrała przekonania — i to przekonanie udziela się społeczeństwu — że jest siłą zdolną paraliżować władzę. Co prawda boi się Armii Radzieckiej, boi się umiędzynarodowienia konfliktu. Liczy więc na pokojową kontrrewolucję, na stopniowy demontaż socjalizmu, na zmianę ustroju.

„Solidarność" otwarcie pretenduje do władzy. To jest pierwsza linia zagrożenia. Druga linia to wewnętrzny stan partii, jej poważne osłabienie. Geopolityka utrudnia obalenie czy też zmianę roli partii. Ale ten cel można osiągnąć rozsadzając ją od środka. Przeciwnik dąży do rozbicia kierownictwa na tzw. twardych i liberałów. Trzeba zapewnić jedność na pryncypialnej podstawie (było to jednoznaczne wskazanie, że nie liberałowie powinni nadawać ton, a ci, których uznano za pryncypialnych). Nie bójcie się prawdziwych komunistów. Trzeba, aby zdrowe siły w partii dały odpór zjawiskom oportunizmu. Partia nie może być konfederacją terenowych komitetów. Nawet socjaldemokracja na Zachodzie ma jasną strukturę organizacyjną. Trzeba działać bez wahań. Inaczej proces rozkładu partii będzie postępował.

Rośnie fala antysowietyzmu. Daje się zauważyć dyrygentów, a jednocześnie ich pełną bezkarność. Bezczeszczenie pomników, cmentarzy, fałszowanie historii. W niektórych szkołach palone są podręczniki języka rosyjskiego. Rozsiewa się kłamliwe opinie o eksploatowaniu Polski przez Związek Radziecki. Robi się reklamę niedużym ilościom mleka w proszku przysyłanym przez Stany Zjednoczone, a nie pokazuje się rzeczywistej, wielkiej radzieckiej pomocy.

Stanisław Kania obiecał, że się nie poddacie, że nie zarejestrujecie „Solidarności" wiejskiej. Mówiliśmy więc ludziom radzieckim, że kierownictwo polskie nie dopuści do tej rejestracji. A jednak skapitulowano. W jakiej postawiliście nas sytuacji?

Źle jest z kontrolą na granicach. Niepokoi sytuacja w komunikacji i łączności. A to już nie tylko sprawy wewnętrzne. Są one związane z interesami całego Układu, ze zobowiązaniami sojuszniczymi. Obecna sytuacja stawia pod znakiem zapytania gwarancje bezpieczeństwa granic Polski.

W tym miejscu, na marginesie notatki, przy słowach dotyczących granic Polski, postawiłem wykrzyknik. Dla mnie to był „alarm"! Zresztą pewne nowe akcenty, które pojawiły się również wkrótce w sprawie niemieckiej, dały wiele do myślenia.

I dalej Susłow — że w środkach masowej informacji też jest źle. Trzeba doprowadzić do świadomości ludzi, że zagraża kontrrewolucja, że grozi głód. Potrzebna jest inicjatywa, duch natarcia. Konieczne są stosowne działania.

Na zakończenie zwrot grzecznościowy: „Oczywiście, widzimy wasze wysiłki, nie chcemy ich dezawuować. W sumie jednak sytuacja nadal rozwija się w bardzo niedobrym kierunku".

Następnie mówił Kania.

Nie ma różnic między nami w ocenie sytuacji. Rozumiemy krytyczny ton i pytania o to, co chcemy robić, jak zamierzamy przeciwstawiać się kontrrewolucyjnemu zagrożeniu. Od czasu spotkania na XXVI Zjeździe są pewne postępy, na przykład różnym siłom odśrodkowym nie udało się zdemontować sojuszniczych stronnictw. Odbył się kongres Stronnictwa Demokratycznego, który wyłonił nowe kierownictwo. Powstał Centralny Związek Kółek i Organizacji Rolniczych. Sytuacja zaostrzyła się w związku z Bydgoszczą. Nastąpił stan zbiorowej histerii. Partia, Biuro Polityczne zajęły jednoznaczne stanowisko w tej sprawie. Wzięliśmy na siebie ciężar negatywnej reakcji społecznej.

List Stefana Bratkowskiego skierował uwagę na kierownictwo partii jako źródło napięć — wskazał, że podziały są i w Biurze Politycznym. Jednakże na plenum podtrzymaliśmy pryncypialne oceny. Spotkało się to zresztą również z krytyką.

Jesteśmy dalecy od samozadowolenia. Robimy jednak to, co w obecnych warunkach wydaje się optymalne. Podtrzymujemy ocenę, że zarejestrowanie „Solidarności" wiejskiej było błędem. Ale to już się stało. Nie mamy złudzeń co do jej charakteru. Wiemy, że będzie to polityczna organizacja. Stąd też na naradzie I sekretarzy powiedziałem, że członkowie partii powinni należeć tylko do Kółek Rolniczych.

Nie dopuścimy do rozwoju struktur poziomych. Liczymy, że wybory w „Solidarności" mogą odsunąć elementy ekstremalne, że nurt robotniczy osiągnie przewagę. Dziś jednak jest oczywiste, że „Solidarność" rozwija się jako organizacja polityczna. I tu charakterystyczne stwierdzenie: „Po 1945 roku kontrrewolucja uciekała do lasu, a dziś znalazła ostoję w wielkich zakładach".

Będzie prowadzone śledztwo w sprawie Bałuki — dodał Kania. Trwają przygotowania do procesu Moczulskiego, jego działalność nie może być bezkarna.

W Sejmie pojawiają się wypowiedzi trudne do zaakceptowania. Ma to jednak i dobre strony. Sejm staje się wentylem, przez który przynajmniej częściowo uchodzi nadmiar społecznych emocji. Należy też docenić, że na ostatnim posiedzeniu zapadła dobra uchwała, w której Sejm domagał się zaniechania strajków.

Są jeszcze możliwości działania środkami politycznej konfrontacji, uzupełnionymi ograniczoną represją. Przygotowania do innych działań mają charakter sztabowy, planistyczny. Prowadzone są w Ministerstwie Spraw Wewnętrznych i Ministerstwie Obrony Narodowej. Będziemy gotowi na wypadek, gdyby takie potrzeby zaistniały.

Ja wypowiadałem się głównie jako premier. Skoncentrowałem uwagę przede wszystkim na trudnościach gospodarczych. Starałem się zawsze akcentować tę kwestię. Chodziło o dwa cele. Po pierwsze — o uzyskanie zwiększonej pomocy radzieckiej oraz innych krajów socjalistycznych. Po drugie — wykazanie, że pole manewru politycznego w tych warunkach jest wąskie, że podjęcie działań bardziej rygorystycznych, siłowych, mogłoby doprowadzić do katastrofy społeczno-gospodarczej.

Mówiłem więc, że opracowaliśmy plan stabilizacji na trzy lata. Przygotowujemy reformę. Zależy nam, aby profesor Baka mógł skonsultować to jeszcze raz, między innymi z Bajbakowem. Mieliśmy już takie rozmowy z Węgrami. Szczególnie trudny problem to ceny. Także przesunięcia siły roboczej z jednych branż do innych. Reorganizacja, uproszczenie struktur kierowania gospodarką. Chcemy o tym wszystkim dyskutować. Zaangażować do rozmów „Solidarność". Włączyć do rozwiązywania problemów gospodarczych, co siłą rzeczy powinno osłabić destabilizujące aspekty jej działalności.

Mówiłem o trudnej sytuacji na wsi, o słabym zaopatrzeniu. „Solidarność" wiejska miała swój zjazd w Poznaniu — jeszcze przed rejestracją. Zostały stworzone pewne fakty. Nie można im było zapobiec bez awantury.

Ministerstwo Obrony Narodowej, siły zbrojne są w dobrej kondycji. Kilku wojskowych przeszło do aparatu państwowego, zwłaszcza do resortów o znaczeniu strategicznym. Doceniamy interesy Układu Warszawskiego. Antyradzieckość, oczywiście, występuje. Nie jest ona czymś nowym. Trzeba to widzieć we właściwych proporcjach.

Potem były wystąpienia innych osób.

Olszowski. Przygotowania do strajku generalnego stworzyły poważne zagrożenie. Przeciwnik dążył do wywołania powstańczej psychozy. Do krótkotrwałego uspokojenia nie podchodzimy naiwnie, widzimy wiele niebezpieczeństw. Wokół „Solidarności" zgromadziły się wszystkie siły prawicowe i antysocjalistyczne. Krytycznie wspomniał o różnych hasłach „Solidarności", która określa się już nie jako związek zawodowy, lecz ruch społeczny. Teraz najważniejsze, aby partia zrozumiała, że jest to zagrożenie socjalizmu.

Przeciwnik uderza przede wszystkim w środki masowej informacji, zwłaszcza w kierujące nimi centrum, a więc i w niego osobiście. Oskarża się nas o manipulowanie. List Bratkowskiego, różne działania „Solidarności" zmierzają do faktycznego przechwycenia środków propagandy. Dziennikarze, którzy stoją na gruncie partyjnym, poddawani są silnemu naciskowi. O utrzymanie tych środków będzie toczyła się ciężka walka.

Barcikowski. Zauważył, że słabe zaufanie do kierownictwa partii nakreśla granice naszych możliwości. Musimy troszczyć się o zachowanie kontaktu z masami. Kluczowa sprawa to odpowiednie oddziaływanie na „Solidarność", a zwłaszcza odzyskiwanie wpływu na załogi robotnicze. Strajki i napięcia działają na korzyść ekstremistów „Solidarności". Każde zaostrzenie daje im przyrost wpływów. W tym kontekście szczególnego znaczenia nabiera apel Sejmu o dwa miesiące bez strajków. Jeśli się to uda, sytuacja może ulec poprawie. Zjazd partii niesie pewne ryzyko, ale jego odroczenie stwarza ryzyko jeszcze większe. Zmiany na funkcjach I sekretarzy komitetów wojewódzkich są duże, ale nowi sekretarze są też pełnowartościowi. Tak samo pozytywnie trzeba ocenić wybór delegatów.

Grabski. W działaniach „Solidarności" potwierdza się strategia demontażu władzy ludowej, pełzającej kontrrewolucji. Nie mogą nas zmylić spektakularne próby odcinania się Wałęsy od KOR i różnych antysocjalistycznych awantur. Cytował jakieś dokumenty „Solidarności": zniszczenie monopolu PZPR, która nie reprezentuje klasy robotniczej; rozwiązanie MSW, które jest zbudowane na wzorach hitlerowskiego SS; unieważnienie traktatów zawartych w Jałcie, Teheranie, Poczdamie. Trzeba się liczyć — mówił dalej Grabski — z eskalacją napięć i konfliktów, głównie w sferze politycznej. My jako partia forsujemy linię negocjacji i porozumień, a są to faktycznie ustępstwa. Marsz „Solidarności" po władzę odbywa się w tempie przyspieszonym. Uniknięcie 31 marca strajku generalnego to tylko odsunięcie konfrontacji w czasie. Front walki, związany z „Solidarnością" wiejską, będzie się rozszerzać. Będzie ona zmierzała do reaktywowania reakcyjnego ruchu ludowego. A więc spokój 31 marca okupiliśmy bardzo wysoką ceną. Między innymi nadwerężyło to kondycję aktywu partyjnego. W związku z rejestracją „Solidarności" wiejskiej pogłębią się klasowe podziały na wsi. Podważone zostały podstawy wspólnej polityki PZPR i ZSL. Zapoczątkowanie rozłamu w ZSL. Rozpoczęcie etapu rozliczeniowego w gminach. Dążenie do podziału majątku Kółek Rolniczych, funduszu ziemi. Atak na socjalistyczny sektor.

W ogóle wystąpienie bardzo ostre. Grabski dostarczył więc Susłowowi argumentów do jego tez.

Żabiński. Mówił, że główna sprawa to opanowanie sytuacji w partii na gruncie marksizmu-leninizmu, realnego socjalizmu. Każde napięcie ma dwie strony. Otóż, gdy następuje uspokojenie, odczuwa się ulgę. Ale przecież przed tym mobilizowany był aktyw. Zapewniano, że nie będzie „Solidarności" wiejskiej, że jej nie zarejestrujemy. Potem, kiedy się cofamy, trudno to aktywowi wyjaśnić, usprawiedliwić. Powstaje pytanie, czy ten aktyw przy kolejnej próbie pójdzie za nami. Istnieje obawa, że nie pójdzie. Znaczna część kadry partyjnej składa rezygnacje. Nie chce kandydować w kolejnych wyborach. Zostało rzucone hasło wycinania aparatu partyjnego. Kadra partyjna i administracyjna jest zastraszana. W rezultacie zachowuje się biernie. W czasie strajków ma miejsce zajmowanie gabinetów dyrektorskich. A więc są to już działania, które wykraczają poza typowy strajk. Idą dalej, są jakąś formą przejmowania władzy.

W wyniku działań „Solidarności" pojawienie się sekretarzy komitetów wojewódzkich w zakładach jest przyjmowane niechętnie. Specjalnie tworzone grupy utrudniają organizowanie zebrań, nękają rezolucjami. Jest pesymistą. Nie możemy dogadać się z całą partią. Trzeba więc przede wszystkim dogadać się z aktywem partyjnym, z tymi, którzy autentycznie stoją na gruncie obrony racji partii i socjalizmu.

„Solidarnością" kieruje na Śląsku niejaki Andrzej Rozpłochowski. Jego orientacja ma charakter wyraźnie kontrrewolucyjny. Zbliża się 1 Maja — niebezpieczeństwo, że będą dwa pochody, które zderzą się w mieście. Może dojść do poważnej prowokacji. Zwrócił się do mnie: „Towarzyszu premierze, są listy kierowane do rodzin milicjantów, zastraszające — mają adresy, grożą. Musicie coś zrobić".

Fiszbach. Jest wciąż nadzieja, że zapanuje spokój i porządek. Te nadzieje wiąże z X plenum, do którego powinniśmy przygotować się jak najlepiej. Kryzys jest większy, niż kiedykolwiek. Stanowi jak gdyby formę odreagowania na zaufanie, które dano kiedyś Gierkowi. Dlatego ludzie oczekują na wyegzekwowanie odpowiedzialności. Najważniejsze są kontakty z ludźmi. To bardzo trudne spotkania. Nie ma myślenia o przyszłości, ciągle wraca się w przeszłość. Zmiany w „Solidarności" w sumie przebiegają w lepszym kierunku. Wielu z tych, którzy wyrośli na strajkach — odeszło. Co więcej — nie ma wzrostu „Solidarności"; na odwrót — przechodzą do związków branżowych. Dalecy jesteśmy od samouspokojenia. Ale optymistyczne jest to, że na 600 wsi tylko w 100 powstała „Solidarność" wiejska. Dobra współpraca z armatorami radzieckimi. Przejmują nawet statki niekompletne. Powstał związek branżowy pracowników okrętowych. Utrzymują cały czas aktyw w ruchu. Ważne są kontakty z kierownictwem partii.

Tu coś muszę dodać. Fiszbach w jednym ze swoich wystąpień w roku 1989 publicznie przypomniał, a ja to potwierdzam, że kiedy przyleciał do Polski Susłow, powiedziałem przed posiedzeniem Biura Politycznego: „Towarzyszu Fiszbach, zabierzcie głos i powiedzcie, że w Gdańsku jakoś rozwiązujecie trudne problemy, że można jednak dogadać się z «Solidarnością»". W jego wystąpieniu rzeczywiście znalazł się taki akcent.

Susłow — jak gdyby na zakończenie — stwierdził, że oceny są zbieżne, zwłaszcza w tym, że sytuacja jest bardzo ciężka, kryzys trwa, wróg jest silny, a partia osłabła. Reakcyjne koła w „Solidarności" nie dadzą spokoju. Trzeba więc zachować czujność. Chodzi o to, żeby X plenum umocniło jedność kierownictwa i KC. Czy uda się rozwiązać kryzys środkami politycznymi, zależeć będzie od tego, jakie będą siły własne i siły przeciwnika. Obecny proces toczy się w niekorzystnym kierunku.

Sugerował więc, że rozwiązania polityczne stają się coraz mniej realne, że trzeba być gotowym do innej formy działań.

Po odlocie Susłowa — 25 kwietnia, radziecka agencja prasowa (TASS) ogłosiła artykuł poświęcony sytuacji w PZPR. Krytykowano w nim ostro „elementy rewizjonistyczne wewnątrz partii", dążące do „sparaliżowania polskich komunistów jako przewodniej siły narodu". A więc „uoficjalnienie" podziału na lepszych i gorszych sojuszników stało się faktem.

Rozdział 15

W stronę reformy

W kwietniu przedstawiłem w Sejmie informację o stanie prac nad reformą gospodarczą. Wyobrażaliśmy ją sobie wówczas jako drogę ku gospodarce rynkowej z jednoczesnym przestrzeganiem nowocześnie pojmowanych zasad sprawiedliwości społecznej. Sam uważałem, że reforma w naszych warunkach to jak w walce — rodzaj manewru pod ogniem. Kiedy ruch jest utrudniony i rodzi się pokusa pozostania w okopach. Chcieliśmy więc budować model ostrożnie, jakby „z drugiej strony''. Przed wojną, między innymi w koncepcjach PPS, chodziło o to, aby nie naruszając rynkowego mechanizmu gospodarki wypracować bardziej sprawiedliwe metody podziału dochodu narodowego. W minionym czterdziestoleciu mieliśmy teoretycznie spójną koncepcję podziału. Ale proces produkcji był nieefektywny — a zatem dzielenie okazywało się coraz trudniejsze. Przestawienie gospodarki na tory zwiększonej efektywności stało się zadaniem nadrzędnym.

Pierwsze kroki — to wprowadzenie od 1 lipca elementów reformy do Państwowych Gospodarstw Rolnych oraz do drobnej wytwórczości. Były to przyczółki, swego rodzaju poligon doświadczalny. Nieco wcześniej, bo w maju, Prezydium Rady Ministrów zezwoliło przedsiębiorstwom państwowym sprzedawać zapasy i narzędzia prywatnym rzemieślnikom. Dzisiaj ówczesna skala i tempo reformowania mogą wydać się nie dość śmiałe. Nie wolno jednak zapominać o realiach owego czasu. A ponadto obawialiśmy się działań intuicyjnych, na zasadzie prób i błędów na żywym organizmie społeczeństwa. Woluntaryzm poprzedniej dekady stanowił wystarczające memento. Woluntaryzm reformatorski od zachowawczego różni się tylko treścią. Skutki bywają podobne. A poza wszystkim, od czegoś należało zacząć.

Nasze poszukiwania były obserwowane i oceniane przez sojuszników bardzo krytycznie. Oczytani w historii przypominali dyskretnie, co się stało np. z orędownikami NEP-u. Nie tylko u nas, zresztą, ale i w innych krajach obozu próby reformowania gospodarki były tłumione. Dobrze pamiętaliśmy wydarzenia 1968 roku w Czechosłowacji. Wprawdzie był i przykład węgierski, ale tolerancja wobec ich ograniczonej reformy była po prostu ceną wytargowaną przez Kadara za polityczną stabilność po 1956 roku. W latach 70., o czym zapewne dziś mało kto pamięta, reforma węgierska została zahamowana. Jej główny architekt — Nyers — podał się do dymisji. Lodowate podmuchy docierały i tam. Byliśmy więc nie tylko niewolnikami swoich czasów, ale i historii.

Mówi prof. Władysław Baka:

Generał zdawał sobie sprawę, że w realizacji naszych reform będzie bardzo trudno przezwyciężyć opory strony radzieckiej oraz innych krajów socjalistycznych. Wychodząc z założenia, że najlepszą obroną jest atak, lubił wyprzedzać naszą inicjatywę wyjaśnianiem różnych kwestii.

Kiedy podjęta została sprawa reformy — u naszych sąsiadów zaczął się duży ruch. Wyrazem tego był list, opracowany przez ekspertów enerdowskich na temat założeń polskiej reformy gospodarczej. Honecker wręczył go Stanisławowi Kani pod koniec stycznia 1981 roku. Owe założenia były opublikowane 10 stycznia, a już pod koniec miesiąca Niemcy wręczyli nam ekspertyzę. Był to nieprawdopodobny paszkwil, który chciał podciąć polską reformę, zdezawuować ją pod względem ideologicznym i merytorycznym. I na tej podstawie sformułowane zostały silne oskarżenia pod adresem członków Komisji, ale także kierownictwa partii i państwa.

Kania zwrócił się do mnie, żeby napisać replikę. W liście są bowiem następujące stwierdzenia: „Przedłożona koncepcja o założeniach reformy gospodarczej w Polsce, po pierwsze, pozwala dostrzec postawę rewizjonistyczną, pełną negację wszystkich dotychczasowych zdobyczy socjalistycznych i ustępstwa wobec poglądów antysocjalistycznych i kontrrewolucyjnych. Po drugie, nie opiera się na analizie skuteczności dotychczasowego systemu zarządzania i planowania, a insynuuje, że system totalnie zawiódł. Po trzecie, zawiera odejście od powszechnie obowiązujących zasad i prawidłowości gospodarki planowej, jakie są pomyślnie stosowane i wykorzystywane w ZSRR, NRD i innych krajach socjalistycznych". Dalej rozwija w sposób szczegółowy, od czego odchodzimy, jak się staczamy na pozycje burżuazyjne, jak zdradzamy klasę robotniczą, jak zdradzamy socjalizm, jak zdradzamy marksizm-leninizm. Ostateczna konkluzja jest taka: „Przedłożona koncepcja zakłada zdobycie wszystkich gospodarczych pozycji władzy w Polsce przez zorganizowane siły kontrrewolucyjne. Jest to w swej istocie częścią scenariusza kontrrewolucyjnej grupy KOR-u, zmierzającej do likwidacji socjalistycznego ustroju gospodarczo-społecznego".

Rozmawialiśmy na ten temat także z Generałem. Zastanawialiśmy się nad tym, w jakim tonie przygotować replikę. Nie było między nami żadnych rozbieżności. Uważaliśmy, że odpowiedź musi być ostra. W żadnym punkcie nie można się kajać ani odchodzić od pryncypiów reformy. Natomiast trzeba wykazać skostnienie i dogmatyzm autorów listów. Podkreślić te cechy, które zmniejszają atrakcyjność socjalizmu w wydaniu przez nich lansowanym. Chodziło o to, żeby odwrócić ostrze oskarżenia. Powiedzieć, że socjalizmowi szkodzą przede wszystkim ci, którzy hamują postęp, nie widzą nowych okoliczności. W tym duchu została przygotowana replika. Wydatną rolę w jej redagowaniu odegrał Stanisław Albinowski.

Generał przeczytał replikę. Rzeczywiście była ostra. Zaakceptował. To samo Stanisław Kania. Podczas XXVI Zjazdu KPZR oddał on Honeckerowi list w takim samym trybie, w jakim otrzymał od niego.

Ze strony innych państw socjalistycznych, a zwłaszcza Związku Radzieckiego, cały czas trwała surowa krytyka, podsycana zresztą również przez naszych dogmatyków. Niektórzy z nich uważali, że zbaczamy z linii socjalizmu. Dochodziły niepokojące sygnały. Mając na uwadze te okoliczności Generał zaproponował, abyśmy ja oraz Zbigniew Madej, ówczesny wiceprzewodniczący Komisji Planowania, i Władysław Zastawny, rektor Wyższej Szkoły Nauk Społecznych, pojechali do Moskwy i spotkali się z kompetentnymi działaczami gospodarczymi i politycznymi, wyjaśniając założenia reformy. Powiedział: „Może Wam się uda przekonać ich do naszej linii albo przynajmniej zdjąć odium wynikające z fałszywych naświetleń tego, co się w Polsce dzieje".

To było bardzo ważne, bo bez współpracy i pomocy ze strony ZSRR i krajów socjalistycznych trudno byłoby przezwyciężyć kryzys.

25 lutego znaleźliśmy się w Moskwie. Spotkanie odbyło się w Państwowym Komitecie Planowania ZSRR — tzw. Gospłanie. Po jednej stronie stołu siedziało kilkanaście osób na czele z Bajbakowem — wicepremierem, szefem Gospłanu i jego I zastępcą, Ryżkowem, który kilka lat później został premierem. Właściwie cały kierowniczy establishment gospodarczy brał w tym udział, łącznie z przedstawicielem kierownictwa Wydziału Ekonomicznego Komitetu Centralnego KPZR.

Po zreferowaniu przeze mnie założeń reformy zaczęła się dyskusja. A właściwie zarzucano nas pytaniami, które były bezpośrednimi lub pośrednimi oskarżeniami. Na przykład: przecież dawno zostało dowiedzione, że zastąpienie planowania przez rynek podważa podstawy gospodarki socjalistycznej. A wy, idąc w kierunku rynku, mówicie o utrzymaniu gospodarki socjalistycznej. A zatem albo popełniacie błąd w teorii, albo wprowadzacie nas w błąd. Likwidacja centralnego planowania w prostej linii prowadzi do anarchii, marnotrawstwa, do zawalenia się ustroju, do recydywy kapitalizmu. Nie do pogodzenia z zasadami socjalizmu jest samorządność pracownicza, prowadzona w takim stylu i w takim zakresie, jak wy to zamierzacie zrobić. Lenin, inni przywódcy i teoretycy już dawno rozpracowali i określili to jako anarchosyndykalizm. Nie zabrakło oczywiście słów zatroskania o rozwój sytuacji ekonomicznej w Polsce, deklaracji pomocy i wsparcia.

Sumując, nie miałem wrażenia, żebyśmy przekonali radzieckich. Po powrocie zwierzyłem się Generałowi, że nie mam przekonania, czy nasz wyjazd przyniósł oczekiwane efekty. Nastroszyli się jeszcze bardziej. Powiedziałem, że jestem pełen obaw o dalszą przyszłość — biorąc pod uwagę, że w Polsce, w Komisji do Spraw Reformy, tendencje idą raczej w kierunku jeszcze większego radykalizmu. Założenia, które zostały opublikowane i poddane dyskusji, oceniane są krytycznie; ludzie chcą pójść jeszcze dalej.

Generał rozumiał niebezpieczeństwa wynikające z narastającej rozbieżności między tamtejszymi ocenami a naszymi dążeniami. Ale — mówił — musimy dać absolutny priorytet tendencjom, jakie u nas dominują. Polską reformę musimy podporządkować polskim potrzebom i temu, czego ludzie chcą, co jest wyrażane w toku wielkiej społecznej konsultacji. Byłoby najgorsze, gdybyśmy w imię świętego spokoju z sąsiadami próbowali reformę stępiać.

Już po kilku tygodniach pełnienia funkcji premiera oceniłem, że zarówno struktura, jak i zadania Komitetu Gospodarczego Rady Ministrów nie sprzyjają przyspieszaniu prac nad reformą. KGRM pracował pod naciskiem sytuacji, piętrzących się potrzeb chwili, podejmował głównie działania interwencyjne. Myślenie o strategii schodziło więc na dalszy plan. A ponadto wraz ze zmianą zasad funkcjonowania przedsiębiorstw należało również zmienić strukturę i kompetencje resortów. Dlatego właśnie, 10 kwietnia 1981 roku, zaproponowałem w Sejmie utworzenie urzędu Ministra — Pełnomocnika Rządu do Spraw Reformy Gospodarczej. Powołano go w czerwcu. Wówczas też dokonano reformy w centralnej administracji państwowej. Nowa struktura tworzyła logiczną całość. W miejsce kilkunastu resortów gospodarczych, ociężałych, kadrowo rozdętych, utworzono 5 ministerstw. Zmieniono kompetencje ministerstw funkcjonalnych. Natomiast reforma, myślenie modelowe, zdobyły w rządzie instytucjonalnego rzecznika, wolnego od zajmowania się bieżącymi sprawami. Powołany na to stanowisko profesor Władysław **Baka** — to umysłowość twórcza, reformatorska. Gruntowna wiedza, wysoka inteligencja, błyskotliwa elokwencja. Ujmująca powierzchowność i duże poczucie humoru. Udane skojarzenie: uczony, ekonomista, polityk. Główny architekt, rzecznik i obrońca reformy gospodarczej pierwszej połowy lat 80. Jedna z czołowych postaci ówczesnego „estabilishmentu".

W tym miejscu wspomnieć też muszę o jeszcze jednym rozwiązaniu organizacyjno-personalnym. Mianowicie, utworzony został Urząd do Spraw Cen. W tej dziedzinie konieczne były wręcz kaskaderskie kroki. Bez reformy cenowej trudno było mówić o reformie gospodarczej. Na szefa Urzędu w randze ministra powołany został profesor Zdzisław **Krasiński**. W okresie pracy w Poznaniu był on doradcą „Solidarności". Rzetelność naukowa nakazywała mu jednak mówić niepopularną prawdę o chorej strukturze cen i płac, iść pod prąd nastrojów. To nie mogło się podobać. Niekonwencjonalny sposób bycia Krasińskiego ułatwił wykpiwanie jego argumentacji, że przypomnę sławne „chrupiące bułeczki". Reforma cen wprowadzona 1 lutego 1982 spowodowała jednak, że półki sklepowe zaczęły się wypełniać, a reforma gospodarcza mogła zrobić pierwsze kroki. Baka i Krasiński nie stronili od spotkań, od publicznych wystąpień, nie bali się wymiany poglądów w otwartych, nawet ostrych polemikach. Zderzało się to z oporami, było celem różnych ataków i pomówień. Starałem się — chyba dość skutecznie — wspierać ich i osłaniać.

Mówi prof. Władysław Baka:

Po objęciu stanowiska Prezesa Rady Ministrów Wojciech Jaruzelski zastanawiał się, czy powinien podejmować się przewodnictwa Komisji; szefem Komisji był dotychczas premier — traktowano to jako zasadę. Radził się, czy na przykład nie powierzyć tego zadania Mieczysławowi Jagielskiemu, ówczesnemu wicepremierowi, zajmującemu się gospodarką, bądź czy na przewodnictwie Komisji nie pozostawić Józefa Pińkowskiego.

Gorąco namawiałem Generała do podjęcia się tego zadania. Powołałem się na negatywne doświadczenia lat 70., kiedy wiele cennych inicjatyw upadło właśnie dlatego, że przewodniczącym komisji doskonalenia funkcjonowania gospodarki nie był premier. Dzisiaj — powiedziałem — ta kwestia jest o wiele ważniejsza. Nie sposób kierować realizacją przełomowej reformy, jeżeli nie jest się u źródeł, nie uczestniczy się w tworzeniu jej założeń i zasad. Wówczas wiele idei może wydawać się dla szefa rządu niezrozumiałych i tym samym skazanych na zaprzepaszczenie.

Przyznam, że również osobiście, z pobudek niejako subiektywnych, byłem zainteresowany tym, aby Generał powiedział „tak". Było bowiem oczywiste, że układ: W. Jaruzelski — przewodniczący, W. Baka — sekretarz Komisji, dawał mi maksimum możliwości oddziaływania zarówno na kształt, jak i na realizację reformy.

W toku rozmowy przedstawiłem skład Komisji. Generał najbardziej zainteresował się osobą prof. Czesława Bobrowskiego. Wiedział, że był on głównym autorem Planu Trzyletniego 1946-1948 oraz Tez Rady Ekonomicznej (reformy październikowej 1956-1958). Rozmawialiśmy również o innych osobach, uczestniczących w pracach Komisji, między innymi o prof. Ludwiku Barze, promotorze idei samorządności pracowniczej, Jerzym Bukowskim, Leopoldzie Glucku, Zofii Moreckiej, Józefie Popkiewiczu, Krzysztofie Porwicie. Część członków Komisji była już wcześniej znana Generałowi, m. in. Jerzy Albrecht, Stanisław Albinowski, Stefan Bratkowski, Józef Pajestka, Antoni Rajkiewicz.

Wyraził też zadowolenie, że w przygotowanie reformy zaangażowało się wiele osób z kręgów „Solidarności" (Jan Mujżel, Cezary Józefiak, Witold Trzeciakowski, Jerzy Dietl). Pytał, jaki stosunek do reformy reprezentują oficjalni obserwatorzy Krajowej Komisji „Solidarności" — Ryszard Bugaj i Waldemar Kuczyński.

25 marca odbyło się pierwsze posiedzenie Komisji pod przewodnictwem W. Jaruzelskiego. Było to w niespełna tydzień po tzw. wydarzeniach bydgoskich. Kraj znalazł się w obliczu strajku generalnego, z godziny na godzinę rosło napięcie.

Rozpoczynając posiedzenie Generał powiedział wprost: „Wiemy, jak groźna jest sytuacja społeczno-polityczna. Nie zaniedbamy niczego, co może przyczynić się do rozwiązania konfliktu. Jednakże najbardziej dramatyczne incydenty nie mogą odwrócić naszej uwagi od sprawy głównej — od reformowania gospodarki. Jestem żołnierzem, na gospodarce się nie znam. Nie bez oporu podjąłem obowiązek przewodniczenia Komisji. Przekonano mnie, że tak będzie lepiej dla reformy. Liczę na pomoc Komisji w rozwiązywaniu problemów. Mogę zapewnić, że nie będzie żadnego tabu — nawet najbardziej niekonwencjonalne propozycje i koncepcje będą mogły być na tym forum przedkładane i rozpatrywane. Rozstrzygać będą wyłącznie racje merytoryczne".

Zaraz na początku dyskusji Cezary Józefiak wystąpił z protestem z powodu zmian, jakie prezydium pod przewodnictwem J. Pińkowskiego wprowadziło do tekstu „założeń reformy", przyjętych przez Komisję w grudniu ubiegłego roku. Generał zareagował natychmiast: „Od dzisiaj nikt, żadne gremium nie ma prawa dokonywać jakichkolwiek zmian bądź korekt w dokumentach zaakceptowanych przez Komisję. Zmian takich dokonywać może wyłącznie Komisja".

W wywiadzie przeprowadzonym ze mną w czerwcu 1981 roku („Polityka" nr 23) A. Mozołowski zapytał: „Opublikowanie «Założeń» wzbudziło falę krytyki. Nie szczędzili jej nie tylko ekonomiści i publicyści «z zewnątrz», lecz również sami członkowie Komisji, a więc współtwórcy projektu. Dziś jego najzagorzalsi krytycy — łącznie z doc. Cezarym Józefiakiem, który swego czasu złożył demonstracyjnie *votum separatum* wobec «Założeń» — wyrażają się z dużym uznaniem o kierunkach i trybie prac nad nową wersją dokumentu. Dlaczego?" Odpowiedziałem: „Czemu nie pytał pan o to właśnie Józefiaka?" Mozołowski wyjaśnił: „Spytałem. Odpowiedział: Bo Komisja zmieniła przewodniczącego".

Czy mogła być lepsza cenzurka dla Generała w roli przewodniczącego Komisji do Spraw Reformy Gospodarczej?

W 1980 roku przebywał u nas znany przemysłowiec, miliarder amerykański, Armand Hammer. Spotkałem się z nim. Choć bardzo już stary, tryskał energią. Mecenas sztuki, starał się imponować znajomościami z mężami stanu. Opowiadał mi o spotkaniach z Leninem. Mówił też o przyjaźni z Reaganem, który właśnie wygrał wybory i „na pewno dokona wielkich rzeczy". Kiedy w toku rozmowy wspomniałem o samorządach, złapał się za głowę: „Co, samorządy? Wie pan, ja bym ani jednego dnia u siebie nie tolerował samorządów pracowniczych..."

Hasło „samorządność" tkwiło korzeniami w długiej tradycji polskiej myśli lewicowej. To przecież Abramowski, Kelles-Krauz, Wojciechowski, Marian Rapacki... Większość ówczesnego kierownictwa — bardziej partii, a mniej rządu — stała na gruncie budowy i konstruktywnego działania samorządów. Ja osobiście dochodziłem do uznania ich roli z dużymi oporami. Później w znacznym stopniu je przełamałem. Natomiast Kania był bardziej jednoznaczny. Także w późniejszych latach jako przewodniczący sejmowej Komisji do Spraw Samorządu Pracowniczego włożył w ich rozwój i umocnienie wiele wysiłku i serca. W tych działaniach starałem się go wspierać. Za pożyteczne uważam nasze spotkania odbywane w latach 80. z przewodniczącymi rad pracowniczych wielu czołowych zakładów produkcyjnych kraju. Szeroko naświetlała je prasa. Podejście centralnych władz do samorządów było więc w sumie pozytywne.

Jednocześnie „Solidarność" wciąż imputowała nam zupełnie odwrotne intencje. Reklamowano samorządy niemal jako panaceum na wszystkie trudności kraju. Na tym też tle rozgorzał spór o to, czy dyrektorzy mają być wybierani przez samorządy, czy mianowani przez organ założycielski. Znalazło się wreszcie wyjście racjonalne, kompromisowe. Ale w tym czasie doszło do ostrego konfliktu w sprawie obsady dyrektora PLL LOT. To nie był czas do żartów, zwłaszcza w sprawach, które zazębiały się z interesami sojuszniczymi.

Faktycznie Polska miała wówczas tylko cztery całkowicie cywilne lotniska. Pozostałe to obiekty wojskowe, z których korzystał również LOT. Lotniska, służby ruchu powietrznego, stanowią ważny element infrastruktury obronnej kraju, a więc pośrednio i Układu Warszawskiego. Kandydat na dyrektora musiał więc spełniać określone wymogi. Samorząd wyznaczył na to stanowisko Bronisława Klimaszewskiego. Notabene, syna profesora Uniwersytetu Jagiellońskiego, Mieczysława Klimaszewskiego, który był swego czasu rektorem tej uczelni, a także członkiem Rady Państwa. Z uwagi na opory wewnętrzne, jak i zewnętrzne, było to wówczas trudne do zaakceptowania. Rozpoczął się ostry spór. 9 lipca ogłoszono w PLL LOT strajk ostrzegawczy. Trzeba więc było zademonstrować siłę: przerzucono z Krakowa „czerwone berety". Wokół lotniska w Warszawie odbyły się demonstracyjne ruchy. Zrobiło to wrażenie. Konflikt zakończył się rozwiązaniem wówczas optymalnym. Dyrektorem został doświadczony dowódca, generał-pilot Józef Kowalski, ówczesny komendant Wyższej Szkoły Oficerskiej Wojsk Lotniczych w Dęblinie, słynnej „Szkoły Orląt".

Dziś widać wyraźnie, że „Solidarność" traktowała samorządy instrumentalnie. Pod hasłem samorządności rozumiano coraz częściej osłabienie struktur państwa. Co gorsza — wiążąc ręce administracji zakładów, obiektywnie osłabiano również gospodarkę. 14 marca 1991 roku w programie telewizyjnym „Klincz" usłyszałem, że samorządy robotnicze to relikt komunizmu. A przecież jeszcze nie tak dawno, bo nawet przy „okrągłym stole", zarzucano nam niechęć do samorządów, pomniejszanie ich roli. Dziś wszystko staje się jasne. Dla „Solidarności" był to tylko określony etap. Nazwijmy to „mniejsze zło". Obecnie został już zamknięty, a raczej jest zamykany, poprzez prywatyzację, przechodzenie do innego systemu. Myślę, że wszyscy ci, którzy aktywnie uczestniczyli w samorządowej działalności, odczuwają niesmak: „Murzyn zrobił swoje". Rozumiem, że w nowoczesnej gospodarce dominować musi menadżer. Czynnik społeczny powinien być jednak uwzględniany. Świat zna cenne doświadczenia w tej dziedzinie. Na przykład Japonia, a także Szwecja, Francja. Oczywiście, nie jest to dosłownie to, co u nas nazywaliśmy samorządem, ale pewne elementy są temu bliskie. W Japonii, w wielkiej fabryce sprzętu elektronicznego w Osace, widziałem wielce interesujące rozwiązania w tej sferze. Uważam, że byłoby bardzo źle, gdyby nasz wspólnie wypracowany dorobek samorządności został zmarnowany. Wszak w niektórych zakładach weszła ona już w krew i powinna w niej nadal krążyć. Obecnie reprezentacja pracownicza jest eliminowana z systemu zarządzania. Co prawda w przedsiębiorstwach państwowych sprzedawanych w ramach prywatyzacji załoga ma zagwarantowane kilka miejsc w Radzie Nadzorczej — ale to tylko okres przejściowy. Nowi właściciele — Walne Zgromadzenie Akcjonariuszy — rutynowo rozpoczynają pracę od zmiany statutu, sprowadzając reprezentację załogi do jednego głosu w kilkunastoosobowych Radach Nadzorczych. Co z tego, że „przeciw" głosuje las rąk, skoro reprezentuje tylko kilka procent akcji? Coraz ciszej też wokół lansowanej niegdyś przez wielu działaczy „S" — koncepcji akcjonariatu pracowniczego. Demokrację pracowniczą konsekwentnie i bez czyjegokolwiek protestu wypiera logika kapitału.

„Raport o stanie gospodarki" opublikowany został 5 maja. W tym samym dniu został przekazany do Sejmu wraz z rządowym programem działań stabilizacyjnych oraz informacją o przebiegu prac nad reformą. Zredagowany fachowym, ekonomicznym językiem — nie był wystarczająco komunikatywny. Miał swoje słabości. Mimo to myśl podstawową — o groźbie katastrofy gospodarczej — wyłożono jednoznacznie i czytelnie.

Trudno zrozumieć, dlaczego elity przywódcze i intelektualne, zarówno „Solidarności", jak i wielu „hurraodnowicieli" z obozu władzy, partii, stonnictw itp. zaangażowało tak wiele wysiłku, aby raport zdezawuować. Aby jego dramatyczne przesłanie — o potrzebie jedności i wysiłku dla ratowania tego, co da się jeszcze uratować — po prostu nie dotarło do opinii publicznej. Podobno nawet bakterie mają instynkt samozachowawczy. A my — Polacy roku 1981? Wystarczy poczytać prasę z tamtych dni, aby raz jeszcze przeżyć gorycz.

Jednakże sygnały krytyczne potraktowaliśmy z całą powagą. Drugą wersję raportu przygotował zespół pod kierunkiem prof. Czesława Bobrowskiego. Rekomendowałem ją w przemówieniu sejmowym 12 czerwca 1981 roku.

Prof. Bobrowski jest wielkim autorytetem nie tylko naukowym, ekonomicznym, ale i politycznym, moralnym. Niezwykle go szanuję. Przekazał mi wiele cennych opinii i rad. Opozycyjny do socjalizmu minionego okresu, zgodził się przewodniczyć Konsultacyjnej Radzie Gospodarczej, którą powołaliśmy po wprowadzeniu stanu wojennego. Profesor uczestniczył w ważniejszych posiedzeniach rządu, przedstawiał swoje stanowisko. Rada spełniła bardzo pożyteczną rolę. Miała prawo publikować swoje opinie, a nieraz były one krytyczne, sprzeczne ze stanowiskiem rządu. Żałuję, że nie zawsze potrafiliśmy z nich mądrze skorzystać.

Z perspektywy czasu oceniam, że spór o „Raport" miał charakter zastępczy. Można było rząd popędzać, zarzucać mu opieszałość, a nawet rozmyślne ukrywanie prawdy. Gdy natomiast dokument ten firmował człowiek niezależny, o uznanym w kraju i za granicą autorytecie, zaległa cisza. Zapewne dlatego, że podstawowe tezy opracowania nie uległy zmianie, bo ulec nie mogły!

Tu uwaga: w „Gazecie Wyborczej" z 1 lutego 1992 roku Józef Kuśmierek w artykule pt. „Rodaku, kto ci prawdę powie?" ubolewa, że Polacy permanentnie nie są uświadamiani przez władze, w jakim stanie jest ich kraj. „Rząd Jaroszewicza, Babiucha, Pińkowskiego, Jaruzelskiego, Messnera i Rakowskiego — pisze — nie mógł sporządzić takiego raportu, bo niedoszły skazaniec nie będzie pisał własnego aktu oskarżenia". Oto, co znaczy krótka, a raczej „selektywna" pamięć.

Problemy gospodarcze gwałtownie polaryzowały społeczeństwo. Jedni mówili: „Jak tam za Gierka było, to było, ale było, a teraz jak jest, tak jest, ale nie ma". Inni oskarżali rząd, przypisując mu absurdalne winy, że np. masowo eksportuje żywność do ZSRR czy też ukrywa ją, a nawet specjalnie niszczy. Jeszcze inni popadali w stan katastroficznej frustracji. O tym też mówiłem w Sejmie 10 kwietnia. Jak wiadomo, niewiele podarowano mi z owych 90 spokojnych dni. Apelowałem o zawieszenie akcji strajkowych przynajmniej na jakiś czas, o trochę oddechu dla znękanej gospodarki, o możliwość połatania dziur i pozrywanych węzłów kooperacyjnych. Sejm dał wyraz swemu zaniepokojeniu w podjętej uchwale.

Zwrócił się z apelem o powstrzymanie przez dwa miesiące akcji strajkowych. Niestety, wezwanie to trafiło w próżnię.

12 czerwca wygłosiłem trzecie w ciągu czterech miesięcy przemówienie w Sejmie. Niczego nie ukrywając, przedstawiłem grozę sytuacji. Chodziło mi o uzmysłowienie nie tylko dramatu gospodarczego, ale i jego społecznych następstw — lawinowo pogarszającej się sytuacji socjalno-bytowej. Nikt nigdy nie zakwestionował tamtych ocen ani prawdziwości przytoczonych faktów i argumentów. Wydawało mi się, że każdy myślący człowiek, oceniający trzeźwo rzeczywistość zrozumie, iż taką drogą Polska dalej iść nie może. W I kwartale 1981 roku nie usprawiedliwiona nieobecność w pracy wzrosła prawie o 90%. Spadek produkcji spowodował zmniejszenie o ponad 6% dostaw towarów na rynek. Równolegle dochody pieniężne ludności wzrosły o ponad 20%. Codziennie wypłacano prawie 1,5 miliarda złotych, na które nie było pokrycia w towarach, usługach itp. Wynik w każdym razie gwarantowany — żadna władza tego nie wytrzyma.

W obliczu faktycznego upadku gospodarki w sejmowym przemówieniu apelowałem: „Zwracam się do wszystkich grup pracowniczych o powstrzymanie się od wysuwania postulatów płacowych, przynajmniej do końca bieżącego roku".

„Sytuacja społeczno-polityczna — mówiłem dalej — jest bardzo groźna, niebezpiecznie rozchwiana. Kwietniowa uchwała Wysokiego Sejmu spotkała się z brakiem należytego respektu. Nasuwa to zresztą pytanie: jakim jeszcze i kiedy konstytucyjnym arsenałem prawa zechce zadysponować Wysoka Izba, aby zapewnić wykonalność, egzekutywę swych własnych postanowień?"

Niestety, wszystkie te słowa także padały w próżnię. Dramatyczny sygnał ostrzegawczy znów przeszedł bez echa. Strajki, gotowość strajkowa, akcje protestacyjne, każdego dnia wciąż to samo. Bal na polskim „Titanicu" trwał.

Rozdział 16

Rozwichrzone myśli

Nie mogę pisząc tę książkę uciec od wielu uwag i dygresji natury zarówno szczegółowej, jak i bardziej ogólnej. Niech mi czytelnik to wybaczy. Przeżyłem jednak i widziałem tak wiele, że nie sposób uchronić się od różnorodnych dociekań, porównań, skojarzeń. Niektóre z nich, jeśli nie w kategoriach politycznych, to — jak sądzę — w warstwie psychologicznej pozwalają lepiej zrozumieć uwarunkowania stanu wojennego.

Daleki jestem od upiększania przeszłości. Były zbrodnie stalinizmu. Były ciężkie schorzenia i wypaczenia, wiele ludzkiej krzywdy. Możliwości realnego socjalizmu wyczerpały się. W swej ówczesnej postaci musiał runąć. Ale to nie znaczy, że pozostawił spaloną ziemię. Nie mogę milczeć, kiedy minione 45-lecie przedstawia się wyłącznie w czarnych barwach. Poczucie sprawiedliwości, a nawet wręcz przyzwoitości, nakazuje oddać szacunek milionom Polaków, którzy odbudowali i budowali nasz kraj. Pogardliwe odrzucanie tego okresu jest bronią obosieczną. Przez wiele lat w sposób jednostronnie negatywny oceniano międzywojenne dwudziestolecie. To był ciężki błąd. Poprzedni system zapłacił za to politycznie i moralnie. Ten sam błąd powtarza obecna władza.

Z kolei w majestacie oficjalnej polityki i w aureoli dominującej propagandy przyjmuje się, że obecna Polska stanowi bezpośrednią kontynuację II Rzeczypospolitej. Jeśli tak, to trzeba być uczciwym do końca. Dziedziczymy przecież wszystko — i to, co dobre, ale i to, co złe.

Moja młodość „sielska, anielska" to właśnie lata przedwojenne. Widzę ją jak w różowym obłoku. Był to czas, kiedy Polska po odzyskaniu niepodległości budowała nowe życie. Dokonano wiele, nawet bardzo wiele. Trzeba o tym pamiętać z szacunkiem. Ale również było wiele zła. Chociażby — ilu ludzi zginęło od kul policji czy wojska, ile wsi spacyfikowano, ile demonstracji porozbijano?

A zamach majowy z 379 zabitymi (w tym 164 osoby cywilne) i tysiącem rannych? A ile osób z powodów politycznych więziono?

W 1939 roku wydano ostatni przed wojną urzędowy rocznik statystyczny. Informuje on, że w 1938 roku skazano prawomocnie według przestępstw: — przeciwko państwu 3755 osób, w tym za zbrodnie stanu — 2945. Co więcej, figuruje nawet taka osobliwa pozycja, jak skazani za przestępstwa „przeciwko wolności". Jest ich 18765. Wreszcie aresztowanych „za obrazę narodu i państwa" 2823 osoby.

Mieliśmy okresy jasne, myślimy o nich z dumą. Ale i ciemne. Coś się wlecze za nami jak złowrogi cień. Pogardliwe określenie „Polnische Wirtschaft" lub francuskie „pijany jak Polak" czy wreszcie szwedzkie „Polska Rickstag" — polski parlament, zrodziły się znacznie wcześniej niż w powojennym czterdziestoleciu. Podobnie obelżywe „Polish jockes" w Ameryce.

Wspomniany przedwojenny rocznik statystyczny także podaje, że 23,1% obywateli kraju powyżej 10 roku życia stanowili całkowici analfabeci (wśród kobiet prawie 28%). Pamiętam, że w moim macierzystym, frontowym 5 pułku piechoty było ich wśród żołnierzy ponad 10%. Nie będę mnożył tych ponurych statystyk. Są one dowodem, że odbudowę kraju rozpoczynaliśmy w sytuacji nie tylko zdziesiątkowanych kadr fachowych, lecz również z ludźmi, którzy jakże często nie umieli czytać ani pisać.

Co mówi Eugeniusz Kwiatkowski, twórca COP-u i Gdyni — autorytet przez nikogo nie kwestionowany? W książce „Dysproporcje" przedstawił smutny obraz Polski. Jej zacofanie przed rozbiorami i jej opóźnienie w stosunku do Zachodu w okresie międzywojennym. Użył wręcz określenia: „była Europą B, tolerowaną z nieukrywaną niechęcią i lekceważeniem przez Europę A". Polska przedwojenna nie była więc „pięknym szczerozłotym zegarkiem", który dopiero „komuna zepsuła". Nie jest też tak, że gdyby nie socjalizm, bylibyśmy Szwecją czy Francją. Punkt wyjścia był inny. Pamiętać o tym powinni entuzjaści hasła „powrotu do Europy".

A jaka była Polska po II wojnie? Jak zniszczona? Szacuje się, że według cen z 1939 roku — 18 krajów koalicji antyhitlerowskiej (bez ZSRR i Polski) poniosło straty materialne w wysokości 53 mld dolarów, natomiast sama Polska — na sumę 16,9 mld dolarów! Trzeba było pilnie odrabiać te straty. Zewsząd wyglądała bieda. Mieliśmy przy tym największy (lub prawie największy) w Europie przyrost ludności oraz gwałtowną urbanizację. Miliony ludzi zmieniały swoje siedziby. Ludzie przemieszczali się setki kilometrów — ze wsi do miast, ze wschodu na zachód i z zachodu na wschód, wreszcie z południa na północ. Właśnie na północy trzeba było zagospodarować odzyskane ponad pięćsetkilometrowe Wybrzeże. Przed wojną mieliśmy zaledwie 70 kilometrów, nie licząc Helu. Piłsudski osobiście nie dotarł dalej niż do Torunia. Pamiętam swoje wycieczki szkolne — do Krakowa, Gniezna, Sandomierza, nawet na Zaolzie, ale nie nad Bałtyk. Pierwszy raz zobaczyłem morze wiosną 1945 roku. Żołnierz polski bił się o to Wybrzeże ze szczególną dzielnością, z jakimś wzruszeniem. Gdańsk, Kołobrzeg, Szczecin — to były dla nas słupy milowe na drodze do nowej Polski. Zniszczenia były tu potworne. Elbląg — w 65%, Szczecin, Gdańsk — w 50%, a jego zabytkowe śródmieście nawet w 90%. Ich odbudowa i rozbudowa to też legitymacja 45-lecia. Rankiem 13 marca 1945 roku po zaciętych walkach dotarliśmy nad Bałtyk w pobliżu Zalewu Szczecińskiego. 15 marca, kilka kilometrów na wschód od Dziwnówka, mój 5 pułk miał własne zaślubiny z morzem. Biało-czerwoną flagę zanurzono w Bałtyku. Starszy sierżant Jan Pakuliński wrzucił obrączkę mówiąc: „Biorę Cię, Bałtyku, w nasze wieczyste posiadanie". Nigdy tej chwili nie zapomnę. A potem pierwszych osadników, którzy jeszcze w żołnierskich mundurach orząc i siejąc utrwalali polskość tych ziem. Później przez kilka lat pełniłem służbę w Szczecinie. Żywię sentyment do tego pięknego miasta, do jego mieszkańców. Trochę mi żal, że w nowych układach władzy nie znaleźli choćby odrobiny tak poczesnego miejsca jak gdańszczanie.

Wrócę raz jeszcze do powojennej biedy. Teraz nie jest w modzie przyznawanie się do pochodzenia z ubogiej rodziny. To dobrze, iż Zbigniew Bujak, w książce „Przepraszam za «Solidarność»" otwarcie pisze, że jego ojciec miał siedmioro rodzeństwa, że przed wojną żyli w nędznych warunkach. Wałęsa też nie kryje, że pochodzi z biednej rodziny. Przecież miliony im podobnych zdobyły kwalifikacje, znalazły pracę właśnie w tych fabrykach, o których wielu dziś mówi: po co je budowano? Bez tych fabryk żyliby w nędzy, mieszkali w przeludnionej wsi. Mało kto pamięta, że organizacja „Służba Polsce" setkom tysięcy stworzyła szansę, dała kwalifikacje. Przez długie lata przyznawano dodatkowe punkty, organizowano kursy przygotowawcze na studia dla młodzieży robotniczej i chłopskiej. Była ona często preferowana kosztem młodzieży inteligenckiej. Zwłaszcza tej, którą w sposób tak krzywdzący obciążano za przynależność do AK, choć w polskich warunkach restrykcje takie stosowano mniej rygorystycznie i brutalnie niż w innych krajach obozu. Działacze różnych partii politycznych, które wyrosły z „Solidarności", to przecież ludzie wykształceni właśnie w Polsce Ludowej...

Mówię o tym bez kompleksów. Gdybyśmy w Polsce mieli system przedwojenny, osobiście żyłbym znacznie lepiej. Nie nosiłbym ciężaru swych przeżyć, zgryzot, upokorzeń. Rodziców stać było na stworzenie mi dobrego startu. Przez sześć lat kształciłem się w renomowanym gimnazjum. To kosztowało miesięcznie 250 złotych — blisko trzy średnie płace robotnika. A może wśród tych wiejskich chłopaków biegających na bosaka i w dziurawych zgrzebnych portkach, którym przyglądałem się z daleka, byli ode mnie zdolniejsi? Im pozostawały jednak tylko cztery klasy szkoły powszechnej. Przed wojną większość nie mogła przeskoczyć tej poprzeczki. Zaledwie jednostki przebijały się wyżej. Równy start życiowy — to kluczowy element sprawiedliwości społecznej.

Największy reformator polskiej gospodarki finansowej, Władysław Grabski, nie rokował nam nadziei na szybki postęp życia materialnego. W „Myślach o Rzeczypospolitej" pisał: „W wyścigu pracy i kultury gospodarczej różnych narodów nie zajmujemy zbyt zaszczytnego miejsca... jesteśmy jako zbiorowisko ludzkie materiałem słabo nadającym się do życia gospodarczego". I w innym miejscu: „Gdyby w Polsce więcej ludzi umiało i chciało tak pracować, jak ci Czesi, nie potrzeba byłoby uginać się pod ciężarem nieurodzajów, złych bilansów handlowych i kryzysów gospodarczych".

To ciężkie, może nazbyt ciężkie oskarżenie. Trzeba jednak potraktować je z uwagą. A w każdym razie pamiętając o nim, z większym umiarem oceniać powojenne 45-lecie. Mamy, oczywiście, obowiązek zastanawiać się, czy można było zrobić więcej? Oczywiście — można było zrobić i więcej, i lepiej, i mądrzej. Zaciążyły błędne doktryny ekonomiczne. A także nasza społeczno-moralna filozofia. Zapewnienie każdemu miejsca pracy, znaczne wydatki na kolonie, żłobki, biblioteki, filharmonie, tanie książki, wreszcie sport. To było wielkie obciążenie dla naszego gospodarczo-finansowego potencjału. Czy jednak zasługuje tylko na potępienie? Czy dzisiejsza skrajność w innym kierunku nie zemści się srodze?

W ocenie historii nie można posługiwać się tylko jedną barwą — życie jest wielobarwne. Coś trzeba dziedziczyć, coś odrzucić, coś zmienić, coś budować na nowo. Dopiero te składniki dają ciągłość procesu historycznego.

Pamięć ludzka jest zadziwiającą maszynerią. Ściera to wszystko, o czym nie chcemy wiedzieć i pamiętać. A przecież to, co określiłbym jako „podświadomą dehistoryzację" — jest bardzo złym doradcą. Przy tym to kwestia nie tylko historyczno-moralna, ale i praktyczna. Druzgocąca ocena powojennego 45-lecia otrzymywała wsparcie w idealizowanym obrazie okresu przedwojennego. Tworzyło to dodatkowy bodziec do walki z „komuną". To ona zaprzepaszczała taką piękną przeszłość i tym samym jeszcze piękniejszą przyszłość. Dla młodzieży to wystarczający powód, aby pójść na barykady. Oto jedna z melodii przed 13 grudnia.

Dziś dezawuowanie 45-lecia — to również paliwo dla różnych dekomunizacyjnych okrzyków. Ma ono jednak jeszcze inną wymowę. Podważa sens wysiłku milionów ludzi. Demobilizuje i demoralizuje, spycha w stany cierpiętnictwa, beznadziejności, poczucia, że „w tym kraju nic się udać nie może". Młode pokolenie widzi tylko „czarną plamę", krytycznie więc ocenia pracę swoich ojców i matek — i to niezależnie od tego, po jakiej stali stronie barykady. Młodzi znów zapytają: Gdzie byliście? Gdzie był naród? Bo skoro ktoś się z ową rzeczywistością godził, uczestniczył w pochodach i czynach pierwszomajowych, wznosił budowle socjalizmu, przyjmował „reżimowe" tytuły i nominacje, nagrody i awanse, ordery i medale — to albo zakładamy, że był członkiem zbiorowiska oportunistów, albo że niezależnie od ostrego częstokroć krytycyzmu, uznawał jednak pewne wartości ustrojowe. Wielu, nawet podświadomie, docenia je również dziś.

A przecież nasz naród był i jest bezpartyjny zarówno w swej istocie, jak i w swej podstawowej masie. To właśnie on zbudował współczesną społeczno-gospodarczą konstrukcję Polski. Trzeba ją remontować, przemeblować, ulepszać, ale nie wolno szkalować i burzyć.

O naszych błędach i winach mówiliśmy otwarcie, znacznie wcześniej, nim oddaliśmy władzę. W sferze demokracji, swobód i praw obywatelskich — żyliśmy w ciężkim grzechu. Z tych głównie powodów nasza formacja nie zdała egzaminu. Socjalizm sam sobie przygotował pogrzeb, wyciągając w krótkim historycznie czasie miliony ludzi z nędzy i zacofania. Ich awans był jego wielką zasługą. Niedostatek swobód — klęską. Wolność jest wielką społeczną wartością. Nie może jednak być traktowana jako rekompensata za wszystkie inne niedostatki. „Utopia raju kapitalistycznego" zastępująca „utopię raju komunistycznego" przynosi rozczarowania, gorzkie niespodzianki. Zbyt idealistycznie bowiem myślano, że we „własnym domu" wszystko zmieni się jak za dotknięciem czarodziejskiej różdżki.

Widzę bliskość chrześcijańskiej nauki społecznej oraz współcześnie rozumianej idei socjalizmu. W czasie naszego spotkania na Wawelu w 1983 roku Jan Paweł II powiedział: Aby ten system był „z ludzką twarzą". Powiedział tak chyba dlatego, że poznał już kapitalizm z nieludzką twarzą. I przed takim kapitalizmem ostrzegał w swoich kolejnych encyklikach: „Laborem exercens", „Sollicitudo rei socialis", „Centisimus annus". Płyną z nich ważne nauki. Nie są jednak — jak widać — zbyt dobrze, a raczej tylko selektywnie, znane wielu obecnym politykom w Polsce. Dostrzegają w nich wyłącznie krytykę „kolektywizmu marksistowskiego". Rzeczywiście, krytyka ta jest zdecydowana, konsekwentna. Ale jednocześnie nie chcą widzieć tego, co jest krytyką „kapitalizmu liberalnego". To krytyka również bardzo surowa. No i cóż? Liczni politycy powołują się wciąż na Jana Pawła II, otaczają czcią jego osobę, ale naukami papieża nie przejmują się nadmiernie.

W tym miejscu kilka uwag na temat kultury politycznej. Niestety, nigdy nie była i nie jest naszą mocną stroną. Nieprzypadkowo mówi się o polskim kotle w piekle, o „kundlizmie" wedle określenia Wańkowicza. Józef Piłsudski powiedział: „Konkurencja partyjna poszła u nas od pierwszej chwili istnienia państwa tak dziwacznie i tak ostro, a zarazem z tak wielką ilością kłamstwa i łajdactwa, że od razu zaczęło się wytwarzać to, co nazwałem *cloaca maxima*. Każde nadużycie, każde łajdactwo było dobrym, gdy robił je członek partii własnej. Złym zaś tylko wtedy, gdy robił je członek innej partii". Szkoda, że akurat tej myśli Komendanta nie przywołują wielbiciele jego osoby, ale i demokracji zarazem. Warto w tym miejscu przypomnieć, że droga Piłsudskiego od zamachu majowego w 1926 roku biegła w kierunku uszczuplania swobód, ograniczania demokracji. Podobnie Gomułka: zaczynał od „odwilży", a potem coraz bardziej usztywniał swą politykę, aż doszedł do tragicznego grudnia 1970. Nasza droga była odwrotna: od stanu wojennego do „okrągłego stołu", od zablokowania swobód do coraz pełniejszych form demokracji.

Wciąż, aż do bólu, wracam myślą do udręki grudniowych dni 1981 roku. Zapytuję po stokroć sam siebie, czy nie zaprzeczyłem wówczas swemu „ja", swemu życiowemu „credo"? Walczyły wówczas we mnie dwa nastawienia, dwie postawy z najwcześniejszych lat. Ta z domu, z tradycji rodzinnej, ze szkoły, z romantycznych lektur, z drużyny harcerskiej, noszącej imię hetmana Stanisława Żółkiewskiego, tego, który w 1612 roku zdobył Moskwę, a zginął w 1620 pod Cecorą — *o quam dulce et decorum est pro patria mori* (o, jak słodko i pięknie jest umierać dla Ojczyzny). Notabene dzień odwrotu Żółkiewskiego z Moskwy stał się obecnie świętem narodowym Rosji. Na warszawskich Bielanach, tuż przy ścianie kościoła kamedułów, znajduje się grób księdza Stanisława Staszica. Przez sześć lat niemal codziennie przechodziłem obok niego wraz z kolegami. Nie przypominam sobie żadnych żywszych uczuć, żadnego składania kwiatów. Staszic — to nie był ponętny wzorzec dla polskiej mentalności. Za to kultywowano w naszej szkole Romualda Traugutta. Bohatera, męczennika, powieszonego przez Moskali. Mam zdjęcie córki, wnuka i prawnuka Traugutta oraz naszego niezapomnianego wychowawcy, księdza Józefa Jarzębowskiego, autora książki o przywódcy powstania. Jestem na tym zdjęciu. Traktowałem je jak relikwię.

Ale nieobca stała mi się i druga postawa. Hartowały ją gorzkie doświadczenia życia. Szok, który przeżył młody chłopak ufny w niezwyciężoność naszej armii, w to, że będziemy wkrótce w Berlinie, że pomogą sojusznicy. Który z niemalże cieplarnianych warunków przebył drogę klęski. Ucieczka, naokoło śmierć, groza. Na obczyźnie, zsyłce — mordercza praca, ciężkie życie. Potem front, jego okrucieństwa i znoje. Warszawa, straszliwe ruiny. Wreszcie powojenne czasy. Błędy, dramaty, ale przede wszystkim budowa — i stąd satysfakcja.

A więc romantyzm i pozytywizm. Poryw i odpowiedzialność. Uważam, że potrzebny był i Kościuszko, i Kozietulski, i Szare Szeregi, i Mickiewicz, i Słowacki, i Załuski — ten który rehabilitował „siedem polskich grzechów głównych". Ale i Staszic, Asnyk, Wielopolski, Marcinkowski i Aleksander Bocheński. Dziejopisarstwo krzepiące, ale i krytyczna krakowska szkoła historyczna. Wszystko we właściwej proporcji.

U nas dominuje skłonność do preferowania postaw romantycznych. „Bezapelacyjne zwycięstwo romantyzmu — pisze prof. Alina Witkowska — martyrologia i heroizm, jako składniki życia polskiego, spowodowały pewne skrzywienie świadomości społecznej, wytworzyły skłonność do mało elastycznej refleksji autopoznawczej. Refleksji traktującej jako właściwe, godne człowieka tylko postawy związane z ofiarą, cierpieniem, walką, buntem". Z drugiej strony — te postawy pozwoliły nam godnie przetrwać. Ich cząstka jest w każdym z nas. Są piękne, powiedziałbym, fotogeniczne. Romantyzm rozwiedziony z racjonalizmem bywa jednak źródłem nieszczęść. Doświadczyliśmy tego nieraz. Z powodu hipertrofii postaw romantycznych byliśmy często bici, niszczeni, a w rezultacie pozostawaliśmy w tyle. W wyniku powstania listopadowego w 1830 roku utraciliśmy względną autonomię, własną armię, przemysł zbrojeniowy, rozwiązano Sejm, zlikwidowano polską oświatę, unieważniono konstytucję. W powstaniu styczniowym 1863 roku naprędce sklecone oddziały — 25 000 słabo uzbrojonych patriotów — stanęły wobec regularnej armii rosyjskiej liczącej 400 000 żołnierzy. I znowu: dziesiątki tysięcy zabitych, zesłanych na Sybir, tułających się po Europie, gospodarcze i kulturalne osłabienie. A powstanie warszawskie w 1944 roku? Ponosiliśmy klęski — i rozwijaliśmy ich kult. „Uważaliśmy, że — jak napisał niedawno prof. Stefan Opara — takie powstania godne są szacunku, są wzorem dla świata, przynoszą rozkwit duchowy narodu, a w dodatku winą za klęskę zawsze można kogoś obarczyć: z reguły zaborców — bo nie przegrali, rzeczywistych lub wymyślonych sojuszników — bo nie pomogli, rodzimych «tchórzy i zdrajców» — bo przestrzegali i nie chcieli ginąć".

I słowa Norwida: „U nas — poświęcenie to jest dopiero, ażeby umieć stracić wszystko dla sprawy... Ale u nas jeszcze nie pojmuje się poświęcenia jako zależące na tym, ażeby wszystko zyskać dla sprawy. I dlatego jest popiół".

To jedno spojrzenie. Jest również inne. Mówił prymas Stefan Wyszyński: „Chociaż były w dziejach naszych boleści, męki, chociaż niekiedy płynęła obficie krew, jak w Powstaniu Warszawskim (...), choć zdawałoby się, że niczego nie zdołaliśmy dokonać, jednak te cierpienia i ofiary zapadły w duchowość narodu i stały się jego niezaprzeczalną własnością. Dlatego nie potępiamy ich, ale dziękujemy Bogu, że taką moc dał narodowi".

Zawsze we mnie walczyły te dwa rodzaje doświadczeń, te dwa sposoby myślenia. Było tak we wszystkich ważnych momentach, w których musiałem podejmować najtrudniejsze decyzje. Ocenić, co jest większym, a co mniejszym złem.

Wreszcie taka myśl. Powinniśmy zaczynać nasz narodowy rachunek sumienia zawsze od tego, w czym sami zawiniliśmy, od własnych słabości i błędów. W doszukiwaniu się przyczyn wszystkich naszych nieszczęść głównie poza nami — jest wiele zarówno mesjanizmu, jak megalomanii. Znam, oczywiście, wszystkie zewnętrzne uwarunkowania rozbiorów — tej straszliwej tragedii, która dotknęła nasz naród pod koniec XVIII wieku. Mimo to, mówiąc o jej głównych przyczynach, trzeba zacząć od wnętrza Polski. Co sprawiło, że jedno z największych niegdyś państw Europy zdegradowało się samo, uległo rozkładowi i anarchii, stało się łatwym łupem grabieżców?

Wspomnijmy też ten tak niedawny groźny czas, „rok ów". Sytuacja geopolityczna — Układ Warszawski, Związek Radziecki, Breżniew. To wszystko zagrażało, ciążyło, tworzyło sytuację niebezpieczną, brzemienną straszliwymi następstwami. Przyznajmy jednak najpierw — czego nie zrobiliśmy sami, co było naszą winą, ówczesnej władzy, a co „Solidarności", opozycji. Wszystko to powinno być wielką nauką. Nie po to, żeby się wzajemnie oskarżać. Na odwrót — aby się lepiej zrozumieć, wyprowadzić wnioski na przyszłość.

Nie wykorzystujmy przeszłości jako narzędzia walki. To bardzo niebezpieczne. Wyrządza nieobliczalne szkody wychowawcze, moralne. A najgorsze, że skłóca społeczeństwo, trwoni tak dziś potrzebne zapał i energię narodu.

Rozdział 17

Niebezpieczne związki

13 maja został ciężko ranny Jan Paweł II. 28 maja zmarł prymas Wyszyński. Zamach na papieża-Polaka wywołał głęboki wstrząs w naszym społeczeństwie. Śmierć prymasa była dla Polski ogromną stratą. Gdyby nie zamach Ali Agcy — na pogrzeb kardynała Wyszyńskiego niewątpliwie przyjechałby osobiście Jan Paweł II. Już wówczas doszłoby do naszego spotkania.

Papieża reprezentował na pogrzebie kardynał Casaroli, wielka postać Watykanu. Spotkaliśmy się. Zewnętrznie niepozorny, jak gdyby nieśmiały. Ale czuło się od razu format intelektualny, mistrzostwo doświadczonego dyplomaty. Po wstępnych uprzejmościach — trochę na wyrost pochwaliłem polszczyznę kardynała — przedstawiłem trudną sytuację w kraju. Zagrożenia. Naszą wolę i starania o porozumienie, o zgodę narodową. Kardynał uważany był za architekta polityki wschodniej Watykanu. Wykorzystałem to dla wskazania, jakie niebezpieczeństwa dla niej może stworzyć wybuchowy rozwój sytuacji w naszym kraju. Kardynał taktownie, finezyjnie dobierając słowa i argumenty, wyraził zatroskanie o pokój społeczny, o wpływ wydarzeń w Polsce na sytuację w Europie i w świecie. Pytał, jak można by Polsce pomóc. Mówił, że papież — chociaż cierpiący — żywo interesuje się losami ojczystego kraju. Życzył nam pomyślnego rozwiązania trudnych problemów. Była to pożyteczna rozmowa.

30-dniowa żałoba, ogłoszona przez Kościół po śmierci prymasa, miała przynieść wyciszenie emocji. Niestety. Atmosfera strajkowa nie wygasła. Dochodziło też do drastycznych incydentów. Milicja w coraz mniejszym stopniu mogła liczyć na pomoc społeczeństwa. Ludzie często odmawiali zeznań, obawiali się zemsty. Bywało, że tłum, podjudzany wezwaniami zatrzymanego pijaka, a nawet przestępcy, uwalniał go z rąk funkcjonariuszy MO. Do tego właśnie doszło w Otwocku, gdzie spalono posterunek, a milicjantom groziło zlinczowanie. Dopiero wkroczenie Adama Michnika przyczyniło się do rozładowania wielce niebezpiecznej sytuacji. Wykazał dzielną postawę, co skłania mnie do pewnej dygresji. Otóż bodaj w 1967 roku — byłem wtedy szefem Sztabu Generalnego — marszałek Marian Spychalski, ówczesny minister, powiedział, że kierownictwo partii zaleciło, aby niektórych wichrzycieli, relegowanych właśnie z uczelni, powołać do służby wojskowej. Dotyczyło to m.in. Michnika. Wezwałem swego zastępcę do spraw organizacyjno-mobilizacyjnych, generała Adama Czaplewskiego i przekazałem mu to polecenie. Po kilkunastu dniach generał zameldował, że wcielenie Michnika jest niemożliwe. Komisja lekarska uznała, że Michnik nie może służyć w wojsku. Dlaczego? Bo się jąka. Żachnąłem się. Jak to, jąkanie nie przeszkadza mu przemawiać na wiecach, atakować władzę ludową, a uniemożliwia pełnienie służby? Ale w rezultacie dałem spokój. Po latach opowiedziałem o tym Michnikowi, dodając: „Może pan mieć do mnie pretensje za pozbawienie szansy zostania generałem".

7 maja opublikowane zostały tezy na IX Zjazd PZPR. Jak na owe czasy śmiałe, nowatorskie. Przez „konserwatywno-dogmatyczne kręgi w partii oraz w aparacie państwa" odebrane zostały z wątpliwościami, często z dezaprobatą. A w ogóle te kręgi ożywiły się wówczas bardzo. Na przykład Katowickie Forum Partyjne przy KW PZPR, którego ideologicznym liderem był Wsiewołod Wołczew, dało temu wyraz w opublikowanej 15 maja deklaracji. „W partii w ostatnim okresie ze szczególną siłą ujawniają się tendencje rozbijackie i likwidatorskie, podważające jej marksistowsko-leninowską istotę, osłabiające jej zdolność do obrony ustroju socjalistycznego. Wyrażają się one zarówno w narastaniu fali rewizjonizmu i prawicowego oportunizmu, w ideologicznym rozbijaniu partii i atakowaniu jej postaw teoretycznych, jak również w nasilającej się działalności frakcyjnej. Z dnia na dzień w partii coraz bardziej rozprzestrzeniają się poglądy liberalno-burżuazyjne, trockistowsko-syjonistyczne, nacjonalizm, agraryzm, klerykalizm, solidaryzm klasowy oraz, szczególnie kultywowane przez prawicę, poglądy i nastroje antyradzieckie".

Być może to przypadek, a może i nie, bo oto tego samego dnia ukazał się w moskiewskiej „Prawdzie" druzgocący artykuł przeciwko „Solidarności". Było więc jasne: kto z takim ruchem paktuje, kto chce w nim dostrzegać partnera — jest świadomym lub nieświadomym sojusznikiem reakcji. W owych czasach publikacja w „Prawdzie" wyrażała oficjalne stanowisko najwyższych radzieckich czynników. Artykuł przedrukowano na poczesnym miejscu przez organa partyjne w krajach socjalistycznych. Niezadługo — bo 28 maja — odezwała się agencja TASS, podając obszerną relację ze spotkania uczestników Katowickiego Forum. Zaś 5 czerwca opublikowała kolejne oświadczenie na ten temat utrzymując, iż Katowickie Forum dokonało zasadniczej, marksistowsko-leninowskiej oceny sytuacji w kraju. Nic dziwnego, że czekaliśmy teraz na jeszcze mocniejsze uderzenie. Przyszło natychmiast, jeszcze tego samego dnia...

Właśnie 5 czerwca 1981 dociera do Warszawy oficjalny list KC KPZR adresowany do członków KC PZPR. Nie do Biura Politycznego, nie do I sekretarza, lecz do członków KC. Było to czytelne wotum nieufności wobec części kierownictwa partii. W liście tym czytamy m.in.: „Nad rewolucyjnymi zdobyczami narodu polskiego zawisła śmiertelna groźba... Nie kończące się ustępstwa wobec sił antysocjalistycznych i ich żądań doprowadziły do tego, że PZPR krok za krokiem ustępowała pod naciskiem wewnętrznej kontrrewolucji, opierającej się na poparciu ze strony zagranicznych, imperialistycznych ośrodków dywersji. Obecnie sytuacja jest nie tylko niebezpieczna, ale wręcz doprowadziła kraj do punktu krytycznego — innej oceny dać nie można... Pragniemy podkreślić, że Stanisław Kania, Wojciech Jaruzelski i inni polscy towarzysze zgadzali się z naszym zdaniem we wszystkich podejmowanych kwestiach. Lecz w rzeczywistości wszystko pozostaje po staremu i do polityki ustępstw, kompromisów nie wniesiono żadnych korekt. Oddaje się jedną pozycję za drugą (...) Socjalistycznej Polski, bratniej Polski nie opuścimy w biedzie i nie damy jej skrzywdzić".

Zresztą ten list już wcześniej był w Polsce nieoficjalnie kolportowany. Meldowano mi, że przedstawiciele sztabu Zjednoczonych Sił Zbrojnych Układu Warszawskiego zapoznawali polskich oficerów z jego treścią, prowadzili swego rodzaju konsultacje. Dotarli m.in. do wiceministrów obrony narodowej Józefa Urbanowicza, Floriana Siwickiego, Tadeusza Tuczapskiego, szefa GZP WP Józefa Baryły oraz jego zastępców. Powołując się na Breżniewa, kąśliwie komentowali nieskuteczność walki polskiego kierownictwa z antysocjalistyczną opozycją. Zdrowa część aktywu partyjnego — argumentowali — a zwłaszcza osoby wojskowe, powinny odciąć się od takiej polityki. Docierali również do niektórych działaczy partyjno-państwowych. Z wyprzedzeniem chcieli poznać i kształtować ich opinie. Zresztą różnorodne „konsultacje" sojusznicy prowadzili już od dłuższego czasu. Niektóre zdarzenia i fakty nie były dotąd szerzej znane. Dopiero wywiad gen. Jana Łazarczyka — szefa Wojewódzkiego Sztabu Wojskowego w Katowicach, opublikowany 15 grudnia 1990 roku na łamach „Polityki" i rozwinięty w książce Jana Dziadula „Rozstrzelana kopalnia" — wskazał na wiele interesujących, a powiedziałbym — nawet bulwersujących faktów.

Oficerowie sojuszniczych armii przekonywali polskich rozmówców, że następnym celem ataków opozycji będzie wojsko, a minister obrony narodowej — gen. Jaruzelski — niestety, jak dotąd zachowuje się biernie. Było także badanie nastrojów w wojsku. Sondowanie, czy wobec mnie, jako ministra, możliwa będzie opozycja? Czy wojsko wykona rozkaz wydany nie przez ministra, a kogoś innego? Jakich reakcji można by się spodziewać ze strony kadry oficerskiej na ewentualną „pomoc" z zewnątrz?

Organizatorów konsultacji spotykał na ogół zawód. Generałowie WP stanowczo odrzucili próbę pozyskania ich dla jakichkolwiek innych celów niż te, które wytyczało kierownictwo polityczne i wojskowe PRL. Korpus oficerski, poza nielicznymi wyjątkami, był lojalny i odpowiedzialny.

Nasi dowódcy oraz inni oficerowie meldowali mi o wszystkim. Właśnie gen. Łazarczyk, ale także m.in. generałowie: Krepski, Janczyszyn, Łozowicki, Rapacewicz, Łukasik, a zwłaszcza kierownictwo GZP. Zdarzały się jednak — wprawdzie odosobnione — i odwrotne tendencje.

Mówi gen. Florian Siwicki:

W połowie roku nasiliły się przedstawiane przez marszałka W. Kulikowa postulaty o wyrażenie zgody na wprowadzenie przedstawicieli Układu Warszawskiego, co w danym przypadku oznaczałoby w praktyce przedstawicieli Armii Radzieckiej, do dowództw okręgów wojskowych i rodzajów sił zbrojnych. Mówiono przy tym, iż w niektórych armiach sojuszniczych tacy przedstawiciele znajdują się nawet przy dowództwach dywizji. Gen. Jaruzelski i ja odrzucaliśmy stanowczo te sugestie.

Wyjątkową aktywność w perswazyjnych formach nacisku wobec kadry instytucji centralnych oraz szczebla okręgowego przejawiali przedstawiciel Naczelnego Dowódcy Zjednoczonych Sił Zbrojnych przy Wojsku Polskim — gen. Szczegłow oraz jego zastępca ds. lotniczych gen. Odincew. Niestety, niekorzystnie różnili się oni od poprzednich przedstawicieli — gen. Aleksandra Kozmina i gen. Władimira Siwienoka, ludzi rozumiejących nasze realia, wykazujących umiar i takt.

Przebywający w Legnicy zastępca Naczelnego Dowódcy ZSZ do spraw morskich adm. Michajlin oraz zastępca do spraw lotnictwa gen. Katricz, a także inni oficerowie, wykorzystywali kontakty z naszą kadrą i żołnierzami do rozpoznawania nastrojów i kondycji psychiczno-moralnej naszego wojska. W prowadzonych rozmowach starali się przekonywać o potrzebie radykalnego przeciwdziałania kontrrewolucji. Wypowiadali także różnego rodzaju krytyczne uwagi na temat, ich zdaniem, zbyt wstrzemięźliwej wobec wroga postawy kierownictwa partii, rządu i wojska. Żołnierze nasi zachowywali się z reguły godnie. Podejmowali dyskusję, polemizowali, w większości odpowiadali, że jest to nasza wewnętrzna sprawa, że przełożeni wiedzą lepiej, jak ją rozstrzygnąć. Ale zdarzali się „potakiwacze", zgadzający się z wywodami sojuszników. Na ich opinie — oczywiście bezosobowo — powoływano się w toku wywierania na nas kolejnych nacisków.

Mówię o tym z dużą przykrością. Z radzieckimi sojusznikami łączyły nas bowiem przez lata dobre, przyjazne stosunki. Miałem wśród nich i osobistych przyjaciół. W tym jednak okresie coś się zepsuło. Miały nawet miejsce ostre spięcia. W czasie towarzyskiego spotkania dowódca 20. dywizji pancernej płk Saczonek na wypowiedź gościa o możliwości interwencji stwierdził, że wówczas Wojsko Polskie przeciwstawi się czynnie. Nastąpiła konsternacja, ostra polemika. Dowództwo Zjednoczonych Sił Zbrojnych Układu Warszawskiego przedstawiło mi postulat usunięcia tego oficera z dowódczej funkcji. Wniosek odrzuciłem.

Zbliżało się XI plenum. List KC KPZR przyczynił się do wzrostu politycznej temperatury. W niektórych kręgach wyraźnie dawano do zrozumienia, że Kania i Jaruzelski powinni odejść.

Tu warto zrobić dygresję. Otóż przy okazji 10. rocznicy wprowadzenia stanu wojennego niemiecki dziennik „Junge Welt" opublikował wywiad z byłym ambasadorem NRD w Związku Radzieckim, Egonem Winkelmannem. Twierdzi on, że stan wojenny był pomysłem Ericha Honeckera, ówczesnego przywódcy NRD. Winkelmann głosi, że „Honecker ujawnił swój plan podczas poufnego spotkania z Leonidem Breżniewem i Gustavem Husakiem w dniu 16 maja 1981 roku. Zaproponował wtedy, aby w Polsce objęli rządy ludzie gotowi ogłosić stan wyjątkowy i walczyć z kontrrewolucją. Projekt ten spotkał się z natychmiastowym poparciem ówczesnego radzieckiego ministra obrony Dmitrija Ustinowa..."

Oczywiście, o spotkaniu Honeckera, Husaka i Breżniewa 16 maja nic nie wiedziałem. Być może jest to jedna z wątpliwych sensacji, jakich ostatnio bardzo wiele. Natomiast interesujące w tej wiadomości jest to, że jakoby planowano wówczas zmianę ekipy władzy w Polsce — na taką, która będzie zdolna do natychmiastowego podjęcia działań siłowych. Przygotowaniem mógł być właśnie wspomniany list do KC PZPR.

Nawiasem mówiąc, interesujące były wywody Honeckera w rozmowie z Kanią, przeprowadzonej 17 lutego w obiekcie myśliwskim Hubertusstock koło Berlina.

„Trzeba — mówił Honecker — mieć dokładny plan i trzeba wiedzieć, w jakim momencie uderzyć we wrogie siły. W naszych planach przewidzieliśmy także i to, w którym momencie zagrożenia będziemy prosić o pomoc towarzyszy radzieckich. Do ich opracowania zmusiły nas wydarzenia z 1953 roku, a także na Węgrzech w 1956 roku. Jeśli będziecie sobie życzyli, możemy wam te plany udostępnić.

Dysponujemy także — mówił dalej Honecker — materiałami świadczącymi, że USA mają długofalowy plan dywersji na kraje socjalistyczne. Głównym celem jest ich oddalenie od ZSRR. W tych planach, w odniesieniu do Polski stawiają na wykorzystanie Polonii amerykańskiej. Posiadamy również materiały wywiadów zachodnich o zamiarach RFN wobec waszego kraju".

Wracając do tematu — atmosferę zaostrzały też niektóre kierownictwa instancji wojewódzkich. Ówczesny I sekretarz KW w Katowicach Andrzej Żabiński podczas spotkania z funkcjonariuszami MO i SB wyłożył swego rodzaju instrukcję, sprzeczną z oficjalnym stanowiskiem KC — jak postępować z „Solidarnością". Na tym spotkaniu miała ona swoje „ucho". Sprawie nadano olbrzymi rozgłos. Wywołało to fatalne wrażenie, podważyło wiarygodność intencji władz. Grzeszyły brakiem umiaru niektóre wydawnictwa, m.in. Biuletyn Komitetu Warszawskiego PZPR.

Kręgi konserwatywne rosły jeśli nie w siłę, to w tupet. Właśnie w Katowicach, ale także w Warszawie, Poznaniu, Wrocławiu, choć nie tylko. Były to różnego rodzaju stowarzyszenia, fora, kluby, grupy. Ich działalność spotykała się z sympatią pewnej części instancji oraz aparatu partii.

Tu kilka słów o Andrzeju **Żabińskim** i Stanisławie **Kociołku**. To dwaj — zdolni, stosunkowo młodzi, jednak już szeroko znani działacze partii. Bardzo różni, w tym na korzyść doświadczenia i formatu intelektualnego Kociołka. Lecz bardzo podobni. Właśnie jako ideowi, pryncypialni, ale — aż do skrajności, do zapiekłości, do nietolerancji. A przecież kierowali, nadawali polityczny ton największym w kraju, można powiedzieć „flagowym", organizacjom partyjnym. To promieniowało. A w zderzeniu z ekstremą „Solidarności" iskrzyło.

Katowice, Śląsk to region, który bardzo szanuję. Bywałem tam niejednokrotnie. Ciężka praca, ciężkie życie, wspaniali ludzie. Ale też w tym właśnie regionie najsilniej dawały znać o sobie siły ekstremalne. Zarówno w „Solidarności", jak i w partii. Wszystko to gromadziło się, pęczniało, rzutowało na atmosferę poprzedzającą XI plenum. W rezultacie doszło na nim do próby swego rodzaju politycznego puczu. Nawiasem mówiąc, pamiętałem o tym również w grudniu. Potencjał niezadowolenia w KC, w bezpieczeństwie, w niektórych ogniwach administracji i wojska z powodu braku zdecydowanych kroków mógł w każdej chwili osiągnąć masę krytyczną. A po tym? Po tym lepiej nie myśleć. Ale wracam do XI plenum. Powodzenie tego właśnie „puczu" mogło doprowadzić do gwałtownych zmian w kierownictwie partii i państwa. Spowodowałoby to, po pierwsze, odsunięcie terminu IX Zjazdu, po drugie — radykalną zmianę kursu.

Nie ma sensu, abym szczegółowo opisywał przebieg plenum. Wszystkie wystąpienia zostały opublikowane. W swych książkach opisali je i komentowali: Rakowski, Kania, Kiszczak... Jest więc bogata dokumentacja. Ale niektóre słowa i gesty bardzo mi utkwiły w pamięci. Szczególnie wypowiedź gen. Sawczuka, który przyrównał kierownictwo partii do topielca rozpaczliwie machającego rękami. Jak dysonans brzmiał również głos gen. Molczyka. Można zapytać: dlaczego z pozycji skrajnych wystąpili dwaj generałowie? Jeden — wiceminister obrony narodowej — Eugeniusz Molczyk. Drugi — Włodzimierz Sawczuk — niedawno odwołany z funkcji szefa Głównego Zarządu Politycznego. Jak mogli tak postąpić, kiedy byłem premierem, a jednocześnie ministrem obrony narodowej? Było to dla mnie bardzo przykre.

Molczyk — zdolny oficer, czołgista. Ceniłem go za fachowość, za cechy dowódcze. Z powodzeniem dowodził dywizją, okręgiem. To, że na plenum zajął stanowisko bardzo krytyczne, nie było większym zaskoczeniem. W różnych rozmowach, czy na posiedzeniach Rady Wojskowej MON, reprezentował twardy kurs. W miarę narastania napięcia, uzyskałem sygnały, że liczą na niego te kręgi, które zechcą wymusić działania siłowe. Chcę wierzyć, że nie miał z tym nic wspólnego. Dlatego nie oskarżam. W 1973 roku zaszła konieczność zmiany na stanowisku szefa Sztabu Generalnego. Wówczas dotarły sugestie — do mnie z Dowództwa ZSZ Układu Warszawskiego, zaś do Kani aż z KC KPZR — aby powierzyć tę funkcję gen. Molczykowi. Nie skorzystaliśmy. Szefem sztabu został gen. Siwicki. Ale właśnie wiedząc o dużym zaufaniu sojuszników do Molczyka, ze szczególną uwagą przyjmowałem jego stwierdzenia, że „musimy opanować sytuację własnymi siłami". Rozumiałem, że miał wiedzę i świadomość, iż realna jest inna alternatywa.

Sawczuk — początkowo oficer liniowy. Ale od wielu lat w aparacie politycznym. Dobry organizator. Energiczny, stanowczy, władczy. Z czasem przeradzało się to coraz bardziej w sztywność, arbitralność, obcesowość. Kolidowało zwłaszcza z funkcją polityczną, z koniecznością pozyskiwania, zjednywania ludzi. Dlatego spowodowałem jego odejście z funkcji szefa Głównego Zarządu Politycznego. Mogę zrozumieć jego rozgoryczenie. Ale wypowiedź na posiedzeniu Komitetu Centralnego przekroczyła pewną granicę.

Dlaczego zatem nie wyciągnąłem odpowiednich wniosków? Otóż obaj przemawiali na forum partyjnym jako członkowie Komitetu Centralnego. Jest różnica między tym, co stanowi sprawę wewnątrzpartyjną, a co służbową. Zresztą przyznaję się do takiej słabości, że trudno mi jakoś odrzucić ludzi, z którymi łączy mnie wieloletnia żołnierska służba.

Ich wystąpienia były całkowicie zbieżne z wieloma głosami osób cywilnych. Kanonadę rozpoczął Zygmunt Najdowski. Potem inni. Jednak najostrzejszy, najdalej idący był Tadeusz **Grabski**. Nie chcę być zrozumiany, że to jakaś „czarna sotnia". Uważam go za człowieka o wyraźnie dogmatycznej orientacji. Bardziej jednak z przekonania niż dla kariery. Świadczy o tym jego krytyczne wobec polityki Gierka wystąpienie na plenum w 1978 roku. Wywołało ono nerwowe reakcje, zwłaszcza Jaroszewicza. Żądał niezwłocznego odsunięcia Grabskiego na boczny tor. Zrobiono to, ale po pewnym czasie. Nie wszystkie jego oceny i wnioski mi odpowiadały. Ale szanowałem go za postawę, odwagę. Coraz bardziej jednak schodził na ortodoksyjne, frakcyjne manowce. Dobitny przykład — to jego inspiratorsko-kierownicza rola w stowarzyszeniu „Rzeczywistość". Sojusznicy nazywali takich jak on: „nastojaszczije kommunisty" — prawdziwi komuniści.

Stefan **Olszowski**. Zręczny polityk. Lepszy jako taktyk, gorszy jako strateg. Duża zdolność rozgrywania różnych spraw, głównie z intencją krótkofalową, częstokroć ambicjonalną. Nie doceniał znaczenia zasadniczych procesów. To sytuowało go w obrębie orientacji dogmatycznej, sekciarskiej. A szkoda, bo człowiek zdolny, inteligentny, dynamiczny. Potrafił dostosowywać się do sytuacji, w odróżnieniu od Grabskiego, który szedł przebojem.

Olszowskiemu na plenum bliższe na pewno były tzw. oceny pryncypialne. Sam jednak nie wychylał się. Kiedy stało się oczywiste, że nie on, a Grabski ma sojusznicze „namaszczenie" i że skrajne wnioski nie przejdą — stanął po naszej stronie.

W czasie przerw odbywały się rozmowy w składzie Biura Politycznego i Sekretariatu KC. Kania, ja, a następnie jeszcze kilku członków kierownictwa wyraziło chęć rezygnacji. Większość była temu przeciwna. Ale zasadniczy przełom nastąpił na sali obrad. Chcę przede wszystkim podkreślić znaczenie wystąpienia generała Józefa Urbanowicza.

Urbanowicz to człowiek mi bliski. Do dziś z serdecznością go wspominam. Znacznie starszy ode mnie, o złożonej drodze życiowej. Polak urodzony w Rydze. Marynarz. Członek Komunistycznej Partii Łotwy, a jednocześnie — o czym mówił z dumą — aktywny działacz polonijny. W czasie wojny w Armii Radzieckiej. Ciężko ranny pod Moskwą. Potem w naszym wojsku na froncie jako zastępca do spraw politycznych dowódcy 4 dywizji im. Jana Kilińskiego. Szanowany jako dzielny żołnierz i lubiany za ojcowski styl. Taki „swój chłop". Po wojnie był m.in. zastępcą dowódcy Marynarki Wojennej. Później szefem GZP i wiceministrem obrony narodowej. Kogo jak kogo, ale Urbanowicza o kapitulanctwo posądzić nie było można. Dlatego, gdy przemówił w obronie kierownictwa, miny radykałów zrzedły.

Poważne, celne było wystąpienie Barcikowskiego. Rakowski zdecydowanie bronił linii porozumienia i odnowy. Część sali tupała — nie był jej ulubieńcem. Dramatyczny głos Urbanowicza: „Ludzie, co wy robicie?..." znaczył jednak najwięcej. To było uderzenie przede wszystkim psychologiczne. Przełamało jakąś barierę. Od tego momentu sytuacja na plenum zaczęła rozwijać się na naszą korzyść. Nie było to jednak zwycięstwo totalne. Co więcej, podział zarysował się jeszcze wyraźniej.

Nie ulega wątpliwości, że plenum miało swoje impulsy zewnętrzne oraz swoich autorów wewnętrznych. Sądzę, że zakładano jak gdyby dwa programy. Program maksimum — to głębokie zmiany w kierownictwie partii i rządu — w konsekwencji zwrot wedle oczekiwań wyłożonych w liście KPZR. A program minimum — to wymuszenie na kierownictwie partii, w szczególności na Kani i na mnie, usztywnienia kursu. Gdyby w tym czasie „Solidarność" pofolgowała, wyciągnęła rękę — być może nasze pole manewru stałoby się szersze. Czy była wówczas szansa utworzenia jakiegoś patriotycznego frontu rozsądku i odpowiedzialności? Chyba niewielka. To przecież nie rok 1956. Ale jednak była. Niestety, nie wykorzystana. W rezultacie samonapędzające się procesy nieufności oddalały nas stale i antagonizowały.

Jerzy Holzer w książce o „Solidarności" słusznie ocenia, że „wola Moskwy" nie mogła zostać całkowicie zignorowana. Chyba też z tą intencją wypowiedział się Kościół. 9 czerwca 1981 roku biskupi wystąpili z listem do KKP „Solidarność", m.in. apelując o umiar w zgłaszaniu postulatów, o wystrzeganie się antyradzieckości.

Podobne stanowisko zajął wówczas przewodniczący Stowarzyszenia „PAX" — Ryszard Reiff. W liście, który od niego otrzymałem, pisał: „Walka z antyradzieckością jest obroną niepodległości. Trzeba temu dawać świadectwo. Zewsząd słyszy się, że XI plenum i jego wynik jeszcze raz ocaliło kraj. Wszyscy uważają, że jeśliby doszło do przesunięć personalnych na szczycie, to bardzo szybko nastąpiłoby podjęcie przez nowe władze próby sił, a więc ostrej konfrontacji, co definitywnie zamknęłoby nie tylko okres szukania rozwiązań politycznych, ale również uniemożliwiło obronę przed umiędzynarodowieniem rozwiązywania kryzysu polskiego".

Trzeba zgodzić się z tą oceną. Jednocześnie podkreślić z satysfakcją, iż linia partii została utrzymana. Dostatecznie mocne okazały się tendencje i siły wspierające kurs odnowy. To właśnie dzięki nim kampania zjazdowa nie została zakłócona i doprowadzona do pomyślnego końca.

Na wiosnę, a zwłaszcza w okresie przed IX Zjazdem, również w wojsku toczyła się żywa i w sumie konstruktywna dyskusja partyjna. W toku kampanii sprawozdawczo-wyborczej zmieniono wszystkich I sekretarzy komitetów partyjnych okręgów wojskowych i rodzajów sił zbrojnych oraz około 80% sekretarzy komitetów partyjnych w związkach taktycznych. Instancje, sekretarze partii stali się poniekąd ofiarami ogólnie krytycznej atmosfery owego czasu. Dla znacznej części zwykłych członków partii byli oni uosobieniem słabości, piętnowanych w drugiej połowie 1980 roku i w okresie przedzjazdowym. W stosunku do niektórych było to nawet krzywdzące. Ale w sumie wyszło wojsku na korzyść. Na ich miejsce przyszli nowi, bardziej odpowiadający środowiskowym oczekiwaniom.

Na konferencji przedzjazdowej w Warszawskim Okręgu Wojskowym, w której brałem udział, dyskusja była gorąca. W tajnym głosowaniu uzyskałem jednak prawie wszystkie głosy — 238 na 241 ważnych. Drugi w kolejności — dowódca okręgu gen. Oliwa, cieszący się szacunkiem i popularnością — 164. Pozostali jeszcze mniej. Był to więc dowód zaufania. Mogłem kierować wojskiem nie tylko opierając się na kryteriach formalnych, wynikających z pozycji służbowej, ale i ze społecznej aprobaty. Przecież kolektyw partyjny wówczas w znacznej mierze ją wyrażał. W tej formie wojskowi różnych szczebli, różnych stopni mogli ustosunkowywać się do swoich przełożonych. Abstrahuję w tym miejscu od oceny tego, czy w ogóle było słuszne czy niesłuszne, że partia działała w wojsku. Inny był to czas oraz inny system. Dziś demokracja parlamentarna pozwala na najlepsze rozwiązanie — apolityczność wojska. Oczywiście, jeśli jest autentyczna.

Rozdział 18

Dlaczego odchodzili?

Byłbym nieuczciwy wobec siebie, gdybym nie zanotował tu pewnej refleksji o członkach partii, do której należałem przez prawie całe dorosłe życie i na której czele stałem przez kilka lat.

Wiele razy oglądałem reportaże filmowe czy telewizyjne z dorocznych pielgrzymek górniczych do Piekar Śląskich. Duże wrażenie sprawiał widok górników kroczących w procesji. Ci z pierwszego szeregu, ubrani w tradycyjne mundury, zawsze mieli na piersi odznaczenia państwowe, w tym order Sztandaru Pracy, bo w tej grupie zawodowej był on przyznawany najczęściej. Sądzę, że znaczna część uczestników tych pielgrzymek była członkami PZPR. Nie dostrzegali sprzeczności między swą wiarą i członkostwem w partii. Przecież żaden z nich nie mógł liczyć, że w nagrodę za tę przynależność dostanie lżejszy przodek lub lepsze gumiaki.

Kiedy słyszę dziś z trybuny sejmowej o „płatnych zdrajcach, pachołkach Rosji", nie ma we mnie gniewu, choć byłby usprawiedliwiony. Jest raczej żal i wstyd, że jeden Polak może tak łatwo znieważyć innych rodaków. Przecież i tych górników, którzy przed świętym obrazem w Piekarach Śląskich nie wstydzili się ani swych legitymacji partyjnych, ani przyznanych przez władzę ludową wysokich, a jakże zasłużonych odznaczeń.

Przy tej okazji — jedna uwaga. Otóż na początku 1977 roku do kilku członków ówczesnego kierownictwa państwa trafił 35-stronicowy dokument, zatytułowany „Memoriał" — z datą 21 grudnia 1976 roku, a więc już po wydarzeniach w Radomiu i Ursusie — firmowany przez Leszka Moczulskiego. Wydał mi się poważny, interesujący. Krytycznie oceniał system sprawowania władzy, przedstawiał opozycyjne, ale konstruktywne propozycje. Moczulskiemu chodziło m. in. o to, aby procesy polaryzacji „nie zostały zdominowane przez zjawiska żywiołowe", aby „zmiany między biegunem władzy a społeczeństwem" dokonywały się w procesie ewolucyjnym. Najważniejsze jednak, że Moczulski stał trzeźwo i mocno na gruncie realiów. Niech zaświadczą o tym następujące fragmenty: „Ewolucyjny proces przemian sterowany i prowadzony być musi przez wyłącznie polskie ośrodki opozycji, przy czym — o ile możliwe, a nawet konieczne i pożądane są uzgodnienia dokonane wewnątrz obozu, zwłaszcza z ZSRR, o tyle wykluczyć należy jakikolwiek wpływ niepolskich ośrodków spoza obozu... Zwykły obiektywizm wymaga, aby stwierdzić, że w minionych dziesięcioleciach nastąpił olbrzymi postęp we wszystkich dziedzinach, przy czym najbardziej pozytywne, dynamiczne procesy gospodarcze w pierwszej połowie lat 70.

Na miejsce starego, podzielonego na klasy i warstwy narodu pojawiło się nowe, w zasadzie jednolite zespolone społeczeństwo...

...W Polsce nie ma w istocie antysocjalistycznej opozycji — a to dlatego, że nie ma bazy społecznej dla takiej opozycji. Zdarzają się wprawdzie jednostki, które mogą marzyć o zastąpieniu socjalizmu kapitalizmem, lecz są to ludzie tak bardzo oderwani od rzeczywistości, że niezdolni do jakiegokolwiek działania... Otóż wszyscy praktycznie zgodni są co do tego, że restytucja kapitalizmu w Polsce jest możliwa w takim samym stopniu, jak powszechne zastąpienie światła elektrycznego łuczywem. To nie jest propagandowy slogan, że społeczeństwo polskie jest socjalistyczne.

Nie ma zresztą materialnych i organizacyjnych możliwości przywrócenia kapitalizmu. Komu bowiem trzeba by na własność oddać fabryki i kto by się na takie oddanie zgodził? Dodajmy jeszcze, że społeczeństwo polskie jest bardzo egalitarne i patrzy z wyraźną niechęcią na grupy wyróżniające się wyższymi dochodami; wszelkiego rodzaju badylarze i wytwórcy galanterii skórzanej w odczuciu społecznym są moralnie podejrzani. A cóż dopiero prawdziwi kapitaliści? W tej sytuacji nie ma materialnych, społecznych i psychospołecznych możliwości tworzenia się jakiejkolwiek opozycji antysocjalistycznej".

Przytaczając powyższe nie krytykuję Moczulskiego za zmianę ocen i poglądów. Każdy ma do tego prawo. Natomiast mam za złe brak umiaru w ich reprezentowaniu.

Przez szeregi PPR i PZPR przewinęło się około 5 milionów Polaków. Przeważającą ich część stanowili zwykli ludzie pracy, którym legitymacja partyjna nie dawała żadnych przywilejów, a na odwrót — często nakładała dodatkowe obowiązki. Garnęli się do partii z potrzeby uczestniczenia, z motywacji, które można określić jako społeczne, patriotyczne.

Jakąż karierę mogli zrobić górnicy i prządki, kolejarze i drukarze, wytapiacze stali i posiadacze kilku hektarów piaszczystej ziemi? A także młodzi inżynierowie, źle opłacani lekarze i nauczyciele?

Z drugiej strony spójrzmy, ilu było w partii wybitnych ludzi nauki i kultury, dziennikarstwa i sportu. To oni przynosili partii więcej korzyści i splendoru niż ona im. Wielu z nich po drodze odeszło. Zostawiło jednak na niej również swój ślad. Ale wielu było z nią do końca. Także wtedy, gdy słabła, gdy traciła wpływy, gdy tak dotkliwie przegrała wybory. Pozostali więc nie dla kariery. Tonący okręt to nie jest dla niej najlepsze miejsce.

A inni? Sekretarze, wyżsi i niżsi urzędnicy, dyrektorzy z tzw. nomenklatury? Dziś nawet z wysokich trybun traktuje się ich hurtem jak „pomiot diabelski". A to przecież bardzo różni ludzie. Byli, oczywiście, biurokraci i głupcy, karierowicze i aroganci, zdarzały się kanalie.

Za jeden z najcięższych błędów uznaję mało wnikliwą i nie dość rygorystyczną politykę kadrową. Ale mimo to na pewno znacznie więcej było ludzi uczciwych, mądrych, efektywnych. Bez nich nie byłby możliwy — przebiegający z trudem i zahamowaniami, ale wciąż naprzód — pionierski w skali ówczesnego obozu kurs reformatorski. Wreszcie, gdyby to były same miernoty, premiowane stanowiskami tylko za wierność — to skąd dziś tylu ludzi byłej PZPR daje przykład inwencji i sprawności? Ktoś powie — spółki nomenklaturowe. Uwili sobie zawczasu ciepłe gniazdka. Niewątpliwie są i tacy. Ale czy większość? Nie. Większość tzw. „byłych" to ludzie wysokich kwalifikacji i dobrej roboty. Żadne polityczne epitety i egzorcyzmy tej prawdy nie zmienią. Życie dokumentuje ją co dzień.

Odbiegłem od głównego wątku. W istocie bowiem naprawdę nie sposób zrozumieć dramatu 1981 roku, jeśli okres ten traktuje się w kategoriach szachowej rozgrywki między wąską grupą kierowniczą i całą resztą naszego narodu. Ten naród składał się przecież również z milionów Polaków — jeśli liczyć wraz z rodzinami, z wielu milionów — którzy, będąc zwolennikami czy sympatykami tego ustroju niezależnie od tego, do jakiej partii, stronnictwa czy organizacji należeli, czy w ogóle gdzieś należeli czy nie, mieli swe uzasadnione powody, aby lękać się wstrząsowego „końca świata". Ich świata, niedoskonałego, nawet chorego, ale w którego budowie uczciwie, w dobrej intencji, po obywatelsku uczestniczyli. Co więcej — częstokroć wnieśli cenny po dziś dzień, dobrze służący Polsce wkład.

Rodzi się pytanie: dlaczego partia, od 1956 roku odchodząca daleko od stalinizmu, pod wieloma względami pionierska i do tego szanowana w międzynarodowym ruchu robotniczym, zaczęła słabnąć, tracić społeczne zaufanie i wpływy? W warunkach funkcjonowania doktryny o kierowniczej roli musiało to przyjść. Niedostatek demokracji wcześniej czy później się mści. Nauczyliśmy się, że partia rządzi. Wypadło jednak z pamięci, że musi zabiegać skuteczniej o rzeczywistych partnerów, sojuszników, a przede wszystkim zwolenników. Nasz język, nasza oferta dla jednostki wyraźnie trąciły anachronizmem. Poza tym dało o sobie znać to, co określiłbym chętnie medycznym terminem „debilizacji" władzy, czyli jej stopniowego popadania w niepełnosprawność.

W sierpniu 1980 roku nie tylko działacze i aktywiści, ale wielu szeregowych członków partii zostało nagle pozbawionych instrumentów, które przez tak wiele lat uważali za niezawodne. Przecież było wiadomo, że jeśli w brygadzie, na wydziale produkcyjnym, w zakładzie pracy dzieje się coś złego, to pierwszą reakcją było zwrócenie się do takiego lub innego komitetu partyjnego. Aż tu nagle trzeba działać na własny rachunek, częstokroć znosić szykany i drwiny, bronić spraw, których obroną zajmowała się poprzednio centralnie kierowana propaganda.

Partia była jak magnes, który przyciąga do siebie opiłki o różnym kształcie i składzie, jeśli tylko dadzą się choć trochę namagnetyzować. Z jednej strony przyciągała więc ludzi najbardziej zawodowo i społecznie dynamicznych, aktywnych. Z drugiej zaś takie jednostki i grupy, które świadomie lub nieświadomie potrzebowały zbiorowego wsparcia, chociaż z usposobienia nie miały predyspozycji do nowatorskich działań.

Są w zasadzie dwa typy psychologiczne, dwie postawy, które objawiają się w chwili nagłego przeciążenia. Jedni reagują biernością, wycofaniem się. Drudzy — frustracją przekształcającą się w postawy skrajne, tylko na pozór agresywne, ponieważ w istocie kryje się za tym podświadoma samoobrona. To właśnie spośród tej drugiej kategorii rekrutowała się głównie wewnątrzpartyjna opozycja.

Dla znacznej części rzeczników tego nurtu rozstrzygające były przesłanki doktrynalne, literalna interpretacja marksizmu-leninizmu. Byli oni przedstawicielami pokolenia, które zyskało na awansie społecznym, najaktywniej uczestniczyło w odbudowie kraju, w jego rozwoju cywilizacyjnym. Byli nierzadko przekonani, że chce się im odebrać życiorys, pozycję życiową. Daleki jednak jestem od uproszczeń. Do „twardych" w łonie partii dołączali także ludzie, którzy nie mieli żadnych powodów, aby bronić dawnych porządków, lecz dlatego, że przez „Solidarność" zostali znieważeni, upokorzeni, zastraszeni. Podobnie po stronie skrajnych sił w „Solidarności" opowiadali się nierzadko ludzie, którzy doznali krzywdy bądź spotkali się z bezdusznością, arogancją aparatu partyjnego albo administracyjnego.

To, że wielu utalentowanych, samorodnych działaczy robotniczych znalazło się „po drugiej stronie" — uważam za jedną z największych słabości i porażek naszego systemu sprawowania władzy. Tacy ludzie jak Bujak, Frasyniuk, oczywiście — Wałęsa, niezależnie od swoich predyspozycji przywódczych byli zawsze ludźmi „ostrymi", hardymi. A już na pewno zbyt zadziornymi, jak na ówczesne „normy protokolarne". Wszyscy oni rozpoczynali działalność w socjalistycznych realiach. Nie sądzę, aby jakikolwiek światły robotnik mógł być z urodzenia przeciwnikiem idei socjalizmu. Większość z nich wyszła z biednych, robotniczych i chłopskich rodzin. W PRL uzyskali wykształcenie, awans społeczny i zawodowy. To raczej my z nich zrobiliśmy antykomunistów. Mówiąc „my" mam na myśli nie tylko określonych ludzi, a głównie treść i formy życia społecznego w Polsce.

Na naradach, spotkaniach, odprawach z sekretarzami partii, z wojewodami, często zadawałem pytanie: dlaczego ci ludzie nie są z nami? Nie byli, bo z reguły wyrastali ponad przeciętność. A za ostry język, odwagę, krytykę dostawali po głowie. Przerażająco silna była presja, że trzeba wszystkich „wyrównać". Dlatego ci ludzie poszli w inną stronę. Znaleźli inne oparcie, inną filozofię.

Rozmawiałem na ten temat — bodajże na początku 1990 roku — ze Zbigniewem Bujakiem. Powiedział mi: „Oburzało nas często postępowanie aparatu partyjnego, administracji, w fabryce, w gminie, w mieście. Byliśmy bezsilni. To rodziło bunt, protest, zmuszało do poszukiwania innych wartości".

Z podobnych powodów opuszczali również partię liczni reformatorsko myślący jej członkowie, w tym intelektualiści z kręgu klubu „Doświadczenie i Przyszłość". Traciliśmy wielu wartościowych, mądrych ludzi. Zabrakło ich, kiedy stali się najbardziej potrzebni — gdy sprawa reform stała się dla Polski kwestią „być albo nie być".

Mówi prof. Janusz Reykowski:

Uważa się, że świadomość potrzeby reform była powszechna. Raczej nie podzielam tego poglądu. To, co naprawdę w Polsce uległo zmianie, to aspiracje. Dostrzegam dwa główne procesy.

Pierwszy wiązał się z awansem edukacyjnym. W okresie 35 powojennych lat liczba wykształconych na poziomie średnim wzrosła w Polsce chyba przeszło dziesięciokrotnie, a na poziomie wyższym — ponad piętnastokrotnie. Znaczy to, że pojawiła się nowa liczna zbiorowość, której wyobrażenia sięgają dalej niż własny dom, własna wieś czy własna grupa sąsiedzka, której życie rozgrywa się — jeśli tak można powiedzieć — na szerszej scenie. W zbiorowości tej właściwa każdemu człowiekowi dążność do podmiotowości, do wywierania wpływu na otoczenie, do samostanowienia o swoim losie — obejmuje szerszy zakres spraw. Wchodzi w sferę polityczną i wyraża się w formie potrzeby politycznych wolności. Takim dążeniom sprzeciwia się autorytarny, monocentryczny porządek polityczny. Toteż budzi on sprzeciw i pragnienie zmian.

Drugi proces wiązał się z awansem materialnym mas. Przez dłuższy okres awans ten był głównym sposobem realizacji „ideologicznej obietnicy" utworzenia systemu mającego gwarantować sprawiedliwość społeczną. Można było sądzić, że cel ten jest realizowany, dopóki ludzie dostrzegali, że ich warunki bytu ulegają poprawie. Ale już w drugiej połowie lat 70. przestało to być prawdą. Narastało więc poczucie, że ustrój jest niesprawiedliwy i oszukańczy — że nie spełnia podstawowych obietnic. Równocześnie coraz więcej ludzi mogło się przekonać, że w innych krajach, gdzie panuje wolny rynek i demokracja, obywatele żyją dużo lepiej niż w Polsce.

Tak więc mamy tu do czynienia z dwoma wielkimi nurtami niezadowolenia z istniejącego porządku, przy czym dla różnych grup społecznych priorytety układały się różnie. Dla jednych ważniejszy (i podstawowy) był brak demokracji, a dla drugich — nierealizowanie ideałów społecznej sprawiedliwości. „Solidarność" połączyła oba te nurty bez świadomości tego, że dążenia obu rodzajów mogą — w pewnych warunkach — popaść w sprzeczność, a więc realizując wolność można udaremnić realizację zasad sprawiedliwości społecznej i *vice versa*. Ale w romantycznym okresie walki przeciw systemowi ta sprzeczność nikomu nie przychodziła do głowy. Co więcej, inteligenckim uczestnikom strajków sierpniowych udało się przekonać pozostałych, że kwestie „chleba" i „wolności" są nierozdzielne (co zapewne jest prawdą, ale tylko częściową).

To, z czym mieliśmy do czynienia, trudno jednak uznać za osiągnięcie wysokiego poziomu społecznej świadomości. Była to, co najwyżej, świadomość negatywna — zdawanie sobie sprawy z tego, że system nie zaspokaja aspiracji ludzi i że konieczne są gruntowne zmiany. Natomiast świadomość pozytywna — co i jak należy zmienić — była, moim zdaniem, znikoma.

Brak tej świadomości ujawnia się obecnie jak na dłoni. Słuchałem niedawno wystąpienia historyka z PAN, prof. Paczkowskiego. Zauważył on, że co najmniej dwukrotnie w tym stuleciu polska inteligencja, która była autorem społecznych przemian, została zaskoczona ich wynikiem. Rzeczywistość okazała się zupełnie inna, niż oczekiwano. To zaskoczenie jest świadectwem ograniczonego rozumienia natury społecznych i politycznych mechanizmów. Inteligencja skłonna jest ujmować świat społeczny w kategoriach wartości, a nie w kategoriach realnych sił i obiektywnych procesów.

O sytuacji inteligencji w gorących momentach historii ciekawie mówi Norwid: „Pisałem do dyktatora (Chłopickiego), co robi polska inteligencja". Odpowiedź: „Inteligencja polska jest na koniu". I Norwid mówi: „Jeśli jest na koniu, to nie na swoich nogach". Bywa to nadal aktualne.

Ten grzech przypisuje się najczęściej środowiskom twórczym. Powiem więc, że one też dorzuciły swoją cegiełkę na drodze do stanu wojennego. Wiem, że brzmi to prowokacyjnie. Żywiłem i żywię wielki sentyment do tego środowiska — do ludzi kultury i sztuki. Znam i szanuję jego wielkie zasługi w dziele krzewienia patriotycznych, humanistycznych i estetycznych wartości w życiu narodu. A jednak, tak właściwe temu środowisku emocje wybiegały nieraz przed rozsądek, przed poczucie odpowiedzialności. Jedna rzecz to zagrzewać, a inna podgrzewać, gdy i tak już gorąco.

Poza tym obowiązuje rzetelność, a z tym bywało różnie. Przypominam sobie spotkanie, jakie wspólnie z Rakowskim odbyliśmy w połowie 1981 roku z grupą czołowych przedstawicieli związków twórczych. W toku dyskusji jeden z nich — muzyk — oświadczył, iż obecna Polska to „pustynia kulturalna". Mam świadomość ułomności tamtej polityki kulturalnej, zwłaszcza różnych ograniczeń, zakazów, także kretynizmów. Wszystko to prawda. Ale prawdą jest też to, iż Polska w tym tak wyklinanym 45-leciu stała się potęgą kulturalną. Niedawno byłem na koncercie w Filharmonii Narodowej. Rozmawiałem o jej dorobku, o sukcesach w gronie kompetentnych osób. Ktoś wspomniał, że po wojnie orkiestra Filharmonii kilkadziesiąt razy koncertowała za granicą, a w okresie międzywojennym tylko jeden raz. Zapytałem, gdzie? Odpowiedź była zaskakująca, ale i znamienna — otóż ten jeden zagraniczny wyjazd odbył się... do Gdańska!

Podziwiam swadę, zaangażowanie pana Jerzego Waldorffa. Przez lata czytałem i słuchałem, jak strofował władze, że niedostatecznie dbają m. in. o rozwój „infrastruktury" muzycznej w kraju. Teraz też czytam jego jak zwykle interesujące felietony w „Polityce". Co się jednak okazuje? Po co w Polsce 20 orkiestr symfonicznych? Wystarczą 4. Tak — cztery.

Przez lata całe władza była pod naciskiem środowisk naukowych i twórczych: więcej, więcej, więcej... Dziś zewsząd druzgocąca krytyka gospodarki tzw. państwowej za życie ponad stan finansów. To też prawda. Ale niech się uderzą w pierś i ci, którzy wtedy żądali, a dziś — choć rzeczywiście grożą nam spustoszenia kulturalne — położyli uszy po sobie.

Rozdział 19

Życie na kredyt

W 1981 roku sąsiedzi sprawili nam kilka przykrych niespodzianek. Następstwa są długofalowe. Jak do tego doszło? Gdy emocje społeczne rosły, na ich tle rodziły się nie tylko groźne, ale i zwariowane pomysły. W ulotkach sygnowanych przez niektóre lokalne czy zakładowe ogniwa „Solidarności" wzywano do bojkotu budowy linii energetycznej wysokiego napięcia, która miała łączyć radziecką elektrownię chmielnicką na Ukrainie z Polską i dalej, przez Czechosłowację, z Austrią. Sugerowano „przecięcie ropociągu, zakręcenie zaworów w Płocku" oraz blokowanie torów dla radzieckich transportów do NRD, pod pretekstem rewanżu za jakoby nierównoprawną wymianę handlową z ZSRR. Kierownictwo „Solidarności" odcinało się od tych haseł, uznawało je za incydentalne wybryki bez znaczenia. Niemniej — „słowa wylatywały wróblem, a wracały wołem". Była to, być może, owa kropla przelewająca czarę, a może tylko pretekst, w każdym razie uznano, że obszar Polski stał się „sejsmiczny", niepewny. Nie można na nim budować perspektywicznych planów współpracy. Na skutki nie trzeba było długo czekać.

Wielki gazociąg z ZSRR do państw EWG — transakcja stulecia — ma szczególny przebieg. Na Ukrainie skręca prawie prostopadle na południe i zdąża przez Czechosłowację na Zachód. Do Polski prowadzi tylko wąska odnoga. Decyzje o zmianie przebiegu gazociągu zapadły właśnie wówczas. W ślad za tym poszły stosowne umowy inwestycyjne, nakłady finansowe. Odrzucono projekt uruchomienia linii promowej Kłajpeda—Świnoujście. Zapadła radziecko-enerdowska decyzja, że port promowy zbudowany zostanie w Mukran na Rugii, dosłownie od podstaw. Nie zostaliśmy dopuszczeni nawet do udziału w realizacji tego przedsięwzięcia. Straty są bardzo duże i będą rosnąć. Szacuje się, że już w pierwszym roku funkcjonowania tej linii straciliśmy prawie 100 mln dolarów. Dziś, gdy szlak Rugia — Kłajpeda obsługuje 8 promów, blisko 30% tranzytu z terenu dawnej NRD, głównie do krajów nadbałtyckich i Rosji, przechodzi nam koło nosa. Straty będą jeszcze większe, gdy promy zaczną docierać do Bałtijska lub Kaliningradu. Dalej — w 1981 roku tranzyt z Austrii, Czechosłowacji i Węgier do portu Szczecin-Świnoujście zmienił kierunek na Rostock i Hamburg. W późniejszych latach 80. tylko częściowo nasi południowi sąsiedzi i Skandynawowie byli skłonni do jego przywrócenia. Obecnie, w obliczu pełnej integracji gospodarki EWG oraz jej ekspansji na rynki wschodnie, straty wynikające z ograniczenia tranzytu przez Polskę ulegną zwielokrotnieniu. W tych sprawach przedawnienie nie obowiązuje. W 1981 roku nastąpiło również stawiające nas na krawędzi bankructwa spiętrzenie płatności. Przy dobrej woli wierzycieli można było poszukiwać jakiegoś rozwiązania. Ale serca bankierów są mało czułe na cudze pragnienia. Nie dziwię się więc, że zachodni biznesmeni byli w negocjacjach coraz twardsi. Wszak w 1981 roku mieliśmy do spłacenia ok. 3 mld USD odsetek i ok. 7 mld USD rat kapitałowych.

Oto paradoks. Zachód polityczny entuzjazmował się polskim eksperymentem. Zachód finansowy powstrzymywał się wobec ryzyka utraty czy zmniejszenia zysków. Dziś jest prawie tak samo, choć zaczyna już brakować i politycznego entuzjazmu. A u nas w 1981 roku panował taki stereotyp myślenia: Zachód nas chwali i popiera, Wschód gani, grozi, utrudnia życie. Rzeczywistość była bardziej złożona. Po sierpniu 1980 roku przemiany społeczno-polityczne w Polsce biegły po myśli Zachodu. Wydawać by się mogło, że otrzymamy znaczące wsparcie. Nic podobnego. Im głośniejszy był chór pięknoduchów, piejących z zachwytu nad urzeczywistnieniem polskich wolnościowych aspiracji, tym bardziej malały obroty handlowe, a stosunki finansowe były coraz trudniejsze.

Znów wracam do sprawy węgla. Mówiono kiedyś, że ropa rządzi światem. Polską rządził wtedy węgiel. Gdy załamywał się import zaopatrzeniowy z Zachodu, węgiel pozostawał głównym i ostatnim atutem eksportowym. Niestety, nie mogliśmy go użyć. Trzeba było ratować rynek wewnętrzny, tracąc okresowo kolejne rynki zbytu, zwłaszcza Skandynawię. Historia wracała do punktu wyjścia. Nasz węgiel miał tam stały zbyt od połowy lat 20. Weszliśmy do tych krajów w trakcie strajku węglowego w Wielkiej Brytanii w 1926 roku. Za węgiel Polska kupiła w Szwecji m.in. działa do baterii helskiej, która tak piękną kartę zapisała we wrześniu 1939 roku... Stamtąd wzięliśmy też licencję na słynne działka przeciwlotnicze Boforsa.

A skutki długotrwałej blokady w porcie gdyńskim eksportu mięsa do Wielkiej Brytanii... Tradycyjnie, od lat, lokowaliśmy tam pewną ilość bekonu. Jak trudno uzyskać koncesję na eksport żywności do krajów EWG — widać wyraźnie dziś, w miarę naszych kolejnych kroków do Europy. A przecież za uzyskane tą drogą środki importowaliśmy inne, tańsze, nie przetworzone gatunki mięsa. Oczywiście, w znacznie większych ilościach, aby pokryć przydziały kartkowe. Efekt blokady to niedotrzymanie terminów, a w konsekwencji przynajmniej czasowa utrata rynku.

RWPG — też nie zamierzała uprawiać filantropii. W dniach 2-4 lipca 1981 roku uczestniczyłem jako premier w sesji obradującej w Sofii. Wciąż mnie pytano, kiedy Polska wywiąże się ze zobowiązań eksportowych i kooperacyjnych, czy w swoich bilansach mogą jeszcze liczyć na te dostawy. Ta sytuacja była dla mnie wręcz upokarzająca. Jednakże, o ile kraje RWPG zdecydowanie niechętnie i krytycznie odnosiły się do naszych rozwiązań politycznych, o tyle stosunki gospodarcze przez długi czas były sferą chronioną. W naszym społeczeństwie ukształtował się stereotyp, że na handlu z ZSRR tracimy, że jesteśmy oszukiwani, wręcz wyzyskiwani. W 1981 był to jeden z opozycyjnych szlagierów propagandowych. Nie twierdzę, że wszystko i zawsze układało się w tej wymianie pomyślnie. Głównie to błędy systemowe. Rubel transferowy był chory, a system rozliczeń ułomny. Nikt więc nie mógł być usatysfakcjonowany do końca. My kupowaliśmy ropę i gaz znacznie poniżej cen światowych. Uważaliśmy jednocześnie, że np. za statki i wyroby przemysłu lekkiego powinniśmy uzyskiwać wyższe ceny. Jak było naprawdę? Która gospodarka traciła, a która zyskiwała, dowiedzieliśmy się już po przejściu na ceny światowe i rozliczenia w dolarach.

Przed kilku laty były ambasador w ZSRR, Jan Ptasiński, opowiedział mi o bardzo interesującym zdarzeniu. Otóż u schyłku lat 60. Instytut Koniunktur i Cen sporządził ekspertyzę dotyczącą handlu ze Związkiem Radzieckim. Wynikało z niej, że bardziej korzystny dla Polski byłby model wymiany podobny do tego, na który przeszliśmy właśnie w latach 1990-1991. Gomułka przedstawił go Breżniewowi i Kosyginowi. Przyjęli to nieufnie. Obawiali się precedensu, który mógłby pociągnąć za sobą zasadnicze przemiany w całym systemie rozliczeń RWPG. Jednakże wyrazili zgodę na nalegania Gomułki. Radziecki minister handlu Iwan Patoliczew otrzymał zadanie opracowania wstępnych kalkulacji i wniosków. W toku tych prac polska ambasada utrzymywała z nim bezpośredni kontakt. W pewnym momencie okazało się, że przyjęcie polskich propozycji byłoby dla nas bardzo niekorzystne. Ptasiński pojechał do Warszawy, poinformował o tym Gomułkę. Nie muszę mówić, z jakim zdenerwowaniem zostało to przyjęte. Gomułka dbał o polskie interesy. Polecił więc Ptasińskiemu, ażeby w Moskwie sprawę „odkręcić". Trzeba było długo przekonywać Patoliczewa, odwołując się do jego internacjonalistycznych uczuć, aby strona radziecka zrezygnowała z tego rozwiązania.

Oczywiście, to wszystko nie znaczy, że jest powód do wyłącznego chwalenia stosunków gospodarczych ze Wschodem. Ciążył przecież nad nimi grzech pierworodny — doktrynalnie narzucona orientacja prymatu przemysłu ciężkiego oraz inne ograniczenia i anachronizmy. Ale to historia. Natomiast w 1980 i 1981 roku kraje RWPG, nie bez wyraźnej, stanowczej zachęty ze strony ZSRR, wywiązywały się w zasadzie ze swoich zobowiązań wobec Polski. Natomiast nasze wysiłki, aby przywrócić normalny rytm dostaw do tych krajów, nie przyniosły efektów. Już w maju 1981 roku ZSRR zaczął nalegać, aby wzajemne dostawy były zbilansowane i zrównoważone. A nie były to małe wielkości. W ciągu 4 miesięcy 1981 roku zamiast 5,5 mln ton węgla dostarczyliśmy tylko 620 tys. ton. Z kolei spadek naszego eksportu do NRD spowodował silne perturbacje w jej gospodarce, konieczność interwencyjnych zakupów w krajach kapitalistycznych. W rezultacie ostrzegano nas, iż nastąpi spadek dostaw z NRD. Nieco później — 5 października — ambasador NRD w Polsce Neubauer przyniósł mi dramatycznie sformułowany list od premiera Willy Stopha. Stwierdzał załamanie się naszych dostaw, zwłaszcza węgla. W świetle udzielonych nam wcześniej przez NRD kredytów było to szczególnie przykre upomnienie. Był wreszcie jeszcze jeden aspekt naszych stosunków gospodarczych z krajami socjalistycznymi. Dostawy handlowe czy kooperacyjne z Polski miały przecież trafiać nie do gmachów rządowych, lecz do fabryk lub na rynek. Rzutowało to więc na opinie załóg, na nastroje społeczeństwa.

Wielu Polakom wydawało się, że zapatrzeni są w nas wszyscy jak w „jutrzenkę swobody". Tymczasem przeciętny Czech, Węgier, obywatel NRD, nie mówiąc już o Rosjanach, przestawał rozumieć, o co właściwie chodzi. Mógł pojąć, że mamy trudności, że oczekujemy pomocy. Ale zrozumienie kończyło się wtedy, kiedy zaczynały się perturbacje związane z brakiem dostaw z Polski. Jednocześnie słyszał, czytał, a często nawet oglądał festiwal strajkowy w naszym kraju. Narastała więc irytacja, publicystyczne napaści. W rezultacie nasze mentorstwo, pouczanie sąsiadów, jak mają urządzać swe stosunki wewnętrzne, w sytuacji, gdy w pewnym stopniu żyliśmy na ich koszt, wychodziło nam bokiem.

Polska szła w awangardzie demokratycznych przemian. Ale, niestety, kształtował się też stereotyp naszej niefrasobliwości, nierzetelności, bałaganiarstwa. W krytykowaniu Polski największy umiar wykazywał Kadar, Węgry. Od standardu odbiegało też nieco stanowisko Rumunii. Ceausescu musiał przeżywać rozdwojenie jaźni. Z jednej strony to, co działo się w Polsce, było dlań wyjątkowo niemiłe. Z drugiej jednak przeważała chęć, aby znów „zagrać na nosie" Moskwie. Dlatego też, gdy przez prasę naszych sąsiadów przeszła fala krytyki pod adresem polskich środowisk twórczych, Ceausescu zareagował niezwłocznie. Przysłał do Polski delegację Związku Pisarzy Rumuńskich w celu podpisania nowej umowy o współpracy ze Związkiem Literatów Polskich. Jan Józef Szczepański w książce „Kadencja" wspomina ten fakt niemal z rozrzewnieniem.

W tym miejscu uwaga ogólniejszej natury. Panował pogląd, że chociaż Ceausescu stawał okoniem w różnych sprawach, to Rumunii nie zagroziła interwencja. Sprawa jest prosta. Położenie tego kraju nie stwarzało większego problemu geostrategicznego. Można powiedzieć wprost — bez Rumunii Układ Warszawski mógłby istnieć. Bez Polski — nie. Nie było również owego zasadniczego pretekstu. Mianowicie, rozkładowych procesów wewnętrznych. Opozycja całkowicie stłumiona. Partia twardo sprawuje władzę. Słowem, był porządek. No i budowa socjalizmu. A różnego rodzaju kogucie posunięcia Ceausescu? No cóż, wprawdzie drażniły, denerwowały, nigdy jednak nie stworzyły sytuacji uzasadniającej jakąś poważniejszą ingerencję, a zwłaszcza interwencję.

Po wprowadzeniu stanu wojennego Zachód potraktował nas bardzo ostro. Ale tolerował skrajne ograniczenie swobód obywatelskich, bezwzględny dyktatorski reżim, a więc swego rodzaju stan wojenny trwający w Rumunii przez wiele, wiele lat. Co więcej — obsypywano „Kondukatora" komplementami. Otrzymał także tytuł szlachecki Imperium Brytyjskiego oraz wiele innych zaszczytów, honorów, orderów. Pamiętam — był to rok 1990 — przyjazd do Warszawy Henry Kissingera. Odwiedził mnie w Belwederze. Mówiliśmy, między innymi, o stosunku Zachodu do Polski. Wtedy powiedziałem: „Niech pan sobie przypomni, jak przed laty, na bukaresztеńskiej ulicy pan i prezydent Nixon tańczyliście wspólnie z Ceausescu rumuński taniec ludowy". Chyba już wtedy wiadomo było, kim jest Ceausescu, jaki jest jego reżim. A więc premiowano w ten sposób jego przekomarzanie się z Moskwą.

Wobec Polski zastosowano inną taryfę. Mówię o tym nie z pozycji urażonej cnoty. Polityka ma swe prawa — chodzi o to, aby mówić o tym otwarcie, bez udawania.

4 i 5 lipca przebywał w Polsce radziecki minister spraw zagranicznych, Andriej Gromyko. Komunikat prasowy informował o spotkaniu ze Stanisławem Kanią i Wojciechem Jaruzelskim. Podczas spotkania „dokonano głębokiej wymiany poglądów, dotyczących różnych dziedzin, stanowiących przedmiot zainteresowania obu stron" i jeszcze kilka ogólników. Enigmatycznie, a więc podejrzanie.

Gromyko to wielce doświadczony polityk, z bardzo mocną wówczas pozycją w kierownictwie radzieckim. Był jednym z architektów i realizatorów powojennej polityki zagranicznej Związku Radzieckiego, osobistością znaną dobrze partnerom zachodnim. Jako polityka twardego, nieustępliwego nazwano go w kręgach dyplomatycznych „mister nyet". Twarz miał „kamienną", lekkie skrzywienie ust. Ale umiał uważnie wysłuchać. Gdy się „rozkręcił", był nawet sympatyczny.

Rozmowy trwały łącznie 11 godzin. Z naszej strony przez cały czas uczestniczył Kania i w znacznej części również ja. Gromyko z upoważnienia Breżniewa miał przekazać oceny i sugestie kierownictwa radzieckiego kierownictwu PRL. Było to w dwa i pół miesiąca po wizycie Susłowa, który zawiózł do Moskwy własne nadzieje na „powstrzymanie kontrrewolucji". Było to też na kilka dni przed IX Zjazdem. Gromyko miał więc niewątpliwie zadanie, aby nas odpowiednio „podbudować".

Główne wątki jego wypowiedzi: w Polsce doszło do kontrrewolucyjnego zagrożenia. Nici prowadzą na Zachód. Trzeba dać temu odpór. Uczynić to może tylko partia marksistowsko-leninowska. Jej działanie nie powinno ograniczać się do słów i deklaracji. „Solidarność" stała się partią polityczną. Jej głównym celem jest przechwycenie władzy. Widać to nie tyle z zygzakowatych oświadczeń, zwłaszcza Wałęsy, co z konkretnych działań. Władze polskie nie dają należnego odporu. KOR — to mózg. Przez niego imperializm kieruje rozwojem sytuacji w waszym kraju. Przywódcy KPN są wciąż na wolności. Żadne państwo nie może sobie pozwolić, aby organizacja, która chce obalić władzę, działała swobodnie i bezkarnie.

Sytuacja wewnętrzna w Polsce nadal komplikuje się, mnożą się polityczne żądania. Władza idzie na ustępstwa, ażeby zażegnać strajki. Trzeba nie bać się i „przejść przez pas zaostrzonej sytuacji", doprowadzić do przełomu. Każda rewolucja musi się bronić. We Francji były gilotyny. Rosja rewolucyjna też potrafiła się obronić. W Polsce potrzebny jest skuteczny plan takich działań. Są możliwości, aby uderzyć w serce kontrrewolucji.

Obraz w sumie ciemny, niebezpieczeństwa dzisiaj są większe niż wczoraj. Trzeba działać zdecydowanie i skutecznie. Władza musi być władzą. Partia musi być marksistowsko-leninowska. Byłoby katastrofą przekształcenie jej w partię socjaldemokratyczną. Konieczna jest jedność, zwartość kierownictwa. Trzeba się wznieść ponad osobiste urazy. (W tym miejscu Gromyko, w kontekście listu KC KPZR do KC PZPR, usprawiedliwiał i bronił tych, którzy na XI plenum występowali krytycznie wobec kierownictwa PZPR.) „Ich wypowiedzi — mówił — były może zbyt emocjonalne, ale są to ludzie głęboko ideowi, nie powinno się ich skrzywdzić, a należy okazać wielkoduszność, nie sięgać do zemsty!" Nie wiem, po co to mówił; nikt nie miał takiego zamiaru.

W Polsce podważa się przeszłość, a także kierowniczą rolę PZPR. Struktury poziome ją rozbijają. Nie może być tak, aby terenowe organizacje nie podporządkowały się wyższym instancjom.

„Solidarność" wiejska — to jeszcze nie w pełni uformowana kułacka partia. Jej zalegalizowanie było błędem. Zagrożone jest utrzymanie sektora socjalistycznego na wsi. Wcześniej czy później polityka polska wobec rolnictwa zemści się. Chłopi nie zechcą sprzedawać płodów rolnych, będą dyktować warunki. Tylko rolnictwo uspołecznione daje gwarancje przeżycia. Gdyby nie kołchozy, Związek Radziecki nie przetrwałby wojny.

W środkach masowego przekazu nie nastąpiły pozytywne zmiany. Ideologia socjalistyczna jest atakowana. Pojawiają się teoryjki, że jest ona w Polsce nieprzydatna. Mówiono o tym m.in. na Uniwersytecie Warszawskim. Powoływano się na Keynesa, Milla, Ricarda. Dlaczego rozwiązania, które odpowiadają Czechom, Ukraińcom, Gruzinom oraz innym, nie są akceptowane przez Polaków?

Wszystkie kraje socjalistyczne z głębokim niepokojem oceniają sytuację w Polsce. To, co się u was dzieje, godzi we wspólne interesy. Z ogromnym rozżaleniem mówił też o profanacji grobów i pomników poświęconym żołnierzom radzieckim.

Podkreślił, że na przyszłość współpraca w sferze gospodarczej będzie uzależniona od tego, jaka będzie Polska. Jeżeli będzie kierowana przez marksistowsko-leninowską partię — może liczyć na pomoc. Jeśli IX Zjazd wyłoni przypadkowe kierownictwo, jeśli zachwieją się pryncypia — to wówczas stosunki, w tym gospodarcze, radykalnie się zmienią — co będzie z Polską?

Ludzie radzieccy chcą mieć w Polakach przyjaciół. Socjalizm to jedyny ustrój, który jest w stanie zabezpieczyć rzeczywistą niepodległość oraz granice Polski. Są granice systemowego zabezpieczenia umów, układów. To — Układ Warszawski i układ dwustronny.

Powie ktoś: przecież to był jawny szantaż. To słowo nie ma sensu, jeśli zostanie oderwane od historycznego kontekstu. Na takie stawianie sprawy mieliśmy zresztą sprawdzoną receptę. Już mówiłem wcześniej, że we wszystkich rozmowach z sojusznikami Stanisław Kania i ja byliśmy konsekwentni. Staraliśmy się zawsze uzyskać zrozumienie dla naszych specyficznych uwarunkowań historycznych i współczesnych, wewnętrznych i zewnętrznych, ekonomicznych, politycznych, psychologicznych. Tym razem też argumentowaliśmy: sytuacja jest niezwykle skomplikowana. W masowej skali występuje społeczne niezadowolenie. „Solidarność" jest w natarciu. Ale żaden wróg nie potrafi zrobić tylu szkód, co własne błędy, a te nawarstwiały się w ciągu minionych dziesięcioleci.

Nasza sytuacja gospodarcza jest katastrofalna. Spada dochód narodowy. Rynek jest spustoszony. Ta sytuacja bije we władzę, w partię, jest wykorzystywana przeciwko niej. Sojusz i współpraca ze Związkiem Radzieckim ma dla Polski kluczowe znaczenie. ZSRR jest naszych głównym partnerem gospodarczym. W tej dziedzinie liczymy na dalszą pomoc. Kryzys polski uzyskał wymiar międzynarodowy. Jesteśmy świadomi wynikającej stąd odpowiedzialności.

Polska to nie Ameryka Południowa. Odbudowa zaufania do partii jest kluczową sprawą. Przygotowania do IX Zjazdu przebiegają dobrze. Sytuacja w partii poprawiła się. Ale w jej szeregach są również tacy, którzy prowadzą własną politykę, podważającą autorytet centralnych organów. Do tego celu wykorzystali list KC KPZR. Odebraliśmy go z całą powagą. Rozumiemy jego intencje. Dało temu wyraz XI plenum. Doszło na nim do ostrej krytyki kierownictwa, do próby jego zmiany. Była to zaplanowana i zorganizowana operacja. Ci, którzy ją inspirowali i realizowali, wyrządzili partii szkodę. Ale żadnej zemsty nie będzie. Niestety, miały miejsce i inne niezdrowe zjawiska. Niektórzy wojskowi radzieccy ze sztabu Zjednoczonych Sił Zbrojnych Układu Warszawskiego usiłowali niedawno ingerować w nasze wewnętrzne sprawy. W tym *de facto* sugerowano naszym generałom i oficerom nielojalność wobec ministra obrony narodowej — premiera. Jest to niedopuszczalne.

Gromyko odciął się od tego, mówiąc, że była to samowola nieodpowiedzialnych oficerów.

Powagi sytuacji nie mierzymy tym, czy są, czy nie ma konfliktów. Miarą jest możliwość egzekwowania własnych decyzji. Głównym więc zadaniem jest przywrócenie i zapewnienie normalnego funkcjonowania państwa i gospodarki. Przeciwdziałamy różnym antypaństwowym ekscesom. „Solidarność" to w większości ruch młodych. Jest więc podatny na ekstremalne hasła. Konieczne jest zrozumienie polskiej specyfiki problemów, z jakimi się borykamy. W szczególności trzeba uszanować uwrażliwienie Polaków na sprawę niepodległości oraz na rolę Kościoła. Liczymy, że nasza polityka znajdzie społeczne zrozumienie. Rozwiążemy wewnętrzne problemy własnymi siłami.

Mimo tych argumentów odczuwaliśmy, że w politycznych kleszczach ze Wschodu i gospodarczych z Zachodu życie w Polsce toczy się na coraz wyższy kredyt, którego ceną są nie tylko dolary i ruble. Cena mogła być najwyższa.

W sumie — rozmowa z Gromyką była bardzo ważna. Odnieśliśmy wrażenie, że chociaż nieco lepiej zrozumiał nasze realia, a zwłaszcza kierunek przygotowań IX Zjazdu, to nie wyzbył się wątpliwości, zastrzeżeń i obaw. Poprzeczka oczekiwań utrzymywała się wysoko. My zaś byliśmy wciąż nie dość wiarygodni i coraz słabsi.

Rozdział 20

Mur nieufności

W emigracyjnym piśmie „Aneks'' ukazał się w styczniu 1983 roku interesujący wywiad z anonimowym rozmówcą. Znamienny tytuł: „Wojny mogło nie być''. Wciąż na to liczyłem. Dawałem temu wyraz aż do 12 grudnia 1981 roku. W jednym z moich pierwszych przemówień w Sejmie, 10 kwietnia 1981, a więc wkrótce po wydarzeniach w Bydgoszczy, powiedziałem: „Państwo nasze, cały nasz naród znalazły się znów nad krawędzią. Ile razy można stawać na krawędzi? Jaka jest pewność, że kiedyś nie runie się w przepaść?'' I dalej: „Przeżyliśmy wszyscy niedawno dramatyczny konflikt, głęboki wstrząs. Zaostrzył on stosunki, ale jednocześnie dał może nową, wielką, niepowtarzalną szansę. Z tej wysokiej trybuny rząd zwraca się z apelem — spróbujmy z tej szansy skorzystać, zacząć od nowa tworzenie zrozumienia, zbliżenia i współpracy''. Wreszcie: „Wiemy, że istnieje wciąż nieufność do władzy. Ale i władza ma powody do nieufności. Trzeba więc obalić ten przeklęty mur. Na pierwszym planie mieć zawsze to, co łączy. Jesteśmy gotowi do rozmów, do rzeczowych negocjacji, do operatywnego wyjaśniania i rozładowywania kontrowersyjnych spraw''.

Mówiłem to z głębokim przekonaniem, bardzo szczerze. Można znaleźć wiele podobnych deklaracji w moich ówczesnych przemówieniach, oświadczeniach, rozmowach. Nie na wiele się zdały. Wzajemna podejrzliwość — to był „tenor'' tamtych czasów. W każdym słowie czy posunięciu władzy doszukiwano się jakichś diabolicznych intencji. Choć prawdą jest, że i my w każdym działaniu czy oświadczeniu „Solidarności'' też podejrzewaliśmy podstęp, zagrożenie, niebezpieczeństwo. W konsekwencji staliśmy się wszyscy niewolnikami syndromu podejrzliwości. A to taki straszliwy robak, który wżera się i w umysł, i w serce.

Przypisywano ówczesnej władzy — zresztą po dzień dzisiejszy ta opinia krąży — że wyczekiwała na pretekst, na okazję, aby podjąć środki nadzwyczajne. To bzdura. Byłem przekonany, że dopóki tlą się jakiekolwiek iskierki nadziei i szansy, nie można rezygnować. Kania, ja, znaczna część naszych kierowniczych kadr, naprawdę obawialiśmy się rozwiązań skrajnych. Przecież doświadczenia z lat 1956 i 1970 były bolesnym memento. Siłowe rozwiązanie — to dramat dla społeczeństwa, dla władzy, dla państwa. Kto chce brać na swoje barki taki ciężar, taką odpowiedzialność? Zwykły odruch samoobrony ostrzega przed takim posunięciem. Opieraliśmy się więc naciskom kierującym nas w tę stronę. Dlatego legenda o „pretekście" jest po prostu naiwna, zarówno z punktu widzenia politycznego, jak i psychologicznego.

Ale i my nie zawsze potrafiliśmy właściwie odczytać umiarkowane stwierdzenia, odwołujące się do prawd bezspornych. Oto artykuł Adama Michnika „Czas nadziei", opublikowany we wrześniowym numerze (1980 r.) „Biuletynu Informacyjnego" KOR. Michnik całkiem realistycznie pisał wówczas: „A prawda jest taka, że bez umowy władzy ze społeczeństwem tym państwem nie da się rządzić. I taka, że wbrew przemówieniom wygłaszanym na akademiach, nie jest to państwo suwerenne. I taka również, że z faktem ograniczenia suwerenności przez interesy państwowe i ideologiczne ZSRR Polacy muszą się liczyć. I taka wreszcie, że jedynym rządcą Polski, akceptowanym przez ZSRR, są komuniści i nic nie wskazuje na to, by ten stan rzeczy miał jutro ulec zmianie. Co z tego wszystkiego wynika? Wynika z tego, że każda próba rządzenia wbrew społeczeństwu musi wieść do katastrofy; wynika z tego również, że każda próba obalenia komunistycznej władzy w Polsce jest zamachem na interesy ZSRR. Taka jest rzeczywistość. Można jej nie lubić, ale trzeba ją przyjąć do wiadomości. Wiem, że niejeden z moich kolegów zarzuci mi faktyczną rezygnację z dążeń do niepodległości i demokracji. Tym odpowiem z całą szczerością: nie wierzę, aby w obecnej sytuacji geopolitycznej realne było wybicie się na niepodległość i parlamentaryzm. Wierzę, że możemy organizować naszą niepodległość od wewnątrz, że stając się społeczeństwem coraz lepiej zorganizowanym, sprawniejszym, zamożniejszym, wzbogacającym Europę i świat o nowe wartości, pielęgnującym tolerancję i humanizm — pracujemy dla niepodległości i demokracji... Musimy to wszystko od władz wydzierać i wymuszać, bo nigdy żaden naród nie dostał swoich praw w prezencie. Wszakże, wymuszając i wydzierając pamiętajmy, by nie rozedrzeć na strzępy tego, co jest państwem polskim, państwem niesuwerennym, ale państwem, bez którego nasz los byłby nieporównanie bardziej uciążliwy".

To były rozważne słowa. Podobnie wypowiadali się niektórzy inni. Często nierówny, ale z reguły umiarkowany był Lech Wałęsa. Niestety, zdecydowanie brały górę tendencje ekstremalne. Destabilizowanie gospodarki i struktur państwa stawało się coraz groźniejszym faktem.

W drugiej połowie 1981 roku pojawiło się też coś, co zderzało się jawnie z sierpniowym zobowiązaniem „Solidarności". Otóż w drodze pączkowania z niej, obok niej, a przede wszystkim pod jej parasolem — powstawały organizmy, określające się jako zalążki partii. Na bazie tzw. sieci — współpracujących bezpośrednio organizacji zakładowych „Solidarności" — ogłoszono w sierpniu statut związanej z tym ruchem Polskiej Partii Pracy. We wrześniu powstała inna organizacja o wyraźnie prawicowym charakterze — Klub Służby Niepodległości. W listopadzie 1981 zaczęto z kolei tworzyć Kluby Samorządnej Rzeczypospolitej „Wolność, Sprawiedliwość, Niepodległość" — zalążek kolejnej partii. Tutaj podstawową bazą był KOR.

No cóż, z dzisiejszego punktu widzenia — gdy dziesiątki partii i partyjek ubiega się o miejsce w parlamencie — ówczesne obawy można uznać za niepoważne. Niestety, wtedy, zwłaszcza w połączeniu z hasłem o wyprowadzaniu organizacji PZPR z zakładów pracy, było to wręcz szokujące. W 1968 roku w Czechosłowacji jednym z głównych argumentów interwencji było powstanie partii socjaldemokratycznej. W naszym przypadku, w połączeniu z potężną „Solidarnością", ogarniającą do tego przeróżne organizacje, pojawiał się w ogóle problem formuły państwa, problem ustroju. A przecież dochodziły do tego różne próby penetrowania wojska, milicji, innych ogniw władzy...

Najbardziej skłonni do skrajności, do głupstw są ludzie w stanie dużego strachu lub nadmiernego wigoru. (*À propos* strach i wigor. W czasie jednego z posiedzeń rządu zauważyłem, iż co kilkanaście minut poszczególni ministrowie są dyskretnie wywoływani z sali. Nawet zażartowałem — czy nie jest to czasami ministerialna epidemia rozstroju żołądka. Przyczyna była inna. Otóż do Urzędu Rady Ministrów przybył Rulewski i wyraził życzenie spotkania z kilkoma ministrami. Po kolei. Opuszczali więc posiedzenie, udając się grzecznie na te rozmowy. Życzę takiego komfortu obecnym związkowcom). W owych czasach pierwszy — to stan władzy. Drugi — to stan „Solidarności". Gdy takie dwa stany się zderzą — następuje tragedia. To właśnie nam groziło. Nie można mówić o rzeczywistym porozumieniu, kiedy jedna ze stron musiałaby kapitulować. Rozumieli to, jak sądzę, autorzy ogłoszonego 22 września listu otwartego 35 intelektualistów. Zwrócili się oni do „Solidarności" i do władz państwowych z apelem o zaniechanie działań podnoszących napięcie. „Wielka szansa odrodzenia narodowego, wielka szansa sojuszniczych stosunków z naszymi sąsiadami, wielka szansa Polskiej Rzeczypospolitej Ludowej, która zachowując socjalistyczne zasady ustrojowe dokona dzieła demokratycznej, samorządnej reformy i pełnego przywrócenia narodowi jego suwerennych praw, wciąż jest przed nami. Kto tego nie rozumie, kto tę szansę odrzuca, by wejść na drogę konfrontacji, jest nieprzyjacielem narodu polskiego".

Podpisali ten list m.in. Czesław Bobrowski, Kazimierz Brandys, Stefan Bratkowski, Andrzej Drawicz, Tadeusz Drewnowski, Kazimierz Dziewanowski, Władysław Findeisen, Gustaw Holoubek, Jerzy Jedlicki, Adam Kersten, Jan Malanowski, Karol Małcużyński, Henryk Samsonowicz, Stanisław Stomma, Klemens Szaniawski, Andrzej Szczypiorski, Jan Józef Szczepański, Jerzy Turowicz, Andrzej Wajda... Bardzo poważne nazwiska. Gdy je czytam dziś, myślę wprost ze zgrozą: jaką piramidalną głupotę wykazał ktoś wpisujący na listę internowanych ludzi najlepszej woli oraz tej miary intelektu i humanizmu, jak Andrzej Drawicz, Andrzej Szczypiorski, Klemens Szaniawski... Nie mogę sobie darować, że takie barbarzyństwo mogło się zdarzyć. Wracam jednak do apelu. Sporządzono go niewątpliwie w dobrej wierze. Tylko że sytuacja była już patowa. Odebraliśmy go więc wówczas jako swego rodzaju dekorację, którą miano przesłonić nagość niebezpiecznej sytuacji. Władza nie przejawiała wtedy dość wyobraźni. A w ogóle to partia miała skłonność obrażania się na intelektualistów, jeśli tylko wyrażali jakąkolwiek krytykę. Niech piszą książki, robią filmy, komponują, malują — aby tylko z daleka od polityki. Ale „Solidarność" też nie bardzo się tym listem przejęła. Najlepszy dowód, że w jej działalności nic pozytywnie nie „drgnęło". To nie znaczy, że list przeszedł bez echa. Liczył się jako argument, że są jednak siły, są autorytety, które takie stanowisko reprezentują. Dla mnie zaś stał się jednym z impulsów dla inicjatywy powołania Rady Porozumienia Narodowego, „spotkania trzech".

Po dzień dzisiejszy zarzuca się nam niedotrzymywanie porozumień podpisanych w 1980 roku w Gdańsku, Szczecinie i Jastrzębiu. Trudno z tym się zgodzić. 7 września 1981 roku prasa przyniosła pełne zestawienie — punkt po punkcie — spraw załatwionych. Nie było się czego wstydzić. Wiele zobowiązań wykonano w całości albo przynajmniej częściowo. Jednak pewnych postulatów nie można było zrealizować. Na przykład, zapisane w porozumieniu szczecińskim rozwiązanie kwestii mieszkaniowej w ciągu pięciu lat było po prostu księżycowe. Kiedy spadała produkcja węgla, cementu, wielu asortymentów stali — budowano wolniej i oczywiście mniej.

Dobrze byłoby i dzisiaj dokonać podsumowania owych porozumień społecznych. Co z nich zostało? Przyjrzeć się na dodatek tym postulatom, które w wyniku zastrzeżeń strony rządowej nie weszły wprawdzie do tekstu porozumień, ale nie zniknęły z rejestru haseł „Solidarności". Dlaczego nie głosi się ich dzisiaj? Wtedy często otrzymywałem rezolucje i oświadczenia różnych ogniw związku, żądających np. pełnej rekompensaty za podwyżki cen oraz korygowania na bieżąco minimum socjalnego. Dlaczego dzisiaj nikt tego nie żąda? Tym bardziej jeśli nawet na forum sejmowym głosi się, że stan wojenny pogłębił kryzys gospodarczy.

A jaka jest prawda? Wciąż brzmi mi w uszach — na mieszkanie trzeba czekać 30 lat! Tymi słowami bezustannie atakowano władzę w środkach masowej informacji, na spotkaniach, w listach, rozmowach. A prawda jest taka: w 1981 roku oddano do użytku 187 tys. mieszkań, w 1982 — 186,1 tys., w 1983 — 195,8 tys., w 1984 — 195,9 tys., w 1987 — 191,4 tys., w 1988 — 189,6 tys., zaś w 1991 — już tylko 133 tys.! A w roku 1992 przewiduje się jeszcze mniej! I jakoś nie słyszę — ile lat trzeba czekać? Okazuje się, że we „własnym domu" można obejść się bez własnego mieszkania.

Lista zarzutów pod naszym adresem była, naturalnie, dłuższa. Mieściła się na niej m.in. kwestia wolności prasy, cenzury, dostępu związku do środków masowego przekazu. Tych postulatów nie można było zrealizować z dnia na dzień. Przyznaję — nie tylko z przyczyn obiektywnych, ale i subiektywnych. Zahamowania wynikały z obaw, że załatwienie ich po myśli „Solidarności" zostanie wykorzystane głównie w jednym celu — do politycznej walki z władzą. Wszak pryncypialne zasady porozumienia zostały już zakwestionowane. Chcieliśmy zatem iść krok po kroku, zapewniając sobie możliwość kontrolowania sytuacji. Cały czas trwały na ten temat rozmowy. „Solidarność" nie była zresztą pod tym względem tak bardzo upośledzona.

Na początku kwietnia zaczął ukazywać się w półmilionowym nakładzie „Tygodnik Solidarność" pod redakcją Tadeusza **Mazowieckiego**. Pamiętałem go z lat 60. jako posła, który określał jednoznacznie swą katolicką orientację światopoglądową i wynikające stąd społeczne wartości. Należał do jeszcze dość wątłego podówczas w Polsce ruchu zwolenników posoborowej odnowy Kościoła. Reprezentował w nim nurt personalistyczny związany z myślą Emmanuela Mounier. Personalizm znamionuje duża wrażliwość społeczna — cecha, którą zauważałem u Mazowieckiego. Miał też poczucie realiów ówczesnego państwa. Dostrzegał przy tym znaczenie „współdziałania wierzących i niewierzących, skierowanego na umacnianie i tworzenie wspólnych wartości ogólnospołecznych". W pracy „Rozdroża i wartości" pisał, iż „w Polsce otwiera się nowa szansa dla rozwoju stosunków między nimi".

Uchodził za jednego z najbardziej wpływowych doradców „Solidarności". Docierające do mnie informacje były jednak rozbieżne. Jedni mówili, że w negocjacjach jest bardzo przykrym, upartym i ostrym partnerem, inni — że choć jest twardy, to wnikliwy, poszukujący konstruktywnych rozwiązań. Mając za sobą kilkanaście miesięcy współpracy z nim jako premierem pierwszego „solidarnościowego" rządu, podzielam tę drugą charakterystykę. Doceniam format intelektualny i etyczny Tadeusza Mazowieckiego, wysoką kulturę, konsekwencję, poczucie odpowiedzialności. Niezależnie od ocen, z jakimi się jeszcze spotkam — wspominać go będę zawsze bardzo dobrze.

W listopadzie ukazał się drugi po „Tygodniku Solidarność" ogólnopolski tytuł prasowy związku — „Samorządność", tygodnik społeczno-polityczny. Wystartował w nakładzie 250 tys. egzemplarzy. Trzeba dodać, że wszystkie ogniwa „Solidarności" wydawały w tym czasie ogromne ilości różnego rodzaju pism, biuletynów, ulotek, plakatów, proklamacji, oświadczeń, zresztą najczęściej utrzymanych w napastliwym tonie. Radiowęzły powielały te treści prawie w każdym zakładzie. Dostęp „Solidarności" do radia i telewizji też nie był zamknięty. Pojawiał się tam również sam Wałęsa. Do uzgodnienia pozostał czas antenowy. Do prac w Radzie Programowej Radiokomitetu zaproszono przedstawicieli „Solidarności" i Episkopatu. Władysław Loranc, ówczesny prezes Komitetu ds. Radia i Telewizji, dwukrotnie pisał w tej sprawie do Prezydium KK. Oba listy pozostały bez odpowiedzi. „Solidarność" miała bowiem własną, niewzruszoną koncepcję tzw. „uspołecznienia" radia i telewizji. Jak wiadomo, ta koncepcja nie doczekała się do dziś realizacji, choć przy „okrągłym stole" związek walczył o nią zaciekle. Szeroką tubę propagandową miała też „Solidarność" w polskojęzycznych rozgłośniach i audycjach zagranicznych, z Wolną Europą na czele. Były one słuchane bardzo szeroko. Według ocen RWE, szerzej nawet niż Polskie Radio.

Mówi się często o naszym negatywnym uczuleniu na „Solidarność". To prawda. Procesy paraliżujące gospodarkę m.in. utrudniały realizację porozumień z Gdańska, Szczecina i Jastrzębia. Alarmujące sygnały płynęły z różnego rodzaju narad i telekonferencji z I sekretarzami, wojewodami, dyrektorami. Pamiętam wystąpienie profesora Jerzego **Kołodziejskiego**, wojewody gdańskiego, człowieka kompromisu i dialogu, który cieszył się zaufaniem władz „Solidarności". Ten mądry i odpowiedzialny człowiek z wielką troską mówił, jak pękają hamulce, jak załamuje się wszystko to, co decyduje o funkcjonowaniu administracji i gospodarki. Podobnie, choć z reguły znacznie ostrzej, mówiło wielu innych.

Wielkim nieszczęściem było nieznalezienie wspólnego języka, nienawiązanie dialogu sił umiarkowanych. Słabością tych sił, słabością naszą, moją również, było to, że ekstremizm z jednej i z drugiej strony terroryzował już wszystkich, utrudniał znalezienie rozwiązań kompromisowych. Do takiej samej konkluzji doszedł autor cytowanego wywiadu zamieszczonego w „Aneksie" w styczniu 1983 roku. Na pytanie: czy możliwe było uniknięcie stanu wojennego, a jeśli tak, to w jaki sposób? — odpowiedział: „Od roku 1971 do chwili wprowadzenia stanu wojennego władza nieustannie ustępowała przed społeczeństwem, zarówno przed porozumieniami gdańskimi, jak i później..."

I dalej: „«Solidarność» powinna była w pierwszym rzędzie wywalczyć pewne pole, by móc istnieć. I to zrobiła. Pole to było wystarczająco szerokie dla sensownej działalności, dającej społeczeństwu bardzo dużo. Drugim krokiem powinno być wytyczenie względnie ostatniej linii demarkacyjnej między własnym stanem posiadania a stanem posiadania władzy i szanowanie tej linii ze swojej strony. Tymczasem «Solidarność» zrobiła coś zupełnie innego: nie potrafiąc dać sobie rady z tym, co już wywalczyła, parła dalej do przodu.

To jest zawsze najłatwiejsze. «Solidarność» miała poczucie swej siły i własnej misji, poczucie, którego na tym etapie zabrakło władzy. «Solidarność» uważała, że: «należy nam się wszystko» (...) Natomiast władza skłonna była oddać trochę, ale niewątpliwie nie wszystko, a zażądano od niej oddania prawie wszystkiego".

Tyle „Aneks". Ja powiem więcej. Uważam, iż zabrakło nam wówczas wyobraźni, aby wytyczyć horyzont długofalowych politycznych zmian. Wskazać, w jakim procesie, w jakim czasie, w jakich warunkach jest on osiągalny. Podjąć na ten temat poważną dyskusję z umiarkowanymi siłami „Solidarności". Niestety one też nie zdobyły się na konstruktywną inicjatywę. Zresztą być może to wszystko w ówczesnych wewnętrznych, a zwłaszcza zewnętrznych uwarunkowaniach było nierealne. A czas płynął, napięcie rosło, „paliły się ostatnie mosty".

Ja wówczas stałem na stanowisku procesu ewolucyjnego. Jest to wprawdzie droga wolniejszych, ale za to mniej ryzykownych przemian. Miałem żal i pretensje, że obóz przeciwny pozostawał zupełnie nieczuły na naszą wolę reform. Ale jednocześnie irytowało mnie to, co z naszej strony reformy te przysłaniało, a nawet kompromitowało nas. Praca różnych instancji, instytucji, urzędów — biurokracja, bezduszność, ślamazarność.

Nie chcę być źle zrozumiany. Mówiłem już, że podstawowa kadra administracji państwowej i gospodarczej składała się w większości z ludzi przyzwoitych i pracowitych, wysoko, często nawet bardzo wysoko kwalifikowanych. Daleki jestem od krzywdzących uogólnień. Ale już kilkaset lat temu w Polsce zauważono, że jedna łyżka dziegciu psuje smak całej beczki miodu.

Wielu z tych uczciwych, sumiennych ludzi poddawanych było codziennej presji. Ileż razy wymuszano różne zmiany dyrektorów! Ileż razy grożono wywiezieniem na taczkach. A nawet — to już curiosum — żądano np. od prezesa spółdzielni w Jaśle, aby opuścił miasto. Ileż razy żądano, aby dyrektor, szef zmiany, brygadzista, natychmiast, pod groźbą utraty stanowiska, złożył legitymację partyjną. Obustronne zacietrzewienie narastało. Miało to swoje skutki i moralne, i gospodarcze.

Od wielu miesięcy wypowiedzi różnych działaczy „Solidarności" budziły wśród członków partii poczucie osobistego zagrożenia. Na przykład 20 maja 1981 roku w Zawierciu przewodniczący „Solidarności" w Fabryce Obrabiarek Ciężkich, Bogdan Krakowski, stwierdził, że „należy powiesić milion skompromitowanych partyjniaków". 6 czerwca 1981 w Jastrzębiu, podczas obchodów święta ludowego, członek KKP Tadeusz Jedynak sugerował, że kosynierzy „zrobią porządek" kolejno — w „Białym Domu", komitetach wojewódzkich, w urzędach wojewódzkich... W Krośnieńskiej Fabryce

Amortyzatorów „Polmo" strajkowano przez dziesięć dni tylko z tego powodu, że Józef Topolski — przewodniczący branżowego Związku Metalowców w tym zakładzie — „pozwolił sobie" wywiesić hasło sprzeczne z poglądami fabrycznej „Solidarności". Niepokornego branżowca wywieziono z zakładu na taczkach.

Hasła: „jeść legitymacje", określenia typu: „czerwone pająki", rysunki szubienic — wszystko to musiało budzić zaniepokojenie wielu ludzi o ich fizyczną egzystencję, o rodzinę, skłaniało do myśli o samoobronie. Dziś — patrząc z dystansu — myślę, iż może to przewrażliwienie. Może te pogróżki to tylko nieodpowiedzialne wyskoki. Jeśli nawet tak — to w ówczesnej gorącej atmosferze musiały one wywoływać nerwowe reakcje. Człowiek, któremu się grozi, w końcu w tę groźbę uwierzy.

Jesienią 1981 roku pojawiły się nawoływania do składania legitymacji partyjnych, występowania na znak skruchy z PZPR. Tym, którzy to uczynią — obiecywano „amnestię za swoje winy". Czytałem, że już kilka miesięcy wcześniej Andrzej Rozpłochowski zapowiadał: „Ci, co nie pozbędą się legitymacji partyjnych, powinni zaopatrzyć się w pieprz i sól, aby je przyprawić przed zjedzeniem". To prawda, nie można uogólniać tego typu przykładów. Ale ich było po prostu dużo. Sumowały się, tworzyły atmosferę zagrożenia. Druga strona też reagowała nerwowo. My zaś nie zawsze potrafiliśmy zrozumieć, że za tym kryły się często jakieś zaszłości, dawne urazy, krzywdy, rozczarowania.

„Solidarność" miała aż w nadmiarze poczucie siły. Ale jakkolwiek by to dziwnie brzmiało, miała też kompleks zagrożenia. Dlatego na pewne fakty, nawet o trzeciorzędnym znaczeniu, reagowała „nadproporcjonalnie". Dostawali wręcz wysypki na nasz język, retorykę, różne tradycyjne symbole polityczne. Ja też miałem, tylko inne, podobne uczulenie. Mam świadomość roli, jaką w historycznej skali spełniła „Solidarność". Poznałem później wielu wspaniałych ludzi, należących do jej „starej i nowej gwardii". Mimo to, gdy patrzę na uwieńczone chorągiewką litery, nadal pojawia się niechętny odruch, co prawda, coraz słabszy. Wierzę, że zaniknie. Ale nawet dziś wyzwolić się całkowicie z różnych starych — już nieracjonalnych, a emocjonalnych — skojarzeń nie potrafię. Myślę, że nie tylko ja.

Na ile ta mieszanka wybuchowa, kształtowana z różnych komponentów, groziła eksplozją? Wszystko w tym kierunku zmierzało.

Tym bardziej że linie podziału nie przebiegały pionowo, lecz poziomo — przez wszystkie środowiska, warstwy i grupy naszego społeczeństwa. Przebiegały wśród najbliższych sąsiadów, kolegów z pracy, przyjaciół, nawet w rodzinach. Pamiętam tragedię pułkownika Mieczysława R. Znałem go osobiście. Dzielny żołnierz AK, a później oficer Wojska Polskiego, sprawujący odpowiedzialne funkcje. W trakcie politycznej kłótni i szamotaniny zastrzelił przypadkowo córkę, a potem w stanie najwyższego szoku również zięcia. Do dziś dramat ten głęboko mnie porusza.

Jakie były polityczne skutki tej atmosfery? Właściwie oczywiste: skoro polityka dialogu i porozumienia, reform i odnowy nie eliminuje tendencji konfrontacyjnych, nie prowadzi do stabilizacji politycznej i gospodarczej — to może jest to polityka błędna? Może wymaga zmiany? Istota sprawy tkwiła w tym, że „Solidarność" chciała zbyt wiele i zbyt szybko. Władza dawała zaś zbyt wolno i zbyt mało. Niestety, historii cofnąć się nie da.

W polityce funkcjonują różne mechanizmy. Czasami mówi się — brzmi to nawet cynicznie, machiavellicznie — że polityka nie musi być etyczna. Przekonałem się, że takie jej traktowanie jest ciężkim błędem. Za filozofię: „cel uświęca środki", wcześniej czy później trzeba ponieść konsekwencje. Dotyczyło to nas, kiedy wznosiliśmy różne szlachetne hasła, a życie wyglądało częstokroć inaczej. To samo dotyczy ówczesnej opozycji. Głosiła chwałę strajków, samorządów, równości. Kiedy doszła do władzy, te hasła uderzyły w nią. Zaszczepianie ludziom przekonania, że rząd może — tylko nie chce, że ma — tylko nie daje, jest krótkowzroczne. Powstaje nowy rząd i o nim myśli się podobnie. Nie można bezkarnie iść taką drogą. Za nią się płaci. Tak samo za drogę nienawiści. Jeśli się ją rozpala.

Cały ten rozdział poświęciłem występującym po obu stronach czynnikom subiektywnym. Wina była podzielona. Ale jak ją ważyć? Na pewno i historycy będą się w tym różnić. Podzielam zdanie prof. Krzysztofa Skubiszewskiego, który na posiedzeniu Rady Konsultacyjnej 17 lipca 1989 roku powiedział: „Zostawmy ocenę historykom. Historykom uczciwym i obejmującym swoją wizją całe spektrum ówczesnych wydarzeń". Z uwzględnieniem — jak jedna strona widziała drugą, jak ją demonizowała, jak często niesłusznie, fałszywie uogólniała.

Ze swoich doświadczeń wojskowych przytoczę — dla ubarwienia — przykład, do czego prowadzi uproszczone uogólnienie. Inspektorzy kontrolują broń. Jeden z nich mówi: broń w kompanii brudna — karabin numer 1387 nie wyczyszczony. Drugi inspektor: broń czysta, tylko karabin 1387 nie doczyszczony. Jeden i drugi na swój sposób mówi prawdę. To jest trochę podobne do uogólnień, o których mówiłem.

W poszukiwaniu możliwości porozumienia — my byliśmy chyba bardziej elastyczni. Chwytaliśmy niekiedy z dużą nadzieją każdy sygnał... Nieprzypadkowo mówiliśmy o nurcie robotniczym w „Solidarności", stawiając nań nader naiwnie. Wsłuchiwaliśmy się w głosy, które starały się moderować radykalne nastroje „Solidarności". Można powiedzieć, że były to rachuby na zminimalizowanie jej roli. Tak jest — minimalizowanie — w sensie sprowadzenia do tego wymiaru, który zapisany został w porozumieniach sierpniowo-wrześniowych. A to było, jak na owe czasy, wcale niemało. Dawało niezależnemu, samorządnemu związkowi ogromne możliwości. Zbyt gwałtownie chciał je rozszerzyć. A my, chcąc utrzymać go w racjonalnych ramach, nie zawsze stosowaliśmy właściwe środki i metody. Mogły one czasami rodzić i rodziły w „Solidarności" podejrzenie, że to tylko etap do jej likwidacji czy całkowitego zmajoryzowania.

Nie mieliśmy takich intencji. Przypominam, że przez cały rok podejmowano próby zorganizowania rządowo-związkowego „okrągłego stołu". Za każdym razem inicjatywa ta była odrzucana pod mniej lub bardziej wyraźnym pretekstem; że inne związki nie mają moralnego prawa, że są niegodne, ażeby zasiąść do stołu razem z „Solidarnością". To był wybieg. Dominowała bowiem obawa, że każdy „okrągły stół" — z natury — skłania do umiaru, do kompromisu. A to, oczywiście, oznacza wyhamowanie impetu, ofensywy, co stanowiło przecież główną siłę, atut „Solidarności". Rozstrzyganie konfliktów na gruncie rozmów, pertraktacji, rokowań — osłabiało wedle radykałów możliwości związku. Dla nich zatrzymanie impetu — to śmierć. Z kolei dla nas dalsze cofanie się — to śmierć.

W okresie późnej jesieni 1981 skala uprzedzeń i nieufności osiągnęła apogeum. Myślenie schodziło na drugi plan. Górę brały nastroje. Nastrojowość to chyba nasza cecha przyrodzona. Już Józef Piłsudski zwrócił na to uwagę pisząc: „Polacy nie są zorganizowanym narodem. Wobec czego znaczy u nich więcej nastrój, aniżeli rozumowanie i argumenty. Sztuka rządzenia Polakami jest zatem wzniecaniem odpowiednich nastrojów". Znów Komendant naraził się swoim współczesnym klakierom. Przecież wszystko, co złe w myśleniu Polaków, ich zdaniem zaszczepiła „komuna".

Na koniec tych rozwichrzonych rozważań jeszcze jedna dygresja. Stanisław Kania powiedział w Gdańsku jesienią 1980 roku, że partia musi wykazać pokorę. Był za to zresztą krytykowany z tzw. pryncypialnych pozycji. Uważam, że niesłusznie. Naszym obowiązkiem było wykazanie maksimum samokrytycyzmu. Stwierdzenie to miało więc swoją nie tylko polityczną, ale i moralną wymowę. Ale chyba jeszcze słuszniejsze były słowa Zofii Makowskiej — członkini KC, nauczycielki z Warszawy — że „ani pokora, ani pycha". Nie powinniśmy przepraszać, że żyjemy. Nie musimy się wstydzić autentycznego dorobku. Natomiast trzeba uczciwie powiedzieć, gdzie były błędy, co zrobiło się złego. A więc — precz z pychą. Niestety, pychy, arogancji — chyba to jest dziedziczne — nie brak w polskim życiu publicznym również obecnie.

Przypomnę zimne słowa Katarzyny II: „Zwycięzców nie sądzą". A więc i prawo dzisiejszego zwycięzcy. Rzeczywiście miniony system był chory, zużył się, został pokonany. Ale racje moralne mogły być podzielone. Myśmy je mieli do obrony swych racji i nasz ówczesny przeciwnik miał swoje moralne uzasadnienia. Resztę pokaże czas, oceni historia.

Mówi prof. Janusz Reykowski:

Obóz, który zwyciężył w Polsce, stara się narzucić wszystkim pogląd, że ma wyłączność racji moralnych i że system, który upadł, nie zasługuje na nic innego, niż na potępienie. Taki czarno-biały obraz świata nie jest niczym wyjątkowym. A w ogóle ważenie dobra i zła to sprawa, która dla wielu ludzi okazuje się trudna.

Kwestią fundamentalną, którą „realny socjalizm" rozwiązywał, było bezpieczeństwo socjalne mas w kraju o niskim poziomie dochodu narodowego. W kraju takim rynkowe reguły podziału dóbr musiałyby nieuchronnie prowadzić do głębokiego ubóstwa mas. System realnego socjalizmu stwarzał przesłanki społecznego awansu — podniesienia poziomu edukacyjnego warstw najuboższych, awansu zawodowego, a także zniesienia warunków skrajnej deprywacji. Co podstawowe — gwarantował on każdemu możliwości zatrudnienia.

Ale ten sam mechanizm, który tak ściśle regulował procesy społeczne i rozdział dóbr, regulował też procesy produkcyjne. I choć w pewnej fazie stwarzał warunki przyspieszonej koncentracji kapitału, a dzięki temu mógł zwiększać społeczną produktywność, z upływem czasu i wzrastającą komplikacją procesów produkcyjnych stawał się coraz bardziej niewydolny.

Istnieją ścisłe związki między monocentryczną organizacją państwa a sposobem jego funkcjonowania w sferze produkcji i podziału. Bez dużego stopnia ryzyka można stwierdzić, że swych socjalnych funkcji państwo to nie mogłoby spełniać, gdyby przyjęło inne reguły konstrukcyjne, oparte na swobodnej grze sił. W tej sytuacji grupy ekonomicznie silniejsze narzuciłyby dogodne dla siebie rozwiązania całej reszcie.

O ile takie rozumowanie miało jakiś czas temu charakter tylko hipotetyczny, dzisiaj możemy już powołać się na doświadczenia. Procesy, jakie zachodzą u nas w takich sferach jak edukacja, ochrona zdrowia, budownictwo mieszkaniowe, upowszechnienie kultury, wskazują, że następuje szybkie pogorszenie warunków życia bardzo wielu odłamów społeczeństwa, a równocześnie polepsza się poziom „obsługi" warstw bogatych.

W kręgach władzy zdawano sobie coraz lepiej sprawę z konfliktu między wolnościowymi aspiracjami znacznej części społeczeństwa a wymogami monocentrycznego systemu, który te aspiracje blokował. Podejmowano próby wyjścia naprzeciw tym aspiracjom, tak jednak, aby uniknąć destabilizacji systemu. Usiłowano więc zwiększyć prawa obywatelskie, ale nie rezygnować z kierowniczej roli partii, wprowadzać mechanizmy rynkowe, ale uniknąć pauperyzacji mas. Były to jednak dylematy, dla których nie udawało się znaleźć dobrego rozwiązania.

Można by powiedzieć, że władza broniła w ten sposób własnego interesu. Jest to stwierdzenie trywialne. Każda władza broni — i musi bronić — swego interesu; nie tylko dlatego, że należy to do natury grup społecznych (a taką grupę stanowi zbiorowość ludzi sprawujących władzę), ale także dlatego, że jest to niezbędny warunek wykonywania swych funkcji w społeczeństwie. Kwestią podstawową natomiast jest to, jakie wielkie grupy społeczne zyskują, a jakie tracą na utrzymywaniu danego systemu władzy. Przez długi czas zyskiwały masy plebejskie. Ale korzyści te malały w miarę tego, jak system okazywał się ekonomicznie coraz bardziej niewydolny. Dlatego zmiana systemu stawała się nieuchronna.

Nie znaczy to jednak, że nie ma moralnych racji taka forma ładu społecznego, która troszczy się o awans mas, która stara się wyłączyć kulturę, edukację, opiekę zdrowotną, politykę mieszkaniową spod dyktatury rynku. Rzecz w tym, że realizacja tych wartości, w ówczesnej fazie rozwoju społecznego, prowadziła do nierozwiązywalnych sprzeczności.

Jest jeszcze jeden moment, który trzeba mieć na uwadze oceniając — od strony moralnej — postawę obrońców poprzedniego reżimu. Rzecz w tym, że naruszenie struktur państwa stanowi wielkie niebezpieczeństwo dla wszystkich jego obywateli. Dla owładniętych ideą wolności rewolucjonistów nic innego się nie liczy. Ci natomiast, którzy czują się odpowiedzialni za państwo, muszą zdawać sobie sprawę z tego, jak wielkie niebezpieczeństwo dla życia społecznego stanowi każda gwałtowna zmiana — jaki potencjał nieszczęścia niesie ona ze sobą. I znów teza, która dawniej miała dość abstrakcyjny charakter, nabiera nowych wymiarów w świetle doświadczeń Europy 1991 roku.

Ale także i w tym przypadku nie ma prostej prawdy. Zachowanie istniejącego ładu oznaczało zgodę na pogwałcenie pewnych podstawowych dla życia społecznego wartości. Dlatego też ważkie racje moralne stały za tymi, którzy dążyli do jego zmiany. W szczególności dotyczy to działaczy demokratycznej opozycji, którzy ponosili wielkie ofiary osobiste, aby do tej zmiany doprowadzić. Nic dziwnego, że zasłużyli oni tą postawą na podziw i szacunek opinii publicznej.

Niedawno ktoś mi powiedział: „Niezależnie od pana subiektywnych intencji, pewna część społeczeństwa uważała — i dziś jeszcze uważa — że chciał pan bronić starego porządku..." Jest to — mówiąc oględnie — przesada. Owszem, broniliśmy ówczesnego ustroju, a przede wszystkim realnego państwa, jego co prawda ograniczonej, ale suwerenności. Jednakże nie w imię „starego porządku". A to różnica. Podjęliśmy reformy gospodarcze, polityczne, społeczne. Zupełnie inną kwestią jest, na ile były one szybkie, głębokie, konsekwentne. Na ile nam się to udało i czy w ówczesnych realiach było to do końca możliwe.

Rozdział 21

Wspólne troski

8 lipca Rada Główna Episkopatu Polski podała do wiadomości, że Jan Paweł II ustanowił arcybiskupem gnieźnieńskim i warszawskim, prymasem Polski — Józefa Glempa, dotychczasowego ordynariusza warmińskiego. W depeszy gratulacyjnej — podpisanej przez Stanisława Kanię, Henryka Jabłońskiego i przeze mnie — wyraziliśmy „głębokie przekonanie, że kontynuując dzieło swego wielkiego poprzednika, będzie ksiądz prymas rozwijał wszystko to, co łączy naród polski i służy ojczyźnie. W chwili obecnej Polska takiego, zwłaszcza jednoczącego wsparcia potrzebuje". W kilka dni później, 11 lipca, nowy prymas złożył mi wizytę w Urzędzie Rady Ministrów. Przekazałem mu najlepsze osobiste życzenia. Prymas wyraził zadowolenie ze spotkania. Dodał też, co utkwiło mi w pamięci: „Myślę, że Ojciec Święty jest również tym bardzo ucieszony". Pytałem o zdrowie papieża. Niebezpieczeństwo minęło, ale rekonwalescencja jeszcze potrwa. Rana była bardzo ciężka.

Oficjalny komunikat z rozmowy powiada, że „poruszono najważniejsze aktualne sprawy kraju, w tym zapewnienie spokoju społecznego, pomyślnego rozwijania procesu odnowy oraz przezwyciężenia zjawisk kryzysowych, a także główne problemy kształtowania stosunków pomiędzy państwem i Kościołem". Spotkanie trwało ponad godzinę, a po rozmowie pozowaliśmy do wspólnego zdjęcia.

Ustanowienie Józefa Glempa arcybiskupem — metropolitą gnieźnieńskim i warszawskim, prymasem Polski — zostało przyjęte z pewnym zaskoczeniem. Pytano, dlaczego właśnie ten młody biskup? Byli przecież bardziej znani, w tym kardynałowie. Dlatego też nominację tę odczytano jako wypełnienie ostatniej woli zmarłego prymasa. Mówiono — prymas Glemp będzie kontynuował dzieło swego wielkiego poprzednika.

Wymieniliśmy oceny i poglądy na temat sytuacji w kraju. Potwierdziliśmy znaczenie i konieczność budowy porozumienia narodowego, troskę o spokój społeczny, o warunki życia obywateli.

Kościół — zapewniał prymas — nie pozwoli sprowadzić się na płaszczyznę czystej polityki, choć sprawy narodowe stawia wysoko w hierarchii swych obowiązków. Mówiliśmy o różnych negatywnych zjawiskach w życiu kraju, o pogarszającej się sytuacji gospodarczej. Utkwiły mi w pamięci słowa prymasa, że Kościół powinien być obecny wszędzie tam, gdzie pojawia się zło, by zwyciężać je dobrem. „Trzeba iść nawet w ognisko zła, żeby tam dokonywać dobra". Później, w jednym z wywiadów prymas powiedział: „Kościół nie może się angażować ani w opozycję, ani w kolaborację w sensie politycznym. Kościół musi zastrzec sobie swobodę przeciwstawiania się złu i popierania dobra — niezależnie od tego, po której stronie występuje jedno lub drugie z nich". Byliśmy zgodni co do dalszej normalizacji stosunków państwo—Kościół. Wiele spraw leży w obszarze wspólnej troski. Chodzi zwłaszcza o sytuację polskiej rodziny, o zwalczanie wszelkiego rodzaju patologii. Powiedziałem prymasowi, że będę starał się informować go operatywnie o zagrożeniach, o różnych problemach godnych uwagi. Takie zadanie miał wicepremier Jerzy Ozdowski. Później wielokrotnie przyjmowany był przez prymasa — stał się w ten sposób swego rodzaju „łącznikiem" między nami. Im bliżej grudnia, tym bardziej alarmujące przekazywał wieści. Prymas przyjmował je z wielką powagą i troską.

Dokonaliśmy ogólnego przeglądu procesów, wydarzeń, faktów, które budziły nasz niepokój. Prymas sygnalizował różne negatywne opinie w sprawie działalności, zwłaszcza lokalnych, władz. Ja mówiłem o niektórych księżach uprawiających ostentacyjnie politykę. Uznaliśmy zgodnie, iż jedno i drugie jest niedobre. Byliśmy też zgodni w krytycznej ocenie działalności KOR. Dziś uważam, że była to ocena zbyt jednostronna. Scharakteryzowałem główne kierunki odnowy państwa, a na tym tle zasadnicze punkty dyskusji, która rozwinęła się w łonie partii przed zbliżającym się IX Zjazdem.

Prymas niektóre sprawy, w tym przyczyny różnych niebezpiecznych zjawisk, ujmował w sposób bardziej lub mniej odmienny niż ja. To oczywiste. Najważniejsze, iż była chęć wzajemnego zrozumienia oraz wspólna intencja działania w duchu dialogu, w imię nadrzędnego dobra.

To prawda, że od kardynała Stefana Wyszyńskiego bardzo różnił się zewnętrznie. Kontakt, rozmowa z nim, pozwalały jednak dostrzec powagę i rozwagę tego samego rodzaju. Również w tym, co prymas mówił i jak argumentował, wyraźnie rysował się kierunek, szkoła państwowego myślenia jego poprzednika. To powinno zbliżać, łączyć ludzi różnych światopoglądów, nurtów, orientacji.

Z tej pierwszej, a więc niejako zapoznawczej rozmowy, podczas której przyglądaliśmy się sobie dyskretnie, wyniosłem bardzo dobre wrażenie. Od razu poczułem do prymasa sympatię oraz przekonanie, że będę mógł liczyć z jego strony na zrozumienie i wsparcie. Poza tym ujmował mnie swoją skromnością, spokojem, rzeczowością. Z czasem przerodziło się to w szacunek i zaufanie.

W licznych rozmowach, jakie miałem później z prymasem, obok zasadniczych wątków dotyczących newralgicznych spraw kraju, znalazło się niejednokrotnie miejsce na jakieś osobiste uwagi, wspomnienia, informacje. Moją wiedzę o nim wzbogaciło to, co mówili ludzie, którzy go znali.

Gdy ministrem szkolnictwa wyższego został profesor Benon Miśkiewicz, dowiedziałem się, że był on w Inowrocławiu kolegą szkolnym Józefa Glempa. Byli w tej samej klasie. Mówił mi, że prymas należał do uczniów bardzo pilnych, sumiennych, częstokroć pomagał innym. Wyróżniał się przy tym już wtedy spokojem, opanowaniem, solidnością. Potem minister Miśkiewicz był kilkakrotnie przyjmowany przez prymasa w sprawach, będących przedmiotem wspólnego zainteresowania państwa i Kościoła. Wiem, że rozmowy te przebiegały w bardzo rzeczowym, a jednocześnie koleżeńskim klimacie.

Pragnę w tym miejscu — gdy mowa o Kościele — wspomnieć o paru sprawach, wiążących się z jego działalnością. Episkopat wypowiadał się wówczas chętnie na różne tematy społeczne. Poparł między innymi ideę samorządności pracowniczej. W jednym z komunikatów Rady Głównej Episkopatu powiedziano, że „w celu wyjścia z kryzysu konieczne są oczekiwane struktury odpowiedzialności pracowniczej, zarządzania warsztatem pracy". No cóż, samorządność była wtedy na sztandarach i „Solidarności", i Kościoła. Trudno nie zauważyć, że sztandary te zostały obecnie całkowicie zwinięte.

We wrześniu Kościół wystosował z kolei list do rządu, opublikowany przez całą prasę, w którym zwracano uwagę na to, jak ludziom żyje się ciężko. Dziś coraz więcej ludzi zagrożonych jest nędzą. A głos Kościoła adresowany w tych sprawach do władzy jest, niestety, znacznie mniej słyszalny. Zastanawiam się nad przyczyną. Dochodzę do wniosku, iż Kościół uwikłał się w dwuwartościową, „moralistyczną" koncepcję polityki. Uwzględnia ona głównie jeden front walki — między „dobrem" i „złem". A tym samym sprowadza na dalszy plan inne aspekty konfliktów politycznych i społecznych. Podobnie było z „Solidarnością". Zaabsorbowana na tym głównym froncie — mało uwzględniała interesy poszczególnych grup zawodowych i środowisk społecznych. Wtedy sprawy socjalne można było podciągnąć pod konflikt systemów wartości, teraz jest to niewygodne. Bowiem po zmianach, które zaszły, na pierwszy plan wysunął się konflikt interesów. Doprowadziło to do rozbicia jednorodnych przedtem obozów politycznych. Uprawia się jednak nadal „moralistyczną" koncepcję polityki. Konflikt, niezadowolenie społeczne, wyjaśnia się demoniczną rolą „innych" — obcych, odmiennych politycznie, ideowo.

W latach 1980-1981 Episkopat próbował — choć z różnym powodzeniem — moderować, wpływać uspokajająco, odwodzić od działań drażniących, ekstremalnych. Niestety, nie zawsze skutecznie. Kościół był bowiem chętnie słuchany, kiedy sprzyjał działaniom skierowanym przeciwko władzy. Wszędzie tam, gdzie starał się powstrzymywać, mitygować — jego możliwości były na ogół ograniczone.

W miarę narastania kryzysu, mając zwłaszcza na uwadze zewnętrzne uwarunkowania, hierarchia kościelna nie kryła obaw, aby wypadki nie zaszły zbyt daleko. Ustawicznie nawoływała wiernych do umiarkowania. Można powiedzieć, że sercem była za „Solidarnością", ale rozum nakazywał wstrzemięźliwość. Wreszcie apele Kościoła o porozumienie oraz przestrogi przed dalszą anarchizacją przestały odnosić skutek. Tym bardziej, iż część zwłaszcza młodszego duchowieństwa — czasem nazywałem ich „podporucznikami" Kościoła — radykalizowała się również. Do części kościołów wkroczyła polityka. W końcu bieg wydarzeń w kraju znalazł się również poza kontrolą i wpływami Episkopatu.

W tym okresie — o czym przy okazji chcę powiedzieć — zaczęto bardzo uroczyście obchodzić rocznice różnych bolesnych wydarzeń, jakie miały miejsce w powojennej Polsce: Poznań, Wybrzeże, Radom... Oczywiście, w oprawie kościelnej. Chylę głowę przed wzniesionymi w tych tragicznych miejscach pomnikami. Ale powiem otwarcie, że jeśli już stawia się te sprawy na płaszczyźnie moralnej — to moralność nie może być selektywna. Zwłaszcza dziś, kiedy dawny „reżim" został obalony, nie można na tej płaszczyźnie przeciwstawiać Polski Ludowej — II Rzeczypospolitej. Bo i ona dźwiga na swym sumieniu ciężkie grzechy. A nie było i nie ma stosownych pomników, żadnych obchodów poświęconych zabitym w Krakowie i Tarnowie, w Warszawie i Bochni, również w innych miejscowościach. Nie ma pomników ofiar pacyfikacji w województwach południowych, w powiecie rzeszowskim, przeworskim, limanowskim, brzozowskim, jarosławskim, nie mówiąc już o Małopolsce Wschodniej... W okresie międzywojennym padło od kul policji i wojska ponad 1000 osób. Kościół — jeśli nie politycy — powinien więc chyba upomnieć się o uczczenie również tamtych ofiar. Wtedy pamięć o tragicznych wydarzeniach z lat powojennych uzyska silniejsze moralne wsparcie.

Wracając do osoby prymasa Glempa — potrafił on wziąć na swoje barki odium częstokroć ostrych zarzutów ze strony pewnej części ówczesnej opozycji. Wiem, że w niektórych kołach mówiono nawet z przekąsem „towarzysz Glemp". To głupcy. Nie wiedzą, ile zawdzięczają prymasowi — jego odwadze i rozwadze. Przed i po wprowadzeniu stanu wojennego. Nowy prymas potrafił w sposób zdecydowany wzywać do rozsądku ekstremalne siły „Solidarności" — co, oczywiście, wcale nie znaczy, że uważał, iż racje leżą po stronie władzy. Był przecież w stosunku do systemu krytyczny, mówił o tym otwarcie. Miał jednak świadomość — jak wielu innych biskupów, jak dziennikarze zachodni, jak my wreszcie — że tak wielki ruch, jak „Solidarność", wyniósł na wyżyny, obok wielu cennych jednostek, także pewną liczbę frustratów, ludzi „nawiedzonych", niezrównoważonych. Przed nimi należało się strzec.

Powiem od razu — wybiegając znowu w przyszłość — przynajmniej w jednym momencie miałem do prymasa żal. W pierwszych dniach grudnia zaangażował się bowiem bardzo mocno przeciwko przyznaniu rządowi przez Sejm specjalnych pełnomocnictw na okres zimowy. Na jednym z kolejnych naszych spotkań, kiedy już minęły emocje, powiedziałem żartobliwie: „To ksiądz prymas faktycznie wprowadził stan wojenny. Gdyby ustawa o pełnomocnictwach została uchwalona, to może by do niego nie doszło". Można, oczywiście, tak powiedzieć tylko w formie żartu. Sprawy prawdopodobnie zaszły już wtedy za daleko. On też był pod wielkim ciśnieniem. Był przekonany, że jeśli Sejm wprowadzi specjalne pełnomocnictwa, to wybuchnie strajk generalny, będą jakieś zaburzenia. Chciał tego Polsce oszczędzić. Tak mi to uzasadniał. Może miał rację. Ale kto wie — może wprowadzając ustawę udałoby się przebrnąć przez tę zimę. Może pojawiłaby się szansa na polityczne rozwiązanie. Trudno dziś ocenić „co by było, gdyby było".

Mówi Jerzy Kuberski:

Wzrost zainteresowania osobą generała Jaruzelskiego ze strony Episkopatu następował wraz ze wzrostem jego znaczenia na scenie politycznej. To znaczy apogeum tego zainteresowania nastąpiło, kiedy Generał, będąc premierem, został zarazem I sekretarzem partii. Skupiało się ono przede wszystkim na tym, ku czemu będzie on prowadził. Obserwacja ruchów politycznych Generała miała parę wyznaczników, ale ja podkreśliłbym trzy.

Pierwsze, że Generał nie miał na swoim koncie żadnego tekstu mówionego ani pisanego, w którym atakowałby Kościół. Druga rzecz, to była opinia o Generale w kręgu jego nauczycieli i kolegów ze szkoły księży marianów. Zarówno jedni, jak i drudzy wyrażali się o nim zawsze w większym stopniu jako o humaniście niż jako o wojskowym. Wreszcie trzecie — to droga życiowa Jaruzelskiego i jego rodziny — zesłanie na Syberię, żołnierska, frontowa droga do Polski. Miałem bardzo wiele rozmów, w których ten wątek był podnoszony. Pytano: czy to prawda, czy tak było, czy na pewno? Szukano także w tym okresie jak najpełniejszej charakterystyki osobowości Generała. Kim on jest, na co go stać? Do czego może doprowadzić? Do czego zmierza? Czy się za tym coś nie kryje? Czy to jest taki zwyczajny wojskowy? Rozmowy na te tematy były nieraz niezwykle dociekliwe.

Wśród biskupów mówiono z uznaniem o tym, że Generał nie pije alkoholu, że jest jego zdecydowanym przeciwnikiem. Pamiętam, jak biskup Kazimierz Majdański, ordynariusz diecezji szczecińsko-kamieńskiej, więzień obozów koncentracyjnych, człowiek ogromnej kultury osobistej, uczony, wybitny znawca problematyki rodziny, podkreślał, że kiedy Generał był dowódcą dywizji w Szczecinie, przyczynił się do odbudowy miejscowej katedry. Tam też do dzisiaj została pamięć, że i w czasach młodości stronił od alkoholu. I że był żołnierzem w całym tego słowa znaczeniu, z cnotami, jakie są przypisane temu rzemiosłu. Mówiono też o zasługach Jaruzelskiego dla Ziem Zachodnich, o jego udziale w walce o ich wyzwolenie, o gospodarskiej trosce o te ziemie. Tam się czuje, że także poprzez osadnictwo wojskowe dokonały się bardzo ważne procesy socjologiczne, które wzmocniły polskość tych ziem.

Duchowieństwo przez długie lata miało pretensję do władz, moim zdaniem słuszną, za to, że było traktowane niemal jak społeczność drugiej kategorii. To była taka zadra. Otóż z Jaruzelskim łączono nadzieję, że to zostanie złagodzone, przezwyciężone. I tak się stało.

Ze strony władzy to nie były umizgi. Jaruzelski doskonale zdawał sobie sprawę, że porozumienie z Kościołem jest warunkiem opanowania sytuacji w Polsce i w ogóle rozwoju kraju. Tak więc już na jesieni 1980 roku została zniesiona służba wojskowa alumnów, która była kością niezgody między rządem a Episkopatem. Zniesiono następnie ograniczenia w sferze budownictwa sakralnego, a w szczególności tzw. drobnego budownictwa. W 1981 r. wydano 331 zezwoleń na budowę obiektów sakralnych, a w 1982 r. zakończono budowę 200 świątyń!

Kolejna decyzja to były sprawy związane z ułatwieniami dla seminariów duchownych. Były to często sprawy formalne, ale ważne; chodziło o ograniczenie ingerencji państwa.

W ogóle był to w stosunkach państwo—Kościół bardzo ożywczy okres. Na to wszystko, oczywiście, nakładał się fakt zasadniczy — po raz pierwszy w historii papieżem był Polak. Szło o to, aby w jego rodzinnym kraju stosunki państwo—Kościół nie były antagonistyczne. Papież zawsze podkreślał swoją polskość, nigdy naszych problemów nie usuwał w cień. W tej sytuacji poprawa stosunków między państwem i Kościołem była też zwracaniem się w kierunku papieża. To wyraźnie miało miejsce w dyspozycjach, które otrzymywałem od generała Jaruzelskiego, jako szef Urzędu do Spraw Wyznań, a potem przedstawiciel rządu polskiego przy Watykanie.

Polska zawsze była krajem paradoksów. Spójrzmy na jeden z nich. Syn ubogiej robotniczej rodziny, absolwent gimnazjum o wyraźnie świeckim, socjalistycznym charakterze, należący do ówczesnej organizacji młodzieżowej, zostaje prymasem Polski. Tymczasem syn rodziny szlacheckiej, uczeń gimnazjum prowadzonego przez księży, ministrant i członek „Sodalicji Mariańskiej", zostaje I sekretarzem KC partii. Mówię, oczywiście, o księdzu kardynale Józefie Glempie oraz o sobie. Trudno się dziwić, że wielu cudzoziemców fascynuje się krajem, w którym takie paradoksy są możliwe. Myślę, że w danym przypadku było to z pożytkiem dla lepszego wzajemnego zrozumienia, dla stopniowej normalizacji stosunków państwo—Kościół.

Rozdział 22

Porozumienie i walka

Od 14 do 21 lipca — IX Zjazd. Wielka spełniona i nie spełniona szansa. Stanisław Kania w swej książce opisuje szeroko przygotowania, przebieg i wnioski płynące ze zjazdu. Ma do tego największe prawo. Był głównym architektem tej linii, tego doniosłego wydarzenia. Ograniczę się do kilku spostrzeżeń i refleksji. Jako prezes Rady Ministrów byłem wówczas zainteresowany szczególnie problematyką ekonomiczną.

Mówi prof. Władysław Baka:

Ważnym wydarzeniem było przygotowanie na IX Zjazd dokumentów dotyczących reformy gospodarczej. Prowadziliśmy nad nimi szeroką dyskusję na posiedzeniu Komisji w maju, które odbyło się pod przewodnictwem Generała. Zaproszeni na nią zostali także ludzie, którzy nie pracowali w Komisji i nie przygotowywali dokumentów, ale sami występowali przedtem ze swoimi koncepcjami reformy. Był wśród nich Leszek Balcerowicz, który ocenił projekt bardzo pozytywnie. Stwierdził, że założenia reformy są prawidłowe, natomiast przestrzegał przed tym, aby nie nastąpiło zmiękczenie programu poprzez struktury administracyjne. Postulował zatem stworzenie instytucjonalnych zapór przed nawrotem praktyk nakazowo-rozdzielczych. Podzielałem w zupełności ten pogląd. Komisja miała to samo zdanie.

Dokument pod koniec maja był już prawie gotowy. Na posiedzeniu Komisji Generał zaakceptował daleko idące koncepcje i tezy. Wykraczały one poza to, co przyjęto w styczniu i co budziło takie obawy naszych sąsiadów. Pod moim kierownictwem powołano grupę redakcyjną, która miała nadać dokumentowi ostateczny kształt. Przeżyliśmy wtedy trudne dni, gdyż wątek reformowania gospodarki splótł się bardzo silnie z wątkiem czysto politycznym. Odbyło się bowiem XI plenum KC. Dokonano na nim frontalnego ataku na linię Kani i Jaruzelskiego. Nasza praca, nasz los, zależały w wielkim stopniu od tego, jakie tam zapadną rozstrzygnięcia. Na szczęście okazały się pomyślne. Po plenum miałem rozmowę z Generałem. Zachęcał mnie do jak najszybszego finalizowania tego dokumentu, ażeby był on już oficjalnym bytem, aby na IX Zjeździe można było go ogłosić jako oficjalny program w sferze ekonomicznej.

Zdradziłem wtedy obawę, czy taki dokument zostanie w ogóle zaakceptowany przez Biuro Polityczne, nie mówiąc o Komitecie Centralnym. I tutaj muszę przyznać się do pewnego politycznego matactwa. Mianowicie, Generał przeczytał i powiedział, że rzeczywiście mogą powstać trudności. Wówczas, tak między wierszami, zaproponowałem, żeby ta wersja, która przed ostateczną redakcją była na Biurze Politycznym, została uznana za przyjętą. Natomiast wersji ostatniej już Biuru Politycznemu nie pokazywać... Generał powiedział: No tak, ale jednak Kania powinien to zobaczyć. Zadzwoniłem do I sekretarza i powiedziałem, że dobrze byłoby, gdyby mógł spojrzeć na ten dokument. Starałem się zbagatelizować zmiany, jakie nastąpiły. Stanisław Kania powiedział: „Umówmy się, ile czasu na to potrzebujemy". Zaproponowałem pół godziny. Jeszcze dzisiaj widzę, jak zrozpaczony Kania coraz to czyta jakąś tezę i mówi: „Przecież to kontrrewolucja!" „Ale — mówi w końcu — idziemy na to". W ten sposób, jak gdyby za przyzwoleniem Generała i Kani, bez stawiania sprawy na Biurze Politycznym oraz na posiedzeniu Komitetu Centralnego, wprowadziliśmy na IX Zjazd dokument „Kierunki reformy gospodarczej".

Gdy się analizuje dokumenty, które były przedstawione na zjeździe, to ten zasadniczo różni się od innych. Zdecydowanie wykracza poza kwestie czysto gospodarcze. Określa w nowy sposób funkcje Sejmu, rad narodowych, rolę partii w gospodarce, a więc tym samym i w społeczeństwie. Był to więc pakiet, można powiedzieć, również polityczny. Ponieważ zjazd skłaniał się w kierunku reformatorskim, dokument został przyjęty w taki sposób, w jaki na pewno nie byłby przyjęty w starym Komitecie Centralnym. Uzyskaliśmy właściwie nową jakość systemową.

Przez pewne kręgi aktywu partyjnego, a także przez większość partii komunistycznych i robotniczych IX Zjazd PZPR przyjmowany był podejrzliwie. Wątpliwości budziła m.in. linia „porozumienia i walki". Dawała ona w praktyce ideologiczny placet na istnienie takich obszarów życia publicznego, które znalazły się faktycznie poza kontrolą PZPR. Zjazd usankcjonował koncepcję nowego układu, którego istotą było zachowanie pierwszoplanowej, dominującej roli partii, ale jednocześnie uznanie autonomii i partnerstwa innych sił — w szczególności związkowych. Mimo sporów i polemik doszło do kompromisu. Choć — co wykazał dalszy rozwój wydarzeń — był on zbudowany na kruchych podstawach. Nie zmienia to jednak faktu, że IX Zjazd uznać należy za najbardziej demokratyczny i twórczy ze wszystkich zjazdów PZPR.

To właśnie na tym zjeździe powołano komisję do wyjaśnienia przyczyn przebiegu kryzysów, tzw. „Komisję Kubiaka". To wtedy zaczynała klarować się idea porozumienia narodowego. Opowiedziano się za podjęciem prac nad nową ordynacją wyborczą do rad narodowych, za przyspieszeniem wdrożenia reformy gospodarczej. Mówiąc najogólniej — zjazd był sygnałem, że partia się zmienia, kuracja postępuje.

Mówi Andrzej Czyż *:

Same obrady zjazdu mniej pamiętam. Bardziej wyraziste jest wspomnienie tego, co działo się w sali Rudniewa Pałacu Kultury i Nauki, zarezerwowanej dla pracy Komisji Uchwał. Zgromadziło się tam ok. 120 delegatów. Reprezentowali opinie, stanowiska, propozycje rozwiązania polskich spraw w imieniu swoich delegacji, na ogół przedyskutowane w wojewódzkich zespołach delegatów. Niełatwo było w tej sytuacji o consensus.

Kierowałem pracami roboczego sekretariatu Komisji Uchwał. Naszym zadaniem było gromadzenie, a jeśli trzeba — opracowanie wstępnych projektów poszczególnych rozdziałów uchwały oraz przedstawienie ich na posiedzeniu Komisji. Materiałem wyjściowym były opracowania, wnioski, propozycje różnego rodzaju zespołów — czy to działających na zjeździe, czy też pracujących w ramach jego przygotowań w województwach, miastach, zakładach pracy. Ogółem do Komisji Uchwał wpłynęło ponad 100 takich opracowań (nie licząc tych, które masowo przesłano w czasie dyskusji nad tezami materiałów zjazdowych). Najdłużej trwały prace nad rozdziałami poświęconymi polityce społeczno-gospodarczej. Ostatecznie ich redakcję — przy szczególnie dużym udziale doc. Afeltowicza z Wrocławia, ówczesnego przewodniczącego Polskiego Towarzystwa Ekonomicznego — zakończono o drugiej w nocy, poprzedzającej ostatni dzień i tak już przeciągającego się zjazdu. Mimo wszystko drukarze z Marszałkowskiej zdążyli i tekst tego obszernego dokumentu nazajutrz znalazł się w Sali Kongresowej. Widziałem, jak przewodniczący Komisji Uchwał, prof. Hieronim Kubiak, odetchnął z ulgą.

Istotnie, profesor Hieronim **Kubiak** odegrał na zjeździe znaczącą rolę. Zobaczyłem go tam zresztą po raz pierwszy. Wygląd — jeśli z fajką — surowego kapitana statku z powieści Conrada. A faktycznie człowiek łagodny, ciepły. Bardzo dobry rozmówca i mówca. Natomiast organizacja, kierowanie nie były jego pasją i cechą wyróżniającą. Orientacja głęboko reformatorska. Podobnie jak Mieczysław Rakowski, Jerzy Wiatr, Andrzej Werblan, Zbigniew Kamecki oraz inni był ostro zwalczany przez koła konserwatywne. Doszedł do dnia 13 grudnia nie w „podskokach", ale podobnie jak większość z nas bardzo ciężkim krokiem. To było dla niego też „mniejsze zło". Ale zapewne jeszcze bardziej bolesne niż dla innych o „twardszej skórze".

W tym miejscu też pewna dygresja o profesorze Jerzym Wiatrze, dla którego mam wiele sympatii i szacunku. Sympatii znów związanej z wojskiem. Profesor **Wiatr** od lat zajmował się socjologią armii — interesująco pisał i wykładał na ten temat. Spotykaliśmy się przed laty. A szacunek? Był to jeden z tych intelektualistów, zwalczanych przez kręgi zachowawcze w partii, który wyróżniał się śmiałością

* Andrzej Czyż — w 1981 roku z-ca kierownika Wydziału Ideologicznego KC PZPR.

reformatorskiego spojrzenia. Był w tym zawsze konsekwentny. Niezależnie od politycznej koniunktury pozostaje wierny podstawowym wartościom lewicy. Osobowość interesująca i ujmująca.

Mówi Andrzej Czyż:

Wracając do meritum uchwały: najwięcej kontrowersji wywołała problematyka rozdziału wstępnego, poświęconego genezie i ocenie charakteru polskiego kryzysu. Ostatecznie przyjęto propozycję dra Bachórza z Gdańska. Najkrócej mówiąc — to nie jest kryzys wywołany przez czynniki wewnętrzne w partii ani walkę dwóch mafii o władzę. To kryzys sposobu sprawowania władzy, kryzys zaufania i kryzys nie zreformowanego systemu gospodarowania, nieefektywnego, niezdolnego do zaspokojenia potrzeb społecznych. Taka ocena otwierała drogę do programu reform głębokich i zasadniczych.

Myślę, że Uchwała IX Zjazdu była i pozostaje świadectwem autentycznego dążenia do reform istotnych, dogłębnych. Proponowała zmiany na owe czasy i na ówczesne warunki — śmiałe, nowe.

Zjazd opowiedział się za linią porozumienia, zadeklarował partnerski stosunek do wszystkich nurtów związkowych, zaakceptował główne zasady reformy opartej na samodzielności, samofinansowaniu i samorządności przedsiębiorstw.

A jednak z perspektywy czasu widać co najmniej dwa zasadnicze ograniczenia ówczesnej myśli reformatorskiego nurtu PZPR. Pierwsze wynikało z kurczowego trzymania się tezy o przywództwie politycznym jednej partii, czy inaczej mówiąc — z braku gotowości do rezygnacji z monopolu władzy politycznej. Drugie związane było z założeniem trwałej dominacji własności państwowej. Trzeba było kilku lat, aby zrozumieć bezowocność tak ograniczonego programu reform.

Ten zjazd był inny nie tylko w sensie zawartości merytorycznej, ale także w całej swojej scenerii. Było szokujące dla wszystkich, a zwłaszcza dla gości zagranicznych, że po całej sali rozsiane były mikrofony. Kto chciał, podchodził do nich, mówiąc różne rzeczy, nie zawsze „na linii". Zjazd miał również i swoje kulisy, niektóre dość ciemne; były to różnego rodzaju walki podjazdowe — ulotki, pomówienia, paszkwile skierowane przeciwko różnym ludziom z różnych orientacji. W rezultacie w wyborach do władz partii doszło do tzw. cięcia po skrzydłach.

Uważałem się za człowieka „środka". Wewnętrznie czułem się jednak bliższy ludziom o orientacji reformatorskiej. Intelektualna czołówka odnowy, wszyscy ci, którzy właściwie odczytali ducha czasu — zasługują na uznanie i szacunek. Stopniowo zbliżałem się do nich. A konserwatyści, dogmatycy? Byłoby dużym uproszczeniem wrzucanie wszystkich do jednego worka. Można ich podzielić na trzy kategorie. Pierwsza — to zaskorupiali, twardogłowi, traktujący doktrynę jak zbiór recept, „święty ogień", którego trzeba strzec za wszelką, nawet najwyższą cenę. Druga — to bezideowi, tchórzliwi karierowicze. Dzisiaj wielu z nich z wdziękiem neofity, merdając gorliwie ogonem, odcina się z obrzydzeniem od swej przeszłości. Kiedy i jaki będzie ich kolejny zwrot, kolejna maskarada? Wreszcie kategoria trzecia — nazwę ich, chociaż zabrzmi to być może dziwacznie — światłymi dogmatykami. To ludzie poszukujący społecznego i filozoficzno-moralnego potwierdzenia swych trwałych politycznych opcji. Nawet gdy się spóźniają, gdy się mylą, można ich szanować, można im ufać.

Tu dygresja — do 1956 roku dogmatyzm traktowany był jako dowód krzepy, zdrowia... Rewizjonizm zaś jak trąd, dżuma, cholera lub coś podobnego. W latach 1957-1980 mniej lub bardziej oficjalnie funkcjonowało określenie użyte kiedyś przez Gomułkę: „Dogmatyzm — grypa, rewizjonizm — gruźlica". W latach 1980-1989: początkowo pierwsze grypa i drugie grypa. Stopniowo jednak umacniał się i ostatecznie całkowicie zwyciężył kurs na głębokie reformy.

Wówczas często mówiliśmy o owych dogmatykach, konserwatystach — „rewolucyjni recenzenci" lub „gabinetowi rewolucjoniści". Nie potrafili oni pozyskać szerszego oparcia dla swoich poglądów, a przede wszystkim nawiązać kontaktu nawet z własnymi środowiskami. Natomiast przenosili swoją bezradność, swoje kompleksy, niezadowolenie i pretensje wyżej, do kierownictwa partii. Brak sukcesów na dole próbowali rekompensować gromkimi pokrzykiwaniami na górę.

Barcikowski nazwał to celnie: „Silna góra jako lekarstwo na słabości dołu". Góra ma być stanowcza, zdecydowana, walcząca, a my będziemy oceniać, krytykować, jeśli naszych oczekiwań nie spełni.

W partii zaczęły wówczas działać także tzw. struktury poziome. Ich podstawowym celem była daleko idąca decentralizacja życia wewnątrzpartyjnego. „Poziomki" stawały się ruchem popularnym wśród części partyjnych intelektualistów, w środowiskach akademickich i studenckich, zwłaszcza Torunia, gdzie wzięły swój początek. Jednym z ich animatorów był Wojciech Lamentowicz, wówczas adiunkt Wyższej Szkoły Nauk Społecznych. Z sympatią odnosił się do nich Andrzej Werblan. Kania, Biuro Polityczne uważało, że ich działalność grozi partii dezintegracją. Skądinąd ciekawe, że ruch ten nie spotkał się z poparciem „Solidarności". Kuroń we wspomnieniach tłumaczy, że nie chciano tego okazywać, aby nie narażać działaczy „poziomek" na zarzut „agenturalności".

Dzisiaj patrzę na te sprawy nieco inaczej. Chyba popełniliśmy błąd, zabrakło nam odwagi i cierpliwości. Kierownictwo partii nie znalazło klucza, który pozwoliłby pewne — nietypowe, sprzeczne z dotychczasową formułą organizacji i funkcjonowania partii — formy adaptować dla jej potrzeb. Sądzę, że struktury poziome można było potraktować jako czynnik wspomagający rozbicie skostniałych układów, które przestały już być twórcze i użyteczne. Chociaż, czy ja wiem, może byłaby to przysłowiowa kropla przeważająca szalę zagrożenia — jak w Czechosłowacji w 1968 roku.

W sumie na zjeździe wygrała orientacja centrowa. Nie zamierzam stroić się *ex post* w szaty radykalnego, natchnionego reformatora, który jak święty Jerzy ze smokiem walczy z „betonem". To dziś jest w modzie u licznych pamiętnikarzy i politycznych gawędziarzy. Krążyło przed laty żartobliwe powiedzenie: „Będziemy walczyć o pokój tak usilnie, że kamień na kamieniu nie zostanie". Odnosiło się wrażenie, iż niektórzy „reformatorzy" mogą doprowadzić socjalizm do takiego stanu. Byłem zwolennikiem głębokich zmian, ale mieszczących się w ramach ówczesnego ustroju. Miały one służyć jego uzdrawianiu, a więc nie osłabieniu, lecz umocnieniu. To zresztą odpowiadało intencjom zdecydowanej większości delegatów. Spotkałem się na zjeździe z dużą życzliwością. W wyborach do Komitetu Centralnego uzyskałem spośród członków kierownictwa największą liczbę głosów: 1615 — na 1909 ważnych. Kolejni byli: Zofia Grzyb — 1476, Jerzy Romanik — 1461, Zbigniew Michałek — 1433, Kania — 1335 głosów. Również moje przemówienie przyjęte było bardzo dobrze. Było w nim m.in. stwierdzenie, że „wyjście z kryzysu nie jest możliwe bez głębokich reform gospodarczych, których kalendarz został już opracowany". Mówiłem o potrzebie rozwijania „autentycznej samorządności", o nieodwracalności „socjalistycznej odnowy". Ale też o konstytucyjnym obowiązku ratowania państwa przed rozkładem, narodu przed katastrofą. Przypomniałem wreszcie, że w obecnej sytuacji międzynarodowej nie jest obojętna nasza sytuacja wewnętrzna, nasza zwartość i kondycja, konieczność przezwyciężenia kryzysu własnymi siłami. Ten ostatni akcent występował w moich publicznych przemówieniach, już nie mówiąc o różnych naradach, spotkaniach, rozmowach, w sposób wręcz obsesyjny. Prasa, radio, telewizja w 1981 roku relacjonując moje przemówienia wygłaszane czy to z trybuny sejmowej, czy też w innych okolicznościach, doprowadzały tę myśl szeroko do opinii publicznej. Rezonans — zwłaszcza wśród opozycji — niestety był mierny.

A przecież także w ten sposób rozpaczliwie ostrzegałem. Mówiąc o „własnych siłach" tym samym wręcz łopatologicznie dawałem do zrozumienia, że grozi inna, stokroć gorsza alternatywa. Groch o ścianę!

Dziś patrzę na to nieco inaczej. „Grzmotliwe" wypowiedzi Kani, moje i innych miały ostrzegać „Solidarność", a jednocześnie uwiarygodniać naszą stanowczość, determinację wobec sąsiadów oraz we własnych szeregach. Nie wiem, czy to było najsłuszniejsze. Na bardziej umiarkowanych kołach „Solidarności" ta retoryka, zwłaszcza początkowo, być może robiła pewne wrażenie. Ale koła ekstremalne nic z tego sobie nie robiły. Przeciwnie, działało to na nie jak ostroga na galopującego konia. Z kolei sojusznicy oraz nasi pryncypialni towarzysze byli coraz bardziej przekonani, że to jakiś bluff, tworzenie z ostrych słów parawanu dla oportunistycznej polityki. A więc znów — i tak źle, i tak niedobrze. „Solidarność" takim ocenom obiektywnie przychodziła w sukurs. Jak inaczej określić towarzyszący zjazdowi akompaniament strajkowy? Albo marsze głodowe? Odbywane — co zadziwiające — w szczytowym okresie żniw.

Były one oczywistym przejawem manipulacji politycznej i moralnej. Hasło „głód" jako pierwszy krok ku władzy to stary pomysł Bakunina, ojca anarchizmu. Między innymi w Łodzi 25 lipca odbył się wielotysięczny marsz kobiet. Lubię poezje Juliana Tuwima. Niektóre z jego wierszy pamiętam dobrze. M.in. i ten z „Kwiatów polskich":

Bałuckie limfatyczne dzieci
Z wyostrzonymi twarzyczkami
(Jakby z bibułki sinoszarej
Wyciął ich rysy nożyczkami),
Upiorki znad cuchnącej Łódki.
Z zapadłą piersią, starym wzrokiem,
Siadając w kucki nad rynsztokiem,
Puszczają papierowe łódki
Na ścieki, tęczujące tłusto
Mętami farbek z apretury —
I płyną w ślad nędzarskich jachtów
Marzenia, a za nimi — szczury.

Zresztą „marsze głodowe" zorganizowano i w kilkunastu innych miastach: Tomaszów Mazowiecki, Radomsko, Bełchatów... Ponadto na ulicach Łodzi odbył się demonstracyjny przejazd wielu autobusów z zapalonymi światłami. Był to protest przeciwko „nieudolności rządu", przeciw „głodzeniu narodu".

Władza stale była podejrzewana m.in. o to, że ukrywa zapasy żywności. Kolportowano plotkę, że KC PZPR wydało członkom partii tajną instrukcję, aby we własnym zakresie magazynowali żywność lub ją niszczyli. Jeszcze dziś Zbigniew Bujak powtarza w swojej książce banialuki o jakimś celowo zamierzonym przez władze wygłodzeniu Żyrardowa. Zarazem przyznaje, że „Solidarność" nie potrafiła tego dowieść, choć miała swoich ludzi wszędzie. Kiedy człowiekowi brakuje jedzenia, odzieży, mydła — gotów jest uwierzyć w każdą, najbardziej nawet niedorzeczną wiadomość.

Chciałem wystąpić w telewizji i zawołać: „Ludzie, zastanówcie się! Nie dolewajcie oliwy do ognia!" Byłoby to jednak równie „skuteczne", jak telewizyjne przemówienie Babiucha w sierpniu 1980 roku. Dlatego zrezygnowałem. Co mogłem wówczas powiedzieć umęczonym kobietom, które częstokroć spontanicznie przyłączały się do demonstracji? Mówić, że mamy ujemny bilans handlowy i płatniczy? Mogłem zrobić tylko jedno — z uporem i determinacją kontynuować wysiłki dla ratowania rozpadającej się gospodarki.

Koniec lipca i sierpień to okres wzmożonych napięć, akcji protestacyjnych. Miały one osłabić rezultaty IX Zjazdu, przyćmić jego w sumie pozytywną wymowę. Powtarzam — zmarnowana została realna na owe czasy szansa. Jednocześnie był to także wiatr w żagle tych działaczy partyjnych i państwowych, którzy myśleli po staremu. Dostali mocny argument — porozumienie jest niemożliwe. Oni z kolei, kwestionując *de facto* reformy lub też sprowadzając je do kosmetycznych zmian, dawali argument radykałom „Solidarności" — socjalizm jest niereformowalny. Niestety, tak się już w Polsce wówczas działo, że kiedy pojawiała się nadzieja poprawy — natychmiast było to kontrowane z jednej i z drugiej strony. Oto jeszcze jedno oblicze „polskiego piekła".

W „Solidarności" oceniano ten zjazd różnie. Część — głównie członkowie partii — odczytała go z nadzieją. Może nie będzie już rozterki wewnętrznej: jestem tu czy jestem tam. Ale to chyba była mniejszość. W każdym razie to nie byli ci, którzy decydowali. Zadecydował nurt inny. W zjeździe dostrzegł on z niepokojem szansę dla partii i socjalizmu. Dla partii reformującej się. Socjalizmu też reformowanego, ale jednak socjalizmu. Wielu działaczom „Solidarności" było to nie na rękę. Można rozważać, co by było, gdyby wówczas w „Solidarności" zwyciężyło inne podejście, inna linia. Gdyby przeważyło takie myślenie: wyjdźmy na spotkanie może jeszcze nie w pełni wyrazistym i konsekwentnym, ale jednak siłom odnowy. Dajmy im jakiś czas. To uwiarygodni Polskę jako kraj stabilny, odpowiedzialny, nie zagrażający sojuszom. Niestety, była to kolejna nie wykorzystana stosownie sytuacja. Zamiast na hamulec — naciśnięto na gaz. Działacze „Solidarności" tłumaczą to w osobliwy sposób. W 1956 i 1970 roku zaufano — i jak się skończyło? Dlaczego teraz miałoby być inaczej?

Otóż tamte wydarzenia były przede wszystkim wielką, właściwie żywiołową eksplozją. W rezultacie następowały — dojrzewające zresztą już wcześniej — zmiany w kierownictwie państwa. Po jakimś jednak czasie wszystko się „normalizowało" — chociaż nigdy już nie wracało do pozycji wyjściowej.

Sytuacja lat 1980-1981 była z gruntu inna. Owszem — eksplozja też była. Były też zmiany na szczytach władzy. Ale dla wszystkiego, co później, nie ma żadnego porównania. Powstała wielomilionowa organizacja społeczno-polityczna. Popierana przez rosnący w siłę Kościół. Uznawana, a czasem nawet kokietowana przez władzę. W poprzednich okresach nikt z opozycją nie gadał. Praktycznie nie było żadnej liczącej się opozycji. Obecna zaś była usankcjonowaną potęgą. Jednak — jak już wielokrotnie mówiłem — „Solidarność" szła za szybko, myśmy szli za wolno. Oni ulegali radykałom, nie słuchali ludzi rozsądnych. My nie potrafiliśmy odciąć się od sił konserwatywnych, jednoznacznie postawić na reformatorów. Tu jednak poprawię się: nie tylko nie potrafiliśmy, ale chyba nie bardzo mogliśmy. Taki przecież był czas. Dlatego też zjazd był pewnym kompromisem. Chodziło o to, aby stworzyć możliwie najszerszą, a jednocześnie odnowioną płaszczyznę dla zwolenników różnych orientacji. Są to już tylko rozważania. Jedno jest oczywiste — zjazd spełnił swoją rolę tylko częściowo. Pozostał jednak doniosłym wydarzeniem historycznym. Świadectwem oraz inspiracją dla reformatorskiego kursu na całe lata. Odwoływanie się do niego stanowi do dziś moralne prawo znacznej części polskiej lewicy.

A to, że warunki historyczno-ustrojowe radykalnie się zmieniły, to już inna sprawa. Dlatego nie *fair* jest mówić o „przemalowaniu się" byłych PZPR-owców. Jeśli tak, to jeszcze bardziej przemalowała się elita solidarnościowa. Droga od egalitaryzmu i samorządności pracowniczej do obecnych rozwiązań jest wręcz karkołomnym piruetem.

IX Zjazd był z dużą uwagą obserwowany przez Zachód. „Washington Post" z 27 lipca 1981 napisał: „Partia pozytywnie odniosła się do zasady wysuniętej przed rokiem przez robotników, głosząc, że władza płynie z dołu. Czegoś takiego nie uczyniła jeszcze żadna inna partia komunistyczna (...). Z wszystkich jednak rządzących partii komunistycznych jedynie polska partia reprezentuje wolę swoich członków. Jest to przełom, którego skutki w Polsce i gdzie indziej będą dawały o sobie znać przez lata".

Zachodnioniemiecka „Die Welt" stwierdziła, że „skład nowego Biura Politycznego wskazuje na przyszłość kontynuowania w Polsce umiarkowanego kursu reform. Nowe Biuro Polityczne, które podobnie jak I sekretarz KC po raz pierwszy zostało wybrane w tajnych wyborach, jest w sposób wyważony obsadzone siłami środka, reformatorskimi i konserwatywnymi".

Raz jeszcze zacytuję „Washington Post": „Wielu uważa, że po zjeździe partia i «Solidarność» mogą wziąć się razem za rozwiązywanie problemów gospodarczych (...). Stwierdzenie, że partia i «Solidarność» zabiorą się razem za problemy gospodarcze, wydaje się jednak zbyt uproszczone. Jeden kierunek głosi konieczność wyrzeczeń i reform, drugi — ulg dla robotników. Wywalczono większe swobody. I kto obecnie nakaże robotnikowi, aby pracował więcej za mniejszą zapłatę?" Pytanie, które przed tylu laty postawiono w „Washington Post", do dzisiaj zachowało aktualność. Zmienił się ustrój, zmieniła się władza, ale ślady tamtych „ulg", zwłaszcza w sferze psychologicznej, są odczuwalne do dziś. Kto w roku 1981 namawiał ludzi do strajków, do socjalnego koncertu życzeń, musi się z tym liczyć. Odruchy typu *homo sovieticus* zaszczepiali również antykomuniści.

Prasa zachodnia — jak mówiłem — obserwowała zjazd z dużym zainteresowaniem. Natomiast w krajach socjalistycznych informacje były lakoniczne, marginesowe. To zrozumiałe. Oficjalna propaganda nie mogła lansować treści, które tam były wręcz wyklęte. Z tego także względu niski był szczebel zagranicznych delegacji, które przybyły na IX Zjazd.

Notabene przeprowadziłem wówczas kilka rozmów z przybyłym z Wietnamu legendarnym generałem Giapem. Pozostał on po zjeździe kilka dni i wygłaszał bardzo ciekawe odczyty o wojnie partyzanckiej. Mimo wojennych zasług był już jednak postacią schyłkową w hierarchii kierownictwa wietnamskiego.

Podsumowując okres zjazdowy powtórzę: „Solidarność", zrodzona z protestu przeciwko wypaczeniom władzy, staje się działającym ofensywnie, potężnym ruchem społeczno-politycznym. Partia, z różnymi wahaniami i oporami, odpowiada na to stopniową demokratyzacją, a zwłaszcza liberalizacją polityki społecznej i gospodarczej. Rząd podejmuje dziesiątki decyzji, aby ten kierunek praktycznie realizować. Z obydwu stron narastają jednak nurty radykalne. W „Solidarności" coraz większą siłę zdobywa orientacja zmierzająca do obalenia ustroju i przejęcia władzy. W partii usztywnia się odłam zachowawczy. A nad tym wszystkim wiszący ciemną chmurą czynnik zewnętrzny. Doprawdy, sytuacja szekspirowska.

Rozdział 23

Różne twarze

IX Zjazd każe przypomnieć dwa nazwiska — z dwóch skrajnie różnych partyjnych środowisk i skrzydeł: Stefana Bratkowskiego i Albina Siwaka.

Bratkowski — erudyta, postać barwna i kontrowersyjna. Jakkolwiek by to dziwnie brzmiało — pragmatyk, pozytywista i romantyk jednocześnie. W owym czasie bardzo znany i wpływowy politycznie. Po raz pierwszy odwiedził mnie jako ministra obrony narodowej przy ul. Klonowej. Była to jesień 1980 roku. Dzieliliśmy się ocenami sytuacji, zatroskaniem o jej rozwój. Różnice naszego spojrzenia były bardzo niewielkie. Wspólne zaś przekonanie, że można i trzeba określić płaszczyznę, na której nowy ruch związkowy znajdzie właściwe miejsce. Była też okazja do poruszenia tematów historycznych, wojskowych. Bratkowski lubi i zna tę tematykę.

Potem mieliśmy jeszcze kilka innych kontaktów. Różnice w widzeniu pewnych zjawisk były już większe. Starałem się przekonać go, że intencje kierownictwa partii i rządu są czyste. Nie należy demonizować, a zwłaszcza uogólniać grzechów i słabości aparatu partii i administracji. On z kolei mówił: „«Solidarność» nie zmierza do władzy. Chce być czynnikiem reformatorskim, ale w obrębie ustroju socjalistycznego". Radykalne tendencje, różnego rodzaju ekscesy wyraźnie minimalizował. „Ich źródło — mówił — to głównie niewłaściwe postępowanie władz, zwłaszcza terenowych".

W szczególnie napiętych stosunkach pozostawali dwaj Stefanowie, kiedyś podobno sobie dość bliscy: Stefan Bratkowski i Stefan Olszowski. Ostro krytykowali się publicznie. Zresztą Bratkowski, a także profesor Henryk Samsonowicz, znajdowali się pod huraganowym ogniem Komitetu Warszawskiego PZPR. Dziś wydaje się to śmieszne i małostkowe. Wówczas miało być dowodem pryncypialności.

List otwarty Bratkowskiego do partii, napisany na wiosnę 1981 roku — Biuro Polityczne oceniło krytycznie. Na początku lipca Bratkowski wystąpił znowu z tzw. „minimum zjazdowym". Dziś, kiedy patrzę z dystansu, uważam, iż autor miał dużo racji, ale, niestety, miał jej więcej, niż wówczas można było przyjąć i zrealizować.

Z książki prof. Jerzego Holzera „Solidarność 1980-1981. Geneza i historia":

Największym echem odbił się list otwarty Bratkowskiego, prezesa Stowarzyszenia Dziennikarzy Polskich, „Do moich współtowarzyszy". Bratkowski, „szeregowy członek partii", określał sytuację jako „kryzys ostatniej szansy dla tych, którzy chcieliby zawrócić naszą Partię z drogi porozumienia społecznego, nasze państwo i społeczeństwo doprowadzając do nieuchronnej katastrofy"... Bratkowski głosił, że krajem nie można rządzić w konflikcie z całą niemal partią i całym niemal społeczeństwem, przy poparciu małej części aparatu władzy. „Nasi twardogłowi nie reprezentują żadnego programu, poza koncepcją konfrontacji i dezinformacji... Nie dostrzegam choćby jednej propozycji, która wykraczałaby poza obronę własnych stanowisk, poza ambicje sięgania po wyższe... Próbują sprowokować społeczeństwo do zachowań usprawiedliwiających użycie przemocy".

Bratkowski przedstawiał jako postaci pozytywne życia partyjnego Kanię, Barcikowskiego i „rząd gen. Jaruzelskiego", wzywał do poparcia ich w imię porozumienia możliwego i koniecznego, bo Polska to „kraj ludzi nad wyraz spokojnych, którzy poszukują rozsądnych dróg wyjścia z katastrofy". (...)

11 lipca raz jeszcze zabrał głos Bratkowski. Określił on „minimum zjazdowe" — 25 warunków, których spełnienie oznaczać mogłoby wytyczenie drogi do rozwiązania polskich problemów. Warunki dotyczyły rozliczenia partii za przeszłość, potępienia i odsunięcia ludzi wrogich porozumieniu, uznania wielonurtowości socjalistycznych tradycji reprezentowanych w partii oraz pełnej równości dla wierzących, demokratycznego i w razie potrzeby tajnego rozstrzygania kwestii merytorycznych lub personalnych, wprowadzenia zasady rotacji stanowisk, ograniczenia roli aparatu partyjnego, zakazu łączenia stanowisk partyjnych i państwowych, wyrzeczenia się administracyjnych nakazów partii wobec aparatu państwowego i organizacji społecznych, likwidacji nomenklatury, czyli listy stanowisk obsadzanych przez instancje partii, uznania za podstawowe zasad porozumienia społecznego i samorządności, rozszerzenia aparatu władzy o przedstawicieli wszystkich sił społecznych, przyjęcia zasady nadrzędności organów przedstawicielskich oraz zmiany ordynacji wyborczej, poparcia reformy gospodarczej i powierzenia jej realizacji akceptowanym społecznie fachowcom, akceptacji trwałego istnienia rolnictwa i rzemiosła indywidualnego, uznania niezawisłości sądownictwa oraz potrzeby kontroli organów porządku publicznego przez organa przedstawicielskie i prokuraturę, stworzenia warunków wiarygodności środków masowego przekazu oraz ograniczenia stosowania cenzury.

Część tych postulatów znalazła swe odbicie w decyzjach zjazdu, w dalszych posunięciach partii i rządu. W sumie jednak teksty te wyprzedzały realny czas, szły dalej niż istniejące wówczas możliwości. Podobnie jak memoriały konwersatorium „Doświadczenie i Przyszłość". Pamiętam szczególnie interesujący trzeci raport DiP-u, sygnowany nazwiskami m.in. Stefana Bratkowskiego, Cezarego Józefiaka, Jana Malanowskiego, Jana Strzeleckiego, Jerzego Szackiego, Klemensa Szaniawskiego, Andrzeja Wielowieyskiego. Reakcja kierownictwa partii na tego typu wystąpienia była raczej niechętna, uproszczona. Odpychała wielu ludzi myślących podobnie jak Bratkowski. Z kolei on sam oraz wielu partyjnych i bezpartyjnych intelektualistów mogłoby zrobić więcej, gdyby odniosło się z większym zrozumieniem do intencji władzy, do realiów, w jakich działała i niepokojów, które przeżywała.

Bratkowskiemu przypisywano mitomaństwo. Był trochę błędnym rycerzem, raczej w dobrym rozumieniu tego słowa. Człowiekiem o dużych ambicjach i towarzyszących temu emocjach. W sumie myślę o nim życzliwie. Do dziś pozostaje on sobą. Zawsze z powagą traktował demokrację, tolerancję, swobody obywatelskie. Wszystko, co tym wartościom zagraża czy jest z nimi sprzeczne, spotyka się z jego krytyką. Wydaje się jednak, że kiedy wreszcie zwyciężyło „solidarnościowe", Bratkowski obniżył poprzeczkę polityczno-moralnych wymagań wobec ekip sprawujących władzę.

A jak oceniam Siwaka? **Siwak** zasługuje na szerszy wywód, nie tylko w indywidualnym wymiarze. Wszedł on bowiem do kierownictwa partii w gronie kilku autentycznych robotników. Zapoczątkowano tę praktykę na jesieni 1980 roku. Znaleźli się wtedy w Biurze Politycznym: Zygmunt Wroński z Ursusa i górnik ze Śląska — Gerard Gabryś. Na IX Zjeździe do Biura weszły cztery osoby: Zofia Grzyb z „Radoskóru", górnik Jerzy Romanik, Jan Łabęcki ze Stoczni Gdańskiej, zastąpiony później przez Stanisława Kałkusa z „Cegielskiego" oraz brygadzista budowlany Albin Siwak. Spełnili oni pożyteczną rolę. Przybliżali kierownictwu politycznemu problemy życia codziennego, zwłaszcza sygnalizując i wyczulając na sytuację w zakładach pracy. Ja w każdym razie słuchałem ich zawsze bardzo uważnie.

Tak istotny udział robotników w Komitecie Centralnym oraz Biurze Politycznym — to praktyczne zadośćuczynienie doktrynalnie rozumianej roli klasy robotniczej. Ale w konkretnej sytuacji to również odpowiedź na masowość robotniczego poparcia dla „Solidarności". Wreszcie to próba przeciwstawienia jej liderom — partyjnych indywidualności robotniczych. Do takich niewątpliwie należał Siwak.

Czy sprostał temu oczekiwaniu? Raczej nie. Ze względów obiektywnych — bo „przelicytować" „Solidarność" w jej robotniczo-socjalnych roszczeniach partia nie miała szans. I ze względów subiektywnych, tj. intelektualno-charakterologicznych cech Siwaka. Cechy te, zsumowane z wysoką pozycją polityczną, tworzyły mieszankę dość osobliwą, momentami nawet niebezpieczną.

Siwaka ponosił temperament, przerosły go ambicje. Głosił poglądy skrajne, sekciarskie. Szczególnie nie znosił Rakowskiego i Kubiaka. Zdarzały mu się i uderzenia „poniżej pasa". W swoich wystąpieniach — wygłaszanych emocjonalnie, „z ogniem" — nierzadko szarżował, a nawet bluffował.

Niektóre teksty pisał mu Ryszard Gontarz oraz inne osoby o podobnej psychopolitycznej orientacji. Wydaje się, iż nierzadko był po prostu ich narzędziem. O takich jak on można powiedzieć: mówi wszystko, co myśli, nawet więcej, niż myśli. Byłoby jednak krzywdzącym uproszczeniem takie wyłącznie charakteryzowanie Siwaka. Nie można mu odebrać cech pozytywnych, zasługujących na uznanie. Przede wszystkim ideowość, odwaga, konsekwencja. Niewątpliwe zdolności robotniczego trybuna i polemisty. Wrażliwość na biurokratyczne wypaczenia, na krzywdę ludzką. Dał temu szczególny wyraz w późniejszym okresie. Jako przewodniczący Komisji KC do Spraw Skarg, Listów i Zażaleń, działał z wielką energią i sercem. Długo jeszcze był „reklamówką" naszej prorobotniczej orientacji. Ta orientacja nie była sztuczna, instrumentalna.

Różne bolesne konflikty — roku 1956, 1970, lat 80. — to jedno. A generalna intencja władzy to drugie. My naprawdę chcieliśmy być władzą bliską interesom robotników. I chyba niemało zrobiliśmy w tym kierunku. Jeśli coś mówił robotnik, przyjmowaliśmy to ze szczególną uwagą. Stąd też różnego rodzaju spotkania, narady, ciągłe konsultacje w tym właśnie środowisku. Było w tym niewątpliwie i poczucie więzi, i obawa. Dobitnie ją ilustruje cyniczne powiedzonko: „Czy się leży, czy się stoi, władza płaci, bo się boi".

W moim przypadku był to również swego rodzaju kompleks. Czy wynikający z mojego pochodzenia? Niewątpliwie tak, w sposób może nawet podświadomy. Przecież sam poznałem także smak ciężkiej fizycznej pracy.

Dzisiaj rozumiem znacznie lepiej, że klasie robotniczej nie należy schlebiać. Trzeba po prostu ją szanować. W ubiegłym roku widziałem w telewizji, jak jakiś zażywny jegomość mówił: „Solą ziemi musi być biznesmen, a nie człowiek w kufajce i gumowych butach". Nie zgadzam się z tym. Każda tego typu skrajność jest nie tylko nieracjonalna, ale i niemoralna, właśnie niemoralna. Co znaczy dzielenie na lepszych i gorszych? Każdy ma swoje miejsce w społeczeństwie. Ten w gumowych butach i kufajce jest potrzebny temu, który ma biznes. I odwrotnie. A inteligent, a chłop, który żywi? „Solą ziemi" jest ten, kto spełnia dobrze swój obywatelski obowiązek — niezależnie od tego, do jakiego środowiska należy. Tylko tyle i aż tyle. Nigdy nie wyrzeknę się przekonania, że klasa robotnicza stanowi ważną część społeczeństwa. Aczkolwiek trzeba przyznać, że błędem naszej formacji była jej idealizacja, a właściwie swego rodzaju werbalna sakralizacja jako „kolektywnego Prometeusza", który prowadzi naród do lepszego świata.

I jeszcze jeden mój kompleks, też chyba związany z pochodzeniem. Wobec starych działaczy, zwłaszcza jeszcze przedwojennych komunistów oraz PPR-owców. To w jakiś sposób przenosiło się na tych, którzy jak gdyby dziedziczyli ich bojowość i pryncypialność. Jestem świadom, że był to błąd. Nadmierne niekiedy liczenie się z ich poglądami, z ich retoryką. Ostrożność w eliminowaniu z gremiów kierowniczych.

W poparciu reformatorów należało pójść śmielej, dalej. Wtedy jednak była tendencja do unikania kolizji wewnątrz kierowniczego kolektywu, tworzenia płaszczyzny sprzyjającej sprawnemu, operatywnemu działaniu.

Sytuacja „na górze" odzwierciedlała w jakimś stopniu sytuację w całej partii — z jej dwoma przyrodzonymi, a jednocześnie przeciwstawnymi założeniami: masowość i monolityczność. Im partia większa, tym silniejsza. To nie było słuszne. Partia masowa, a w dodatku przez wiele lat rządząca, rozcieńczana jest przez ludzi, którzy trafili do niej przypadkowo bądź koniunkturalnie, nie są więc z nią autentycznie związani. Faktycznie są balastem, a nie czynnikiem aktywnym, twórczym. Najważniejsza jest skala poparcia społecznego, a nie liczba członków. Uświadomiliśmy to sobie zbyt późno. Również monolityczność jest wątpliwą zaletą. Prowadzi do sztucznego klajstrowania rozbieżności i odrębności, do tłumienia inicjatywy. Tworzy niezdrowe sytuacje. Można musztrować nogi, ale nie głowy.

Ruch „Solidarności" był w owym czasie wielobarwny, a raczej wielogłośny, często aż „bębenki pękały". Pamiętam liczne meldunki i informacje o ekstremizmie Rozpłochowskiego, Kopaczewskiego, Kosmowskiego, Sobieraja i innych. Tych innych nie wymieniam. Niektórzy z nich — choć, niestety, nie wszyscy — zmienili się, powiem otwarcie — zmądrzeli. Część zasiada na wysokich parlamentarnych, a nawet rządowych fotelach. Nie będę więc im przypominał „dziecięcej choroby" ekstremizmu. Zacytuję jedynie fragment książki Jerzego Holzera na temat wystąpienia Jurczyka z 25 października w Trzebiatowie. „Zagalopował się on w radykalizmie — pisze Holzer — żądając rozliczenia osób odpowiedzialnych za zbrodniczą politykę w przeszłości przed Trybunałem Społecznym i karanie ich, aż do tracenia na szubienicy włącznie. Ten styl polityczny na pewno nie odpowiadał wyobrażeniom większości społeczeństwa. Jurczyk atakował ostro, choć powierzchownie, stosunki gospodarcze Polski ze Związkiem Radzieckim. Najbardziej zdumiewającym fragmentem było oskarżenie polskich przywódców komunistycznych o żydowskie pochodzenie".

Nie wiem skąd to się u Jurczyka brało. Zapamiętałem go z rozmowy w dniu 10 marca jako człowieka spokojnego. Dziś też obserwuję go w telewizji jako przywódcę organizacji związkowej, dystansującej się od polityki. Ale wówczas nie było dla nas obojętne, że w Trzebiatowie w ten sposób mówił właśnie człowiek, który na kongresie „Solidarności" był głównym rywalem Wałęsy. Wałęsa dostał 55% głosów, a on 25%, reszta głosowała za Rulewskim i Gwiazdą. Można powiedzieć, że 45% głosów kierowniczego aktywu „Solidarności" padło na ludzi o radykalnych wówczas poglądach. Był to dla nas bardzo znamienny sygnał.

Błędnie ocenialiśmy wewnętrzne zróżnicowanie „Solidarności". Panowały takie „zaszufladkowane" oceny: najgorszy to KOR oraz — „poza konkursem" — KPN, dalej — doradcy i eksperci, a najlepszy — nurt robotniczy. Nie chodzi o to, że w każdym z tych środowisk byli różni ludzie, nie mieszczący się w tych szufladkach. To była generalnie błędna ocena. W drugiej połowie 1981 roku radykalny nurt robotniczy stał się siłą najbardziej rozbujałą, najdalej idącą, właściwie niesterowalną. Tym samym — najniebezpieczniejszą. Niektórzy z działaczy partyjnych wzdychali wtedy: niechby tak przez kilka lat nasmakowali się prawdziwego kapitalizmu, z bezrobociem i innymi jego plagami... No i stało się.

Z dzisiejszej perspektywy wiele ocen dotyczących różnych ludzi relatywizuje się i zmienia. Mając obecnie więcej czasu i dystansu, odświeżyłem sobie lub po raz pierwszy zapoznałem się z różnymi książkami, publikacjami, materiałami — zarówno tymi, które zawierały oceny naszej strony, jak i z tym, co pisali lub mówili nasi ówcześni przeciwnicy. Dziś czyta się to i widzi nierzadko inaczej, a przede wszystkim głębiej, bez uprzedzeń i emocji, które towarzyszyły nam w minionych latach. Tak już jest, że w bójce widzi się tylko pięści, a nie oczy przeciwnika. Każda strona miała swoje racje, każda też miała jakieś podstawy, aby negatywnie oceniać ówczesnego adwersarza. Była to, niestety, ocena często płytka — podejrzliwość, nieufność były w niej niejako zakodowane. To, oczywiście, deformowało ogólniejszy obraz. Ale tak było i tak to trzeba dzisiaj uczciwie powiedzieć. Jedną z przyczyn były kalekie informacje, jakie mieliśmy o sobie. Docierały na ogół najostrzejsze sformułowania. Gubiono w nich wszelkie racjonalne przesłanki „recenzowanych" poglądów. Demonizowano je i ich autorów. To przeszkadzało zrozumieć, a tym bardziej wyjść na spotkanie. Rodziło się wiele uprzedzeń. Chociażby te, które wiązały się z naszym stosunkiem do Kuronia, Michnika. Uważaliśmy ich za uosobienie politycznego zła. Ja z idiotycznym uporem długo przeciwstawiałem się ich udziałowi przy „okrągłym stole". To miało swoją historię sięgającą początku lat 60. Później był rok 1968 i 1976. W 1980 i na początku 1981 roku Kuroń był jednym z głównych ideowo-programowych i organizacyjnych „rozruszników" „Solidarności". Jeszcze w okresie wydarzeń bydgoskich silnie radykalizował. Później też zdarzały mu się „ostre" pomysły. Gdy jednak awanturnictwo zaczęło wylewać się na brzegi — ostrzegał. Między innymi przed skierowaniem tzw. „Posłania do ludzi pracy Wschodu".

Pamiętam, że jesienią 1980 roku prowadziłem w Helenowie pod Warszawą posiedzenie Rady Wojskowej MON. Dostarczono nam kasetę z wywiadem, jakiego Kuroń udzielił telewizji szwedzkiej. Pyta go dziennikarz: „No dobrze, ale jeśli będzie taka sytuacja, że władze zaproszą radzieckich do wkroczenia do Polski?" Na to Kuroń odpowiada: „To my tę władzę powiesimy!" Być może tłumaczenie było „na wyrost". W każdym razie generalicja przyjęła to ze zgrozą. Szkoda, że w 1981 roku nie dotarły do mnie inne słowa Kuronia, wypowiedziane w Ursusie, kiedy wzywał „do wyzbycia się zemsty i nienawiści". Niedawno **Kuroń** znów powiedział w Sejmie jakiemuś więziennemu lekarzowi: „Panie klawisz, będziesz pan wisiał". A przecież dziś wiem, że nie zabiłby on nawet muchy. Jest człowiekiem z natury wrażliwym, życzliwym. A jednocześnie w ferworze powie coś takiego, co zostaje i krąży. Temperament i prostolinijność są jego siłą. W niektórych jednak przypadkach bywają słabością. Ale nie tylko. Nie słyszałem, aby ktoś — poza nim — z taką szczerością powiedział publicznie to, co ówczesnej opozycji, „Solidarności" jest niewygodne. A właśnie to jego słowa (wypowiedziane w telewizji), że „w latach 1980-1981 strajki w istocie zmierzały do tego, aby obalić władzę", a także, iż przy okrągłym stole „to my ich oszukaliśmy — dokładnie i do końca" („Przegląd Tygodniowy"). Kuroń to postać, której nie da się ująć w zwykłe ramki. Weteran postępowej opozycji, społecznik z krwi i kości, utalentowany, dynamiczny polityk.

Z kolei **Michnik**. Pięknie pisze o nim Tadeusz Konwicki w swej ostatniej książce „Zorze wieczorne". Rzeczywiście, to wybitny intelekt i wysokie polityczne morale. Bardzo odważny. Nie boi się iść nawet pod silny prąd. Swego rodzaju purytanin demokracji, choć bardziej ideologiczny wizjoner niż polityczny działacz, taktyk.

Właściwie oni, a także ludzie o podobnej im orientacji, działali od lat na rzecz fundamentalnych demokratycznych wartości. Byli zdeterminowani — nie bacząc na bolesne dla siebie skutki — w dążeniu do celu. Michnik mówił na przykład, że jeśli trzeba hamować bieg, to z uwagi na realia, na geopolitykę, a nie aprobatę ustroju. A więc gołąb „taktyczny", a jastrząb „strategiczny". Zdecydowanie odrzucali komunizm, ustrój realnego socjalizmu. Chociaż wyrośli z jego korzeni, to poszli zupełnie inną drogą. Stąd — zgodnie z tradycją w ruchu komunistycznym, wywodząca się z czasów rozbicia II Międzynarodówki — brała się szczególna ostrość reagowania władzy na KOR-owców. Uważaliśmy, że chcą nas „obejść z lewa". A klasę robotniczą traktują jak mięso armatnie. W rezultacie próbowaliśmy sobie nawzajem wydzierać robotników z rąk. Oni byli w tym lepsi, ale też nie na długo.

Michnik pisze z więzienia w grudniu 1983 roku brutalnie ostry list do generała Kiszczaka, a kończy słowami: „Sobie zaś życzę, abym — tak jak zdołałem w Otwocku dopomóc w uratowaniu życia kilku Pańskim podwładnym — umiał być na miejscu w samą porę, gdy Pan będzie zagrożony, i zdołał także Panu dopomóc". To cały Michnik. Też w więzieniu kreślił w swojej książce „Takie czasy..." ważne słowa: „Nienawiść rodzi nienawiść. Przemoc rodzi przemoc. Tak uważamy. Dlatego odrzucamy uczucie nienawiści i metody przemocy. Czynimy to świadomie".

Z uwagą obserwuję, że teraz, kiedy dawny ustrój upadł, Michnik, Kuroń i im podobni konsekwentnie dążą do urzeczywistnienia humanistycznych wartości tolerancji i demokracji. I odwrotnie.

Częstokroć ci, pożal się Boże, kombatanci „ósmego dnia tygodnia", którzy w minionym okresie znacznie mniej lub w ogóle nie ucierpieli, stają się najbardziej radykalni, krwiożerczy.

Kiedyś można było uważać, że komuna broni „stołków", a „piękni i szlachetni" chcą tylko zmiany systemu i nic więcej, nic dla siebie. Dziś, po prawie trzech latach, widać takie oto sceny — publiczne odżegnywanie się od przyziemnych motywacji, a jednocześnie po cichu tłok, ścisk do foteli, „tam, gdzie stoją konfitury".

Gdy Lech Wałęsa mówił: „Nie chcę, ale muszę" — to brzmiało dowcipnie, nawet sympatycznie. Gdy dziś inni tak uzasadniają swoje „posłannictwo" — to już brzmi brzydko, nawet cynicznie. Kiedy patrzę na to, przypominają mi się słowa Alexisa de Tocqueville'a, wybitnego francuskiego historyka i polityka, który w połowie ubiegłego wieku powiedział: „Jeśli wielu konserwatystów broniło rządu tylko dla zachowania różnych gratyfikacji i stanowisk, to muszę powiedzieć, że wielu opozycjonistów zdawało się go atakować wyłącznie po to, aby się ich dochrapać". Mądre to i wciąż aktualne.

Z tego bierze się mój szacunek dla ludzi, którzy nie gonią za zaszczytami, potrafią wznieść się ponad osobiste urazy, są zawsze sobą. Wtedy byli sobą, bo walczyli zdecydowanie z naszym systemem. Teraz są sobą, bo pozostają wierni wartościom, o które walczyli.

Rozdział 24

Zerwany dialog

26 lipca GUS opublikował komunikat o wynikach gospodarczych I półrocza. Sytuacja zdawała się być bez wyjścia. Następnego dnia rozpoczął się niemal histeryczny run na sklepy. Ludzie wykupywali dosłownie wszystko. Pospiesznie pozbywali się „gorącego pieniądza". W tym samym czasie ujawniły się pierwsze skutki czerwcowych decyzji banków zachodnich. Właściwie nikt już nie chciał nam pożyczyć dolara nawet na kwadrans. Całkowicie wygasły środki z linii kredytowych objętych gwarancjami. Zresztą w wywiadzie udzielonym 19 lipca telewizji ABC sekretarz stanu USA Alexander Haig wyraził pogląd, że twarda polityka finansowa sprzyjać będzie tworzeniu wyłomu w radzieckiej dominacji nad Europą Wschodnią. Jednym słowem — Polska pogrążona w kryzysie gospodarczo-społecznym stanie się bardziej uległa wobec opozycji wewnętrznej.

W owym czasie szacowaliśmy, że spadek naszego eksportu na Zachód wywołał obniżenie importu o ponad 24%. Przy tym coraz bardziej nieprawidłowa stawała się jego struktura. Import zaopatrzeniowy, konieczny dla funkcjonowania przemysłu, spadł aż o 40%. Rząd przeznaczał coraz więcej dewiz na ratowanie ginącego rynku, na zakupy interwencyjne. Był to absurd ekonomiczny, ale konieczność społeczna. Zamykało się błędne koło. Zapowiadał się kolejny kryzysowy rok w rolnictwie. Zwłaszcza hodowla w istotnej mierze uzależniona była od importu — głównie pasz. W 1980 roku ten import się załamał. Wpadliśmy w „świński dołek". Jego efekty ujawniały się coraz drastyczniej.

Jednocześnie trwały prace nad przygotowaniem reformy. Zapowiedź jej wprowadzenia odbierano jednak przede wszystkim jako nową próbę podwyżki cen. Było to, oczywiście, nieuchronne. Od jesieni 1980 roku została zerwana relacja między płacą a produkcją. Doprowadzało to do gwałtownych konwulsji na rynku. Wszyscy chcieli reformy gospodarczej, ale według reguł realnego socjalizmu:

z jego polityką społeczną, osłoną socjalną, z pełną rekompensatą, a więc faktycznie bez podwyżki cen. Takie też było wówczas stanowisko „Solidarności". Wówczas nikomu — nawet w sennym widziadle — nie przychodziła do głowy cenowa „wolnoamerykanka". Po stronie związkowej ciągle zmieniały się koncepcje, negocjatorzy oraz zakres ich upoważnień. Wielokrotnie to, co wydawało się uzgodnione, ponownie stawało się przedmiotem kontrowersji. Minister finansów Marian Krzak omawiał z KK „Solidarności" wykaz cen wolnych. Przez kilka dni argumentował: skoro już wynegocjowano, że ceny warzyw i owoców nie będą objęte kontrolą państwa, to tym samym ceny ich przetworów również powinny być kształtowane przez rynek. Osiągnięto wreszcie consensus. Radość nie trwała długo. Tej samej nocy Bogdan Lis telefonicznie wycofał zgodę. To byłoby zbyt drastyczne obciążenie budżetu gospodarstw domowych. „Dżem ministra Krzaka" stanowił więc przez pewien czas synonim sprawy nie uzgodnionej do końca.

Jeszcze większy zawód spotkał wicepremiera Obodowskiego. Przedstawił on Andrzejowi Wielowieyskiemu projekt demonopolizacji i wprowadzenia wolnych cen skupu w rolnictwie. Plan, jak na owe czasy, rewolucyjny. Odchodził od systemu nakazowo-centralistycznego, ustalonego w dekrecie z lat 50. o obowiązkowym pośrednictwie państwa. Dla powodzenia reformy — i zniesienia kartek — miało to kluczowe znaczenie. Projekt ten po dyskusji, licznych poprawkach i uściśleniach zyskał aprobatę. Po kilku dniach Tadeusz Mazowiecki w imieniu „Solidarności" odwołał zgodę poprzedniego negocjatora. Uznano, że takie rozszerzenie praw rynkowych niebezpiecznie obniżyłoby poziom konsumpcji.

„Solidarności" trudno było popierać reformę, z którą łączyły się wyrzeczenia. Najlepiej, najbezpieczniej było atakować: rząd z reformą zwleka, nic nie robi. Rozumiem to. Toczyła się walka. „Solidarność" nie chciała utracić swojej bazy, swojej popularności. Myślę, że dzisiaj jej byli i obecni działacze mają podobny problem. Jak pogodzić radykalizm gospodarczy z oczekiwaniami socjalnymi? Nie będę rozwijał tego wątku. Życie codziennie przynosi kolejne odpowiedzi.

Kolejne spory powstały także na tle cen alkoholu i papierosów. Ich produkcja rwała się z powodu braku dewiz na zakup bibułki i filtrów. Kto dziś pamięta, że sprzedawano wówczas tytoń na wagę, do robienia „skrętów"? A mnie przypominało to okres wojny. Palacze na Syberii czy na froncie skręcali z gazet tzw. „kozie nóżki" i sypali do nich machorkę. Wiem, że nawet różnicowano gazety na bardziej i mniej „smaczne". Papierosy, jak każdy inny towar nadający się do długiego przechowywania, stały się przedmiotem masowych wykupów i spekulacji. Rząd podjął decyzję o podwyżce cen wyrobów tytoniowych. Na wszelki wypadek powiadomiliśmy o tym z wyprzedzeniem kierownictwo „Solidarności". Odbyły się nawet rozmowy wyjaśniające. I oto we wrześniu wojna papierosowa. Masowo oprotestowano ten projekt. Na zjazd „Solidarności" udali się ministrowie Krzak i Krasiński, aby wyjednać aprobatę — co w końcu osiągnęli, m. in. dzięki racjonalnemu stanowisku Jana Rulewskiego.

Tu osobista dygresja. Byłem znany jako wróg alkoholu i nikotyny. Wprawdzie ślubów wstrzemięźliwości alkoholowej nie składałem, lecz wódki po prostu nie znoszę. To chyba jakiś organiczny odruch. Co najwyżej kieliszek wina. Zwalczałem pijaństwo i w wojsku, i w innych podległych mi instytucjach. Z różnym, oczywiście, skutkiem. Urban napisał w swoim „Alfabecie": „Prezydent — abstynent pijanego kraju". Rzeczywiście, alkoholizm uważam za nieszczęście, plagę, która od stuleci nęka polskie społeczeństwo. Podobnie oceniam nałóg nikotynowy. Ale właśnie wtedy zacząłem palić. Stresy, napięcia, ogromne przeciążenie psychiczne sprawiły, że sięgnąłem po papierosy. „Pomogli" mi w tym Rakowski i Malinowski. Namiętni palacze, siedzieli blisko mnie podczas posiedzeń rządu i uprzejmie częstowali. Paliłem bardzo dużo, wręcz zachłannie. „Przygoda z papierosem" skończyła się źle. We wrześniu 1984 roku w Chełmie, na miejskim stadionie odbywała się promocja podchorążych Wyższej Oficerskiej Szkoły Wojsk Rakietowych i Artylerii. Przemawiałem. W pewnym momencie dostałem silnego, wręcz dławiącego ataku kaszlu, straciłem głos. Nie mogłem wydobyć ani jednego słowa. W rezultacie, przemówienia nie dokończyłem. Wszystko działo się na oczach tysięcy ludzi, przed kamerami telewizji, która na szczęście nie nadawała „na żywo". Od tej chwili nie wziąłem papierosa do ust.

Wróćmy jednak do stanu polskiej gospodarki w roku 1981. Wraz z dojrzewaniem koncepcji reformy pojawił się problem bezrobocia. Jego skalę eksperci szacowali w przybliżeniu na ok. 800 000. Wówczas było to doktrynalnie i — powiedziałbym — moralnie niedopuszczalne. Tak zresztą myślała zdecydowana większość społeczeństwa. „Thatcheryzm" czy „reganomika" nie miały wówczas w Polsce zbyt wielu zwolenników, jeśli nie liczyć pana Korwina-Mikke i wąskiego kręgu jego przyjaciół. Tymczasem każdy wariant reformy groził zwolnieniami. Ze wszystkich dosłownie stron narastał więc nacisk — społeczny, polityczny, intelektualny — aby rząd opracował i przedstawił jakieś rozwiązania zaradcze. Pełne zatrudnienie, strach przed bezrobociem to była nasza obsesja ustrojowa. Stąd też ten ciągły głód inwestycyjny, gospodarcze przyspieszenia, nie zawsze racjonalne i ekonomicznie uzasadnione. Chcieliśmy nadać reformie kształt możliwie najbardziej humanitarny. Starszym stworzyć warunki godnej emerytury. Młodzieży kończącej szkoły zapewnić możliwość pracy. Decyzja o wcześniejszych emeryturach okazała się przedwczesna. Niemniej, na podstawie ówczesnych przesłanek, wedle prognozy rozwoju sytuacji i w tamtej atmosferze, nie znajdowano innego rozwiązania. Często zastanawiam się, jaka fala oskarżeń spłynęłaby na nas, gdyby skala bezrobocia osiągnęła wówczas przewidywany rozmiar? Takie pytanie nurtuje zwłaszcza dziś, kiedy bezrobocie dotknęło przeszło dwa i pół miliona osób i nadal rośnie.

Sprawy socjalne, położenie rodziny, dzieci traktowaliśmy z największą powagą. Niech zaświadczy o tym fragment mojego wystąpienia w Sejmie w dniu 10 kwietnia: „Powinniśmy — mówiłem — uczynić wszystko, aby przeżywane trudności w najmniejszym stopniu dotknęły najmłodszych — dzieci. Specyficzna sytuacja w ruchu związkowym powoduje, że przede wszystkim na administrację spadają dzisiaj obowiązki i organizacja wakacyjnego wypoczynku dzieci i młodzieży. Rząd powoła specjalny, centralny zespół do koordynowania związanej z tym akcji". W rezultacie, w roku 1981 akcją kolonii i obozów organizowanych przy pomocy Ministerstwa Oświaty, a także innych instytucji, zakładów pracy, różnych organizacji objęto łącznie ponad 3 miliony dzieci i młodzieży. Jeszcze w roku 1989 liczba ta była podobna. Natomiast w roku 1990 — jak podaje statystyka MEN — spadła do około 600 tys. W roku 1991 MEN i Główny Urząd Statystyczny zaprzestały rejestrowania tych danych. Według, z trudem dostępnych, źródeł liczba dzieci objętych akcją kolonijną nie przekroczyła 300 tysięcy. Była więc dziesięciokrotnie niższa niż dziesięć lat temu.

W tym czasie wprowadzono też płatne urlopy wychowawcze. Była to realizacja 21. punktu porozumień gdańskich. Nigdy nie oszacowano ekonomicznych skutków tej decyzji. Ale za wszystko, co się działo w kraju, obarczano, oczywiście, rząd. Za działania, zaniechania, także za plotki. To nie ironia. Trudno było oczekiwać, aby umęczone społeczeństwo selekcjonowało informacje prawdziwe i fałszywe. Ludzie doświadczali tylko jednej prawdy. Na rynku brakowało już niemal wszystkiego, nierzadko nawet chleba. W takiej sytuacji każda pogłoska znajduje podatny grunt. Sytuację pogłębiała spekulacja. W sklepach puste półki, a na bazarach obfitość, oczywiście, po paskarskich cenach. Ludzi szczególnie drażniło, wręcz rozwścieczało wykupywanie przez spekulantów deficytowych, w tym dotowanych towarów i sprzedawanie ich po wielokrotnie wyższej cenie. Żądano surowych kar. Otrzymywałem kategoryczne listy w tej sprawie. Mnożyły się pretensje pod adresem rządu. Utworzyłem więc pod przewodnictwem wicepremiera Stanisława Macha specjalną Komisję do Walki ze Spekulacją. Oczywiście, zlikwidować problemu nie mogła. Był to jedynie administracyjny półśrodek. Praw gospodarczych obejść się nie da. A magazyny były po prostu puste.

4 sierpnia 1981 roku powołałem Operacyjny Sztab Antykryzysowy. Kierował nim wicepremier Janusz **Obodowski** — z wyglądu trochę Mefisto, a faktycznie lubiany za bezpośredniość, prostolinijność, poczucie humoru. Ekonomista, gruntownie wykształcony i doświadczony. Faktycznie koordynował działalność gospodarczą rządu. Bajbakow nazywał go żartobliwie „Towarzysz Antykryzys". Poprzednio był dobrym ministrem pracy, płac i spraw socjalnych. Wyróżniał się energią i sprawnością organizacyjną. W tych trudnych czasach było to niezwykle ważne. Po nim stanowisko ministra objął profesor Antoni Rajkiewicz — wybitny znawca polityki społecznej. Człowiek wrażliwy, pełen inwencji, pomysłów.

OSA, podobnie jak zresztą powołany wkrótce Sztab Rolny pod kierownictwem wicepremiera Malinowskiego, były rozwiązaniami awaryjnymi, nadzwyczajnymi. Protokoły sztabu odzwierciedlają dramatyzm tamtych dni. Interwencyjne zakupy pasty do zębów, mydła, proszku do prania, lekarstw... Decyzje nakazujące podjęcie produkcji określonego asortymentu. Dzielenie zapasów.

Ciśnienie społecznego niezadowolenia było ogromne. Rząd krytykowany był wciąż za powolność, nieudolność, nieskuteczność. Nasuwała się znana anegdota: silny wiatr, burza, w wąwozie, między jego krawędziami, przeciągnięta lina. Idzie po niej skrzypek i gra. Ludzie obserwują i mówią: „Paganini to on nie jest".

Przyszła kolejna fala protestów. Blokada ronda u zbiegu Al. Jerozolimskich i Marszałkowskiej, w samym sercu stolicy. Strajki w Białymstoku, Zielonej Górze, w Skierniewickiem, Sieradzkiem, Chełmskiem. Gotowość strajkowa w kopalni „Piast". To bilans tylko jednego dnia, dokładnie 3 sierpnia.

Przede wszystkim był to wynik psychozy, że władza nie robi nic, a zdesperowani ludzie muszą w trosce o swoją egzystencję wywierać na nią naciski. Logika tych działań była aż nadto czytelna. Każdy strajk lokalny nabierał rangi ogólnokrajowej, wyzwalał społeczne emocje na szeroką skalę — coraz częściej o politycznym zabarwieniu.

Sytuacja w kraju zaostrzyła się tak bardzo, że niezbędne stało się spotkanie Komitetu Rady Ministrów do Spraw Związków Zawodowych z Prezydium KKP „Solidarności". Pierwsza tura rozmów rozpoczęła się 3 sierpnia, druga — 6.

Mówi prof. Władysław Baka:

Przypadło mi w udziale przewodniczenie grupie ds. reformy gospodarczej. Moim partnerem był Stefan Kurowski. 6 sierpnia rozmowa była konstruktywna. W ciągu 5 godzin uzgodniliśmy wszystkie sprawy. Mówię o tym, bo nieraz twierdzi się, że strona rządowa piętrzyła problemy, kłopoty, trudności itd. Sformułowaliśmy komunikat. Obie strony stwierdziły w nim, iż stanowiska w sprawie docelowego kształtu reformy zbliżyły się. Rząd będzie dążył do stworzenia w jak najszybszym terminie warunków sprzyjających jej realizacji. Ten cząstkowy dokument podpisaliśmy. Również w innych grupach sprawy były rozwiązywane. Głównym referentem, co było oczywiste, był Mieczysław Rakowski, który przewodniczył rozmowom. Sygnalizowałem Generałowi, jak biegną uzgodnienia w kwestiach reformy gospodarczej. Wiedziałem, jak bardzo zależało mu na tym, ażeby rozmowy zakończyły się pozytywnie.

Około 24^{00} projekt komunikatu był gotowy do podpisania. W ostatniej chwili strona solidarnościowa zmieniła zdanie, przedkładając tylko krótkie oświadczenie.

Zapanowała martwa cisza. Wprost osłupieliśmy. Nikt się tego nie spodziewał.

Dla mnie ciągle jeszcze jest niejasne, jaki mechanizm wówczas zadziałał. Przecież w tak ważnej sprawie, jak reforma gospodarcza nie było żadnych sprzeciwów, żadnych trudności uniemożliwiających podpisanie porozumienia.

Mówi Wiesław Górnicki* :

Mam z tych rozmów notatki, to była bardzo osobliwa chwila mojego życia.

Wraz z Jerzym Urbanem przygotowywaliśmy z partnerami — wśród których byli Zbigniew Bujak, Władysław Siła-Nowicki i ktoś jeszcze — projekt wspólnego

---

* Wiesław Górnicki — publicysta, w 1981 roku kapitan, doradca wicepremiera — przewodniczącego Komitetu Rady Ministrów do Spraw Związków Zawodowych.

komunikatu. Osobiście pisałem go na maszynie i wnosiłem kolejne poprawki zgłaszane przez upoważnionych rzeczników „Solidarności". Chodziło w nim o sprawy dużej wagi, w tym również o przyznanie przedstawicielom „Solidarności" prawa do inspekcji magazynów żywności.

Nigdy nie zapomnę osłupienia, jakie zapanowało sześć minut przed północą. Otóż, gdy Rakowski powiedział, że upoważnieni przedstawiciele obu stron uzgodnili wspólny komunikat i właśnie jest pora, aby go odczytać, błyskawicznie zerwał się ówczesny sekretarz KKP Andrzej Celiński i odczytał dwuzdaniowy tekst, z którego wynikało, że nie osiągnęliśmy porozumienia.

Szkoda, że na sali nie było wówczas fotografa. Byłoby to chyba polskie „zdjęcie stulecia". Rakowski i Wałęsa, jak na komendę, spojrzeli na siebie. Nie rozumieli, co się stało, a następnie, również na komendę, niemal identycznym ruchem odwrócili głowy z wściekłością w kierunku swych doradców. Przypuszczam, że tak jak Rakowski podejrzewał Urbana i mnie o jakiś szwindel lub niechlujstwo, tak samo Wałęsa podejrzewał swoich pełnomocników. Potem zapanowała cisza i zmęczony Rakowski powiedział: „No to nie mamy już o czym mówić".

Wiesław **Górnicki**. Osobiście zetknąłem się z nim po raz pierwszy na początku grudnia — od razu na dobre i złe, na całe lata. Bo taki był historyczny czas. Znałem przedtem wiele jego publikacji, kilka książek. Wiedziałem, że to wielki talent dziennikarski. A poza tym globtroter, bywał, gdzie gorąco, nawet pod kulami. Gdy poznałem go bliżej, przekonałem się, że jest nieprawdopodobnie oczytany, ma wręcz encyklopedyczną wiedzę na każdy prawie temat, i to na zawołanie. Zanim został moim doradcą, wiedziałem już, że wykazał charakter, nie poddał się 1968 roku oficjalnej fali, za co poniósł konsekwencje — odwołanie z dziennikarskiej placówki w Stanach Zjednoczonych. Znacznie później dowiedziałem się, w tym ze źródeł operacyjnych, że nie powiodła się próba zwerbowania go przez wywiad USA. Potrafił też wbrew opinii większości środowiska stanąć odważnie, publicznie w obronie dziennikarza Tadeusza Samitowskiego. Jednym słowem, zachowanie człowieka honoru, oficerskie. Stąd też uważałem nie tylko za merytorycznie, ale i moralnie uzasadnione, aby jako oficera rezerwy „uwojskowić" go, powołując do służby okresowej. Przyjął to z dużą powagą, powiedziałbym, nawet z odrobiną snobizmu. Ideowy. Podkreślał zawsze — co dziś nie tak częste — swe plebejskie, robotnicze pochodzenie. Jednoznaczny, pryncypialny w sprawach polskiej racji stanu, naszej pozycji międzynarodowej. To szczególnie mocny akcent jego sugestii doradczych. Pracowity, lojalny. Ceniłem krytycyzm przedstawianych przez niego uwag i propozycji. Były mi pomocne także wówczas, gdy zawierały sądy skrajne, czasami nawet nerwowe.

Właśnie — bardzo emocjonalny, impulsywny, przez to dla niektórych kontrowersyjny. Powiedziałbym, splot nerwów i szarych komórek. Współpracę z nim wspominam dobrze, serdecznie.

Z szóstego na siódmego sierpnia — siedziałem w gabinecie pod „piątką", czekałem cierpliwie na wynik rozmów. Na bieżąco otrzymywałem sygnały. Rad byłem, że wszystko przebiega pomyślnie. Traktowałem te rozmowy jako sprawę niezwykłej wagi, stwarzały dużą szansę. Wreszcie przychodzi Rakowski. Przedstawia mi tekst, który wspólnie opracowali i roboczo uzgodnili. Wniosłem kilka merytorycznie nieznaczących uwag, zresztą jedynie do części dotyczącej stanowiska rządowego. Post factum Holzer oraz inni „solidarnościowi" autorzy tłumaczyli, iż powodem nieprzyjęcia uzgodnionego komunikatu było wniesienie jakichś poprawek. Poprawki, jak już wspomniałem, były naprawdę niewielkie. Ale jeśliby nawet uznano, że odbiegają od tego, co zostało uzgodnione, to przecież mogli powiedzieć: „Myśmy uzgodnili inny tekst, prosimy go przywrócić". Albo: „Dlaczego tak?", czy „Dlaczego inaczej?" Tak się robi, gdy jest dobra wola. Niestety, w danym przypadku wykorzystano pretekst. Podobno i Wałęsa był tym zaskoczony. Po dzień dzisiejszy nie mogę zrozumieć, że zrobił to właśnie Andrzej Celiński. Zawsze uważałem go i uważam za człowieka umiarkowanego, odpowiedzialnego. Widocznie postawiony został wobec sytuacji, której nie potrafił się przeciwstawić. Inaczej wytłumaczyć tego sobie nie umiem. Tym bardziej że kilka dni wcześniej na posiedzeniu KKP Celiński surowo ocenił sytuację wewnątrz „Solidarności", krytykując skłonności do histerycznego radykalizmu. „W moim przekonaniu — mówił — duża jest liczba ludzi nawiedzonych, tych cholernie dziś odważnych ludzi, którzy jeszcze rok temu siedzieli w domach i słówkiem nie pisnęli".

Rakowski, Baka i Urban — przyszli ze spotkania bardzo rozgoryczeni. Zrozumiałem, że druga strona nie jest gotowa do kompromisu. Zerwanie rokowań nastąpiło w sytuacji, gdy krajowi groziły nowe, wyniszczające strajki, w tym również regionalne strajki powszechne, a zwłaszcza graniczące z sabotażem akcje blokowania eksportu. Krajowa Komisja Porozumiewawcza nie umiała znaleźć żadnego sensownego wyjaśnienia, dlaczego doszło do zerwania rozmów z rządem. Kolejne oświadczenia były wzajemnie sprzeczne. Ale „ogary poszły w las". Przez całą Polskę przeszła fala demonstracji. Bieg spraw zaczął nabierać niebezpiecznego przyspieszenia. Rozejście się z niczym zaciążyło negatywnie na możliwości dalszej współpracy. Powstała nowa psychologiczna bariera. Zachwiała się kolejna szansa budowy wzajemnego zaufania, podejrzliwość narastała. Tę atmosferę potwierdziła narada, jaką 19 sierpnia odbyłem z dyrektorami największych zakładów przemysłowych. Byli za szybką reformą, w tym za dobrowolnymi zrzeszeniami na miejsce zjednoczeń. Przygnębiała ich natomiast psychoza żądań, paraliżująca często menadżerskie działania. Domagali się ochrony ich pozycji.

Po latach wracam do tamtej sierpniowej nocy. Wciąż stawiam pytanie, dlaczego nie podpisano wspólnego komunikatu? Był to niewątpliwie rezultat wewnętrznych podziałów w „Solidarności". Potwierdził to wkrótce jej zjazd. Radykałowie widocznie uznali, że dialog, a tym bardziej kompromis z władzą może osłabić dynamikę — jeden z głównych atutów „Solidarności". A jeśli dynamika — to musi się coś dziać, trzeba strajkować, protestować, żądać. A nie podpisywać porozumienia.

Liczyłem, że nie wszyscy w kierownictwie „Solidarności" akceptowali zerwanie rozmów. To dawało cień nadziei. Podjęta została kolejna próba. Minister Ciosek pojechał do Gdańska na obrady KKP. Jego obecność skomentowano w sumie pozytywnie, podkreślając, że rząd wysłał „aż ministra". Lecz nazajutrz, to jest 12 sierpnia, KKP w swojej uchwale oskarżyła rząd „o rozmyślne hamowanie reformy gospodarczej", składając na jego barki pełną odpowiedzialność za pogłębiający się kryzys.

12 sierpnia Stanisław Kania spotkał się z prymasem Glempem. Komunikat był znamienny. „Wyrażono zgodny pogląd, że największą potrzebą Polski jest dziś zgoda narodowa, spokój społeczny, ofiarna praca i dobre gospodarowanie". Nawet laik polityczny musiał pojąć, że prymas Polski nie podpisałby podobnego komunikatu, gdyby nie czuł się naprawdę zaniepokojony. Tę troskę podzieliła Rada Główna Episkopatu Polski w komunikacie z 17 sierpnia: „Istniejącego kryzysu, zarówno gospodarczego, jak i moralnego, nie da się przezwyciężyć inaczej, jak tylko wspólnym wysiłkiem całego narodu... Zwracamy się z gorącym wezwaniem o działanie rozważne, o zaniechanie podniecania emocji i podejmowanie zadań mających nadrzędne znaczenie dla całego narodu i państwa". Czy w języku kościelnym można to było wyrazić jeszcze jaśniej?

Kościół dostrzegał groźbę kryjącą się w piętrzeniu konfliktów, akcji protestacyjnych, strajkowych. Zaostrzały one nie tylko wewnętrzną, ale i zewnętrzną sytuację Polski. Zerwanie dialogu oznaczało, że kryzys polityczny, społeczny, gospodarczy pogłębi się jeszcze bardziej. 26 sierpnia prymas Józef Glemp podczas uroczystości maryjnych w Częstochowie zwrócił się do 150 obecnych tam pielgrzymek ze słowami: „Narodowi polskiemu potrzebny jest spokój". Nawiązując do zbliżającej się rocznicy 1 września zaapelował do całego społeczeństwa o 30 dni spokoju i pracy bez napięć. Nie odniosło to skutku.

Opisywane tu konflikty znajdowały silny rezonans w naszych siłach zbrojnych. Szefowie centralnych instytucji, dowódcy okręgów i rodzajów sił zbrojnych dzielili się swoimi ocenami i wnioskami. Na posiedzeniu Rady Wojskowej MON 2 sierpnia 1981 roku mówiono o sytuacji w kraju z dużym niepokojem. Sygnalizowano poważne napięcia, zwłaszcza w terenie. Informowano o chłodym przyjęciu naszych okrętów w Leningradzie, o krytycznym stosunku sojuszników do tego, co się u nas dzieje.

Informowałem kadrę wojskową o posiedzeniach rządu i Biura Politycznego. Sytuacja jest poważna. Nasze pole manewru zawęża się coraz bardziej. Ofensywa opozycji musi być odparta kontrofensywą polityczną. Ale też środkami administracyjnymi, które wymuszą ład i porządek. Stąd konieczne są wzmocnione patrole na ulicach. Zaostrzenie walki z alkoholizmem. Gdyby sytuacja w niektórych miastach wymykała się spod kontroli, gdyby pojawiały się symptomy skrajnego napięcia, trzeba dokonywać demonstracyjnego przemarszu wojsk po to, żeby ostrzegać, dyscyplinować. Poinformowałem też, że rozmowy z „Solidarnością" rozpoczną się w tych dniach. Nie przypuszczałem wówczas, że się tak niefortunnie skończą. Bez wzrostu produkcji i reformy cen współpraca międzynarodowa zarówno ze Wschodem, jak i Zachodem będzie kulała. Jest bardzo ciężko. Tym bardziej wojsko stanowić powinno wzór obywatelskiej odpowiedzialności i dyscypliny.

W sierpniu przebywał w Polsce marszałek Kulikow. Był u mnie trzykrotnie: 6, 8 i 12 sierpnia. A więc świeżo po incydentach na warszawskim rondzie, po zerwaniu rozmów rząd — „Solidarność", po marszach głodowych. Mówił, że był w Czechosłowacji i w NRD. Spotykał się z ministrami obrony, a przede wszystkim z Honeckerem, z Husakiem. Wyrazili oni duże zaniepokojenie sytuacją w Polsce. W NRD odbyły się manewry Grupy Wojsk Radzieckich i Narodowej Armii Ludowej. A w ZSRR — wielka gra wojenna, którą kierował osobiście. Wzięło w niej udział 5 armii lądowych i armia lotnicza. Temat: operacja na zachodnim teatrze działań wojennych, a więc i na naszym kierunku. 8 sierpnia był w naszych jednostkach wojskowych. Kadra — opowiadał — jest zatroskana sytuacją. Duża część wypowiada się za bardziej zdecydowanym działaniem.

„Nie chcę być straszakiem — mówił. — Przyjeżdżam tutaj jednak nie po to, żeby oglądać szkolenie pojedynczego żołnierza, a zapoznać się z kondycją Wojska Polskiego, sojuszniczej Polski. To jest związane z bezpieczeństwem całej koalicji. Zaniepokojeni są Breżniew, Ustinow. Wiedzą, że brak w Polsce mięsa oraz wielu innych rzeczy. Ale co będzie, jeśli zabraknie paliwa?! Zobaczymy, jak będziecie z tym żyli. Potrzebne są działania ofensywne. Niedopuszczalne są strajki w przedsiębiorstwach produkcji obronnej. Trzeba działać. Zdrowe siły bezwzględnie to poprą".

12 sierpnia Kulikow mówił o ćwiczeniach na terenie Śląskiego Okręgu Wojskowego. Miał tam szereg rozmów. Dowódcy dywizji polskich, czechosłowackich, Północnej Grupy Wojsk, zajmowali według niego stanowisko pryncypialne. Powołał się na wizytację generała Fabrikowa, która przyniosła niepokojące sygnały. Kontrrewolucja działała w sprzeczności z prawem, tworząc szeroki front przeciwników władzy: „Solidarność" pracownicza i wiejska, KOR, KPN. Trzeba mieć dokładny plan natarcia, metod walki. W dziedzinie wojskowej podwyższoną gotowość. Idzie o to, ażeby podstawy Układu Warszawskiego były pewne, gwarantowały obronę socjalizmu. Gdy w Rosji Radzieckiej było bardzo ciężko, Lenin nie zawahał się użyć siły.

Sam powoływałem się nieraz na słowa Lenina. Nie wszystko, co powiedział, zasługuje jedynie na grymas lub zapomnienie. Są pewne prawdy uniwersalne, które uznają nawet jego wrogowie. Mnie jednak w danym przypadku trudno było uznać za porównywalną sytuację rewolucyjnej Rosji i Polski 1981 roku. Dlatego też prawie we wszystkich rozmowach z sojusznikami starałem się, aby zrozumieli nasze doświadczenia, naszą historię, kulturę, mentalność. Polskie realia wymagają polskich rozwiązań. Czujemy najlepiej, co jest u nas możliwe, a co nigdy się nie przyjmie. Słuchano tego, coś docierało, ale nie wszystko. Dlatego też trzeba było częstokroć zaczynać od nowa. W tej natomiast rozmowie zwróciłem uwagę na niedopuszczalne wypowiedzi niektórych przedstawicieli Naczelnego Dowództwa, w szczególności generała lotnictwa Katricza. Kulikow podzielił moją opinię. Powiedział o nim: „durak, bołtun". Przeprosił, powiedział, że to się więcej nie powtórzy. Rzeczywiście, od tego czasu Katricz już w Polsce się nie pojawił. Przynajmniej nigdy nie widziałem go w Warszawie. Być może był w Legnicy lub w innym radzieckim garnizonie.

26 sierpnia odbyło się kolejne posiedzenie Rady Wojskowej. Dominowały mocne, ostre akcenty. Mówiono, że kadra oficerska zdecydowanie negatywnie ocenia poczynania „Solidarności", oczekuje, że będziemy przeciwdziałać. Coraz częstsze są poglądy, że bez stanu wyjątkowego się nie obejdzie. „W 6 Dywizji Powietrzno-Desantowej przy stawianiu zadań porządkowo-demonstracyjnych żaden z żołnierzy nie skorzystał z możliwości wycofania się". Słabsze ogniwo to Szkoły Podchorążych Rezerwy oraz część młodszej kadry technicznej. Ale i tam następują korzystne przewartościowania.

Stwierdziłem, że po pewnym okresie inercji i bezradności podjęte zostały niezbędne decyzje. Spotkały się one ze zrozumieniem społeczeństwa. Chodzi o przeciwdziałanie różnym ekscesom, działania porządkowe. Władzę obwinia się o złą sytuację gospodarczą, ale „Solidarność" nie robi nic, aby ją można było poprawić. Bardzo wymowna jest sprawa wydobycia węgla. Pamiętać jednak zawsze należy, iż płacimy również za nieudolność i błędy władzy w minionym okresie. Dlatego dzisiaj tak wielu ludzi jest przeciwko nam. Wojewódzkie sztaby wojskowe, przedstawicielstwa wojskowe, wojskowi radni powinni sygnalizować wszystkie przypadki biurokracji, różnego rodzaju wypaczeń, które powodują utratę społecznego zaufania do władz. A przede wszystkim musimy dbać o kondycję wojska. Najważniejsze to dyscyplina oraz właściwy rytm szkolenia. Wiedziałem, że tu poluzować nie można. To instynktownie wręcz rozumieli również żołnierze. Od ich poczucia odpowiedzialności w wielkiej mierze zależał los Polski.

Rozdział 25

Na krymskiej plaży

14 sierpnia pojechaliśmy z Kanią na Krym. Towarzyszyła nam pewna doza — jak się okazało przedwczesnego — optymizmu. Partia była po IX Zjeździe. Odbyło się udane II pozjazdowe plenum KC PZPR.

Krym. Malownicze miejsce. Pierwszy raz byłem tam z żoną na początku lat 60. Spędzaliśmy urlop razem z marszałkiem Spychalskim i jego rodziną. Ośrodek wojskowy mieścił się obok wielkiej skały „Miedwied' gara" (niedźwiedź-góra). To właśnie słynny Ajudah. Mickiewicz wspomina o nim w jednym z sonetów krymskich. Odwiedził nas ówczesny minister obrony ZSRR marszałek Rodion Malinowski. Kolacja, toasty. Przyszła kolej na mnie. Chyba trochę zaimponowałem, deklamując mickiewiczowskie strofy: „Lubię poglądać wsparty na Judahu skale..."

Ten Krym, na który jechaliśmy, wciąż piękny, słoneczny, a więc „ten sam, ale nie taki sam". Sytuacja jakże inna. Spotkanie miało miejsce w Niżnej Orieandzie koło Jałty, w wygodnym pawilonie stojącym wprost na plaży. Ta sceneria i krótki spacer odprężały tylko na początku. Gospodarze szybko przystąpili do meritum. W spotkaniu obok Breżniewa brali udział Czernienko, Gromyko, Rusakow.

Po kilku grzecznościowych zwrotach Breżniew odczytał tekst. Musimy dziś omówić kilka niezwykle ważnych problemów w tej — jak nazwał — arcyskomplikowanej sytuacji. Spotykał się niedawno z przywódcami krajów socjalistycznych, którzy odpoczywali lub odpoczywają na Krymie. Są bardzo zaniepokojeni. Wszyscy pytają: dokąd idzie Polska? Chcielibyśmy uzyskać odpowiedź. Były nadzieje, że IX Zjazd doprowadzi do pozytywnego zwrotu. Niestety, sytuacja się zaostrza, kontrrewolucja wzmaga nacisk.

Minęło 12 miesięcy od strajków sierpniowo-wrześniowych, a partia coraz słabsza, rozkołysana wewnętrznie. „Solidarność" dominuje w dużych zakładach pracy, rwie się do władzy. Powstaje realna groźba kontrrewolucyjnego przewrotu. Siły antysocjalistyczne przejawiają coraz większą agresywność, uliczne demonstracje oraz inne ekscesy podważają stabilność władzy. Ekonomika też na granicy rozpadu. Zamiast reżimu pracy, dyscypliny — strajki. „Solidarność'' celowo rozkłada ekonomikę, aby korzystając z niezadowolenia społeczeństwa, klasy robotniczej, przejąć władzę. Mnóstwo oszczerstw na socjalizm, na partię, na Związek Radziecki, a działanie wrogów bezkarne. W rezultacie powstaje pytanie: czy następuje wzmocnienie socjalizmu, czy też na odwrót — jest to dryfowanie w stronę obcych brzegów? Znamy wasze posunięcia. Dobrze, że podjęto kilka decyzji dyscyplinujących, ale to jest dalece niewystarczające. Co oznacza „odnowa socjalizmu''? Gdzie rubież, której przeciwnik nie może przekroczyć, której nie pozwolicie przekroczyć? Jak kontrolowane są środki masowej informacji? Co zrobić, aby oderwać klasę robotniczą od wroga, od przywódców „Solidarności''? Radzieckie kroki podyktowane są troską o sojuszniczą, socjalistyczną Polskę. Egoizm jest nam obcy. Dzisiejsza rozmowa powinna być rozmową przyjaciół, a więc bardzo szczerą i na to liczy strona radziecka.

Głos zabrał Kania. Działamy — powiedział — w niepowtarzalnie trudnych warunkach, zupełnie niepodobnych do bolesnych doświadczeń innych partii. Chociażby na Węgrzech czy w Czechosłowacji. Jest nam trudniej, bo mamy za sobą kilka kryzysów. Ponadto w tamtych krajach nie było kryzysu ekonomicznego. U nas zaś sytuacja gospodarcza wpływa zaostrzająco na kryzys polityczny, rzutuje na nastroje zwykłych ludzi. Na niezadowoleniu klasy robotniczej bazuje z kolei i osiąga profity przeciwnik — „Solidarność''.

Pojawiają się jednak i czynniki korzystniejsze, pozytywne. Nie doszło do rozkładu partii — na odwrót, partia gromadzi siły, umacnia się. Nie doszło do rozkładu władzy, chociaż trzeba przyznać, że w niektórych zakładach istnieje dwuwładza. W dobrej kondycji znajduje się wojsko, milicja. A jak wiadomo, w okresach kryzysowych i w Czechosłowacji, i na Węgrzech siły te w znacznym stopniu uległy rozkładowi. W milicji mamy więcej ludzi niż pół roku temu. Trwa proces konsolidacji partii, choć przeżyliśmy kilka wstrząsów. Pierwszy wynikał z tego, że partia zbyt długo żyła przeszłością, że dominował nurt rozliczeniowy. Drugi wstrząs przyniosły struktury poziome o rewizjonistycznym charakterze, które wprowadziły też wiele zamętu.

List od KC KPZR, przysłany nam przed XI plenum, potraktowaliśmy z całą powagą. Mało jest chyba takich kierownictw, które oświadczyłyby, że KPZR miała prawo się wypowiedzieć i że istniały przyczyny wystosowania takiego listu.

Spowodowaliśmy wybór wszystkich członków kierownictwa partii na delegatów. Zjazd był dobry, podtrzymujemy tę ocenę. Zaostrzenie, które po nim nastąpiło, nie przekreśliło jego dorobku. Zjazd, oczywiście, był trudny. Nie wybrano do Komitetu Centralnego Kociołka, Kurowskiego, Moczara, ale z drugiej strony nie wybrano również Fiszbacha i Klasy.

W województwach wybrano na ogół dobrych towarzyszy, chociaż część z nich nie ma doświadczenia i trzeba będzie ich uczyć. W Komitecie Centralnym mamy znaczny procent robotników, chłopów i wojskowych. 36 członków KC należy do „Solidarności". W większości są to ludzie odpowiedzialni, ideowi, uczciwi członkowie partii. Jedna z tych osób, Zofia Grzyb, została nawet członkinią Biura Politycznego. Ten Komitet jest sterowalny. Najlepszy dowód to wybory do Biura Politycznego, którego skład uznajemy za optymalny. Ale główny dowód to II plenum Komitetu Centralnego. Tak dobrego plenum nie było od roku — pryncypialność, bojowość, ani jednego głosu grzebiącego w przeszłości. Siłę i poczucie pewności daje Komitetowi Centralnemu to, że został wybrany demokratycznie. II plenum miało pozytywny odzew społeczny. Kania użył nawet określenia: „Z tym Komitetem Centralnym można iść na wojnę". Oczywiście, chodziło mu nie o stan wojenny, tylko o bojowość, zdolność do podejmowania trudnych działań.

Niedawne napięcia społeczne, zwłaszcza uliczne demonstracje, zakończyły się faktycznie kompromitacją „Solidarności". Zerwanie przez nią rozmów z rządem, z Komitetem do Spraw Związków Zawodowych pokazało, że władza jest siłą konstruktywną, że chce wyprowadzić kraj z kryzysu, a przeciwnicy demonstrują awanturnictwo. Spowodowało to korzystną dla nas w sumie reakcję społeczną. Przechodzimy do przeciwnatarcia. Będziemy bardziej aktywnie działać w środkach masowej informacji. II plenum spotęgowało nastrój tej ofensywności.

Sympatia społeczna powoli przesuwa się w naszą stronę. KKP przyjęła uchwałę zapowiadającą dwa miesiące bez strajków, pracę w osiem sobót i odwołanie marszu gwiaździstego. Nie oznacza to, że „Solidarność" się zmieniła. Chce tylko pokazać, że staje się konstruktywną siłą. Ale to taktyka. W sumie potwierdza się słuszność naszych działań powodujących odpływ sympatii dla tego związku. Część robotników przechodzi do związków branżowych. To początek procesu umacniającego pozycję branżowców.

Zahamowany został rozwój „Solidarności" Rolników Indywidualnych, obejmuje ona tylko 12-13% wsi. Umacniają się Kółka Rolnicze.

Walka koncentruje się obecnie wokół kształtu samorządu. Niebezpieczny spór dotyczy charakteru własności i sposobu powoływania dyrektorów. Dzięki naszemu stanowisku na IX Zjeździe wyprzedziliśmy zjazd „Solidarności" w tej sprawie. Wkrótce na III plenum podejmiemy ją w sposób zdecydowany.

Narazilibyśmy się na wielkie niebezpieczeństwo w przypadku wyborów do Sejmu. Nie możemy sobie na nie pozwolić zarówno w bieżącym, jak i 1982 roku. „Solidarność" wykorzystałaby sytuację ekonomiczną. Obecnie wszystko jest na kartki. Musimy podwyższyć ceny, które utrzymują się na poziomie 1975 roku, a ludności mamy dwa miliony więcej przy niższej produkcji. Problemem jest zadłużenie, spłaty kredytów i wysoko oprocentowanych odsetek. A więc nie mamy szans na poprawę poziomu życia w najbliższym czasie. Klucz do sytuacji to ekonomika, stabilizacja stopy życiowej, chociażby na niskim poziomie, ale stabilizacja.

Kościół pozostaje ważnym elementem sytuacji. Należy pozytywnie ocenić spotkanie z prymasem Glempem, czemu dał wyraz opublikowany komunikat. Kościół ma świadomość, że nie łagodząc niebezpieczeństw, konfliktów społecznych, sam może dużo stracić.

W Stronnictwie Demokratycznym sytuacja jest dobra. W ZSL — gorsza. Organizacje młodzieżowe utrzymują pożądane kierunki i metody działania. Jednakże mamy trudną sytuację w wyższych uczelniach, zwłaszcza z powodu agresywności Niezależnego Zrzeszenia Studentów. Musimy więc wzmocnić bojowość prosocjalistycznej organizacji studenckiej. Rektorzy zostali wybrani demokratycznie — 20% to członkowie partii, reszta — „solidarnościowcy". To niepokojące. Do inteligencji docieramy z hasłem, że „Solidarność" prowadzi do narodowej katastrofy. Dokonujemy zmian w propagandzie — w telewizji, prasie. Kiedy będzie trzeba, zastosujemy środki administracyjne. Przejawy antysowietyzmu też nas niepokoją.

Zbliża się zjazd „Solidarności". Jeśli wybory odbyłyby się dziś, to przepadłby Gwiazda i inni przedstawiciele ekstremy tego ruchu. Ale delegaci żerować będą na ekonomicznych trudnościach kraju i to jest najbardziej niebezpieczne.

Musieliśmy wstrzymać realizację różnych inwestycji. Proponujemy, ażeby kraje RWPG uczestniczyły w doprowadzeniu do końca budowy, a następnie zagospodarowaniu tych obiektów. Chcemy wejść do Międzynarodowego Funduszu Walutowego, aczkolwiek towarzysze Gromyko i Rusakow byli temu przeciwni. Prosimy więc o przybycie do Polski ekipy radzieckich ekonomistów, przewodniczącego Gospłanu Bajbakowa, żeby rozpatrzeć sytuację Polski również w kontekście RWPG.

Po Kani mówiłem ja. W niektórych kwestiach potwierdzałem, uzupełniałem lub wzmacniałem jego stanowisko. Rządowy program stabilizacji gospodarki Sejm przyjął jednomyślnie. Oznacza to cenne wsparcie ze strony parlamentu. W pracy rządu staram się uwzględniać rolę Zjednoczonego Stronnictwa Ludowego, Stronnictwa Demokratycznego, opinie tych stronnictw. Zostało powołanych kilku nowych ministrów, w tym czterech generałów, którzy powinni zapewnić większą dyscyplinę, skuteczność działania w swoich resortach. Nie pozostawimy bez echa naruszeń prawa. Nie będziemy, na przykład, płacić za strajki. Pracujemy nad reformą gospodarki. Powołałem Sztab Antykryzysowy oraz Komisję do Walki ze Spekulacją, w której są ludzie z wojska. Uruchomiłem wspólne patrole milicjantów i wojskowych. Jesteśmy świadomi zagrożeń. Ale też i przyczyn niezadowolenia społecznego, grzechów, które obciążają naszą partię. Musimy więc zachować spokój. W naszej sytuacji obrona jest skuteczniejsza od natarcia.

Skupiamy uwagę na zbliżającym się zjeździe „Solidarności". Obawiamy się, że rocznica wydarzeń sierpniowo-wrześniowych może przynieść również dodatkowe napięcia. Różni prowodyrzy („głowari") będą starali się to wykorzystać. Wpływ KPN, KOR na sytuację w tej chwili nie jest jednak decydujący. Można powiedzieć, że w partii mamy frakcyjność, ale przecież frakcyjność jest i w „Solidarności". Nie jest to ruch jednorodny.

Wiemy, że są zakłócenia w przemyśle obronnym. Będziemy starali się to zmienić. Liczymy na wyrozumiałość wobec opóźnień dostaw maszyn budowlanych, statków czy części do ciężarówek „Kamaz". Ogromny problem sprawiają nam dostawy żywności, skup. Działa fatalny mechanizm ostatnich dwunastu miesięcy. W wyniku różnego rodzaju nacisków poważnie wzrosły płace, a więc fala dodatkowego pieniądza. Wreszcie wolne soboty, osłabiona dyscyplina pracy, strajki, pogotowia strajkowe. Jeśli dodamy do tego złe zbiory w roku 1980 (40% mniej ziemniaków, 10% mniej zbóż), to zrozumiałe stają się ujemne wyniki roku 1981, szczególnie w hodowli. Problem polega na tym, że „Solidarność" atakuje nas za słabe zaopatrzenie, nie licząc się z tym, że jeśli pracuje się krócej, gorzej, mniej wydajnie, a jednocześnie zarabia więcej, to nie może być lepiej.

Ubolewamy, iż antyradzieckość występuje w wymiarze niepokojącym naszych sojuszników. Wydaje się, że najlepszym antidotum będzie rozwój współpracy oraz kontynuowanie pomocy ekonomicznej. Prosimy o poparcie naszych wniosków na zbliżającej się sesji RWPG, a następnie o działania na rzecz realizacji jej postanowień.

Następnie mówiłem o współpracy ekonomicznej, o zadłużeniu oraz barierach produkcyjnych. Ponieważ potencjał produkcji nawozów sztucznych mamy nie w pełni wykorzystany, prosimy o dodatkowe dostawy gazu. Spadek produkcji nawozów w roku ubiegłym ma wpływ na plany w roku bieżącym. Brakuje dewiz na import pasz i nawozów. Również na kooperacyjne dostawy importowe. Potrzebujemy więcej kauczuku syntetycznego, szyn, wełny, benzyny, ropy, a także odroczenia spłat kredytów. Nie wykorzystujemy maszyn wartości 2,5 mld złotych. Chodzi więc o to, ażeby ten sprzęt wykorzystać wspólnymi siłami, tworząc jakieś spółki. Na przykład w chemii — byłaby to duża szansa dla rolnictwa. Mamy trudności w realizacji zobowiązań w stosunku do naszych sojuszników.

Ceny i kartki — stoimy przed problemem zmiany cen, bez tego nie „przeskoczymy" dylematu rynkowego. Myślimy o zimie, o węglu, żywności, transporcie.

Mówiłem o wojsku. Armia jest w dobrej kondycji, staramy się, ażeby wpływała stabilizująco. Organizujemy spotkania kadry z przedstawicielami społeczeństwa, wykorzystujemy wyniki niektórych inspekcji wojskowych. Sytuacja jest ciężka, lecz w sumie nad nią panujemy. Gdy zajdzie konieczność, nie zawahamy się również siłą bronić socjalistycznego państwa.

Po tych wypowiedziach nastąpiła dłuższa przerwa. Obejrzeliśmy wspólnie dziennik telewizyjny. Spotkaliśmy się znów. Breżniewowi zdołano przygotować tekst, biorąc już niewątpliwie pod uwagę nasze wypowiedzi.

Widać, że za kulisami aparat pracował sprawnie. Być może szkic drugiego wystąpienia Breżniewa był wcześniej przygotowany, ale uzupełniony o reakcję na stanowisko zajęte przez Kanię i przeze mnie. Odczuliśmy bardzo szybko, że nasze wypowiedzi nie usatysfakcjonowały Breżniewa i jego ekipy.

Co powiedział? Istotnie, IX Zjazd miał pewne pozytywne elementy, ale było więcej negatywnych. Co prawda siłom skrajnie prawicowym nie udało się przejąć kierownictwa partią, ale jednocześnie poniesiono wielkie straty, bo z instancji partyjnych, z Komitetu Centralnego i z komitetów niższych szczebli wypadło wielu dobrych komunistów.

Ubolewał, że w kierownictwie partii zabrakło wielu dobrych towarzyszy, m.in. Grabskiego, Żabińskiego, Moczara, o którym notabene w Moskwie w przeszłości mówiono co najmniej z przekąsem.

W tym miejscu kilka słów o Mieczysławie Moczarze. Przez całe lata **Moczar** był, z różnych zresztą powodów, obiektem silnych politycznych emocji. W latach 1980-1981 zarysowała się dwoistość jego postawy. Z jednej strony — człowiek mocny, aż swędziała go ręka, aby zrobić „porządek". Często mówił po swojemu jędrnie: „Jak długo ten burdel będzie trwać?" Podkreślał przy tym, iż „polską minę muszą rozbroić polscy minerzy". Z drugiej strony — widać było, że imponuje mu siła „Solidarności", jej ostentacyjnie narodowy sztafaż. Dostrzegał szansę skompromitowania Gierka oraz Jaroszewicza i ponownego wypłynięcia, uzyskania silnej pozycji. Ostro więc zabrał się do sensacyjnie nagłaśnianych rozliczeń z przeszłością. Powstała swego rodzaju psychoza posądzeń, podejrzeń. Obok wielu ocen i oskarżeń słusznych były również przesadne uogólnienia, byli ludzie skrzywdzeni. W ten sposób kokietował również „Solidarność".

Moczar to postać bardzo kontrowersyjna. Przez zwolenników gloryfikowany. Przez przeciwników gwałtownie potępiany. Moją ocenę — różną w różnych okresach — sformułuję szerzej przy innej okazji.

Wracam do monologu Breżniewa. Są bardzo niezadowoleni z tego, że zgodnie z sugestią Kani przyjęli 55 aktywistów, sekretarzy różnych szczebli na szkolenie partyjne, a oni nie zostali wybrani do władz. Trzeba dbać o prawdziwych komunistów, którzy bronią marksizmu-leninizmu. To kryterium partyjności. Jest prawe i lewe skrzydło w waszej partii. Ja rozumiem, że w centrum jesteście wy — towarzysze Kania i Jaruzelski. Zagrożenie partii pochodzi z prawa. IX Zjazd nie wniósł radykalnych zmian, przeciwnik naciera. Partia i władza cofają się.

Proces Moczulskiego stał się propagandą jego idei. Nie znalazło się kilku sędziów, którzy postawiliby temu tamę. Kompromis z „Solidarnością" w sprawie dyrektora LOT-u też świadczy o cofaniu się. Gdybyście zmienili cały personel cywilny na wojskowy — to by było zwycięstwo (a myśmy — jak wiadomo — zmienili tylko dyrektora).

Dość ustępstw — mówił Breżniew — trzeba oświadczyć narodowi, że za sytuację odpowiada „Solidarność". Wypowiadacie się przeciwko konfrontacji, a ona już jest. Wydarzenia już się wylewają na ulicę. Być może dojdzie do przelewu krwi. I kto będzie odpowiadał? Rewolucja musi z kontrrewolucją walczyć siłą! Na terror białych musi być terror czerwonych! W taki sposób został rozgromiony Kołczak, tak walczyli Dzierżyński, Frunze.

Czechosłowacja, Węgry. Były tam wydarzenia, które doprowadziły do zasadniczych zmian. W 1968 roku otrzymałem prośbę grupy komunistów czechosłowackich, aby wprowadzić wojsko. (To bardzo pikantna informacja. Żałowałem, że Breżniew nie wymienił nazwisk. Od tej chwili jednak myślałem jeszcze intensywniej nad tym, jak uchronić się u nas przed podobnymi „petentami"). Dzisiaj w Czechosłowacji i na Węgrzech sytuacja jest dobra, ludzie żyją dostatnio. Najlepszy dowód, że wtedy, kiedy w trudnej sytuacji zastosuje się siłę, to w konsekwencji naród i klasa robotnicza na tym zyskują. Popieramy działania rozsądne, ale liczenie na to, że przeciwnik będzie je doceniał, jest iluzją. Wcześniej czy później trzeba w niego uderzyć. Wróg chce przeniknąć do armii i do bezpieczeństwa, a to oznacza klęskę. Teraz po zjeździe jest moment korzystny, ale nie wolno się spóźnić. Przeciwnik chce konfrontacji, trzyma władzę w napięciu. Pod pojęcie samorządu wkłada anarchosyndykalizm. Ustąpić ze wspólnej własności to znaczy przejść od zasad socjalizmu do kapitalizmu. Powstają zalążki socjaldemokracji i partii burżuazyjnych, opozycyjnych. Słyszymy o jakiejś Partii Pracy oraz o wyborach do Sejmu. W waszym liście mówicie, że nie zgodzicie się na „grupową własność". No dobrze, a jeśli ktoś taki jak Rakowski czy inni jemu podobni wyrażą zgodę, to znów pogodzicie się z tym? Teraz jeszcze można zmobilizować masy i wystąpić przeciwko kontrrewolucji. Potem może być za późno. Sami mówiliście, że sytuacja jest nadzwyczajna, dlaczego więc nie podjąć działań nadzwyczajnych, twardych? To obowiązek Kani i Jaruzelskiego nie tylko przed waszym krajem, ale przed całym naszym sojuszem, Układem Warszawskim, wspólnotą państw socjalistycznych. Czasu coraz mniej. Czy nie należy już wprowadzić stanu wojennego? Możecie liczyć na poparcie ludności, która ma dosyć strajków. Przecież z głosów, które docierają do nas, a w tym również od członków KC, wynika, że trzeba koniecznie przejść do przeciwnatarcia, że właściwie pozostają już tylko dni.

Ostatnio ton waszych wystąpień jest nieco ostrzejszy, ale wciąż mówicie o porozumieniu, kompromisie. Z kim porozumienie? Z kim kompromis? Albo wy ich, albo oni was. Rząd obniża normy kartkowe, a „Solidarność" przeciwko temu występuje. Trzeba pokazać, że oni łżą, że jeśli byłby wykonany plan wydobycia węgla, to wszystko by się poprawiło. „Solidarność" ma swoich członków w partii, w Komitecie Centralnym, w Biurze Politycznym. A jak partia pracuje przed zjazdem „Solidarności", aby nie przyniósł on jeszcze większego skonsolidowania sił kontrrewolucyjnych? Wciąż mówicie o trudnościach ekonomicznych, ale kryzys nosi głównie charakter polityczny. Polityka to klucz do stabilizacji.

Trzeba podnieść autorytet władzy, poprawić sytuację w środkach masowej informacji. Okazaliśmy wam dużą pomoc, per saldo około 4 mld dolarów w różnych formach. Zadłużenie wasze wciąż rośnie, uderza więc i w radziecką gospodarkę. Niedawno na spotkaniu przewodniczących Komisji Planowania państw Układu Warszawskiego zaproponowaliśmy dodanie Polsce środków na inwestycje. Ale wy chcecie głównie deficytowych surowców. Widać, że nie macie programu uwolnienia się od zależności ze strony Zachodu.

ZSRR też ma trudności. Między innymi z powodu suszy. Brakuje zboża. Padło bardzo sugestywne stwierdzenie — jest im aż tak trudno, że zmniejszają żołnierzom o 100 gramów dzienną rację chleba. O tyle mniej zboża będą importować, przeznaczając zaoszczędzone środki na pomoc dla nas. Gdy się słyszy taką rzecz, człowiekowi jest mimo wszystko przykro, a nawet głupio. Krótka dygresja. Radzieccy dokuczali nam zawsze uwagami na temat nie skolektywizowanego rolnictwa. Pół biedy, kiedy miało to charakter ideologiczno-ustrojowej „dydaktyki". Gorzej, gdy trzeba było prosić ich o zboże. Wiem, że Gomułka ciężko przeżywał, gdy rokrocznie musiał zwracać się o brakujące 2-3 miliony ton, a Chruszczow, później Breżniew, odpowiadali: dobrze, ale kiedy wreszcie polskie rolnictwo będzie socjalistyczne?

Aby uwzględnić potrzeby Polski — kontynuował Breżniew — doszliśmy już do krawędzi możliwości. Jednakże niektóre spłaty polskiego zadłużenia zostaną przełożone na okres po 1985 roku. Pomogą w towarach. Między innymi prześlą 100 000 ton ziarna, 2 miliardy papierosów, 20 000 skrzynek zapałek, 7200 ton bawełny, pewną ilość chemikaliów dla przemysłu. Inne kraje socjalistyczne też trochę dostarczą. Nasze stosunki będą jednak zależeć od tego, jaką drogą pójdzie Polska, czy komuniści polscy zrobią wszystko co trzeba, czy będzie jedność słów i czynów. Przyszedł czas, aby podjąć ,,krutyje miery'' (ostre środki).

A najważniejsze — przeciągać na swoją stronę klasę robotniczą. Wątek klasy robotniczej powtarzał się w tej rozmowie najczęściej: więcej płacić robotnikom, stworzyć lepsze warunki robotnikom. Jakbyśmy dysponowali jakimś czarodziejskim skarbcem, z którego można dać więcej robotnikom, a zabrać innym. Na przykład chłopom oraz wówczas niewielkiej warstwie prywatnej inicjatywy. Były to takie, powiedziałbym, doktrynalne zawołania, których, oczywiście, nie można było zrealizować.

Breżniew mówił też o sytuacji międzynarodowej. Stany Zjednoczone nawiązują bliskie stosunki z Chinami. Na Zachodzie chcą uczynić z Polski ognisko przeciwko Związkowi Radzieckiemu. Trzeba pokazać narodowi, że główne zagrożenie idzie ze strony imperializmu. Kredyty zachodnie to nie prezent, ale ,,kabała'', zniewolenie, jarzmo. Musicie podejmować stosowne działania.

Po takich tyradach człowiek czuje się jak przepuszczony przez wyżymaczkę. W dodatku z mieczem Damoklesa zawieszonym na cienkiej nitce nad głową, który nie wiadomo, czy i kiedy spadnie.

Znowu głos zabrał Kania. Zrozumiał ze słów Breżniewa, że nie spełniamy oczekiwań, nie realizujemy zapewnień i zobowiązań. Jest nam bardzo trudno, to jednakże mamy pewne osiągnięcia. Stwierdził też, że wbrew temu, co mówił Breżniew, bronił Kociołka, Grabskiego, Olszowskiego, Kurowskiego, Żabińskiego, Moczara, ażeby mogli zostać delegatami na zjazd. A wyniki zjazdu to już skutek walki wewnętrznej.

Nie zastosowaliśmy do tej pory siły, bo jesteśmy ostrożni. Tym bardziej tragiczne skutki wywołałoby wejście Armii Radzieckiej do Polski. Byłoby to zresztą na rękę imperializmowi. Jeśli jednak sytuacja będzie się zaostrzać, nie zawahamy się. Nie grozi zejście Polski z drogi socjalizmu. Stawiamy sprawę jasno, że socjalizmu będziemy bronić tak jak niepodległości. Trzeba jednak jeszcze raz podkreślić, że w Polsce dzieje się sporo pożytecznego. To pierwszy okres w ciągu całego roku, gdy coś przechyla się na naszą stronę.

Kania prosił, żeby przyjechała delegacja w celu zapoznania się z naszą sytuacją gospodarczą. Zapewnił, że będziemy robili wszystko dla umocnienia socjalizmu i przyjaźni.

„Liczę, że będziecie w tym duchu działać'' — orzekł na zakończenie Breżniew.

Wracaliśmy z Krymu do kraju w ciężkim nastroju. W rozmowach popełniliśmy chyba błąd taktyczny. Niedostatecznie eksponując zagrożenia, pogłębiliśmy nieufność w stosunku do naszych intencji i możliwości. Jeśli nie liczyć okazjonalnego spotkania z Ustinowem w czasie ćwiczeń wojskowych, to wizyta na Krymie była ostatnim w 1981 roku bezpośrednim kontaktem z przedstawicielami najwyższego kierownictwa radzieckiego. Później już tylko telefony, listy i ustne przesłania przekazywane za pośrednictwem ambasadora Aristowa, wreszcie wizyty marszałka Kulikowa.

Myślę, że niechęć do osobistych spotkań po Krymie wynikała z trzech powodów. Po pierwsze, pogarszała się fizyczna kondycja Breżniewa i jego najbliższego otoczenia. Po drugie, uznali najpewniej, że bezpośrednie rozmowy z Kanią i Jaruzelskim są już mało skuteczne, co więcej, w jakimś sensie „rozwadniają'' wymowę ostrzeżeń, wciągając w niewygodną tematykę gospodarczą. Po trzecie, woleli posłużyć się przedstawicielami, głównie wojskowymi. Ich słowa, wsparte powoływaniem się na przywódców, mieliśmy odbierać w sposób bardziej wyrazisty, kojarzyć w sposób jednoznaczny z zagrożeniem interesów państw Układu Warszawskiego i całej socjalistycznej wspólnoty.

Przy okazji powiem nieco o moich osobistych kontaktach z Breżniewem — wcześniejszych i późniejszych.

Breżniew nigdy nie błyszczał intelektem. Był jednak doświadczonym, rzeczowym i energicznym działaczem partii i państwa. Reprezentował i chronił interesy szeroko rozumianego aparatu, spłoszonego woluntarystycznymi posunięciami Chruszczowa. Ulegał wpływom kompleksu wojskowo-przemysłowego. Trzeba jednak oddać sprawiedliwość jego dążeniom do odprężenia, normalizacji stosunków Wschód—Zachód. Znalazło to m.in. odbicie w Akcie Końcowym KBWE, podpisanym w 1975 roku. Jednakże w drugiej połowie lat 70. zaczęła się jego fizyczno-intelektualna degradacja. W ostatnich latach życia stawał się stopniowo uroczystym, choć przez to chyba bardziej groźnym, figurantem. Niebezpieczeństwo polegało na nieprzewidywalności jego ostatecznych reakcji. Jakie emocje zdominują? Czyje rady wezmą górę? W moich rozważaniach przed 13 grudnia miało to istotne znaczenie. Tym bardziej że znałem główne postacie ówczesnej władzy w ZSRR: Andropow, Gromyko, Susłow, Ustinow, później również Czernienko. Jak ujawniono po latach, to właśnie oni wspólnie z Breżniewem, z pominięciem całego Biura Politycznego i Prezydium Rady Najwyższej, podjęli decyzję o wkroczeniu do Afganistanu.

Nie chcę iść ułatwioną drogą. Nieboszczycy bronić się nie mogą. Trzeba więc zachować umiar. Sprężyny władzy to przede wszystkim aparat — wydziały KC. Byli tam, oczywiście, ludzie światli, mądrzy, jak chociażby późniejszy doradca Gorbaczowa, Georgij Szachnazarow. Ale nie mniej było zrutynizowanych, konserwatywnych, przejętych swą rolą strażników „świętego ognia", przy tym nie tylko u siebie, ale co gorsze, w całym bloku. To właśnie w głównej mierze od nich płynęły wszelkiego rodzaju oceny, opinie, wnioski, na podstawie których „wielcy starcy" ferowali wyroki.

Rolę aparatu KC KPZR niech zilustruje takie spostrzeżenie. W pierwszej połowie lat 70. uznałem za konieczne zasadnicze znowelizowanie, a właściwie opracowanie od nowa regulaminów wojskowych (służby wewnętrznej, służby garnizonowej, dyscyplinarnego oraz musztry). Specjalna komisja redakcyjna pod przewodnictwem ówczesnego zastępcy szefa Sztabu Generalnego, generała Eugeniusza Mroza, przestudiowała w tym celu wszystkie możliwe regulaminy, zarówno polskie przedwojenne, jak i zagraniczne — ze Wschodu i Zachodu. Praca trwała. Ukazało się wiele publikacji, prowadziliśmy liczne konsultacje z kadrą wojskową, omawialiśmy ten temat na posiedzeniach Rady Wojskowej Ministerstwa Obrony Narodowej. Wtedy też dowiedziałem się, że w Armii Radzieckiej również trwają prace nad nowymi regulaminami. Zwróciłem się więc do marszałka Greczki, którego zresztą lubiłem i szanowałem, aby udostępnił nam ich projekty. Wyraził zgodę. Ale czas płynął. Zwróciłem się więc do marszałka ponownie. Odpowiedź była zaskakująca: „Regulaminy znajdują się w Wydziale Administracyjnym KC i nie zostały jeszcze zaakceptowane". Oto miara biurokratycznej potęgi aparatu. Okazuje się, że wojskowi najwyższego szczebla i kwalifikacji musieli uzyskać nawet w sprawach żołnierskiego abecadła aprobatę partyjnych urzędników. U nas to było nie do pomyślenia.

Ale wracając do Breżniewa. Snobizował się wręcz swym „generalstwem", nie mówiąc już o późniejszym „marszałkostwie". Jego szeroko reklamowanej w Związku Radzieckim oraz w innych krajach socjalistycznych książeczki o walkach na tzw. „Małej Ziemi" nie ceniłem zbyt wysoko. Pochlebiam sobie, iż nie wprowadziliśmy jej na historyczno-profesjonalne „uzbrojenie" naszego wojska. Wiem, że miano mi to za złe. Odczuwałem jednak przy różnego rodzaju — zresztą incydentalnych — kontaktach, że stosunek Breżniewa do mnie był, powiedziałbym — sympatyczny, zabarwiony częstokroć rubasznym żołnierskim humorem. Zaczęło się to zmieniać pod koniec 1980 roku. A im dalej, tym było gorzej. Zarówno akcje Kani, jak i moje stale spadały.

Przypływ poparcia nastąpił w związku z moim wyborem na stanowisko I sekretarza KC. Otrzymałem gratulacyjny telegram oraz telefon. Tonacja była życzliwa, w tym nawiązanie do mojej frontowej drogi, do polsko-radzieckiego braterstwa broni oraz przyjaźni i sojuszu między naszymi krajami. Jednocześnie wyrażał nadzieję, że nie pozwolimy na demontaż ustroju. I sakramentalne „Polski nie zostawimy w biedzie". Od tej „pieszczoty" ciarki przechodziły po grzbiecie. Odpowiedziałem, że mam świadomość, jak ważny dla Związku Radzieckiego, dla całego Układu Warszawskiego, jest rozwój sytuacji w Polsce. Jest nam bardzo ciężko. Szczególnie trudne jest dotarcie do społeczeństwa, uzyskanie minimum zrozumienia dla naszej polityki. A zapowiedź ograniczeń radzieckich dostaw grozi fatalnymi konsekwencjami. Dziękując za dotychczasową pomoc, prosiłem jednocześnie o uwzględnienie naszych potrzeb i w przyszłości. Breżniew zrobił wtedy unik, mówiąc, że im też jest trudno, odejmują sobie od ust. Naród radziecki oraz narody innych krajów socjalistycznych patrzą z rosnącym niepokojem na to, co dzieje się w Polsce. Nie mogą zrozumieć, że muszą ponosić ciężary w imię tych, którzy nie pracują, a do tego oskarżają ich i obrażają. Były to więc akcenty podobne do tych, co na Krymie.

Powiedziałem, że na plenum Komitetu Centralnego postanowiliśmy podjąć jeszcze jedną inicjatywę w kierunku porozumienia narodowego. W tym momencie usłyszałem w słuchawce jakieś pomruki: „... posmotrim, no z wragom nie lekko dogoworitsja. Ale jeśli się uda..."

W drugiej połowie listopada z kolei zatelefonowałem ja. Było to po informacji przekazanej mi przez ambasadora Aristowa, że kierownictwo radzieckie nie widzi zmian na lepsze. Są bardzo niepokojące sygnały, w tym dotyczące Północnej Grupy Wojsk. Istotnie, sytuacja pogarszała się. Widać było, że idea porozumienia „buksuje". Jednocześnie wiedziałem, że w Związku Radzieckim są zaawansowane prace nad planem gospodarczym na 1982 rok. Zależało mi na tym, aby zapowiedź drastycznych ograniczeń dostaw do Polski nie weszła w ostateczną fazę. Zacząłem, oczywiście, od pozdrowień. Potem na temat różnych trudności i komplikacji. Breżniew uprzedzony przez ambasadora o moim telefonie miał już przygotowany tekst. Odczytywał: ...przewidywałem, że z porozumienia nic nie będzie. Nie można liczyć na rozsądek ze strony „Solidarności". Oni chcą władzy. Podważają pozycję partii i socjalistycznego państwa. Widać tutaj rękę Zachodu, imperializmu, Amerykanów. Północna Grupa Armii Radzieckiej czuje się zagrożona (zresztą poprzedziła to kolejna wizyta u mnie jej dowódcy). „Coraz bardziej zbliżacie się do katastrofy. Jeszcze raz zwracamy na to uwagę".

Wyjaśniłem, że jeśli chodzi o Północną Grupę Wojsk Radzieckich, to zrobimy wszystko, żeby nie było zakłóceń. Z dowódcą Grupy niedawno omawialiśmy te sprawy. Incydenty zdarzały się również w minionych latach. Nie chcę ich minimalizować, ale uważam, że panujemy nad sytuacją. Wciąż podkreślałem, że kondycja armii, naszego aparatu jest dobra. Nie dopuścimy do sytuacji, która dla Układu Warszawskiego, dla naszych sojuszników byłaby groźna, naruszała ich bezpieczeństwo.

Nawiasem mówiąc, Północna Grupa Wojsk znajdowała się u nas od lat. Nasze jednostki miały z nią bliskie, przyjazne kontakty, wspólne ćwiczenia, imprezy sportowe i kulturalne. Dowódcami Grupy byli przeważnie Rosjanie. Pamiętam dwa wyjątki: generałowie: Chetagurow — Osetyniec oraz Tankajew — Dagestańczyk. Był też jeszcze szef sztabu Grupy — Rizadinow, Tatar. Ci ludzie jakby lepiej czuli nasze narodowe realia. Szczególnie zapamiętałem Tankajewa, z którym miałem więcej kontaktów.

Osobliwy był głos Breżniewa — dudniący, jak zza grobu, zwłaszcza w słuchawce telefonicznej. Czasami trudno było go dokładnie zrozumieć. Miał jakieś kłopoty z jamą ustną, podobno przechodził operację. A ponadto widoczne były zahamowania w reakcjach, w toku myślenia. Wszystko to w sumie nie ułatwiało kontaktu. A temat gospodarczy, wciąż przeze mnie podnoszony, wyraźnie go denerwował.

Tak więc, gdy sytuacja w Polsce nie ulegała poprawie, odczuwałem ze strony Breżniewa zawód, niezadowolenie, wzmożoną presję. Po wprowadzeniu stanu wojennego, oczywiście, znów byłem lepszy. Ale stopniowo wzrastały zastrzeżenia i pretensje, które zresztą miały mi towarzyszyć aż do czasów Gorbaczowa. Jeśli los pozwoli, postaram się to opisać w przyszłości.

Skoro już powiedziałem o Breżniewie — wypada parę zdań poświęcić przywódcom innych krajów socjalistycznych. Zawsze starałem się zachować o nich obiektywny sąd. Znałem ich wypowiedzi, z reguły nieprzychylne, od grudnia 1980 roku. Nie mogę jednak w tej książce nie wskazać pewnego elementu moralnego, a właściwie psychologicznego, który sprawiał, że do wielu z nich odnosiłem się z szacunkiem.

Janos **Kadar** był nieludzko torturowany w więzieniu Rakocsyego. Nawet słowem o tym nie wspomniał podczas licznych naszych rozmów. Nie wiem, jak ostatecznie oceni go historia. Był rok 1956, były represje. Ale również reformy oraz mądre Kadarowskie hasło: ,,Kto nie przeciwko nam — ten z nami''. Był to człowiek skromny, sympatyczny, stosunkowo wyrozumiały wobec ludzi o odmiennych poglądach politycznych. Nie znam okoliczności, które zmusiły Kadara do usunięcia twórcy węgierskiej reformy gospodarczej Režo Nyersa. Podczas rozmów ze mną nie krył jednak szacunku do niego. A w ogóle Kadar rozumiał nas najlepiej. Był zaprzyjaźniony z Andropowem. Wiem, że starał się w korzystny dla Polski sposób przedstawiać nasze racje.

W czasie naszych spotkań w latach 1982-1983 mówił mi wprost, iż Polsce groziła interwencja. Aż do 13 grudnia wisiała na włosku. W kierownictwie radzieckim nie było w tej sprawie pełnej jedności. Szala przeważała się jednak coraz bardziej na naszą niekorzyść. Decyzja mogła zapaść w każdej chwili. Kadar wyraził zresztą tę ocenę publicznie, tylko w bardziej ,,protokolarnej'' formie, na spotkaniu z załogą zakładów imienia Nowotki w 1983 roku.

Erich **Honecker**. Moje stosunki z nim układały się dobrze. Odczuwałem z jego strony nawet jakąś sympatię. Słyszałem jednak, że po każdym naszym spotkaniu telefonował do Moskwy i przedstawiał nie zawsze w korzystnym świetle ocenę rozmów.

Wiedziałem, że Honecker bardzo nieprzychylnie odnosi się do polskich przemian. Nie tylko przed, ale i po wprowadzeniu stanu wojennego. Nie traktowałem go jednak z niechęcią. Spędził on dziesięć lat w hitlerowskich więzieniach. Miał za sobą lata walki, kiedy ja chodziłem do szkoły. Wątpię, czy którykolwiek z polityków zachodnich obecnej doby ma za sobą podobne doświadczenia. Myślę, że nawet Konrad Adenauer nie był wolny od podobnej reakcji, kiedy rozmawiał z przywódcą SPD, Kurtem Schumacherem, który w obozie koncentracyjnym spędził cały okres hitleryzmu. A poza tym nigdy nie potrafiłem zapomnieć o jednym. Może to nie tak istotne, ale dla mnie ważne. Dzięki niemu mógł w Berlinie powstać pomnik polskiego żołnierza i niemieckiego antyfaszysty. Honecker systematycznie składał tam wieniec. Nie wiem, kto zrobi to obecnie.

Gustav **Husak** — był człowiekiem spokojnym, kulturalnym, ale wewnętrznie jak gdyby nadłamanym. Jako polityk — twardy, zachowawczy. Wiedziałem, jakie informacje o sytuacji w Polsce sygnował na użytek własnej oraz radzieckiej partii. To właściwie wystarczało, abym rozmawiał z nim w sposób oschły. Nigdy nie umiałem się na to zdobyć. Husak również spędził 10 lat w więzieniu. I to bynajmniej nie hitlerowskim. Taki życiorys skłaniał mnie do umiaru, do powściągania krytycznych uwag.

Todor **Żiwkow**. Jak mówi polskie przysłowie: „Stary, ale jary". Strzegł mocno starego reżimu, ale jednocześnie wręcz eksplodował różnego rodzaju bardziej lub mniej dojrzałymi nowatorskimi pomysłami. Energiczny, dynamiczny, kipiący humorem. Jego śmiech — przypominający rżenie konia — słychać było chyba na kilometr. W sumie sympatyczny człowiek. Też z bogatą kartą w ruchu rewolucyjnym oraz w działalności partyzanckiej.

W każdym razie chciałbym wyraźnie oddzielić moje opinie polityczne od osobistego stosunku do tych ludzi, znacznie starszych ode mnie, których charakter, wierność idei potwierdzały ciężkie doświadczenia życiowe.

Ale dlatego też w tym miejscu nic nie powiem o Ceausescu. Bo, co prawda, to postać ponura, ale i wyrok wymierzony w sposób barbarzyński, a to nie nastraja do komentarzy.

Rozdział 26

Zaciskanie pętli

W drugiej połowie 1981 roku Polska znalazła się w całkowitym osamotnieniu. Kraje socjalistyczne uznawały polski eksperyment nie tylko za niebezpieczny, ale wręcz niepoczytalny. Kiedy w sklepach był już tylko ocet — na Węgrzech, NRD i Czechosłowacji bez kłopotu kupowano produkty żywnościowe — mięso, wędliny. Nie wnikam w tej chwili w przyczyny, które to powodowały. Gospodarka sąsiadów też była nieefektywna. Ale chodziło o powszechny odbiór społeczny, o stosunek do przemian dokonujących się w Polsce. Dobrze to ilustruje anegdota o dwóch psach. Jeden przekrada się przez granicę do Czechosłowacji, aby się najeść do syta. Drugi przekrada się do Polski, aby się do woli naszczekać. Nie ograniczało się to tylko do drwiny. W 1981 roku większość krajów socjalistycznych odwołała z Polski studentów i doktorantów. Wprowadzono surowe ograniczenia w ruchu osobowym. Czechosłowacja zaostrzyła przepisy o małym ruchu granicznym. Wywołało to drastyczne skutki, zwłaszcza dla mieszkańców niektórych przygranicznych polskich wiosek. Po prostu nie mogli uprawiać swoich pól — ich część, od czasów Franciszka Józefa, leżała po drugiej stronie granicy. NRD odesłała 20 000 polskich robotników.

Nasi socjalistyczni partnerzy zaczęli skrupulatnie liczyć straty w rezultacie niewykonania przez Polskę umów dwustronnych i wielostronnych. Czy można ich za to winić? Niby z jakiego powodu mieli podtrzymywać gospodarkę kraju, który, ich zdaniem, zbliża się do całkowitego rozkładu, z dnia na dzień traci wiarygodną pozycję partnera gospodarczego i w dodatku — według tamtejszych ocen — uprawia propagandę przeciwko nim.

Dotarła do mnie poufna informacja o wypowiedzi Harry Tischa — ówczesnego przewodniczącego związków zawodowych NRD. Na spotkaniu z aktywem związkowym powiedział dosadnie:

„Polacy są genialni w wynajdywaniu sposobów na to, żeby nie pracować. Niestety, nie potrafią znaleźć sposobu, aby pracować lepiej''. Nie był to pogląd odosobniony. Ambasady krajów socjalistycznych starannie analizowały sytuację gospodarczą Polski. Na tej podstawie przekazywały swym centralom ostrzeżenia — nie należy na rok 1982 zawierać z Polską żadnych poważniejszych porozumień.

Podobnie rozumowano w krajach kapitalistycznych. Motywy były, oczywiście, różne, ale zarówno na Wschodzie, jak i na Zachodzie mówiono o pomocy — pod warunkiem, że ustabilizujemy sytuację wewnętrzną. W międzynarodowym handlu nie ma sentymentów. Dzisiaj także widać to wyraźnie.

Wszystko to stanowiło tylko preludium. Zresztą, kto nie był ślepy i głuchy, mógł się tego spodziewać. Były liczne oświadczenia i publikacje. Przede wszystkim wróżyły zbliżający się cios — ostrzegawcze akcenty w rozmowach z Susłowem, Gromyką, Breżniewem.

Pierwszy poważny sygnał przyszedł 20 sierpnia. Delegacja naszej Komisji Planowania, której przewodniczył dyrektor Alfred Siennicki, przebywała w radzieckim Gospłanie. Członek kolegium tej instytucji Nikołaj Worow oświadczył, że Polska otrzyma w 1982 roku o 4 miliony ton mniej ropy. Zmniejszone zostaną też dostawy bawełny. „Strona radziecka — mówił Worow — nie może podejmować żadnych zobowiązań wieloletnich, gdyż z powodu niestabilnej sytuacji politycznej nie ma pewności co do wywiązania się z przyjętych przez Polskę zobowiązań''.

Wkrótce potem, 9 września, rozpoczęły się w Moskwie kolejne rozmowy na temat polsko-radzieckiej wymiany handlowej w 1982 roku. Naszej delegacji przewodniczył Stanisław Długosz — doświadczony dyplomata i ekonomista, wiceprzewodniczący Komisji Planowania. Strona radziecka oświadczyła: ponieważ Polska ma ujemne saldo handlowe z ZSRR, wymiana handlowa w 1982 roku odbywać się może tylko na zasadzie pełnego zbilansowania płatniczego, z uwzględnieniem wyrównania salda za rok ubiegły. Oznaczało to niesłychanie drastyczne obniżenie dostaw, idące znacznie, znacznie dalej niż zapowiedź z 20 sierpnia. To już niewątpliwie były konsekwencje pierwszej tury zjazdu „Solidarności''. Jaka więc była zapowiedź:

	Wniosek strony polskiej na 1982 rok	Odpowiedź ZSRR udzielona 9.09.1981 roku
Ropa naftowa mln ton	13,1	4,1
benzyna samochodowa tys. ton	600	—
nafta lotnicza i oświetleniowa tys. ton	180	—
olej napędowy tys. ton	1800	—
gaz ziemny mld m^3	5,3	2,8
surowce fosforowe P_2O_5 tys. ton	250	100
surówka żelazna tys. ton	1400	700
nikiel tys. ton	6,8	3
aluminium tys. ton	53	18
celuloza łącznie z ustilinem tys. ton	137	82
papier tys. ton	45	20
bawełna tys. ton	105	70
herbata tys. ton	3	—
ser ton	750	—
konserwy rybne mln puszek	3	—
lodówki tys. szt.	200	—
telewizory czarno-białe przenośne tys. szt.	50	—
telewizory kolorowe tys. szt.	50	—
traktory T25A tys. szt.	10	—

Tym razem jeszcze dobitniej niż 20 sierpnia oświadczono, że na to stanowisko decydujący wpływ ma nie tylko niewywiązanie się Polski z uzgodnionych dostaw, ale także nasilająca się kampania antyradziecka.

Stało się jasne. To nie własna inicjatywa urzędników radzieckiego Gospłanu. To decyzja najwyższego kierownictwa ZSRR. Swego rodzaju ultimatum — zapowiedź blokady gospodarczej. Wiedzieliśmy, że gdyby zrealizowano zamiar tak radykalnych ograniczeń, gospodarka polska zostałaby kompletnie sparaliżowana. Byłaby to katastrofa. W ten sposób można powalić państwo — bez użycia jednego czołgu, bez jednego wystrzału. Dotarło do mnie wówczas i takie powiedzenie: „Nie muszą być tanki — wystarczą banki". Tym bardziej iż gdyby ZSRR zastosował zapowiadane ograniczenia, to niewątpliwie i inne państwa, a zwłaszcza NRD oraz Czechosłowacja, poszłyby w jego ślady. Dziś, kiedy niewielkie przykręcenie przez Moskwę kurka z gazem wywołuje w Polsce tyle niepokoju — mamy wspomnienie ówczesnego lęku.

Tak więc zapowiedź tych ograniczeń, to była dalsza reakcja na rozwój sytuacji w Polsce. Faktycznie skierowana przeciwko nam, władzy, która nie panuje, toleruje, pozwala itd.

Zatelefonowałem do premiera Tichonowa. Rozmawiał ze mną jak zwykle uprzejmie, ale chłodno. Nie mówił, że to kara za grzechy, bo takich rzeczy na ogół nie mówi się wprost. Ale: sami mamy tyle trudności, a wy nie dajecie tego, nie dostarczacie tamtego. Musimy liczyć się ze swoim społeczeństwem. Prosiłem o przyjazd wicepremiera, przewodniczącego Państwowej Komisji Planowania ZSRR, Bajbakowa.

Bajbakow był u mnie 25 września. Zależało mi na rozmowie z nim. Człowiek bardzo kompetentny. Przy tym sympatyczny, wesoły. Odnosiłem wrażenie, że ma sentyment, wiele życzliwości do Polski. Podkreślał czasami ze swego rodzaju satysfakcją, że jego rodzina ma jakieś polskie korzenie. Często więc żartobliwie nazywaliśmy go „pan Bajbakowski". A w ogóle, to w niektórych radzieckich kręgach było zauważalne snobizowanie się chociażby polską „babuszką". Między innymi przyznawał się w rozmowie ze mną do takowej marszałek Greczko. Ale miało to również inną, nieco odmienną nutkę. Oczywiście, nie z Dostojewskiego. Raczej z Puszkina. Przypominam sobie strofę:

> Paryski styl i akcent ma
> Mazura tańczy, że aż ha!
> ....
> To wszystko. Więc uznano go
> Za mędrca oraz comme il faut.

To oczywiście, z „Eugeniusza Oniegina". Ale ten Paryż z mazurem, wizerunek lekkoducha...?

Przed spotkaniem ze mną Bajbakow był już po kilku rozmowach oraz podróży na Śląsk, a bodajże i do Bełchatowa. Podzielał pogląd, że stan naszej gospodarki jest dramatyczny. Opowiadał o pobycie w Czechosłowacji w 1968 roku oraz na Kubie w trudnym 1970 roku. Sytuacja Polski jest jednak bez porównania gorsza. Produkcja znacznie spadła m. in. z powodu niedoboru energii. Szczególnie dotkliwie odbija się to na hutnictwie, przemyśle chemicznym, budownictwie. To z kolei dezorganizuje całą gospodarkę. „Co z tego, że dostarczymy Wam surowce — mówił — wobec braku węgla, energii to i tak nic nie da". Załamanie w górnictwie wpływa w sposób zasadniczy na eksport. Kiedyś 26 milionów, a teraz 8 milionów ton węgla. To z kolei rzutuje to na import. Oczekują więc, że wypełnimy zobowiązania w dostawach węgla i siarki. Mają trudności. Był nieurodzaj. Musieli kupić miliony ton zbóż.

Zwracałem się ponadto do Bajbakowa o pomoc dla dociążenia naszego przemysłu. Chodziło o dostawy różnego rodzaju materiałów i komponentów, dotąd uzyskiwanych z państw kapitalistycznych. Obiecał porozmawiać z przedstawicielami innych krajów RWPG, ale im jest też ciężko. Zresztą, kiedy obniża się dyscyplina i wydajność pracy, to dodatkowe dostawy nic nie pomogą. W każdej z tych rozmów przewijała się niezmiennie nuta: jeśli nie będzie spokoju i dyscypliny, jeśli sytuacja polityczna będzie niestabilna, to gospodarka się nie dźwignie. Wiedziałem to dobrze i bez niego. Podjąłem kluczowy dla nas temat — dostawy na 1982 rok. Bajbakow zrobił unik. Czułem, że brak decyzji politycznej. Nie ma co liczyć na zmianę stanowiska. To przecież presja, warunek, który ma nas skłonić do bardziej zdecydowanych działań. Rozstaliśmy się przyjaźnie. Jednak bez wielkich złudzeń, że wizyta szefa Gospłanu może przynieść odczuwalną ulgę. Sytuacja nie uległa zmianie aż do połowy grudnia 1981 roku. Dzisiejsi krytycy stanu wojennego, których to nie obchodzi, w najlepszym przypadku grzeszą naiwnością. Przecież Zachód by nas nie uratował. Potwierdzają to i obecne doświadczenia. Kiedy jesteśmy już, jak to się mówi, po zupełnie innej stronie świata. Na konferencji prasowej z udziałem czechosłowackiego prezydenta Havla i węgierskiego premiera Antalla, odbytej po spotkaniu na Wawelu 6 października 1991 roku, prezydent Wałęsa powiedział: „Nie możemy bezkrytycznie liczyć na Zachód. Kiedy toczyła się walka z systemem komunistycznym, były na nią środki. Dziś ważą się losy naszych demokracji. Zagrożona jest przyszłość Europy, a Zachód ucieka przed odpowiedzialnością. Z oporami angażuje się w przebudowę gospodarczą Europy Środkowo-Wschodniej. To krótkowzroczność". Podobne zarzuty Lech Wałęsa sformułował w lutym 1992 roku na sesji Rady Europy w Strasburgu. Rozumiem rozgoryczenie prezydenta. Ja kiedyś reagowałem jeszcze ostrzej. Dziś widzę to nieco inaczej. Oczywiście — bogaty Zachód okazuje nam życzliwość, a także pewną pomoc. Ale naiwnością jest liczyć na to, że blisko czterdziestomilionowy naród ktoś przeniesie do krainy dobrobytu „na barana". My wciąż bardziej lub mniej świadomie uważamy, że jeśli: Kościuszko i Pułaski, Chopin i Maria Skłodowska-Curie, Powstanie Warszawskie i Monte Cassino, Maksymilian Kolbe i papież-Polak, to tylko patrzeć, jak złoto spadnie nam z nieba. Takie zresztą iluzje towarzyszyły opozycji zmierzającej do władzy. Niestety — reguły rządzące polityką, a zwłaszcza kapitałem są bardziej przyziemne. Nie należy się dziwić. Inwestuje się w kraju stabilnym. Tam, gdzie chodzi się po ziemi, a nie w chmurach. Tam, gdzie myśli się przede wszystkim o przyszłości, a nie rozpamiętuje bez ustanku przeszłość.

W sierpniu (od 10 do 21) i we wrześniu (od 19 do 23) przebywała w Polsce delegacja z przewodniczącym Komitetu Technicznego Zjednoczonych Sił Zbrojnych Układu Warszawskiego, generałem Iwanem Fabrikowem. Zwiedziła 14 zakładów zajmujących się produkcją zbrojeniową. Wnioski przesłała mi w sprawozdaniu z datą 23 września 1981. Dla podniesienia rangi dokumentu podpisał go wraz z Fabrikowem szef sztabu Zjednoczonych Sił Zbrojnych gen. Anatolij Gribkow. On też złożył mi wówczas wizytę. Ze sprawozdania i rozmowy wynikało, że:

„— sytuacja w przemyśle zbrojeniowym jest niestabilna. Rwie się kooperacja. Brakuje materiałów i różnych elementów do produkcji: czołgów T-72, transporterów, pocisków, sprzętu elektronicznego, w tym radiolokacyjnego, systemów kierowania dla rakiet przeciwlotniczych i przeciwpancernych, układów celowniczych itp. Opóźnienia w dostawach niektórych rodzajów uzbrojenia, takich jak czołgi i rakiety „Strzała-2", sięgają 19-20 miesięcy; występują niepokojące zaniżenia w planach produkcji na 1982 rok;

— „Solidarność" chce przejąć kontrolę i decydować o produkcji wojskowej. Torpeduje decyzje centralne, doprowadza do konfrontacji z władzami. Grupy pracownicze ulegają jej ciągłym naciskom. Brak zdecydowanego przeciwstawienia się samowoli. Stwarza to wrażenie, iż władze administracyjne i partyjne czują się bezsilne. W rezultacie zagrożona jest kooperacja oraz planowe dostawy uzbrojenia dla sojuszniczych armii. Wszystko to przynosi poważny uszczerbek bezpieczeństwu całej socjalistycznej koalicji".

Istotnie — w tej sprawie miałem już wcześniej alarmujące meldunki dotyczące potrzeb naszego wojska. Następowały opóźnienia dostaw: części zamiennych i zespołów o 20%, w tym do czołgów aż o 60%, a do systemów radiolokacyjnych o 75%. W ostatnim przypadku mogło to zagrozić poważnie zwłaszcza systemowi obrony powietrznej kraju.

Gribkow mówił dalej, że przeprowadził w Polsce wiele rozmów. Kontrrewolucja obnażyła swoje rzeczywiste zamiary. I tu zdanie o dość znamiennej wymowie: działa ona według planów USA, należy więc oczekiwać uderzenia w armię, w bezpieczeństwo. Są już tego widoczne oznaki. „Solidarność" próbuje dostać się zwłaszcza do szkół podchorążych rezerwy. W kołach samokształceniowych przygotowuje przedpoborowych, ażeby w wojsku byli w stosunku do niej dyspozycyjni. Rezerwistom udziela instrukcji przed powołaniem na ćwiczenia.

W terenie „Solidarność" przejmuje władzę. Kuroń jakoby oświadczył, że komuniści nie mają prawa w Polsce istnieć. Akurat tej wypowiedzi nie znałem, ale wtedy byłem przekonany, że Kuroniowi można przypisać najgorsze nawet myśli i słowa. Rulewskiego należy sądzić. Kościół stoi po stronie „Solidarności". Był w 10 i 11 dywizjach Śląskiego Okręgu Wojskowego. Mają świadomość zagrożenia. Są gotowi wypełnić każde zadanie. Rozmawiał z pewnym dowódcą pułku. Pobili mu dziecko w szkole, żona płacze.

Gribkow, doświadczony generał, człowiek twardy, oschły, wyrażał nie tylko swoje poglądy, lecz i swoich przełożonych. Tam, gdzie była mowa o sprawach ściśle wewnętrznych, przyjmowałem jego „rewelacje" z mniejszym niepokojem. Gorzej, gdy sprawy dotyczyły naszych sojuszniczych zobowiązań. To już nie pretekst, ale prawdziwy problem, zwłaszcza w zakresie produkcji i dostaw uzbrojenia.

Przypomnę, że we wrześniu trwała dyskusja nad tzw. solidarnościowym projektem reformy gospodarczej. Padały w niej także głosy o celowości zaniechania produkcji zbrojeniowej. Można sobie wyobrazić, jak w świetle nasilającego się wyścigu zbrojeń byłaby oceniona taka „spontaniczna restrukturyzacja".

W latach 70. około połowy produkcji eksportowej oraz usług zbrojeniowych, głównie remontowych, odbierał ZSRR. Blisko 1/3 — pozostałe państwa Układu Warszawskiego. Resztę lokowaliśmy w innych krajach. W roku 1980, a zwłaszcza w 1981 w realizacji umów zaczęły się poważne zakłócenia. Dotyczyło to produkcji lotniczej, morskiej, pancernej oraz usług remontowych. W stoczniach stały przeznaczone do remontu radzieckie okręty bazowe, szpitalne, desantowe, hydrograficzne, szkolne. Postęp prac był niezadowalający. Gribkow poinformował mnie, że dowódca Floty Radzieckiej — admirał Gorszkow — rezygnuje ze skierowania 50 okrętów wojennych na remont w Polsce. „Musimy — powiedział — znaleźć dla tych okrętów inne stocznie".

Był także inny problem — nazwijmy to — uboczny. Relacje cenowe w handlu uzbrojeniem były dla nas w sumie korzystne. Importowaliśmy ze Związku Radzieckiego głównie broń najbardziej nowoczesną, najpotężniejszą, sprzęt „wyrafinowany", którego produkcja w kraju ekonomicznie i technologicznie byłaby nie do udźwignięcia (chociażby rakiety różnych typów, nowoczesne samoloty bojowe). Sprzęt ten obecnie — na zasadzie rozliczeń dolarowych — kosztuje średnio 6-8 razy drożej. Zresztą, chcąc zakupić podobnego typu uzbrojenie na Zachodzie — co wówczas ze względów politycznych było niemożliwe — trzeba byłoby zapłacić jeszcze więcej. Okazuje się, że byliśmy tutaj w jakimś sensie dofinansowywani przez ZSRR. Przy tym ważne również było to, że eksport produkcji zbrojeniowej równoważył nasz import. Co więcej — pozwalał uzyskiwać duże korzyści z dostaw do innych, zwłaszcza arabskich krajów. Mało kto również wie, że główne okręty polskiej Marynarki Wojennej — niszczyciel „Warszawa" i okręty podwodne — były od lat dzierżawione od ZSRR wprost za „psie pieniądze". Nie wiem, jak to będzie w przyszłości.

Mieliśmy więc „szyfrówkę" Długosza i raport Fabrikowa. Ale to nie wszystko. W dniach 4-12 września 1981 roku na terytorium Ukrainy, Białorusi, republik nadbałtyckich oraz na wodach Morza Bałtyckiego, a więc niedaleko Polski, odbyły się ćwiczenia Armii Radzieckiej pod kryptonimem „Zapad-81". Ich rozmach był ogromny. Uczestniczyły setki tysięcy żołnierzy, mnóstwo różnorakiego uzbrojenia i sprzętu, zwłaszcza czołgów, samolotów, okrętów. Ćwiczeniami kierował osobiście marszałek Dmitrij Ustinow. Jako minister obrony narodowej PRL zostałem zaproszony na to ćwiczenie. Odbyłem wówczas zasadniczą rozmowę z Ustinowem. Było to na jednym z lotnisk wojskowych na Białorusi. Po wylądowaniu zostaliśmy w śmigłowcu. Rozmowa trwała blisko dwie godziny. Pozostali ministrowie krążyli wokół śmigłowca. Czekali, niecierpliwili się. W wypowiedziach Ustinowa dostrzegłem stare i nowe akcenty. Stare — to katastroficzna ocena sytuacji w Polsce. Żadne półśrodki nie pomogą. Siłowa konfrontacja jest nieunikniona. Każdy dzień przynosi szkody. Konieczne jest podjęcie zdecydowanych działań. A co było nowe? Szerzej wyprofilowane spojrzenie polityczne i strategiczne.

Ustinow nie miał doświadczenia zawodowego wojskowego w linii. Przez całe życie związany z przemysłem zbrojeniowym. Współtwórca potęgi radzieckiego kompleksu wojskowo-przemysłowego. To był nie tylko jego zawód, jego doświadczenie, ale i wielka pasja. Czuło się to w każdej rozmowie. Tym razem jednak zauważyłem większe niż dotychczas zaniepokojenie nasilającym się wyścigiem zbrojeń. Związek Radziecki zaczynał coraz bardziej odczuwać jego ciężar. Ustinow mówił z przejęciem, że w obecnej rywalizacji Stany Zjednoczone—Związek Radziecki ekipa Reagana chce doprowadzić do naruszenia równowagi, aby następnie dyktować warunki z pozycji siły. To niebezpieczne dla wszystkich. Wskazał przy tym na bliskie powiązanie Stanów Zjednoczonych z Zachodnimi Niemcami. Dał w ten sposób jak gdyby do zrozumienia, że w tym kontekście trzeba spojrzeć na interesy polskie, które mogą doznać dodatkowego uszczerbku. Mówiliśmy konkretnym językiem o sytuacji w awangardowych dziedzinach uzbrojenia, zwłaszcza techniki i technologii związanych z elektroniką do prowadzenia tzw. wojny radioelektronicznej. Systemy łączności, dowodzenia, wykrywania i naprowadzania środków rażenia na cel, skutecznego obezwładniania systemów przeciwnika itp. Była też mowa o broniach precyzyjnych. W tym też kontekście padły gorzkie uwagi o zakłóceniach i opóźnieniach w polskiej produkcji zbrojeniowej.

Drugi powód zaniepokojenia Ustinowa. „Związek Radziecki, a tym samym — jak powtarzał — nasza wspólnota, znalazła się w trudnej sytuacji z powodu poszerzenia obszarów zagrożeń". Amerykanie zwiększają dostawy broni dla afgańskich rebeliantów. Prezydent Reagan, który po dojściu do władzy zapowiedzią szerszego poparcia Tajwanu ochłodził stosunki z Pekinem, w połowie 1981 roku zmienił nagle front. Wiceprezydent George Bush, który w latach 70. był szefem amerykańskiej placówki dyplomatycznej w Pekinie, a potem dyrektorem CIA, przekonał Reagana, że należy powrócić do nixonowskiej i carterowskiej polityki przeciwstawiania Chin Związkowi Radzieckiemu przy pomocy wszystkich możliwych środków. Na początku czerwca Bush spotkał się na Filipinach z przywódcami państw azjatyckich. Powiedział, że rozwój przyjaznych stosunków z Chinami staje się jednym z głównych celów polityki USA na tym kontynencie. Wkrótce potem do Pekinu przybył sekretarz stanu USA, do niedawna dowódca wojsk NATO, Alexander Haig. Rezultat: wspólne oświadczenie, w którym Amerykanie uznali Chiny za „państwo zaprzyjaźnione". W języku dyplomatycznym oznacza to preferencje polityczne, gospodarcze, wojskowe. Dostawy broni rozpoczęły się w półtora miesiąca później, zaraz po wizycie trzydziestoosobowej delegacji chińskich dowódców w Waszyngtonie. Objęły one m. in. czołgi, rakiety przeciwlotnicze, systemy radiolokacyjne, w tym naprowadzające rakiety na cel, różnego rodzaju pociski wraz z urządzeniami do ich produkcji, a także środki rozpoznania radioelektronicznego, m. in. rozmieszczane w pobliżu granicy z ZSRR. Rząd radziecki zareagował ostrym oświadczeniem opublikowanym 1 lipca przez Agencję TASS.

Bush. W rozmowie z Ustinowem jawił się on jako osoba demoniczna, były szef CIA, jeden z głównych motorów działalności skierowanej przeciwko Układowi Warszawskiemu. Potem widziałem Busha dwukrotnie, ale z daleka, w czasie uroczystości pogrzebowych Breżniewa i Andropowa. Spoglądaliśmy na siebie chmurnie. Wreszcie nasze spotkania w 1987 i 1989 roku. Mogę mówić o miłym zaskoczeniu. **Bush** to człowiek i mądry, i sympatyczny. Charakterystyczne, że będąc nawet twardym rozmówcą, jednocześnie ma tak ujmujący sposób bycia, że łagodzi to najbardziej kontrowersyjne stanowisko. A poza tym mam do niego „słabość kombatancką" jako dzielnego pilota z okresu II wojny światowej.

„Jesteśmy świadomi — mówił Ustinow — prób oskrzydlenia, a właściwie osaczenia ze strony imperializmu. Był Afganistan, dochodzą Chiny. W tym kontekście rozwój sytuacji w Polsce nabiera nowego znaczenia. Jeśli dziesięciomilionowa «niby związkowa» organizacja czerpie z Zachodu nie tylko polityczne natchnienie, ale również poważne środki finansowe oraz różnego rodzaju sprzęt, w tym radiofoniczny, poligraficzny, transportowy itd.; jeśli kieruje tam kolejne delegacje; jeśli przejawia antyradzieckie nastawienie — to Polska staje się tym samym «przyczółkiem», który może być w każdej chwili wykorzystany ze szkodą dla bezpieczeństwa Układu Warszawskiego".

Pomyślałem wtedy o tych domorosłych strategach, którzy mówili i mówią, że na dwa fronty nie podejmuje się działań. Istotnie, nowych frontów nie powinno się otwierać. Ale jeśli one już są? W tym więc przypadku trzeba sprawę odwrócić. Czy radzieccy mogli na dłuższą metę tolerować kilka jednocześnie „miękkich miejsc", punktów zagrożenia. W takiej sytuacji, póki czas, trzeba przynajmniej jeden z nich zlikwidować. Chiński — był nie do ugryzienia. Afganistan — jak już było widać — powodował uwikłanie się. Najbardziej niebezpieczny stawał się kierunek polski — główna oś na linii Wschód — Zachód. Ustinow przypomniał znane powiedzenie

Stalina: „Na Rosję szedł przez Polskę i Napoleon, i kajzer, i Hitler. Za każdym razem było to śmiertelnie niebezpieczne. Dlatego też chcemy Polski silnej, ale jednocześnie przyjaznej".

Kontekst historyczny miał swoją ostrzegawczą wymowę, nawet jeśli pojawiał się w rozmowie ludzi znających się od kilku lat. Bliższy osobisty kontakt z Ustinowem miał miejsce w Suchumi na Kaukazie, gdzie byłem na urlopie wraz z rodziną. On wypoczywał w Soczi. Któregoś dnia odwiedził nas z córką, synem, synową, wnukami. Było bardzo sympatycznie. Jak to z Rosjanami — serdecznie, gościnnie. Zapamiętałem zwłaszcza, jak syn Ustinowa — docent, elektronik, wykonał znakomicie na fortepianie kilka utworów Chopina. Nasze stosunki nie były jednak tak przyjazne, jak te, które miałem ze starym żołnierzem, rasowym dowódcą — marszałkiem Greczko.

À propos Kaukazu. Gruzję, Gruzinów wspominam zawsze bardzo mile. Spontaniczni, weseli, niezwykle gościnni. Poznałem wówczas bliżej dwóch generałów — Gruzinów: Samsona Samsonowicza Czekowani oraz Szałwę Iljicza — nazwiska nie pamiętam. Wyczuwało się wyraźnie ich narodową dumę, dystans do radzieckiej rzeczywistości. Wcale się z tym nie kryli. Dlatego też nie zaskoczyły mnie późniejsze wydarzenia. A jednocześnie boleję nad tragedią narodów Kaukazu.

Na ćwiczeniu „Zapad-81" byłem tylko jeden dzień. Obserwowałem kilka wywołujących wrażenie epizodów działań wojsk lądowych. Rozmawiałem z ministrami obrony państw Układu Warszawskiego. „Grymasili" na temat sytuacji w Polsce. Jak mi niedawno przypomniał ówczesny chorąży Stepnowski, ze złością odezwałem się wówczas do Dzura: „Martin, czy chcesz, żebyśmy jeszcze raz do Was wkroczyli?" Na jakiś czas dali mi spokój.

Potem był Bałtyk. Radziecki lotniskowiec, przenoszący samoloty pionowego startu i lądowania JAK-36 — jedyne wówczas na świecie obok brytyjskich Harrierów. Sądzę, że zaproszenie na ten okręt posłużyło Ustinowowi do wywarcia na mnie większego wrażenia. Chciał jakby powiedzieć, że choć rywalizacja z Ameryką staje się coraz trudniejsza, to jednak — jak widać — nie jest z nami tak źle.

Po kilkunastu godzinach wróciłem do Warszawy.

Rozmów z naszymi sojusznikami miałem dziesiątki. Jeśli policzyć prowadzone przez Kanię i wielu przedstawicieli kierownictwa partii, rządu, stronnictw sojuszniczych, to były ich może tysiące. Starałem się opisać kilka najbardziej charakterystycznych, najbardziej miarodajnych z punktu widzenia ich rangi, szczebla i kompetencji. W drugim półroczu przesuwały się one coraz bardziej na płaszczyznę wojskową, koalicyjną. Były też różnego rodzaju listy i posłania przekazywane przez ambasadora. Indywidualna charakterystyka każdej z tych rozmów zabrałaby zbyt wiele czasu. Dlatego ograniczę się do pewnych syntez. Otóż prawie każdy rozmówca zaznaczał na wstępie, że mówi w imieniu lub też z upoważnienia Komitetu Centralnego, Breżniewa, Tichonowa, Ustinowa, Gromyki lub kogoś innego w zależności od szczebla i osoby adresata wypowiedzi. Miało to niewątpliwie podnosić powagę oceny, ostrzeżenia, sugestii, a w istocie rzeczy nacisku. Co dominowało w krytycznej ocenie sytuacji w Polsce?

Po pierwsze — ofensywa kontrrewolucji, zagrożenie socjalizmu. Po drugie — jaskrawa antyradzieckość, godzenie w polityczne, gospodarcze i militarne interesy krajów socjalistycznych, Układu Warszawskiego jako całości. Po trzecie — prowadząca do klęski defensywność partii, władz. Wreszcie po czwarte — konieczne zdecydowane działanie, środki polityczne nie wystarczą, sojusznicy nie mogą godzić się z rozwojem sytuacji narażającej ich bezpieczeństwo na szwank. Takich sygnałów było coraz więcej. To była gorąca jesień.

Mówi gen. Florian Siwicki:

We wrześniu 1981 roku na rozległych obszarach Ukrainy, Białorusi, republik nadbałtyckich odbyły się wielkie manewry „Zapad-81". Zaproszono na nie ministrów obrony państw Układu Warszawskiego oraz grupy oficerów armii sojuszniczych. Byli i nasi przedstawiciele. Później złożyli mi meldunki. Ta wielka machina wojskowa zademonstrowała ogromną siłę i sprawność. W podsumowaniu ćwiczeń minister obrony ZSRR marszałek Ustinow nawiązał do sytuacji w Polsce. Stwierdził, że imperializm wykorzystuje wydarzenia zachodzące w naszym kraju do demontażu ustroju socjalistycznego. W tej sytuacji obawy o losy socjalizmu są uzasadnione. Sojusznicy nie pozostawią socjalistycznej Polski w biedzie. Było znów nad czym się zastanawiać. Staraliśmy się nie ulegać emocjom, wysłuchując uwag swoich i obcych, ale było to coraz trudniejsze w świetle słabnącego z dnia na dzień państwa, szerzącej się anarchii i napięcia konfrontacyjnego. Mieliśmy przy tym świadomość, iż od strony organizacyjno-operacyjnej wojska Układu Warszawskiego są zdolne do podjęcia tak groźnych dla Polski działań.

Przecież stosunkowo nie tak daleko od naszych granic stacjonowało łącznie kilkadziesiąt radzieckich, czechosłowackich i NRD-owskich dywizji wojsk lądowych i powietrzno-desantowych o prawie pełnych stanach etatowych. Pozwalało to na uruchomienie interwencyjnej operacji bez konieczności szerszego mobilizacyjnego uzupełnienia oraz innych jaskrawie zauważalnych przygotowań. Z pełną znajomością rzeczy stwierdzam, że wystarczyłoby kilka godzin od wydania rozkazu, aby dywizje te rozpoczęły marsz z miejsc dyslokacji i przeszły w ciągu doby nawet 250-300 km. Takie były ich rzeczywiste możliwości manewrowe. A ewentualne marszruty miały już od dawna rozpoznane. Już później praktycznym potwierdzeniem takich możliwości stał się m. in. przemarsz z 12 na 13 grudnia 1981 roku naszej 4 dywizji zmechanizowanej, w trudnych warunkach zimowych, po oblodzonych drogach w ciągu kilkunastu godzin znad Odry pod Warszawę.

Pozostawałem z gen. Siwickim w stałym kontakcie. Znamy się od 1943 roku, z czasów Oficerskiej Szkoły Piechoty w Riazaniu. Przyjaźnimy się od lat. Miałem zaufanie do jego żołnierskiej wiedzy i solidności. Dla niego służba, wojsko stanowiło też zawsze główną treść życia. Gdy objąłem stanowisko premiera — on pozostając szefem Sztabu Generalnego *de facto* pełnił obowiązki ministra. Temu zadaniu w pełni sprostał w ówczesnej, jakże trudnej sytuacji.

Co wówczas szczególnie ważyło na nerwowych reakcjach kierownictwa radzieckiego? 6 sierpnia prezydent Reagan podejmuje decyzję — wstrzymaną poprzednio przez Cartera — o rozpoczęciu produkcji broni neutronowej. W połowie września sekretarz stanu USA gen. Haig rozpoczyna od Berlina Zachodniego serię rozmów z sojusznikami. Domaga się od nich przyspieszenia realizacji „podwójnej decyzji" NATO z 1979 roku, czyli zainstalowania w krajach zachodnich amerykańskich rakiet „Pershing-II" i „Cruise", a także „utwardzenia" polityki wobec Europy Wschodniej.

Prawie przez cały miesiąc — od 5 września do 3 października odbywają się na terytorium Danii ćwiczenia NATO pod kryptonimem „American Express". Głównym celem jest sprawdzenie możliwości błyskawicznego przerzutu wojsk USA w rejon Bałtyku. Od 14 do 24 września trwają wielkie ćwiczenia NATO pod kryptonimem „Autumn Forge". Ich założenie przewiduje wyprzedzające użycie taktycznej broni jądrowej na obszarze krajów leżących na głównej osi, co w praktyce oznacza przede wszystkim Polskę i NRD.

2 października prezydent Reagan podejmuje największy w powojennej historii Stanów Zjednoczonych program zbrojeń strategicznych nowej generacji, sięgający do 2005 roku i obliczony na kilka bilionów dolarów. W niedalekiej przyszłości podejmie Inicjatywę Obrony Strategicznej (SDI), czyli budowę systemu antyrakietowego. Na razie chce zwiększyć liczbę międzykontynentalnych rakiet MX, rozpocząć budowę nowego typu takiej rakiety na wyrzutni ruchomej, niewykrywalnego strategicznego bombowca (Stealth) oraz następnych okrętów podwodnych z rakietami „Trident". Reakcje radzieckie są ostre. Oficjalne oświadczenie TASS brzmi: „Decyzja prezydenta USA zwiększy niebezpieczeństwo wybuchu wojny jądrowej".

Przytaczam tu tylko niektóre fakty. Sztab Generalny nadsyłał mi coraz więcej niepokojących, pesymistycznych ocen o pogarszaniu się międzynarodowej sytuacji militarno-politycznej. Meldowano mi zarazem o wzrastającej presji ze strony sojuszników. Radzieccy politycy i marszałkowie zdawali sobie coraz bardziej sprawę, że gospodarka ZSRR może nie podołać rosnącym obciążeniom militarnym w rywalizacji z bogatym światem zachodnim. To zwiększało wrażliwość na wszystko, co podważać mogło naszą sojuszniczą wiarygodność. Starałem się amortyzować te obawy. „Są pewne dziedziny naszej gospodarki — mówiłem na posiedzeniu Sejmu 10 kwietnia — których dyspozycyjność, bezpieczeństwo i dyscyplina muszą odpowiadać najwyższym wymaganiom. Należą do nich między innymi: transport, zwłaszcza kolejowy, łączność, system energetyczny, ropo- i gazociągi, przemysł obronny. Z uwagi na szczególne znaczenie dla kraju, dla jego obronności, a także w układzie sojuszniczym, powinny one podlegać szczególnej pieczy. Siły Zbrojne czują się współodpowiedzialne za niezakłócone funkcjonowanie tych systemów".

Mówiłem też: „Muszą być zapewnione elementarne warunki funkcjonowania władzy państwowej, stabilizacji gospodarki, dotrzymania międzynarodowych zobowiązań. Postępowanie temu przeciwne podważałoby wiarygodność naszej dobrej woli, osłabiłoby zaufanie do zdolności rozwiązywania przez nas trudnych polskich problemów obrony i utrwalania socjalizmu własnym wysiłkiem. A to jest cel nadrzędny, który zespolić powinien wszystkie odpowiedzialne, patriotyczne siły narodu".

Z kolei — na XI plenum — powiedziałem: „Miejsce Polski w Europie, nasza pozycja w Układzie Warszawskim określa szczególny stopień narodowych i międzynarodowych współzależności. Tak więc to, co dzieje się u nas — destabilizacja w Polsce — grozi naruszeniem równowagi w znacznie szerszej skali. W tym punkcie Europy nie da się zostać na boku. Nieprzypadkowo list mówił tak mocno o granicach naszego państwa i jego niepodległości. Są to przecież granice zagwarantowane dla konkretnej, socjalistycznej, zaprzyjaźnionej Polski. Aż dziw bierze, że ta refleksja tak opornie dochodzi do umysłów wielu naszych rodaków, jakże przecież żarliwie uczulonych na sprawy nienaruszalności granic, na sprawy niepodległości".

Czy można było mówić jeszcze jaśniej i dobitniej? Gorzej było ze słuchaniem.

ROZDZIAŁ 27

Posłanie z „Olivii"

30 sierpnia odbyła się promocja w Wyższej Szkole Oficerskiej w Koszalinie. Ta piękna, poruszająca mnie zawsze uroczystość tym razem miała szczególną wymowę. Byłem pod silnym wrażeniem wydarzeń ostatnich tygodni i dni. Powiedziałem więc: „Jak długo można trwać w gorączce, która trawi nasz społeczny i gospodarczy organizm? Starymi i nowymi pretensjami, nie kończącymi się żądaniami, jątrzącym drukiem, plakatem i słowem można nękać władzę, można podgrzewać nastroje, ale nie można ogrzać mieszkań, budować domów, nakarmić ludzi. Ciągła negacja — prowadzi donikąd..." I dalej: „Kraj nasz znajduje się w punkcie krytycznym; zbliża się zjazd «Solidarności». Oczekiwana jest powszechnie odpowiedź — czy konstruktywna współpraca, czy konfrontacja"...

Te słowa miały swoją wagę. Dodatkowo sceneria wystąpienia — wszak przemawiałem do nowo mianowanych oficerów, stojących w szyku zwartym, z bronią. To zawsze robi wrażenie. Chciałem je i tym razem wywołać.

Powstanie niezależnego związku zawodowego było w całym ówczesnym systemie ogromną herezją. Początkowo dało się ją „przełknąć" i u nas, i wokół nas, wskutek zapewnień, że „Solidarność" nie będzie dążyć do zburzenia istniejącego ustroju. Pamiętaliśmy słowa Wałęsy w warszawskim sądzie w chwili rejestracji NSZZ „Solidarność": „Nie kwestionujemy socjalizmu. Na pewno nie wrócimy do kapitalizmu ani nie skopiujemy żadnego wzoru zachodniego, bo tu jest Polska i chcemy mieć rozwiązania polskie. Socjalizm to jest system niezły i niech będzie, ale kontrolowany. Współudział związkowców powinien być pełniejszy. Niech panowie zapiszą, że nie będziemy wysuwać programów politycznych, a w żadnym wypadku ich realizować". Sądzę, że wówczas Wałęsa mówił to szczerze. Taki był powszechnie stan społecznej świadomości.

Z porozumień gdańskich, a następnie ze statutu wynikało, że NSZZ „Solidarność" nie będzie pełnić roli partii politycznej, że będzie działać w ramach konstytucji i zasad ustroju socjalistycznego. To wydawało się wiarygodne. Co więcej, w protokole wniosków i postulatów ze spotkania Międzyzakładowego Komitetu Strajkowego z komisją rządową w Szczecinie wyraźnie zapisano, że nowe, samorządne związki zawodowe „będą miały socjalistyczny charakter". Życie, praktyka coraz bardziej tę nadzieję podważały, kruszyły na naszych oczach. Jeszcze w dokumentach przedzjazdowych „Solidarności" znajdowały się akcenty prosocjalistyczne. Natomiast na zjeździe wszystko „wyparowało". W programie przyjętym przez zjazd ani razu nie użyto słowa socjalizm. A myśmy do tego słowa mieli wprost nabożny stosunek. Nie była to więc sprawa czysto formalna. Świadczyła o orientacji politycznej związku. Co było „dopalaczem" tych zmian? Czy nacisk radykalizujących się dołów? Czy przewartościowania polityczne w kierownictwie związku? Czy inspiracje z zewnątrz? Nie wiem do dziś.

„Solidarność" była ruchem wszechogarniającym, a więc swojego rodzaju konglomeratem. W sferze politycznej znaczną rolę odgrywał w niej nurt prawicowy, niekiedy wręcz reakcyjny, zaściankowy. W sferze społeczno-gospodarczej była lewacko-populistyczna. To wszystko okryte było szatą narodowo-religijnych haseł i symboli. Takie połączenie dawało ogromną siłę, sumowało się chyba najpełniej w wielkich zakładach pracy. Myśmy w swoim czasie nazywali je bastionami socjalizmu. Potem stały się one główną siłą uderzeniową „Solidarności", taranem obalającym system. Jak to wygląda dziś? Właśnie w tych zakładach najsilniejszy jest opór przeciwko zmianom godzącym w tych samych ludzi. Jest to wielki problem polityczny i w jakimś sensie moralny.

Mówi Paweł Chocholak:

Zjazd „Solidarności" stał się erupcją nie skrywanych dążeń politycznych oraz przekonania, iż władza leży na ulicy, wystarczy po nią sięgnąć. W zjeździe uczestniczył w imieniu rządu — tak uzgodniono — minister Stanisław Ciosek, który odczytał skierowane do delegatów na zjazd posłanie Komitetu Rady Ministrów do Spraw Związków Zawodowych podpisane przez wicepremiera Rakowskiego. Przyjęte zostało bardzo zimno, choć bez incydentów.

Intencją wystąpienia Cioska było przekazanie naszych oczekiwań od związku — poparcia dla rządowego programu przezwyciężenia kryzysu oraz programu reformy gospodarczej, przeciwdziałania napięciom i innym zakłóceniom życia społeczno-gospodarczego. Przypomniał on również reguły działania związku, co wiąże się z przyjętym zobowiązaniem niespełniania roli partii politycznej. Ta formuła do delegatów na zjazd — przynajmniej do większości — już nie trafiała.

Oblicze polityczne związku zostało określone jednoznacznie. Nie oznacza to, że „Solidarność" stała się monolitem. Był to monolit przez pewien okres — i to raczej tylko wobec konfliktów z władzą, wobec walki o swoje miejsce. Odnosiłem wrażenie, że działacze „Solidarności" odbierali partię, cały system władzy państwowej, również jako swego rodzaju monolit. Jako jedną wielką, zorganizowaną siłę, w której po prostu role są rozpisane. Czynnik wzajemnej nieufności, wzajemnego niezrozumienia, wręcz strachu, wywierał ogromny wpływ na tok zdarzeń. Mógłbym mówić o licznych sytuacjach, w których normalny bałagan czy nieporozumienia po stronie rządowej były postrzegane przez przeciwną stronę jako gra, w której jedni odgrywają rolę łagodzącą, poszukującą rozwiązań kompromisowych, podczas gdy inni prą do konfrontacji, przygotowują pole do konfliktu.

Zjazd rozpoczął się od uroczystej mszy w Katedrze Oliwskiej. Do delegatów wygłosił kazanie prymas Józef Glemp. Główne treści kazania ogniskowały się wokół pojęcia służby — służby dla społeczeństwa, narodu, ojczyzny. „Ojczyzna wymaga służby". A więc swego rodzaju poświęcenia, ofiary, a w związku z tym potrzeba pokoju społecznego. Na zakończenie życzył, „aby zjazd przyniósł oczekiwane i upragnione owoce pokoju i ładu w Polsce". Słowa te, jak się okazało, nie wszystkim zapadły w serce.

O atmosferze panującej na zjeździe, o treści i tonacji wielu wypowiedzi dochodziły do nas różne, w większości niepokojące wieści. Odnotowałem owacyjne przyjęcie generała w stanie spoczynku Mieczysława Boruty-Spiechowicza. Wystąpił on w pełnej gali jako gość honorowy. Z tym dzielnym oficerem Legionów, zasłużonym pod Rarańczą, dowódcą kompanii w pułku Michała Żymierskiego, spotykałem się w Szczecinie jeszcze w drugiej połowie lat 50., a także później. Szanowałem go za drogę bojową, za charakter. Wiedziałem jednak, że reprezentuje dość skrajny, a właściwie archaiczny sposób myślenia. Jego głos zabrzmiał jak wezwanie „do boju".

Jerzy Holzer pisze o niepokojących zjawiskach, jakie się zarysowały podczas zjazdu. „Za takie uznać trzeba nie tyle radykalne wystąpienia i uchwały. (...) Ważniejsze było to, iż ów radykalizm wynikał z błędnej oceny sytuacji, tak jak z błędnej oceny sytuacji wynikały ostre starcia wewnątrz «Solidarności». Poczucie siły, optymizm, nieraz wręcz demagogiczna tromtadracja nie stanowiły dobrego przygotowania społeczeństwa na trudną przyszłość, która miała się objawić za trzy miesiące".

Postawy i działania charakterystyczne dotychczas dla radykalnego skrzydła związku stały się w wyniku obrad zjazdu oficjalnym stanowiskiem „Solidarności".

Znamienne, że Lech Wałęsa — ów owiany legendą przywódca robotniczy — wygrał wybory nieznaczną większością głosów. To w komplikującej się sytuacji wiązało mu ręce, ograniczało pole manewru. Skrzydło umiarkowane wyszło ze zjazdu mocno osłabione. Zarysował się kryzys zaufania wobec części racjonalnie myślących działaczy i doradców związku. Sukces odnieśli przeciwnicy linii porozumienia i dialogu. Demagogia stała się także orężem wewnętrznych porachunków. Wspólna wydawała się tylko wola walki z władzą.

Warto chłodnym okiem przeczytać dokumenty programowe dwóch zjazdów: IX Nadzwyczajnego Zjazdu PZPR i I Zjazdu NSZZ „Solidarność". Znaleźć punkty styczne, sporządzić katalog rozbieżności. Ocenić, kto był koncyliacyjny, a kto nie. Jestem spokojny o wynik tych porównań.

Mówi Paweł Chocholak:

Niechęć do kontaktów między ogniwami partii a ludźmi opozycji była obustronna. Wynikała z metody postępowania „Solidarności", która od zarania uznawała tylko kontakty na linii administracyjno-państwowej. Wyjątkiem były kontakty Krystyna Dąbrowy w Krakowie z miejscowym zarządem regionalnym oraz Tadeusza Fiszbacha z gdańską „Solidarnością".

Generalnie można powiedzieć, że partia i „Solidarność" przemawiały do siebie za pomocą środków masowego przekazu.

Kilka słów o niektórych wpływowych działaczach bądź doradcach związku. Grupa doradców, z którą spotykano się najczęściej, to Bronisław Geremek, Tadeusz Mazowiecki, Władysław Siła-Nowicki. Początkowo jako rzecznik prasowy, a później jako doradca występował Karol Modzelewski. Tę grupę uzupełniał w problematyce wiejskiej Andrzej Stelmachowski. Dochodzili do nich czasem Jan Olszewski i Wiesław Chrzanowski. Był to zespół doradczy, który przez cały okres lat 1980-1981, a przynajmniej do października, wywierał wielki wpływ na związek, kształtował jego koncepcje, wpływał zarówno na sposób rozwiązywania problemów wewnętrznych, jak i na metody oraz treść dialogu z władzami państwowymi. Odnosiło się wrażenie, że jest to zespół ludzi podobnie myślących, o zbliżonych poglądach, ściśle współpracujących. Właściwie wszyscy prezentowali się w rozmowach jako ludzie kompromisu, rozumiejący uwarunkowania, starający się wpływać na radykalnych działaczy, nastawieni na współpracę z władzami.

Najbardziej wpływowym spośród nich był niewątpliwie Bronisław Geremek. Wśród działaczy „Solidarności", w szczególności związanych z nurtem katolickim, jego wpływy budziły niechęć. Wynikiem tego było niewybranie go na zjeździe do Krajowej Komisji „Solidarności".

Na zjazd „Solidarności" Biuro Polityczne partii zareagowało oświadczeniem z 16 września 1981 roku: „Pierwszy zjazd budził duże zainteresowanie i nadzieje w licznych kręgach społeczeństwa.

Nadzieje te zostały zniweczone. Przebieg i uchwały pierwszej części zjazdu podniosły do rangi oficjalnego programu całej organizacji awanturnicze tendencje i zjawiska, które występowały w «Solidarności» — choć wydawały się tylko nurtami skrajnymi. (...) Stało się tak dlatego, że nie zwyciężyła na zjeździe «Solidarności» linia budowania nowego, samorządnego związku zawodowego, zgodnie z przyjętymi porozumieniami w Gdańsku i Szczecinie i zarejestrowanym statutem, zgodnie ze składanymi wówczas deklaracjami. Zwyciężyła linia budowania opozycyjnej politycznej organizacji, która jawnie postawiła sobie cel — przejęcie władzy oraz zmianę ustroju społeczno-politycznego w Polsce".

Pamiętam wczesny poranek. Dostarczono mi tekst uchwały zjazdu „Solidarności". Zrobiłem jakieś nerwowe zakreślenia na marginesach. Miałem uczucie żalu, rozczarowania, zawodu. Szybko jednak ochłonąłem. Mimo wszystko nie możemy schodzić z obranej drogi. Czytając zresztą ten tekst dzisiaj — aż się dziwię, że wywołał u nas takie reakcje. Już bez ówczesnych emocji, nieco inaczej teraz na to patrzę. Widzę nie tylko polityczne cele i rachuby, ale również „dziecięcą chorobę". Niekontrolowaną euforię, która na ogół mija z wiekiem. Tego wówczas nie potrafiliśmy tak odczytać. Natomiast słusznie drażnił nas szyty grubymi nićmi instrumentalizm. Socjalizm — nie, ale pociągnijmy za sobą ludzi populistycznym frazesem. System — nie, ale zachowajmy związane z nim socjalistyczne hasła i wartości. A więc zjeść ciastko i zachować ciastko. Zupełnie jak dziś, kiedy wielu ludzi chciałoby kapitalizmu, jednak z socjalistycznymi zdobyczami społecznymi.

Efekt jest taki, że kiedy dziś przeglądam tamten program NSZZ „Solidarność" — znajduję w nim żądania i postulaty, które obecna „solidarnościowa" władza mogłaby potraktować jako cios w serce. „Będziemy żądać wprowadzenia dodatku drożyźnianego, jak i rozszerzenia zasiłków wychowawczych i dalszej podwyżki zasiłków rodzinnych oraz uznania minimum socjalnego za wytyczną polityki dochodowej". Albo: „Wzrost cen oraz zasady i wysokość rekompensat muszą być uzgadniane ze związkiem. Domagamy się zasadniczego zwiększenia środków na pomoc społeczną". Albo: „Z reformą gospodarczą łączy się niebezpieczeństwo dużych nierówności płacowych i socjalnych między zakładami pracy i między regionami. Musimy stworzyć warunki dla ich łagodzenia". Albo: „Konieczna jest reforma systemu płac, gwarantująca każdemu godziwy zarobek i równe wynagrodzenie za pracę o równej wartości. W warunkach reformy gospodarczej oznaczać to powinno, że państwo, w porozumieniu ze związkami zawodowymi, ustali poziom płac gwarantowanych, jednolity dla całego kraju, w przekroju poszczególnych zawodów i stanowisk, niezależny od wyników gospodarczych przedsiębiorstw". Lub też: „Zmianie ulec musi dotychczasowa polityka władz, która kulturę i edukację doprowadziła do stanu katastrofalnego". Rzeczywiście — w ostatnich latach zmieniło się w tych dziedzinach wiele. Czy jednak o takie zmiany chodziło delegatom na I Krajowy Zjazd „Solidarności"?

Niedawno przeczytałem ponownie rezolucję z 6 października 1981 podjętą na spotkaniu przedstawicieli zakładów pracy Regionu Mazowsze. Żądano w niej: „Zbadania w trybie pilnym i podania do publicznej wiadomości wzrostu kosztów utrzymania od stycznia br. (z uwzględnieniem utajonych podwyżek) oraz natychmiastowego wprowadzenia pełnej rekompensaty za ten okres; wstrzymania wszelkich podwyżek cen do czasu wejścia w życie zatwierdzonego przez związki zawodowe systemu rekompensat; przyjęcia zasady, że rekompensaty mają być płacone z budżetu państwa, a nie z funduszu przedsiębiorstw; ustalenia i korygowania na bieżąco minimum socjalnego oraz zapewnienia go pracownikom" itd. W przypadku nieuwzględnienia tych żądań związkowcy grożą użyciem „wszelkich form protestu, do strajku włącznie". Patrzę na to i myślę: gdzie są „niegdysiejsze śniegi"?

Uchwalone przez zjazd „Solidarności" posłanie do ludzi pracy Europy Wschodniej zostało ocenione: na Wschodzie jako prowokacja, na Zachodzie jako elementarny błąd polityczny. Jak pisał w „Pamiętnikach" Nicolas G. Andrews, były zastępca ambasadora USA w Polsce, posłanie „dało Moskwie i rządom innych państw Europy Wschodniej dodatkowy argument w krytyce «Solidarności» za jej działanie, jak i w krytyce władz polskich za nadmiernie tolerancyjny stosunek do związku". Andrews miał rację. Posłanie przyczyniło się ponadto do spotęgowania represji wobec wewnętrznej opozycji w tych krajach.

Zaskoczył nas wówczas brak przezorności animatorów i autorów tego dokumentu. Nasza sytuacja znowu się skomplikowała. Cierpliwość sojuszników wyczerpywała się, a gospodarka upadała. Tylko dostawy surowców i materiałów z ZSRR oraz innych krajów socjalistycznych utrzymywały ją jako tako przy życiu.

Minęły lata. Ci, którzy posłanie opracowali i którzy je przyjęli, chodzą dziś z dumnie podniesioną głową. Mają do tego prawo, w jakiś sposób wyprzedzili swój czas. Ale wtedy był to — nazwę brutalnie — sabotaż polityczny, utrudniający znalezienie takiej formuły, którą sojusznicy mogliby tolerować. A więc była to moralna odwaga, wizjonerstwo, ale jednocześnie narażenie kraju na nowe niebezpieczeństwo. Jeden z obserwatorów zagranicznych tak to skomentował: „Polacy są w ogromnej większości antykomunistami i nie kochają Rosjan. Na ogół mają jednak tyle wyczucia racji stanu, że uczuć tych nie wyrażają głośno. Na zjeździe jednak wielu delegatów traciło wyczucie polityczne i coraz mocniej, niekiedy nie przebierając w słowach, dało wyraz swojej rusofobii".

W tym czasie powstał dokument ambasadora radzieckiego, w którym skrupulatnie opisano liczne antyradzieckie wystąpienia i ekscesy. Ujęto je w kilku kategoriach: „Rozpowszechnianie ulotek w języku rosyjskim" (chodzi o pisemka adresowane do żołnierzy radzieckich stacjonujących w Polsce), dalej „Prowokacyjne napisy antyradzieckie", „Działania chuligańskie", „Znieważanie pomników". Niemal w każdej rozmowie z przedstawicielami rządu czy armii ZSRR wypominano takie fakty. Kilkakrotnie przychodzili z tym do mnie przebywający stale w Polsce generałowie Afanasij Szczegłow oraz Witalij Pawłow.

17 września ambasador Związku Radzieckiego Borys Aristow wręczył Stanisławowi Kani i mnie pisemne oświadczenie KC KPZR i rządu ZSRR. Czy ta rocznicowa data została wybrana świadomie? W każdym razie miało to swoją wymowę. Najwyższe czynniki radzieckie zażądały od władz polskich „radykalnych kroków" w celu położenia kresu antyradzieckiej kampanii. Podkreślano, że nie są to pojedyncze chuligańskie wybryki, lecz skoordynowane działania, obejmujące wszystkie sfery życia społeczno-politycznego. Zjazd „Solidarności" nazwano „trybuną, z której rozbrzmiewały oszczerstwa i zniewagi pod adresem naszego państwa". Podkreślano, że antyradzieckość przynosi szkodę wzajemnym stosunkom naszych krajów, jest sprzeczna z sojuszniczymi zobowiązaniami PRL. Pytano: „Dlaczego ze strony oficjalnych władz polskich nie przedsięwzięto do tej pory zdecydowanych kroków dla przecięcia wrogiej kampanii przeciwko ZSRR?" W tamtej sytuacji oznaczało to jedno z najcięższych oskarżeń.

Mniej więcej w tym okresie Andrzej Rozpłochowski, jeden z czołowych działaczy „Solidarności", wołał: „Jak uderzymy — to kremlowskie kuranty zagrają Mazurka Dąbrowskiego". Przypomniało mi to — oczywiście w groteskowej postaci — piosenkę przedwojennych kawalerzystów: „Lance do boju, szable w dłoń, bolszewika goń, goń, goń!"

Dodam, że do Komitetu Centralnego PZPR, rządu, Ministerstwa Obrony Narodowej, a także do prywatnych adresatów, szczególnie kombatantów, wpływały wówczas masowo listy od radzieckich weteranów wojny — zwłaszcza uczestników walk w Polsce — pełne niepokoju o dalsze losy bratniej Polski i socjalistycznej wspólnoty. Po pewnym czasie zorientowaliśmy się, że była to korespondencja nie tylko spontaniczna, lecz także w znacznym stopniu inspirowana.

Bodaj na przełomie października i listopada złożył mi kolejną wizytę, na czele delegacji wojskowej, generał Zarudin — dowódca Północnej Grupy Wojsk Radzieckich w Polsce. Znałem go dobrze. Dzielny żołnierz frontowy. Zarudin był dotychczas zawsze przyjacielski, sympatyczny. Tym razem — jakiś spięty, pochmurny. Zameldował się przepisowo i powiedział, że podlegli mu żołnierze i oficerowie, ich rodziny, czują się w Polsce zagrożeni, że dzieją się niedopuszczalne rzeczy. Wręczył mi pisemną informację na ten temat. Istotnie, fakty w niej przedstawione wyglądały brzydko.

W rozmowach z sojusznikami starałem się zawsze minimalizować te sprawy. Wskazywać na ich marginalny charakter. Podkreślać to, co najważniejsze w naszych przyjacielskich stosunkach. Z drugiej strony, zwłaszcza jako żołnierz, starałem się ich zrozumieć. Przecież ówczesna wyższa kadra dowódcza to z reguły żołnierze frontowi. Bardzo wielu walczyło w Polsce. Chociażby marszałek Kulikow, jako szef sztabu brygady pancernej wyzwalającej Gdańsk. Czy też generał Wiktor Czebrikow, zastępca przewodniczącego KGB, który jako dowódca batalionu uczestniczył w walkach o Bielsko-Białą. Takich przeżyć się nie zapomina. Pamięta się o poległych, o towarzyszach broni rannych na polskiej ziemi. Wszystko, co tę pamięć poniża, znieważa — podwójnie boli. Ale i podwójnie gniewa ze wszystkimi tego konsekwencjami.

Niezależny Samorządny Związek Zawodowy „Solidarność" urodził się jako dziecko nie chciane przez władze. Ale jako dziecko, które miało żyć — z tym się pogodzono. To dziecko przeraźliwie szybko rosło, wyrzucało rodzeństwo przez okno, a rodziców stawiało do kąta. Wreszcie próbowało rodziców ubezwłasnowolnić, a przy okazji postraszyć sąsiadów. To musiało się źle skończyć. Morał: rosnąć należy normalnie. Wszelkie sztuczne przyspieszenia, wielkie skoki na ogół nie wychodzą na zdrowie. Na wszystko przychodzi czas. Znów posłużę się znanym rosyjskim powiedzeniem: „Tisze jediesz, dalsze budiesz" (wolniej jedziesz, dalej zajedziesz).

I tura zjazdu „Solidarności" była wówczas dla nas wstrząsem, niemal wypowiedzeniem wojny. Odbyły się różnego rodzaju posiedzenia, narady, spotkania. Jedni — a była ich większość — mówili z goryczą o zawiedzionych oczekiwaniach na porozumienie. Inni przypominali ze złośliwą satysfakcją swe zastrzeżenia i ostrzeżenia przed „Solidarnością". 8 września na posiedzeniu Biura Politycznego dokonaliśmy wstępnej oceny. Już 13 września odbyło się posiedzenie Komitetu Obrony Kraju. Nastrój przygnębienia i determinacji jednocześnie. Dyskusja była gorąca. Wypowiedzi ostre. Sytuację oceniano jako niezwykle groźną. Mówiono: „«Solidarność» zmierza do demontażu struktur państwowych, próbuje stać się superwładzą. Trzeba liczyć się w najbliższym czasie: z szantażowaniem Sejmu; z przenikaniem do wojska i milicji; z paraliżowaniem działalności dyrektorów; z nową falą strajków, w tym w poligrafii". A to wszystko w sytuacji skrajnego zaniepokojenia sojuszników. Metody polityczne zawodzą. Przyszedł czas na podjęcie zasadniczych decyzji. Mogą być realizowane w różnych formach. „Pełzającej", w miarę eskalowania akcji strajkowej. Lub też bardziej radykalnej, ze wszystkimi atrybutami stanu wojennego. Konieczne jest więc podpisanie odpowiednich dokumentów. To samo w sobie miałoby już znaczenie mobilizujące. Na konkretne przygotowania w ogniwach wykonawczych potrzeba 7-9 dni. Stan wojenny pozwoli na szybkie uruchomienie ustaw reformujących gospodarkę. Da państwu solidne podstawy funkcjonowania.

Staliśmy więc na krawędzi. Decyzja wisiała na włosku. Nikt jej nie pragnął. A jednocześnie wszyscy rozumieli, że tak długo żyć się nie da.

Kania przypomniał o obowiązku zachowania ścisłej tajemnicy. Za główną wytyczną uznał zjednywanie narodu dla socjalizmu. Grupa sterująca „Solidarnością" ma określony cel — zniwelowanie dorobku IX Zjazdu, zaostrzenie trudności. Stawką Zachodu jest pełzająca kontrrewolucja. Są tam koła polityczne liczące na wybuch, który spowoduje uwikłanie nie tylko Polski, ale i Związku Radzieckiego. Każde rozstrzygnięcie trzeba rozpatrywać w aspekcie odpowiedzialności międzynarodowej. Wynikiem stanu wojennego, jeśliby się go wprowadziło, będzie sparaliżowanie „Solidarności", a następnie dokonanie takich przekształceń, które uczynią ją rzeczywistym związkiem zawodowym. W najbliższym czasie trzeba przeprowadzić wielką rozmowę z klasą robotniczą, a więc ofensywę polityczną. Walka o lepsze zaopatrzenie rynku, a przynajmniej lepsze gospodarowanie tym, co jest. Przywrócić funkcjonowanie prawa. MSW ma sporządzić plan stopniowanych represji, łącznie z zatrzymaniami. Przygotowanie partii, łącznie z rozdaniem broni aktywistom. Trzeba kontynuować przygotowania do wprowadzenia stanu wojennego. Przejść z gotowości planistycznej na realną.

Słowem — Kania nie wykluczył wprowadzenia stanu wojennego, wskazał kierunki prowadzenia dalszych prac przygotowawczych. Jednocześnie chciał uniknąć tej ostateczności. Obawiał się, aby nasze działania nie spowodowały interwencji, nie stały się — jak mówił — „rozrusznikiem" reakcji łańcuchowej. Jeśli jednak sytuacja przekroczy dopuszczalną z punktu widzenia interesów socjalistycznego państwa granicę, to wówczas nie zawaha się podjąć decyzji.

Ja stwierdziłem, że konfrontacja polityczna weszła w bardzo ostrą fazę. Nie popełniliśmy jednak błędu nie przechodząc dotychczas do rozstrzygnięć nadzwyczajnych. Wykazaliśmy w ten sposób dobrą wolę. Jeśli nie uda się uniknąć tej decyzji, to najważniejsze, aby zrealizować ją własnymi siłami.

Nie wolno uczynić niczego, co mogłoby być odczytane jako prowokacja z naszej strony. Konieczne jest uzyskanie poparcia ludzi doceniających interes państwa, przyciągnięcie wahających się oraz zneutralizowanie tych, którzy są nam przeciwni. Niezwykle ważne jest stanowisko Kościoła. Sądzę, że będzie on nadal sprzeciwiał się ekstremizmowi.

Nie ma walki bez przygotowania ogniowego. A więc propaganda. Nie wolno dopuścić do opanowania stacji radiowo-telewizyjnej. Trzeba podtrzymywać autorytet kierowniczej kadry w zakładach. Jednocześnie tam, gdzie trzeba odwołać dyrektora, gdzie jest skompromitowany, należy zrobić to wcześniej, nie czekając, aż odejdzie pod naciskiem „Solidarności". Taktyka strajku czynnego jest przejmowaniem władzy w ekonomice. Nasilają się akty chuligańskie. Władza musi być władzą. Chronić hymn, flagę. Podjąć ofensywę polityczną i administracyjną.

Można powiedzieć — wstrzymaliśmy wszyscy wówczas oddech. Decyzje nie zapadły. Wciąż kołatała się nadzieja.

13 września wieczorem odbyło się posiedzenie Rady Wojskowej MON. Poinformowałem o stanowisku Komitetu Obrony Kraju. Wystąpienia członków Rady były bardzo ostre. Mówiono, że już nie może być ustępstw. Jeśli będziemy się cofać, kadra może stracić

zaufanie do dowództwa. Żołnierze służby zasadniczej również domagają się porządku. Dyscyplina rezerwistów dobra. Działania powinny być zdecydowane. Zamknąć ekstremistów, ale i tych, którzy doprowadzili do istniejącego stanu rzeczy, a więc byłe kierownictwo państwa. W „Solidarności" zwyciężyły siły radykalne, dążą one do konfrontacji. Wypowiedziały nam wojnę. Czy nie powinniśmy więc wypowiedzieć porozumień? „Wolna Europa", paryska „Kultura", BBC i Reuter prowadzą szkolenie propagandystów „Solidarności". Wchodzą oni w kontakty z przedstawicielami służb specjalnych NATO. Kadra domaga się zdecydowanego działania. Działania cząstkowe nie przynoszą rezultatu. Padł nawet wniosek o wprowadzenie stanu „najwyższej konieczności".

Podsumowałem dyskusję. Decyzja polityczna nie zapadła. Będą jeszcze różne warianty działania. Uświadamiamy sobie zagrożenie. Zjazd „Solidarności" był bardzo groźnym sygnałem. Jeśli dojdzie do ostateczności, najważniejsze będzie opanowanie konfliktu własnymi siłami.

17 i 20 września na posiedzeniach Rady Ministrów oceniono, że zjazd „Solidarności" faktycznie odrzucił ofertę konstruktywnej współpracy. Opublikowane zostało stanowisko rządu. O wzroście agresywności związku mówiono na naradzie I sekretarzy KW PZPR w dniach 16-17 września. Krytycznie do wyników zjazdu odniosły się też kierownictwa ZSL i SD, wydając stosowne oświadczenia. ZG ZBoWiD w podjętej uchwale przestrzegał przed groźbą walk wewnętrznych, do których mogą doprowadzić postanowienia zjazdu „Solidarności".

17 września doszło do bezprecedensowego spotkania. Ze strony Episkopatu uczestniczyli w nim: arcybiskup Józef Glemp, kardynał Franciszek Macharski oraz biskup Bronisław Dąbrowski. Ze strony partyjno-rządowej — Stanisław Kania, Kazimierz Barcikowski i ja. Wszyscy mieliśmy świadomość, że sytuacja poważnie się skomplikowała. „Teraz wiele się przyciemniło — powiedział prymas — ale nie należy tragizować".

Strona kościelna wyraziła zdanie, że większość społeczeństwa nie chce Polski kapitalistycznej, tylko państwa „dla ludzi". Na władzy ciąży odium przeszłości. Aby była ona silna, musi czuć to, czym naród żyje, tkwić głęboko w nastrojach mas. Należy unikać sytuacji drażniących zarówno w rozmowach, jak też w środkach masowej informacji, zwłaszcza w telewizji. Ludzie rozładowują się psychicznie na nabożeństwach, które nie mają charakteru antyrządowego. Jest bardzo korzystne, gdy przedstawiciele władz uczestniczą w mszach razem ze społeczeństwem, jak np. w Białej Piskiej. Źle, że pojawiły się ekscesy antyradzieckie. Nie należy jednak o tym zbyt wiele mówić, a raczej wyciągać konsekwencje. „Nie ma apatii — powiedział kardynał Macharski — ale społeczeństwo jako organizm jest osłabione, podatne na różne wirusy". Biskup Dąbrowski mówił, iż młode pokolenie odreagowuje „trzymanie go na siłę" w przeszłości. Strona kościelna akcentowała, iż „Solidarność" też ma powody do uprzedzeń. To ruch jeszcze nie w pełni ukształtowany, ale pragnący, aby w życiu społeczno-państwowym nastąpiły zmiany odpowiadające oczekiwaniom narodu. Widać niekorzystne wpływy KOR-u. Prymas stwierdził, że celowe byłyby rozmowy władz z „Solidarnością".

Z naszej strony jako pierwszy wystąpił Barcikowski. Następnie Kania i ja. Padło stwierdzenie, że zjazd „Solidarności" faktycznie odrzucił linię porozumienia. Nasze dotychczasowe ustępstwa spowodowały „szał sukcesu". Wnosi się do społeczeństwa poglądy anarchistyczne — zaszczepia postawy, które w sposób trwały godzą w stabilność państwa. Kościół nie powinien budować nadziei na kokietowaniu go przez antysocjalistyczne siły. Władza unika mówienia o sprawach, które mogłyby być dla Kościoła niewygodne. Należałoby to docenić. Istnieje sfera współpracy i sfera kolizji między władzą i Kościołem. Pierwszą trzeba rozszerzać, drugą zawężać. Jest to naszą szczerą intencją. Od roku wychodzimy na spotkanie oczekiwaniom społecznym, w szczególności temu, co postuluje „Solidarność". Poszliśmy na dodatkowe wypłaty — rujnując rynek. Zgodziliśmy się na wolne soboty. A przecież to były umowy społeczne dotyczące obu stron. „Solidarność" mówi tylko o prawach, nic o obowiązkach. Także „Solidarność" Rolników Indywidualnych poprzestała na obietnicach. Co się stało z zapowiedzią: „Jeśli nas zarejestrujecie — bułkę z szynką jeść będziecie"? W partii narasta chęć odreagowania na postępowanie „Solidarności". Rozmów nie odrzucamy, mimo że nie z winy władz zostały one faktycznie zerwane. Oczekujemy na to, co przyniesie druga tura zjazdu. Stoimy na gruncie rozwiązań politycznych, dążymy do porozumienia. A jeśli „Solidarność" będzie szła dotychczasową drogą, dojdzie do zderzenia. Grozi to umiędzynarodowieniem konfliktu. Zapowiedź drastycznego ograniczenia dostaw radzieckich w 1982 roku stanowi ekonomiczny sygnał o oczekującej nas sytuacji.

„Co mamy powiedzieć Ojcu Świętemu?" — zapytano nas na koniec. „Władza jest pełna dobrej woli i pragnie, aby Kościół wywarł wpływ na zahamowanie niebezpiecznych wydarzeń". Wierzyliśmy w dobrą wolę Kościoła. Ale widzieliśmy również jego rozterki. A także zmniejszający się wpływ na niebezpiecznie narastające procesy.

Rozdział 28

Taka była obręcz

„Wysokooktanowym paliwem" emocji był w 1981 roku problem suwerenności Polski, a właściwie jej ograniczenie. Stąd wciąż pytanie: czy były szanse, aby Polska po II wojnie światowej mogła istnieć jako państwo w pełni niezależne, bez radzieckich wpływów?

Nie miejsce tu na przypominanie genezy i istoty „jałtańskiego ładu" w Europie. Teheran, Jałta, Poczdam należą do tych węzłowych punktów historii nowożytnej, o których w nieskończoność dyskutować będą zawodowi historycy. Mnie osobiście nikt o Jałtę nie pytał. Natomiast większość ówczesnych polityków, chcąc nie chcąc, przyjmowała porozumienie jałtańsko-poczdamskie za rzeczywistość daną, za swego rodzaju „tabliczkę mnożenia" — i to już wtedy, gdy ja miałem 20 lat.

Piłsudski i Dmowski zastali układ sił ukształtowany przed I wojną światową między państwami centralnymi i Ententą, a Beck i Rydz-Śmigły — układ sił po Monachium, na który ich wpływ był praktycznie zerowy. Powiedzmy, że prezydent Raczkiewicz nie uznał Jałty. Czy coś z tego wynikło w sensie konkretnych korzyści dla Polski?

Ład jałtańsko-poczdamski to nie tylko specyficzny typ stosunków między ZSRR i krajami naszej części Europy. To po prostu element ładu globalnego, część składowa powojennego „urządzenia świata". Ani w roku 1948, podczas radzieckiej blokady Berlina, ani w roku 1961, podczas budowy muru berlińskiego, ani w roku 1962, podczas tzw. kryzysu karaibskiego, Zachód i Wschód, Stany Zjednoczone i Związek Radziecki nie odeszły nawet na krok od ustaleń jałtańsko-poczdamskich. Tak samo było w przypadkach interwencji na Węgrzech w 1956 roku i w Czechosłowacji w 1968. Taki był ówczesny świat. Istniejący układ narzucał Polsce reguły gry. Wyznaczał pole manewru. Jako wojskowy nie mogłem udawać, że o tym nie wiem.

Urodziłem się dokładnie 60 lat po wybuchu ostatniego z polskich powstań narodowych. Mogłoby się wydawać, że to okres wystarczająco długi do zatarcia w pamięci kolejnych pokoleń wydarzeń z zamierzchłej przeszłości. Ale nie zatarł. Wychowywałem się nie tylko w kulcie powstania 1863 roku, lecz również w poczuciu dumy z niepodległego państwa polskiego.

Należałem do generacji, która różniła się poglądami w wielu ważnych sprawach, lecz był jeden aksjomat: odzyskane, przywrócone życiu, niepodległe państwo polskie. Polscy oficerowie, sędziowie i policjanci, polskie gazety i wydawnictwa, polska szkoła i polski uniwersytet. Przecież jeszcze pokolenie moich rodziców zdawało maturę w języku rosyjskim lub niemieckim.

Nagle spadła klęska. Gdy znalazłem się z rodziną na Litwie — pamiętam straszliwe rozgoryczenie panujące wśród Polaków zgromadzonych w jednym z dworków, będących przystanią dla podobnych nam uchodźców. Wśród nich oficerowie — niektóre nazwiska zapamiętałem: major Nieżyński, porucznik Grabowski, rotmistrz Nacwiliszwili — były carski oficer, jakich służyło sporo, zwłaszcza w polskiej kawalerii. Przysłuchiwałem się ich rozmowom. Z jaką pasją, jak przejmująco oskarżali sanację, dowództwo, Rydza-Śmigłego. Jeszcze lepiej zrozumiałem wtedy, jak wielką wartość stanowi własne państwo, a przede wszystkim — państwo bezpieczne.

Pamiętam, jak w szkole, na obowiązkowych lekcjach śpiewu ćwiczyliśmy kabotyńską piosenkę:

Marszałek Śmigły-Rydz,
Nasz drogi, dzielny wódz,
Gdy każe, pójdziem z nim
Najeźdźców tłuc.
Nikt nam nie zrobi nic,
Nikt nam nie weźmie nic,
Bo z nami Śmigły, Śmigły,
Śmigły-Rydz!

Tego rodzaju „utwory", zapisywanie nas do Ligi Morskiej i Kolonialnej oraz inne demonstracje krzepy miały upewnić młodzież, społeczeństwo o mocarstwowości Polski.

Tym większa była gorycz, rozczarowanie.

Później była Armia Berlinga, front, powrót do kraju. Zachował się mój list do matki i siostry z 21 kwietnia 1945 roku, wysłany na

Syberię z Głubczyc w pobliżu „gorącej" wówczas granicy polsko-czechosłowackiej. Pisałem w nim: „Teraz, po zakończeniu wojny, wynikło wiele problemów trudnych do rozwiązania. I chociaż każdy przedstawia je w innym świetle — to ja pozostaję takim, jakim byłem, rozumiejąc obowiązek służby i pracy dla Polski, jaką by ona nie była i jakich ofiar by od nas nie wymagała".

Jak widać — stylistyka koślawa. Nic dziwnego — przez sześć lat nie miałem zbyt dużego kontaktu z poprawną polszczyzną. Ale najistotniejsze jest to, że i wówczas, i dziś uważam za sprawę nadrzędną służbę realnemu państwu polskiemu — Polsce „jaka by ona nie była".

Nie ukrywam, że ten właśnie motyw troski o państwowość polską — nawet ułomną, nawet ograniczoną — był jednym z kluczowych elementów, które wpływały na moje myślenie i moje decyzje w dramatycznych miesiącach końca 1981 roku.

Mówi się — bronili władzy. To prawda. Tak było zwłaszcza początkowo. Ale w miarę anarchizowania życia kraju, pogłębiającej się katastrofy gospodarczej oraz wzmagającego się nacisku zewnętrznego — stawało się to coraz bardziej obroną egzystencji społeczeństwa i funkcjonowania państwa — tego właśnie realnego wówczas państwa.

Historycy nie lubią rozważań na temat „co by było, gdyby". Polityk nie może uchylać się od takiej refleksji. Historyk pisze o historii. Polityk ją tworzy, musi więc rozważać warianty oraz ich następstwa.

Wyobraźmy sobie taką sytuację. W 1944 roku wyzwala ziemie polskie idąca ze Wschodu kilkusettysięczna armia Andersa. Operacyjnie podporządkowana dowództwu radzieckiemu, ale politycznie wierna, lojalna wobec rządu londyńskiego. Jak wyglądałyby wówczas losy akcji „Burza", Powstania Warszawskiego? Czy w ogóle możliwe byłoby powołanie PKWN? Jaki mógłby być kurs w polityce wewnętrznej? Zakres i głębokość reform? Może uniknęlibyśmy terroru, deportacji, wojny domowej? Być może zbrodnia katyńska nie musiałaby czekać tyle lat na wyjaśnienie? Może...

Ale wracam do „gdybania". Przekracza Bug silna armia powiększona w kraju o nowe, przede wszystkim AK-owskie szeregi. W przyszłości połączyłyby się z nią polskie siły zbrojne przybyłe z Zachodu. Zalążkiem władzy cywilnej stałaby się nienaruszona struktura Polskiego Państwa Podziemnego. Wreszcie na lewicy ton nadawaliby działacze wierni sprawie demokracji, praworządności, praw człowieka. Bez względu więc na skalę prawdopodobnego przesunięcia życia politycznego na lewo, byłaby to opcja socjalistyczna w rozumieniu np. zjazdu radomskiego PPS z 1937; w PPR utrwaliłaby się linia polska w takim znaczeniu, w jakim rozumiał ją w tamtym okresie Władysław Gomułka.

Czy wówczas Stalin miałby pole do swobodnej gry?

Może właśnie wtedy, u schyłku 1942 roku, przekreślona została szansa na to, aby Polska szła inną drogą. Generał Władysław Anders w swych wspomnieniach „Bez ostatniego rozkazu'' pisze otwarcie, iż od początku dążył do wyprowadzenia swoich żołnierzy z Rosji. Był przekonany o bliskiej klęsce ZSRR. Główny zaś powód to logistyczne, zaopatrzeniowe trudności formowania armii. Gen. Berling, który był wówczas komendantem bazy ewakuacyjnej w Krasnowodsku, opowiadał mi, że skierował do Iranu na „rozpoznanie'' swego adiutanta. Okazało się, że tamtejsze brytyjskie magazyny wojskowe „pękały w szwach''. Czy więc nie prościej byłoby zamiast przewozić armię do zaopatrzenia, zaopatrzenie przewieźć do armii? Czy też inny wariant — można było przecież ewakuować „nadwyżki'' wojska, a resztę utrzymać w Rosji. Stało się inaczej. Historyczna klamka zapadła.

Wspomniałem kilkakrotnie gen. **Andersa**. To dzielny żołnierz, znakomity dowódca, żarliwy patriota. Ale kiepski polityk. Powszechnie znane były jego nie najlepsze, wręcz konfliktowe stosunki z gen. Władysławem Sikorskim oraz Stanisławem Mikołajczykiem. 26 września 1946 roku Rada Ministrów Rządu Jedności Narodowej rozpatrywała listy osób wojskowych przebywających na Zachodzie, których zamierzano pozbawić obywatelstwa polskiego. Na liście tej nie było generała Andersa. O wpisanie go na nią upomniał się osobiście wicepremier Mikołajczyk. Był to więcej niż błąd. Ale wcześniej wielu z nas, spośród półtora miliona deportowanych, pozostawionych na pastwę losu w Rosji, żywiło do Andersa głęboki żal.

Ale nie to najważniejsze. Problemem, który zaciążył najbardziej na przyszłości Polski, był stosunek rządu londyńskiego do kwestii granic naszego kraju. Widziano je uporczywie w przedwojennym kształcie. Zachód tego nie poparł — co więcej, wywierał nacisk na przyjęcie stanowiska ZSRR. W rezultacie — granica wschodnia jest taka, jaka jest. A szanse na inny bieg tak ważnych dla Polski spraw zostały zaprzepaszczone.

Powstała wówczas polityczna próżnia, z której Stalin skwapliwie skorzystał. Mocarstwa sojusznicze pozbawiły się w praktyce możliwości stosowania wobec tej części Europy zasad, które proklamowały w Karcie Atlantyckiej z 1941 roku. Historyczny błąd Andersa, rządu emigracyjnego, polegał więc na tym, że w dziejowej chwili, w najważniejszym miejscu, nie mogliśmy się o tę praktykę w sposób realny upomnieć. Pozostało już tylko antyszambrowanie w zachodnich przedpokojach.

Nie tylko wtedy. Jak wielokrotnie dowodzą nasze dzieje — polskiej polityce zabrakło zwykłej przezorności, roztropności. Odwaga bez rozwagi jest jak ślepy koń, którego ugryzł giez. Balzac pisał w „Kuzynce Bietce": „...pokaż Polakowi przepaść, a natychmiast się w nią rzuci; myśli, że zdoła wziąć z miejsca każdą przeszkodę i wyjść zwycięsko". Tej przepaści nie udało się wówczas pokonać.

Ewentualny opór ze strony Roosevelta czy Churchilla w Jałcie mógłby prowadzić Stalina do konkluzji: proszę bardzo, tuż po I wojnie światowej zgodziliście się na wschodnią granicę Polski na linii Curzona, a więc opartą o San, Bug i dalej oddzielającą Białoruś według kryterium etnicznego. Zachodnia granica Polska niech będzie kwestią otwartą.

Stanisław Grabski w swej książce „Na nowej drodze dziejowej" przytacza słowa, którymi Churchill w Poczdamie powitał polską delegację: „Po wojnie poprzedniej Polska poszła za daleko na wschód, obecnie chce iść za daleko na zachód".

Nie ma nigdzie najmniejszej wzmianki świadczącej o tym, że Roosevelt czy Churchill mogliby zaproponować granicę na Odrze i Nysie Łużyckiej, oddanie Polsce Pomorza i Szczecina, leżącego po zachodniej stronie Odry. Wręcz przeciwnie, znane są ich silne opory w stosunku do tego rozwiązania. Zatem Polska, z ewentualnymi korektami na Śląsku Opolskim, Pomorzu z Gdańskiem, z częścią Prus Wschodnich mogła geograficznym kształtem przypominać nieco większe Księstwo Warszawskie. A więc za cenę utraty pewnej części naszej suwerenności uzyskaliśmy granicę o wyjątkowo korzystnym kształcie. Co to znaczy — widać jeszcze lepiej, gdy się przypomni, że przed wojną od granicy z Niemcami dzieliło: Gdynię — 18 km, Grudziądz — 20 km, Bydgoszcz — 40 km, Częstochowę — 30 km, Katowice — 10 km.

Mówię o sprawie, która powinna być oczywista dla każdego trzeźwo myślącego Polaka. Ale przecież ci, którzy tę prawdę powtarzają, narażają się na oskarżenia i inwektywy. Doświadczył tego niedawno nawet Czesław Miłosz. W książce „Rok myśliwego" ośmielił się bowiem napisać: „W roku 1945 polscy komuniści mieli rację: Polska mogła istnieć albo w kształcie nadanym jej i gwarantowanym przez Związek Sowiecki, albo przestać istnieć. (...) Żaden rząd pochodzący z wolnych wyborów nie dostałby Ziem Zachodnich w podarunku od Wielkiego Brata. (...) Polska oznaczałaby wąski pas wzdłuż Wisły, zbyt gęsto zaludniony, żeby dawało to jakieś szanse. Żaden rząd zachodni nie wpadłby na taki pomysł jak Stalin, żeby wysiedlić miliony Niemców z ich wielowiekowych siedzib i oddać ten obszar Polakom. Tym samym rzec można, że Polska istnieje z woli i łaski Stalina". Za te słowa „Tygodnik Solidarność" obrzucił Miłosza oskarżeniami.

I jeszcze jedno. W 1981 roku — niezależnie od realnej groźby tragicznego umiędzynarodowienia sprawy polskiej — musieliśmy mieć stale w pamięci, że ZSRR był jedynym pewnym gwarantem naszej granicy zachodniej. Chruszczow w 1959 roku, a później Gorbaczow w 1988 byli w Szczecinie. Natomiast w całym okresie powojennym tylko jeden przywódca zachodni — generał de Gaulle — dotarł do Zabrza, zresztą zaledwie kilka kilometrów od przedwojennej granicy Polski. Inni jakby nie dostrzegali powojennych zmian geograficznych. Państwa zachodnie nie otworzyły nawet konsulatów w Szczecinie lub Wrocławiu; wolały „niekwestionowany" Poznań i Kraków.

To było przez 45 lat nasze uczulenie. To była też i cena. Tę granicę Związek Radziecki najpierw w Poczdamie przeforsował, a później gwarantował. Ale było to „coś za coś". Tylko Polska pozostająca w strefie jego wpływów miała taką szansę. Żaden inny kraj socjalistyczny nie miał problemu granicznego. Jedynie my pozostając w Układzie Warszawskim wygrywaliśmy na tym niezwykle ważną sprawę. Za „coś" uzyskaliśmy „coś".

45 lat ograniczonej suwerenności było — minęło. Ale — oby na zawsze — Polska ma granice, których nie uzyskalibyśmy w żadnej innej politycznej konstelacji. Tego, mimo wszystkich naszych grzechów, nikt lewicy polskiej odebrać nie jest w stanie.

Nie należy przy tym liczyć na krótką pamięć. Przecież jeszcze nie tak dawno — także pierwszy rząd „solidarnościowy" musiał włożyć niemało wysiłku, aby ochronić nasze żywotne interesy. Ile nerwowych sytuacji przeżywaliśmy na przełomie 1989 i 1990 roku, kiedy przestała istnieć NRD, a stanowisko rządu RFN wciąż było dwuznaczne.

Pamiętam dwie podróże, jakie wówczas jako prezydent odbyłem wzdłuż dolnej Odry — od Kostrzynia do Szczecina. Setki, tysiące spotykanych ludzi wyrażały głębokie zaniepokojenie o przyszłość swoją i kraju, o polskie Ziemie Zachodnie. „Panie Generale — pytano — co z nami będzie?" Wciąż stoi mi przed oczyma wielka uroczystość patriotyczno-religijna w maju 1990 roku w Siekierkach nad Odrą. Jej „gospodarzem" był biskup Kazimierz Majdański, były więzień Dachau, który tyle lat poświęcił umacnianiu polskości na Pomorzu Zachodnim. Biskup Majdański wygłosił piękną homilię. Powiedział wówczas: „Słowiańszczyzna Zachodnia sięgała daleko na zachód, teraz sięga do Odry. A jak będzie dalej? Zapewnienia się mnożą. Widocznie są potrzebne. Czy będą trwałe? Na jakim są budowane fundamencie? Na jakim fundamencie jest zbudowane nasze trwanie: kraju tylekroć krzywdzonego?" Myśleliśmy identycznie.

Ten sposób rozumowania towarzyszył mej działalności również w 1981 roku. Tym bardziej iż mieliśmy powody do obaw, że sytuacja w Polsce budziła w moskiewskich kołach politycznych nie tylko zniecierpliwienie. Pojawiły się tam głosy, aby pójść dalej w stosunkach z Niemcami, z pominięciem Polski. Raz były to gesty do NRD, innym razem do RFN. No cóż — po latach może to się stać rzeczywistością.

Trzeba więc zrozumieć, iż wtedy, kiedy sprawy biegły ku zupełnie nieznanym przeznaczeniom, naszym obowiązkiem było przestrzeganie reguł, które rozstrzygały o polskiej racji stanu.

Co do suwerenności — kursowały na ten temat dwie wykładnie. Wedle oficjalnej, byliśmy państwem w pełni suwerennym. Wedle przeciwników ustroju, byliśmy pozbawieni suwerenności, zniewoleni przez ZSRR. Prawda — jak zwykle — leżała pośrodku. Przy tym zmieniało się to z upływem czasu.

Ograniczenia suwerenności państw — o czym pisał kiedyś Andrzej Werblan — mają zwykle charakter bądź dostosowawczy, bądź protektoratowy. Dostosowawcze występują tam, gdzie państwo gospodarczo i politycznie słabsze musi w swej polityce uwzględniać interesy państwa czy grupy państw silniejszych, zwykle sąsiednich. To jest dziś zjawisko dość powszechne. Owo ograniczenie jest w pewnym sensie dobrowolne. Choć zlekceważenie interesów hegemona z reguły nie popłaca. Zamach Pinocheta wymierzony w demokratycznie wybrane władze Chile miał również i taką wymowę.

Bardziej dotkliwe jest ograniczenie suwerenności typu protektoratowego. Wówczas mocarstwo zabezpiecza swoje interesy u słabszego partnera, wywierając bezpośredni wpływ na jego ustrój polityczny, porządek prawny i społeczny, a nawet skład ekipy rządzącej. Polska powojenna znalazła się w tym właśnie stanie zależności. Zresztą nie po raz pierwszy w historii. W XVIII wieku była w znacznie gorszej sytuacji, choć dziś nie kwestionuje się, że wciąż była to I Rzeczpospolita.

Od 1956 roku następują pozytywne zmiany. Ogólnie biorąc — pole naszej suwerenności było znacznie szersze niż w innych krajach obozu. Pozycja Kościoła, indywidualne rolnictwo, zakres swobód w nauce i kulturze, niemałe przyczółki prywatnej inicjatywy, aktywna polityka zagraniczna, dobre, silne wojsko. Nie przychodziło to samo. Dla nas w czasach, w jakich żyliśmy, najlepszą formułą na względną niezależność było przede wszystkim umacnianie wewnętrznej kondycji kraju — społecznej i gospodarczej, politycznej i obronnej. Im kraj bardziej stabilny, im we wszystkich dziedzinach ma lepsze efekty, tym większa niezależność. Czy mogła być trochę większa? Być może tak. Czy o wiele większa? W ówczesnych realiach — wątpię.

Powstaje pytanie: jak mieli się zachować ludzie żyjący w dawno minionych czasach? Wielcy polscy patrioci, którzy, czy to działali w administracji państw zaborczych, czy też służyli w ich armiach, widzieli trwałość tamtego układu. Józef Piłsudski liczył na to, że zwyciężą Austro-Węgry i Niemcy. U ich więc boku szukał możliwości autonomii. Dopiero z czasem, w wyniku rozwoju sytuacji wojennej, uznał za możliwe odzyskanie całkowitej niepodległości. Z kolei Roman Dmowski liczył na zwycięstwo Rosji, aliantów zachodnich i w tym duchu przez długi czas działał w sprawie polskiej.

Wielu czołowych polityków odrodzonej Polski — m.in. Witos, Daszyński, Korfanty — zasiadało wcześniej w parlamentach państw zaborczych, a duża część kadry wojskowej z dnia na dzień zmieniła mundury. A skąd się wzięły kadry w dyplomacji, w administracji, w gospodarce, szkolnictwie — przecież nie z nieba. Generał Dowbór-Muśnicki, pułkownik Rómmel, sztabskapitan Anders — oni wszyscy przysięgali na wierność carowi. A generał Szeptycki i pułkownik Rozwadowski — cesarzowi. Komandor Unrug — kajzerowi. I gdyby nie wybuchła I wojna światowa, gdyby nie było rewolucji, gdyby nie rozpadło się to wszystko — służyliby w dalszym ciągu w tych armiach, tak jak ich poprzednicy.

Jałtański podział wpływów mógł trwać długie, długie lata. To przekonanie panowało niepodzielnie w odpowiedzialnych środowiskach politycznych — od Waszyngtonu do Moskwy. Musieliśmy się z tym liczyć. Jeśli te realia polityczne miały mieć trwalszy żywot — należało działać tak, aby w ich obrębie wypracować dla Polski najlepsze miejsce, najdogodniejszą pozycję. Jeszcze w 1988 roku Michaił Gorbaczow w rozmowie z prezydentem RFN — Richardem Weizsaeckerem, powiedział, iż na rozmowę o zjednoczeniu Niemiec jest jeszcze dużo czasu — może i sto lat. Nikogo to nie zaszokowało. To nie nasze wewnętrzne procesy sprawiły, że wyrok z Jałty przestał Polskę w 1989 roku obowiązywać, lecz przede wszystkim — czynniki zewnętrzne — podobnie jak w 1918 roku. Drogę otworzyło „nowe myślenie" w globalnej polityce Gorbaczowa. Jedyne, co możemy z satysfakcją stwierdzić — polskie impulsy miały tu istotne znaczenie.

A jak z naszą suwerennością po wprowadzeniu stanu wojennego? Powstała nowa sytuacja. Poszerzyliśmy pole manewru. Władza udowodniła, że istnieje, panuje nad wydarzeniami, ustrój i blok nie są zagrożone. Mogliśmy więc łatwiej podejmować kontrowersyjne decyzje, wprowadzać stopniowo różnego rodzaju reformy. Mimo że sojusznikom były często nie w smak.

Inaczej choćby wyglądała rozmowa Kani i moja z Andropowem i Ustinowem w Brześciu w kwietniu 1981 roku niż moja druga, również ściśle utajniona rozmowa z Ustinowem i Gromyką też w Brześciu w kwietniu 1983. Tam już mogłem mówić z pozycji tego, który obył się bez „internacjonalistycznej pomocy". Mam potwierdzenie na tę odmienność. Michaił Gorbaczow powiedział mi, że zna szczegóły mego drugiego spotkania w Brześciu, że ma uznanie dla mojej twardej postawy. Oznaczała ona obronę suwerennych ocen i rozwiązań w stopniu możliwym wówczas do osiągnięcia.

Polska niesuwerenna — to był jeden z głównych zarzutów. W parze z tym szedł burzliwy wzrost narodowych akcentów w działalności opozycji. Interesującą analizę tego zjawiska dał Marcin Kula w książce „Narodowe i rewolucyjne" (Londyn—Warszawa 1991). Ale było i drugie ulubione oskarżenie — totalitaryzm.

W naszych polskich warunkach był on dość dziurawy, taki właśnie „durszlak". „Gdyby PRL — jak słusznie zauważa prof. Andrzej Walicki w zbiorowej pracy „Społeczeństwo posttotalitarne.

Kierunki zmian" — była krajem «niezmiernie totalitarnym», pojawienie się postaw jawnie opozycyjnych, ich upowszechnienie, a następnie kompromis «okrągłego stołu» i pokojowe przekazanie władzy byłyby rzeczą nie do pomyślenia nawet w najgorszej sytuacji ekonomicznej". Pomimo to teoria totalitarnego charakteru kolejnych rządów w Polsce Ludowej nadal obowiązuje. W obozie zwycięzców istnieje zapotrzebowanie na demonizację komunistycznego przeciwnika. Dlaczego?

Odpowiedzi na to pytanie udziela sam autor wymienionej pracy. Służy to autogloryfikacji „kombatantów" i mitologizacji ich zasług. Obóz postsolidarnościowy chciałby uchodzić za jedynego sprawcę obalenia totalitaryzmu. Choć wielu było takich, którzy ograniczali jego zasięg, przeciwstawiali się mu i przezwyciężali go inaczej.

W tym miejscu znów przywołuję artykuł prof. Walickiego, a więc człowieka, którego trudno posądzać o sympatię do poprzedniego ustroju. Pisze on, że „pod rządami generała Polska szybko oddalała się od «modelu totalitarnego». Było to kontynuacją długiego, złożonego procesu, który zaczął się od październikowego przełomu 1956 roku (albo nawet od poprzedzającej go «odwilży»). Ale była to także wyraźna zmiana jakościowa. (...) Reżim generała Jaruzelskiego przestał mówić o «budowaniu komunizmu», podkreślał, że podstawą współpracy w ramach państwa nie jest dążenie do jednego wspólnego celu, ale jedynie lojalność obywatelska i respektowanie norm prawnych — w tym kontekście mówił nawet o «socjalistycznym konstytucjonalizmie». Nie próbował upolityczniać wszystkich dziedzin życia, zwłaszcza zaś życia intelektualnego i kulturalnego... Wedle oceny Zbigniewa Brzezińskiego było to przechodzenie od «komunistycznego autorytaryzmu» do autorytaryzmu «postkomunistycznego»". W wydanej w 1989 roku książce „The Grand Failure" stwierdził on, że Polska pod rządami Jaruzelskiego reprezentowała najbardziej zaawansowaną fazę detotalitaryzacji.

Wyszedłem poza rok 1981. Przywołałem korzystne dla siebie opinie. To nie utrata samokontroli. Daleki jestem od sztucznego upiększania swej drogi. Gdybym mógł przejść nią raz jeszcze — wiele bym zrobił inaczej. Myślę, że lepiej, mądrzej. Po co więc te wywody o suwerenności, o totalitaryzmie? Jaki ich związek ze stanem wojennym? Jeden jedyny — przy całym dramatyzmie tego wydarzenia, jego bolesnych dla wielu ludzi skutkach — nie cofnął, nie zablokował szansy wejścia na nową drogę. A w dalszej historycznej perspektywie drogę tę umożliwił.

Rozdział 29

Uwaga, nadchodzi...

W lipcu przez 12, a w sierpniu przez 7 dni miały miejsce poważne ograniczenia dostaw energii dla przemysłu. Pogoda w niczym tego nie uzasadniała. Lato 1981 roku było pogodne, upalne. Okres urlopowy, a tym bardziej recesja w sposób oczywisty zmniejszyły zapotrzebowanie na energię. A mimo to sytuacja stała się rozpaczliwa. Przewlekały się remonty w elektrowniach, zaczynało brakować części zamiennych, pękała kooperacja. Ogłaszane przez radio i telewizję raporty Głównej Dyspozycji Mocy o stopniach zasilania przypominały mi komunikaty radiowe z września 1939 r. — ,,Uwaga, uwaga, nadchodzi''. We wrześniu 1981 roku było aż 17 dni z wyłączeniami prądu. Rodziło to ciężkie następstwa dla produkcji. Wprowadzono 19 stopień zasilania, jak gdyby już była ,,ciężka zima''. Mnożyły się awarie, których albo nie miał kto, albo nie miał czym usuwać.

I w tej tak dramatycznej sytuacji wybucha ,,wojna węglowa''. Jak twierdziła ówczesna opozycja, oczywiście, sprowokował ją rząd. A więc mój rząd chciał nie tylko naród zagłodzić, ale również zamrozić. Co więcej — krążyło również powiedzenie, że ,,rząd rozpija naród''. Tamte oskarżenia były perfidne, to ostatnie po prostu głupie. Kilkakrotnie na łamach tej książki wracam do sprawy wydobycia węgla. Chyba nikogo to nie dziwi. Przez lata, można powiedzieć przez dwa wieki ukształtowała się w Polsce szczególna struktura przemysłu. Węgiel jako surowiec energetyczny to podstawa całej gospodarki. W roku 1981 też wszystko dosłownie ,,stało'' na węglu. To było wtedy prawie jedyne źródło dewiz, największe dobro, jakim kraj jeszcze dysponował. Strajki w górnictwie mogły, i zresztą nadal mogą, dosłownie rozłożyć państwo, by użyć sformułowania Adama Michnika z programu telewizyjnego 21 listopada 1990 roku. Toczyliśmy od miesięcy batalię, aby górnicy chcieli — oczywiście dobrowolnie — pracować także w soboty. ,,Solidarrność" podjęła ostrą kampanię przeciw projektowi uchwały, przewidującej korzystne dla górników rozwiązania finansowe. Osobiście spotykałem się z przedstawicielami „Solidarności" górników, w tym także z profesorem Pawłem Czartoryskim, który był wówczas ich doradcą. Na marginesie — znów życiorysowy „chochlik". Ja — premierem socjalistycznego rządu, a książę Czartoryski — reprezentantem interesów robotniczych!

Ta rozmowa też nie przyniosła rezultatu. Wprawdzie zapewniano, że „Solidarność" wezwie górników do pracy w soboty, ale bez żadnych dodatkowych świadczeń i wynagrodzeń. Natomiast w obliczu zbliżającej się zimy będzie apel o pracę w czasie ośmiu wolnych sobót, oczywiście bez reżimowych pieniędzy i pod warunkiem, jakiego świat nie słyszał, że... sami będą dzielić wydobyty węgiel i decydować, do którego odbiorcy ma trafić. Przywódcy „Solidarności" byli głęboko przekonani, że sprawują pełną władzę nad duszami górników. Niestety, apel nie przyniósł oczekiwanych efektów. Od maja do połowy września wydobycie w wolne soboty spadało i ukształtowało się wreszcie na poziomie 100-120 tys. ton.

Rząd nie mógł już dłużej pozostawać obojętny. 11 września 1981 roku przyjęta została uchwała Rady Ministrów nr 199. Zrozumienie dla motywów tej decyzji okazał Kościół. Rozmawiali o tym z ordynariuszem diecezji katowickiej — biskupem Herbertem Bednorzem — wicepremier Jerzy Ozdowski oraz minister Czesław Piotrowski. Całkowita dobrowolność pracy w wolne soboty pozostała w mocy. Natomiast tym, którzy pracę podjęli, uchwała przyznawała dwuipółkrotne wynagrodzenie. Środki te mogły być zgromadzone na wyodrębnionych rachunkach zwanych „książeczkami górniczymi". Podjęto także decyzję o utworzeniu wydzielonej sieci sklepów. Jedynym środkiem płatniczym były w nich czeki z tych rachunków. Owe sklepy z racji dobrego, a na owe czasy wręcz bardzo dobrego zaopatrzenia, szybko zyskały nazwę „Gewexów".

Od 13 września ruszyła lawina protestów. Dla ogniw górniczej „Solidarności", a także innych branż tego związku, uchwała 199 stała się kamieniem obrazy. To właśnie wtedy przysłano mi drugi wyrok śmierci, tym razem za dzielenie „Solidarności". Oczywiście, nie traktowałem tego poważnie — to czyjś szaleńczy wybryk. Najważniejsze, że w sobotę 18 września wydobycie wydatnie wzrosło i osiągnęło 230 tys. ton. W październiku zaś i listopadzie osiągało nawet poziom 400 tys. ton.

Niestety, dzień 18 września, który był jak gdyby jaskółką nadziei, przyniósł również niebezpieczną sytuację. Stał się kolejnym krokiem na drodze ku „nieporozumieniu narodowemu". W kopalni „Katowice" odbył się mityng śląskiej „Solidarności". Powiedzieć — „zaatakowano" uchwałę 199 — to mało. Zaatakowano również te rady pracownicze, które poparły pracę w soboty. Proklamowano ich bojkot. Publicznie mówiono o celowości stosowania przemocy wobec pracujących. Do łagodniejszych należała koncepcja „sterowanego wykupu". Chodziło o to, aby w „Gewexach" masowo wykupywać określony towar. Zacząć od lodówek i pralek „aż rządowi ich zabraknie i tą uchwałą się zatka". Jakim cudem lebel — stary, XIX-wieczny pomysł anarchistów — nagle odżył na Śląsku, nie wiem.

Na spotkaniu Lech Wałęsa powiedział: „Cieszę się, że zrozumieliście, co mówiłem kiedyś, że walka dopiero się zaczęła. Rząd mówił, że sytuacja jest ciężka, a «Solidarność» tylko blokuje, więc wyszliśmy z apelem o dodatkową pracę w osiem sobót. Podrzuciliśmy rządowi gówno, z którym nie wiedział co zrobić. Teraz rząd nam to gówno odrzucił. Daje pieniądze, a «Solidarność» znowu blokuje. Zastanówmy się, jak znów to gówno odrzucić. Zastanówmy się, jak przechytrzyć rząd".

Wprost nie mogłem uwierzyć, że to słowa Wałęsy. Widziałem w nim człowieka umiaru i poczucia odpowiedzialności. Wkrótce jednak jego wystąpienie opublikowała prasa. Nikt z otoczenia Wałęsy nie zakwestionował dziennikarskiego przekazu. Odnoszę wrażenie, że Wałęsa niezbyt pewnie czuł się na terenie górniczym, napotykał tam dużą radykalną opozycję. Jego szokująca retoryka była może swego rodzaju taktyką, metodą uniknięcia „gorszego"?

U schyłku 1981 roku sytuacja w przemyśle węglowym wyglądała jak „krajobraz po bitwie". Jeśli w 1980 wydobyliśmy 193 mln ton, to w tym roku można było liczyć najwyżej na 163 mln. Eksport ledwo przekroczył 15 mln ton. Był o połowę mniejszy niż przed rokiem. Statystyka zawierała również rubrykę — „zapas końcowy". Ten eufemizm ukrywa wielkość, którą można przeznaczyć na odtworzenie państwowych zapasów strategicznych. Była tam liczba — 376 tys. ton. Nieco ponad połowę jednodniowego wydobycia! I choćby tylko z tego punktu widzenia mogę powiedzieć — stan wojenny uratował gospodarkę przed całkowitą klęską. Byłem w ciągłym kontakcie z Piotrowskim. **Piotrowski** — to energiczny, organizacyjnie sprawny generał. Walory te wykazał m. in. jako wieloletni szef

Wojsk Inżynieryjnych MON. Będąc ministrem też działał operatywnie. To wówczas było szczególnie ważne.

Zapasy na zimę nie przekraczały 2,5 mln ton, a niezbędne było minimum 5 mln. Elektrownie pracowały „na styk". Nie wiem, na ile to prawdziwe — ale jak mi mówiono, w „Dolnej Odrze" na wysokiej budowli umieszczono punkt obserwacyjny. Nie wierzono już nawet środkom łączności, telefonicznym informacjom. Czekano dosłownie na każdy transport jadący długą bocznicą. Jeśli nie pojawiłby się na czas — należało przystąpić do wygaszania kotłów i zabezpieczania instalacji.

Zapamiętałem też taką informację — jeden z dyrektorów był wciąż indagowany przez ministerstwo, dlaczego jego elektrownia nie daje pełnej mocy. Odpowiedział, żeby resort nie zawracał mu głowy telefonami, a raczej wydusił od kooperantów urządzenia, na które czeka już od tygodni. „Gumą do majtek rozwalonych instalacji nie połączę". Notabene gumy też brakowało. Sytuacja w energetyce znalazła się na krawędzi możliwości produkcyjnych. Coraz bardziej stawało się jasne, że bez środków nadzwyczajnych energetyka tej zimy nie przetrzyma.

Dziś cały ten problem przestał istnieć, choć wydobycie węgla wyniosło w 1991 roku już tylko 140,3 mln ton. Recesja gospodarcza, głęboki spadek produkcji przemysłowej zdegradowały nie tylko rolę węgla, ale i tym samym pozycję braci górniczej.

Po latach sądzę, że polityka energetyczna w tamtych czasach była racjonalna, ale w konsekwencji błędna. Paradoks? Tak. Powiem, dlaczego. Otóż poleciłem za wszelką cenę chronić ludność przed wyłączeniami. Obawiałem się paniki, zakłóceń w gospodarce komunalnej, groźnych następstw w szkołach, szpitalach, żłobkach, zmarnowania zapasów żywności w domowych lodówkach itd. Było to moralnie słuszne, choć psychologicznie błędne. O wyłączeniach prądu dla zakładów wiedziały na ogół tylko ich załogi. Natomiast zwykli mieszkańcy miast żyli w przeświadczeniu, że energetyka funkcjonuje w zasadzie normalnie. Ostrzeżenia nie przekonywały. Kto wie, gdybym zdecydował wówczas, że konieczne są masowe — choćby krótkotrwałe — wyłączenia dla odbiorców indywidualnych, może wpłynęłoby to na zmianę sposobu myślenia, spełniło funkcję ostrzegawczą, nawet terapeutyczną, uświadomiło grozę sytuacji i co nas czeka, jeżeli... Może wpłynęłoby hamująco na przeciwników uchwały 199?

Skutki decyzji gospodarczych ujawniają się z pewnym opóźnieniem. W szczególny sposób dotyczy to produkcji rolnej. Ma ona nie tylko wydłużony cykl, ale nade wszystko jest to cykl naturalny, biologiczny, którego zmienić nie można. Spadek tej produkcji rykoszetem uderzył w nastroje społeczne, w całą gospodarkę. Ziemniaków w roku 1980 zebrano o 40%, a zbóż o 10% mniej, — w rezultacie wyniki hodowli w 1981 roku były fatalne. Sytuacja gospodarcza toczyła się już jak w przyśpieszonym filmie. Mimo że od 1 lipca obowiązywały nowe ceny skupu — wyższe średnio o 64%, to przebiegał on ospale. Praktycznie zanikał. Rynek uległ załamaniu. Pieniądz, który miał trafić na wieś, nie znajdował pokrycia w towarze. Brakowało elementarnych artykułów: wideł, łopat, łańcuchów, butów gumowych, nie mówiąc już o nawozach, środkach ochrony roślin, wreszcie węglu, który był wówczas rozpaczliwie wręcz przez wieś poszukiwany. Groził dalszy spadek produkcji rolnej. Podjęliśmy więc kolejną awaryjną decyzję o tzw. sprzedaży wiązanej. Przypominała ona średniowieczny handel wymienny. Dasz świnię — dostaniesz koło do traktora albo szafę czy np. furgon węgla. Pieniądz przestawał pełnić swą funkcję. Handlowano więc „towarem za towar".

Zdawałem sobie sprawę, że jest to sprzeczne z logiką planowanej, a nawet już częściowo wdrażanej reformy. Zarówno dla „Gewexów", jak i na „sprzedaż wiązaną" dostawy towarów konsumpcyjnych kierowaliśmy w pierwszej kolejności. Tam zaopatrzenie nie mogło się załamać. Wiedziałem, że to dodatkowo ogołaca powszechny rynek. Nie było jednak innego wyjścia.

Na wsi — w owym czasie — nie doszło do większych konfliktów. Napięcie wprawdzie istniało, ale inne były jego przyczyny. Zorganizowane reprezentacje interesów wsi — Zjednoczone Stronnictwo Ludowe, Związek Młodzieży Wiejskiej, „Solidarność" RI, Kółka Rolnicze... — domagały się równorzędnego traktowania wszystkich sektorów, a przede wszystkim parytetu między cenami skupu a cenami artykułów przemysłowych. Wieś powściągliwie reagowała na próby wciągnięcia jej w różnorodne formy protestu. Np. do wezwania „Solidarności" RI, aby nie płacić podatku gruntowego, zastosowało się tylko 24% rolników. Ale chłopi mieli do rządu coraz więcej pretensji. Zarzucali, że tolerujemy strajki w przemyśle, w wyniku czego wieś nie otrzymuje koniecznych towarów. Sprawę ujmowali bardzo prosto. Czy ja mógłbym nie nakarmić konia, krowy, nie zaorać ziemi, pozostawić na polu nie zebrane plony? A dlaczego robotnik może założyć ręce na brzuchu? Z tego rodzaju pytaniami zwracali się do mnie rolnicy z gminy Kałuszyn i z PGR w Mieni w woj. siedleckim, których odwiedziłem 2 listopada podczas jednego z moich wyjazdów w teren.

Rozgoryczenie chłopów było uzasadnione. Pracowali ciężko. Nie mogli pogodzić się z tym, że w miastach odbywają się ciągle festiwale strajkowe. To było sprzeczne z ich moralnością pracy, z ich pojmowaniem sensu starego przysłowia, że „bez pracy nie ma kołaczy". Wieś oczekiwała również, że rząd ukróci różne lokalne kliki, mafie, działalność kacyków, gminnych dygnitarzy, którzy panoszyli się niczym ekonom na dworskim polu. Liczono, że jako generał zrobię z tym porządek. Zdawałem sobie sprawę, że trudno, ażebym jak średniowieczny monarcha mógł „zrobić sprawiedliwość". Jednakże sytuacja na wsi stała się głównym powodem, że w październiku skierowałem tam pierwszy rzut Wojskowych Terenowych Grup Operacyjnych. Ogólną atmosferę pogarszał coraz wyraźniejszy konflikt między miastem a wsią. Niejednokrotnie dochodziło do wstrzymywania przez wojewodów z regionów rolniczych dostaw żywności do wielkich aglomeracji miejskich. To była samowola, niesubordynacja terenowej administracji. Tym razem robotnicy oburzali się i na wieś, i na rząd, że już nawet nie panuje nad swoim aparatem urzędniczym. Robotnicy domagali się żywności, a wieś domagała się cementu, węgla, nawozów sztucznych. Strajkowa gorączka w miastach, w ośrodkach przemysłowych wywoływała i taki właśnie uboczny skutek, o czym dzisiaj już się niemal nie pamięta.

W tym miejscu — dwa słowa o związku potocznie zwanym „Kółkami Rolniczymi". W końcu marca 1981 roku odbył się Krajowy Zjazd Centralnego Związku Kółek i Organizacji Rolniczych. Związek rozszerzył swój program o sprawy społeczne. Przedtem był to tylko związek typowo gospodarczy, a teraz stał się także organizacją o celach społecznych. A więc wyposażono go i w związkowe uprawnienia. Przewodniczącym był Józef Kozioł. Rozsądny, energiczny, doświadczony. Bardzo go ceniłem.

Natomiast wśród „solidarnościowych" działaczy chłopskich rej wtedy wodził Jan Kułaj. Mówiono, że to taki chłopski Wałęsa. Był w swoim czasie rekomendowany i bardzo popierany przez Kościół. Po wprowadzeniu stanu wojennego został internowany. Po interwencji wicepremiera, prezesa ZSL Romana Malinowskiego — zwolniony. Właściwie wyłączył się z działalności związkowej. Miałem okazję poznać go bliżej. W 1986 roku został członkiem Rady Konsultacyjnej przy Przewodniczącym Rady Państwa. Uważałem za bardzo cenne, że znalazł się w niej były przywódca drugiej co do wielkości i znaczenia siły solidarnościowej. Odniosłem wrażenie, że sparzył się na wielkiej polityce. Chce spokojnie prowadzić swe gospodarstwo. Jednocześnie ma poczucie obywatelskiej odpowiedzialności. Dał temu wyraz uczestnicząc aktywnie w działalności Rady Konsultacyjnej.

Rozdział 30

Kolejny próg

W dniach 16-18 października obradowało IV plenum KC PZPR. Odbywało się w trzy miesiące po IX Zjeździe partii, w dziewięć dni po zakończeniu drugiej tury I Zjazdu „Solidarności". W referacie Biura Politycznego Stanisław Kania powiedział: „Generalną ofertę przymierza kierujemy do wszystkich organizacji, środowisk społecznych. Warunek jest jeden — nieprzekraczalny — uznanie nienaruszalności fundamentalnych zasad socjalistycznego porządku konstytucyjnego, dbałość o sojusze. Stoimy na stanowisku, że przy rozwiązywaniu sprzeczności, realnie występujących dziś w społeczeństwie, główną metodą jest dialog i porozumienie". Kania stwierdził też: „Siły antysocjalistyczne, dążąc do realizacji swych politycznych celów, postawiły na katastrofę gospodarczą i rynkową... Dlatego też rząd powinien być wyposażony w prawo i zaufanie naszej partii i społeczeństwa do działań wszystkimi środkami, jakie okażą się niezbędne dla obrony socjalizmu, dla przywrócenia porządku prawnego, dla zatrzymania destrukcyjnych procesów w gospodarce narodowej". Mocne słowa.

Kania był od pewnego czasu coraz mocniej krytykowany. Na IV plenum m. in. mówiono: „Według szeregowych członków partii naszemu kierownictwu brakuje zdecydowanej koncepcji wyjścia z kryzysu politycznego i gospodarczego. Dotychczasowe działania są akcyjne i niewiarygodne"; „Zdecydowanie krytycznie oceniamy działania kierownictwa naszej partii, Biura Politycznego w przedmiocie realizacji postanowień IX Zjazdu"; „Działalność I sekretarza musi być energiczna, skuteczna". Takich, personalnie adresowanych akcentów, było zresztą więcej. Temperatura dyskusji była bardzo wysoka. Niewątpliwie, wpływ na to miał swego rodzaju szok, jakim był dla partii przebieg zjazdu „Solidarności". Ponadto w połowie października ruszyła kolejna fala strajków. Byliśmy wobec nich bezradni.

Szczególnie trudna w tych warunkach była sytuacja I sekretarza KC. Od sierpnia 1980 roku Kania z uporem i determinacją kształtował i realizował ówczesną linię partii. Bronił jej przed naciskami z lewa i z prawa. Stał twardo na gruncie rozwiązywania naszych polskich problemów własnymi metodami. To była ciężka droga. Były na niej osiągnięcia, ale również słabości. Znam to dobrze, bo szliśmy razem, noga w nogę.

Kania zasługuje na szczere uznanie. Mimo iż przez większą część swego życia działał w aparacie — najpierw młodzieżowym, a później partyjnym — potrafił patrzeć szerzej, uznać błędy systemu, stanąć na czele dokonujących się przemian. Mądry, rzeczowy, konkretny. Z natury twardy i uparty, ale zarazem pogodny, bezpośredni, skromny. Budził sympatię i zaufanie.

Widziałem, jak się miotał. Ze swoim hasłem „będziemy bronić socjalizmu jak niepodległości" — pilnie strzegł dominującej pozycji partii oraz jej wewnętrznej spoistości. Jednocześnie był orędownikiem porozumienia, reform, odnowy. Tworzyło to wówczas mieszankę trudną do pogodzenia. Bał się wybuchu społecznego, ale nie bardzo wiedział, jak lawinę wydarzeń zahamować, jak jej zapobiec. Kilkanaście lat pracował na stanowisku kierownika Wydziału Administracyjnego KC, a następnie sekretarza KC, zajmując się głównie problemami resortu spraw wewnętrznych oraz Kościoła — dało mu to duże doświadczenie. Ukształtowało jednak nawyk, czy raczej przekonanie, że wiele można załatwić kameralnie, tzw. sposobem. W okresie „burzy i naporu" ta metoda stawała się coraz mniej skuteczna. Kania głęboko przeżywał, że niewątpliwy sukces IX Zjazdu, do którego tak zasadniczo się przyczynił, nie przynosi oczekiwanych efektów, że z dnia na dzień rozmywa się w fali napięć, strajków, niepokojów. Przyszedł więc taki moment, gdy nie mógł już pozyskać znacznej części partyjnej bazy. Jego zapewnienia przestały przekonywać sojuszników. Nie znajdował również pożądanego odzewu wśród opozycji. Po prostu wyczerpywały się jego możliwości, potencjał kierowniczy. Sytuację dramatycznie zaostrzył zjazd „Solidarności". Naciski radzieckie wzmogły się jeszcze bardziej. To wszystko wpłynęło na ogromne, prawie nie do wytrzymania przeciążenie psychiczne. Praca w stałym napięciu, codzienna szarpanina — osłabiły jego odporność. Stan ten z różnych przyczyn niepokojąco się pogłębił. W ostatnich tygodniach dochodziło do tego, że po południu często był po prostu niezdolny do pracy. Rodzina, przyjaciele, współpracownicy bardzo się o niego niepokoili.

Wracam do plenum. Dyskusja — można powiedzieć — przelewała się przez brzegi. Presja na kierownictwo partii, na I sekretarza była bardzo duża. W tej sytuacji Biuro Polityczne na zwołanym pilnie posiedzeniu uznało za celowe zorganizowanie swego rodzaju konsultacji w roboczym trybie. Członkowie KC podzieleni zostali — jeśli pamiętam — na dziesięć zespołów, grup. Każdej z nich przewodniczył jeden z członków kierownictwa partii. Dyskusje były rozwichrzone, dominowało rozczarowanie dotychczasową działalnością kierownictwa i I sekretarza. Jako kandydata na to miejsce wymieniano na ogół mnie, choć padały i inne nazwiska, m.in. Olszowskiego.

W tej sytuacji Kania zgłosił rezygnację. Poddano ją pod głosowanie. Kiedy obliczano wyniki, siedziałem z nim w gabinecie I sekretarza. Był bardzo przejęty. Wreszcie przyszedł z informacją przewodniczący Komisji Skrutacyjnej, gen. Franciszek Księżarczyk. Rezygnacja została przyjęta 104 głosami przy 79 przeciwnych.

Przyszła pora na moją decyzję. Jaka być mogła i jaka być powinna? W tym miejscu przypomnę posiedzenie Biura Politycznego z 5 września 1980 roku. Gierek zachorował. Spotkaliśmy się więc, aby przedyskutować, kto powinien zostać I sekretarzem. Kania w swej książce „Zatrzymać konfrontację" pisze: „Wymieniono moje nazwisko. Ja zgłosiłem kandydaturę Wojciecha Jaruzelskiego, bo uważałem, że jest lepiej przygotowany do tej roli. Wyraził on sprzeciw i jeszcze raz poparł moją kandydaturę".

Istotnie, tak wówczas postąpiłem. Było to w kilka dni po tym, jak porozumiał się „Polak z Polakiem". Gdy jeszcze świeże było hasło „Socjalizm — tak, wypaczenia — nie". Gdy wezwanie „Do roboty!" budziło nadzieje na przyszłość. Gdy partia była, co prawda już nie „zwarta i gotowa", ale jeszcze silna.

A jak było teraz — 18 października 1981? Wszystko na odwrót. Polak z Polakiem biorą się za łby. Robota wygasa. Partia pogruchotana. I na dodatek sąsiedzi...

W tej sytuacji zwykły instynkt samozachowawczy podpowiadał: funkcji I sekretarza nie przyjmować. Tym bardziej że odmówiłem w znacznie korzystniejszych okolicznościach. Jak już wspominałem, długo też opierałem się przed przyjęciem stanowiska premiera. Tym razem podjąłem decyzję szybciej. Miałem świadomość, jaki ciężar biorę na swe barki. Ale nie mogłem go nie podjąć. W tej sytuacji byłby to oportunizm, wręcz tchórzostwo.

Być może zabrzmi to nieskromnie — ale w ówczesnej sytuacji miałem chyba największe szanse, aby sprostać oczekiwaniom. Nie oznaczało to zmiany kursu. Znamienne, iż rekomendował mnie w imieniu Biura Politycznego człowiek otwarty, główny sygnatariusz porozumienia szczecińskiego ze strony rządu — Kazimierz Barcikowski. Że zostałem wybrany przez Komitet Centralny tylko przy czterech głosach sprzeciwu. Że w dokumentach końcowych plenum: uchwale oraz apelu „Do ludzi pracy miast i wsi" — wzywano społeczeństwo do powstrzymania niebezpiecznego biegu wydarzeń. Wysunięto też koncepcję „frontu narodowego porozumienia i współpracy". Sądzę wreszcie, że całej partii, jej politycznym sojusznikom i znacznej części społeczeństwa ta decyzja dawała poczucie większej stabilności. Był to także sygnał dla ówczesnej opozycji. Na czele partii stanął ktoś, kto ma silne zaplecze, a jednocześnie konkretną ofertę dialogu i porozumienia.

Dobrze mój wybór przyjął zarówno prymas Polski — Józef Glemp, jak i przewodniczący „Solidarności" — Lech Wałęsa. Obydwaj przebywali wówczas za granicą. Prymas w Rzymie, Lech Wałęsa w Paryżu. Ciepło przyjąłem słowa prymasa: „Niech mu Bóg błogosławi" oraz Wałęsy: „Trudno wprawdzie powiedzieć, co wydarzy się jutro, ale na pewno możemy się porozumieć jak Polak z Polakiem, tym bardziej że mnie samemu dotąd dobrze się z gen. Jaruzelskim rozmawiało". Publikowała te wypowiedzi prasa.

Wspominałem już o książce Kani „Zatrzymać konfrontację". Jest to w zasadzie jego polityczny autoportret. Swoje wspomnienia doprowadził do momentu odejścia ze stanowiska I sekretarza. Kania utrzymuje, że dopóki stał na czele partii, nie widział konieczności wprowadzenia stanu wojennego. To prawda. Wciąż liczyliśmy na polityczne rozwiązania, na porozumienie. Te nadzieje były żywe jeszcze przez dwa miesiące po odejściu Kani. Jeśli ktoś próbuje go dzisiaj sytuować na innym politycznym biegunie, popełnia ciężki błąd. Co więcej, stawia Kanię w pozycji dwulicowca, człowieka bluffu — który grzmiał, mówił o „wszystkich środkach, jakie okażą się niezbędne...", dawał w tej materii konkretne wytyczne — a po cichu myślał o kapitulacji.

Znam partyjną pryncypialność Kani, jego obawy przed katastrofą gospodarczą oraz zewnętrzną interwencją. Jestem więc przekonany, iż w realnej sytuacji 12 grudnia rozumowałby i postąpił podobnie jak ja. Przecież już 2 września na III plenum powiedział: „Nasi wrogowie głoszą, że władza na pewno nie wprowadzi stanu wyjątkowego w Polsce. Chciałbym z całą mocą i spokojem oświadczyć, że dla obrony socjalizmu władza sięgnie po wszelkie środki, jakie się okażą niezbędne".

Przyznam, że nie czułem się najlepiej na stanowisku I sekretarza. W tym względzie miał rację Jan Lityński, kiedy w „Przeglądzie Tygodniowym" napisał o mnie: „Jest to człowiek głęboko rozdarty, który ma ciągle poczucie, że nie jest na swoim miejscu". Kiedy kieruje się partią, trzeba dobrze czuć jej wnętrze. Kania pod tym względem miał wyraźną przewagę. On wyrastał w aparacie. Choć może z tego powodu było mu i trudniej, bo nieraz trzeba pójść przeciwko swoim. Ale ich znał. Praca wewnątrzpartyjna była bardzo ważna. Kontakt z aparatem, z I sekretarzami komitetów wojewódzkich, z którymi należało rozumieć się w pół słowa. Ja nie potrafiłem nawiązać tego, nazwijmy to — intymnego kontaktu — uzyskać pełnego wzajemnego zrozumienia i zaufania. Wiedziałem, że na korytarzach K C aż się kłębi od różnych pryncypialnych zaklęć przeciwko nie dość stanowczej polityce I sekretarza. Oczywiście, zbyt uogólniam, bo były i pozytywne przykłady. Poza tym nie chcę sprowadzać wszystkiego do partyjnej technologii. Niewątpliwie jednak trzeba było zrobić znacznie więcej. Zwłaszcza gdy się głosiło hasło: „Partia ta sama, ale nie taka sama" czy też, że partia musi spełniać rolę służebną. Przez całe dziesięciolecia mówiono przecież tylko o kierowniczej i przewodniej roli. Należało to odwrócić. No cóż, łatwo powiedzieć, trudniej wykonać. Rządzenie stało się drugą naturą partii, a właściwie jej instancji, jej aparatu. Głęboko zakorzeniło się przekonanie, że skoro jest siłą kierowniczą — to ma prawo wszechwładnie rządzić — i koniec! Pozostałe zadania stawały się więc niejako wtórne, wspomagające. A więc silna partia bardziej jako cel sam w sobie niż instrument rozwiązywania problemów narodu i państwa. Nie będę tego rozwijał. To temat sam w sobie. Klęska realnego socjalizmu — to przede wszystkim klęska doktryny i praktyki „kierowniczej roli".

Partia była społecznie lewicowa, ale w sferze nadbudowy miała w sobie wiele prawicowości. Gdyby system był bardziej demokratyczny — mógłby przetrwać. Ja w szansę takiego właśnie demokratycznego, humanistycznego socjalizmu wierzyłem i wierzę.

A poza wszystkim — wielkim błędem politycznym, psychologicznym, semantycznym było nazywanie na wyrost socjalizmem tego, co nosiło tylko niektóre jego cechy. Stąd i większe rozczarowanie. Karel Čapek powiedział: „Chcę wierzyć politykom, jak kolei, że dowiezie mnie do stacji, do której wykupiłem bilet". Partia nie dowiozła społeczeństwa do stacji „socjalizm". Dokąd dojedziemy z biletem wykupionym 4 czerwca 1989 roku?

W tamtych czasach w umysłach członków partii teoretyczne problemy schodziły na dalszy plan. Dominowały kwestie pragmatyczne, które przynosił każdy dzień. Wśród nich spore znaczenie miało swoiste misterium kadrowe, dla otoczenia często niezbyt czytelne, niezrozumiałe. Starałem się to zmienić, m.in. wprowadzając niektóre doświadczenia z wojska. Do końca nie wiem, czy było to słuszne, a zwłaszcza efektywne. W każdym razie nieraz z dużym opóźnieniem pojmowałem te różne gry, podteksty, układy itd. Można mi postawić zarzut braku wyobraźni. Są ku temu podstawy. Zwłaszcza że wielu ludzi skrzywdzono. Cokolwiek by zrobili, cokolwiek by powiedzieli, jeśli zakwalifikowano ich negatywnie — nie było odwrotu. Byli źli. Jeśli natomiast uznano ich za naszych — to z reguły byli dobrzy. Dzisiaj, kiedy poznałem wielu ludzi bliżej, okazuje się, że częstokroć należałoby zupełnie inaczej ułożyć sympatie i antypatie. Nie ukrywam, że była to słabość i systemu, i kierowniczego działania. Obecnie — co, oczywiście, minionej formacji nie usprawiedliwia — nie tak wiele się zmieniło. Nadal „oni", „my", „nasi", „wasi" wyznaczają kadrowe preferencje lub wyroki. Prezydent Theodore Roosevelt, kiedy przekonywano go, że nie należy popierać jakiegoś przywódcy południowoamerykańskiego, bo to łajdak i świnia, podobno odpowiedział: „Prawda, ale to nasza świnia". Przywiązanie do swoich ciążyło w sposób szczególny i na nas, i na „Solidarności".

Po wyborze na I sekretarza poprosiłem o godzinną przerwę. Nie byłem przecież przygotowany, musiałem wygłosić przemówienie niejako „z marszu". Nie miało zatem charakteru programowego. Wystarczyła zresztą uchwała. Podtrzymałem więc ofertę porozumienia. Jednocześnie oświadczyłem: „Nigdy nie szukaliśmy, co więcej, zawsze unikaliśmy konfrontacji. Dziś też nie dążymy do niej. Jedno jest jednak pewne, że możliwości odwrotu zostały już wyczerpane".

To miało uspokoić partię oraz sojuszników, zaś ostrzec opozycję. Jak niedaleka przyszłość dowiodła — ani uspokoiło, ani ostrzegło.

Doszedł wprawdzie do mnie sygnał, że Wałęsa chce się ze mną spotkać. Uważałem jednak, iż taka rozmowa w cztery oczy powinna być poprzedzona roboczym kontaktem z Rakowskim — przewodniczącym rządowej Komisji do Spraw Związków Zawodowych, którego „Solidarność" wówczas unikała. Ponadto znana już była decyzja KK o powszechnym strajku ostrzegawczym. W takich okolicznościach celowość spotkania wydawała się wątpliwa. Być może nie miałem racji. Chociaż odbyte wkrótce, ważniejsze przecież, „spotkanie trzech" nie przyniosło, niestety, oczekiwanych rezultatów. Jak na ironię — w dniu V plenum — 28 października odbył się zmontowany przez Komisję Krajową „Solidarności" powszechny strajk ostrzegawczy. Na tym plenum znów mówiłem: „W imię najwyższego dobra, w imię ocalenia narodu partia wzywa «Solidarność», jej realistyczne siły, do konstruktywnego podejścia, do przerwania strajków, do zaniechania nie kończącej się negacji. Czasu pozostało niewiele. Ta blokada musi być zdjęta". Ale jednocześnie: „...generalna linia wytyczona przez IX Zjazd jest słuszna i trwała, sprawą zaś zasadniczą — jej konsekwentne i skuteczne wdrażanie".

Rozdział 31

Spotkanie trzech

30-31 października odbyło się posiedzenie Sejmu. Poprzedzające je 12 dni to dwa plena KC — IV i V. Dziesiątki, setki lokalnych strajków, akcji protestacyjnych, spięć i zaburzeń. Wreszcie 28 października powszechny jednogodzinny strajk ostrzegawczy.

A ja już jestem I sekretarzem KC. Mam niby pełnię władzy, wiele ode mnie się oczekuje. Faktycznie niewiele mogę. „Ręce za krótkie". Czułem się więc fatalnie. Jednak nie dałem tego poznać po sobie.

W wystąpieniu sejmowym scharakteryzowałem sytuację społeczną, polityczną, gospodarczą. „Kraj znalazł się w punkcie krytycznym. Postępuje degradacja gospodarki, struktury państwa rozsadzane są od wewnątrz (...) Samowola, łamanie prawa, strajkowe szaleństwo staje się stylem życia (...) Coraz częściej w polskich rodzinach gości niedostatek, poczucie bezsilności i strach przed tym, co przyniesie jutrzejszy dzień. Tak dłużej żyć nie można. Jak długo jeszcze można mnożyć apele i wezwania, perswazje i ostrzeżenia? Ile jeszcze razy można deklarować gotowość porozumienia, dialogu i konstruktywnej współpracy?"

Otrzymałem w tym czasie mnóstwo rezolucji, próśb, wezwań, aby rząd skutecznie przeciwstawiał się tej — jak to określiłem w swoim wystąpieniu — „bratobójczej wojnie nerwów". Powiedziałem również, że niektóre, skrajne ogniwa „Solidarności" tworzą faktyczną kontrwładzę. Nadużywają zaufania licznych rzesz członkowskich, które w większości nie zdają sobie sprawy, w jaką wciąganą są grę. Uprzedzałem — kto sieje wiatr, może zebrać burzę.

Konwent Seniorów skierował pod obrady Sejmu projekt uchwały w sprawie zaniechania akcji strajkowych. Zapowiedziałem — jeśli uchwała, którą Sejm zamierza podjąć, nie będzie respektowana, zwrócę się w trybie pilnym o nadanie legislacyjnego biegu rządowemu projektowi ustawy o nadzwyczajnych środkach działania w interesie ochrony obywateli i państwa.

Ideałem byłaby szeroka formuła porozumienia. Widziałem jej realizację niejako na kilku płaszczyznach. Proponowałem więc utworzenie Rady Porozumienia Narodowego oraz Społecznej Rady Konsultacyjnej przy Prezydium Rządu. Także po raz kolejny zgłosiłem inicjatywę powołania stałej komisji mieszanej, złożonej z przedstawicieli rządu i wszystkich związków zawodowych.

Szczególną nadzieję wiązałem z Radą Porozumienia Narodowego. Miało ją poprzedzić powołanie komisji, grupy inicjatywnej. W wyniku roboczych uzgodnień wyłoniłby się skład Rady. To gremium mogłoby już w pełni odzwierciedlić zróżnicowanie naszego społeczeństwa. Z kolei Rada opracowałaby koncepcję i program Frontu Porozumienia Narodowego.

Zaproponowaliśmy, ażeby grupa inicjatywna składała się z siedmiu osób. Po jednej z PZPR, ZSL i SD, następnie z NSZZ „Solidarność", z branżowych związków zawodowych, wreszcie przedstawiciela kół zbliżonych do Kościoła oraz reprezentanta środowisk naukowych i kulturalnych, niewątpliwie związanych też z orientacją „Solidarności". Ten podział o niczym zresztą nie przesądzał. Grupa inicjatywna działałaby bowiem na zasadzie consensusu, a więc na podstawie ustaleń zaakceptowanych przez wszystkich. To miał być dopiero wstępny krok.

Choć ta procedura wydawała się na pierwszy rzut oka skomplikowana — w istocie była prosta. Zasadniczym rezultatem miało być powołanie Rady. Nie byłoby to ciało fasadowe, jak później próbowano imputować. Miała to być poważna, reprezentatywna instytucja społeczno-polityczna. Na jej forum byłby prowadzony niczym nie skrępowany dialog, poszukiwano by rozwiązań odpowiadających wyzwaniom czasu. Zakładaliśmy, że Rada będzie ciałem opiniodawczym, wyposażonym jednak w inicjatywę ustawodawczą.

Z trybuny Sejmu skierowałem zaproszenie do ZSL, SD, związków zawodowych, organizacji społecznych, naukowych, twórczych. Podkreśliłem, że liczę na poparcie tej inicjatywy ze strony kierownictwa Kościoła. Zresztą już wcześniej przystąpiłem do rozmów. 21 października spotkałem się z księdzem prymasem Glempem, który do tej idei odniósł się pozytywnie. Przeprowadziłem całą serię spotkań: z prezesem NK ZSL — Stefanem Ignarem, przewodniczącym CK SD — Edwardem Kowalczykiem. Rozmawiałem z kierownictwem ZBoWiD, ZNP, Ligi Kobiet, z przewodniczącymi organizacji młodzieżowych — ZSMP, ZHP, SZSP, ZMW, ZMD.

Wreszcie z różnymi osobami o wysokim społecznym autorytecie. Wystarczy sięgnąć do gazet z tamtego okresu — łatwo skompletować długą listę z Aleksandrem Gieysztorem na czele.

Odbiegnę w tym miejscu od tematu, bo nadarza się okazja, aby powiedzieć kilka zdań o ówczesnym Związku Bojowników o Wolność i Demokrację — organizacji, jako kombatantowi, bardzo mi bliskiej.

W związku z 42. rocznicą wybuchu drugiej wojny światowej miałem liczne kontakty z tym środowiskiem. 28 sierpnia spotkałem się z generałem Janem Mazurkiewiczem — „Radosławem", z okazji 85. rocznicy jego urodzin. Nasza rozmowa była pełna troski o kraj. W tym duchu przebiegło też spotkanie z innymi kombatantami. Wielu z nich udekorowałem medalem za udział w wojnie obronnej 1939 roku. Wśród odznaczonych znaleźli się żołnierze wszystkich frontów, między innymi: major Leon Pająk — obrońca Westerplatte, ksiądz Stanisław Owczarek — kapelan września 1939 roku, Witold Łokuciewski — pilot, uczestnik bitwy o Anglię, Kazimierz Rusinek z gdyńskich Czerwonych Kosynierów, Paweł Dąbek — żołnierz AL i Lesław Bartelski — akowiec z Powstania Warszawskiego. Przy tej okazji spotkałem się też z generałem Franciszkiem Skibińskim, wybitnym dowódcą z okresu Września oraz walk na Zachodzie, i wreszcie z generałem Berlingiem, moim pierwszym najwyższym dowódcą. Wszyscy wyrażali ogromny niepokój. Chociaż wywodzili się z różnych nurtów, stali na gruncie stabilności państwa. Sprzeciwiali się anarchii. W wielu rozmowach wyczuwałem zdziwienie, że będąc premierem toleruję taki właśnie stan rzeczy.

18 września ZBoWiD ogłosił „Apel do narodu" zawierający takie zdania: „Jest jeszcze czas i szansa na osiągnięcie porozumienia, którego nadrzędnym celem (...) będzie wyciągnięcie kraju z kryzysu ekonomicznego i politycznego. Przestrzegamy przed realną groźbą całkowitego rozpadu naszej gospodarki, walk wewnętrznych i izolacji naszego państwa..."

Nie było to pierwsze wezwanie pochodzące ze środowiska kombatanckiego. 25 lipca Rada Główna i Prezydium ZG ZBoWiD ogłosiły deklarację zawierającą poparcie dla uchwał IX Zjazdu PZPR. Jego główny fragment brzmiał: „Aby Polska była Polską — musi być Polską socjalistyczną, związaną braterskim sojuszem ze Związkiem Radzieckim i innymi państwami socjalistycznymi".

Sądzę, że w tym miejscu powinienem pozwolić sobie na małą dygresję. Włodzimierz Sokorski, którego w kilka lat później awansowałem do stopnia generała brygady, w 1981 roku był prezesem Zarządu Głównego ZBoWiD-u. Nie bez jego wiedzy i woli w deklaracji znalazł się passus: „Dumni z materialnego i duchowego dorobku Polski Ludowej, zawsze gotowi do jego obrony, występujemy o zbudowanie Pomnika Poległych w Walce z Przeciwnikami Ludowego Państwa Polskiego w pierwszych latach po zakończeniu II wojny światowej". Sokorski przyczynił się więc do budowy tego pomnika, a potem „zdradziwszy komunizm" — jak napisał we własnej książce — do jego rozwalenia. I takich paradoksów dostarczała nam historia.

Sprawie porozumienia, popularyzacji tej idei, poświęciłem dużo czasu. Podobnie moi współpracownicy. Listopad był aż gęsty od różnych spotkań i rozmów. Równolegle rozwijała się ofensywa „na dole" — w różnych środowiskach. Reakcje stronnictw, stowarzyszeń, związków branżowych i autonomicznych były pozytywne. Tzw. liberalne skrzydło partii powitało tę ideę wręcz entuzjastycznie. Wreszcie, co szczególnie ważne, żywy był rezonans społeczny. Miałem więc podstawy, aby liczyć, że jest to realna droga do wyjścia z labiryntu. Zewsząd dochodziły zachęcające echa. Z jednym wyjątkiem. Ze strony „Solidarności" panowała zadziwiająca cisza. Ani z górnych pięter związku, ani z jego terenowych ogniw nie nadano sygnałów, które by świadczyły o zainteresowaniu. Słychać było co najwyżej marginalne, sceptyczne uwagi. Oznaczało to coś niedobrego. Zaproponowana koncepcja porozumienia rozmijała się najwyraźniej z oczekiwaniami i planami działaczy związku.

A sytuacja gospodarcza pilnie wymagała konkretnych, stabilizujących rozwiązań. Stało się to naszym „być albo nie być". Społeczeństwu groziły niewyobrażalne cierpienia, zwłaszcza w obliczu nadchodzącej zimy. Zapobiec temu można było tylko dwoma sposobami. Właśnie porozumieniem i wzmożoną pracą lub posunięciami nadzwyczajnymi, dyscyplinującymi.

Nie dostrzegam więc sprzeczności między koncepcją budowania porozumienia a faktem, że w Sejmie złożony został projekt ustawy o nadzwyczajnych pełnomocnictwach. Wszystko było jasne i jawne. Zaproponowałem spotkanie trójki: Glemp—Wałęsa—Jaruzelski. Z dużą nadzieją przystępowałem do tych rozmów. Znałem intencje prymasa. Liczyłem też na zrozumienie ze strony przewodniczącego NSZZ. Była nadzieja, że wynegocjujemy swego rodzaju „domową rewolucję polityczną".

W roboczym trybie uzgodniono termin spotkania na 4 listopada. Nie pamiętam, o której rozpoczęło się godzinie, ale było już ciemno, listopadowy wieczór. Do rządowej willi przy ulicy Parkowej prymas i przewodniczący przyjechali razem. Musiało więc dojść do wyprzedzającej rozmowy przy ulicy Miodowej. To dobry znak, pomyślałem. Doceniałem rolę Kościoła jako mediatora i moderatora. Usiedliśmy; kawa, herbata, jakieś kruche ciasteczka. Na ogół nie rozpieszczałem swych gości. Podziękowałem za przyjęcie zaproszenia.

Scharakteryzowałem sytuację w kraju. Przede wszystkim rozkład gospodarki. Przyczyny obiektywne, ale głównie subiektywne. Ostra walka polityczna, przejawy anarchii, rozhuśtane nastroje społeczne. Zrezygnuję z szerszego omawiania tego wywodu. Przedstawiłem ocenę zbliżoną do tej, z którą przed kilkoma dniami wystąpiłem w Sejmie.

Silny akcent położyłem na problemy zewnętrzne. Te rysowały się groźnie. Płynęły do nas różnego rodzaju ostrzeżenia i protesty, między innymi związane z niedotrzymywaniem przez Polskę umów handlowych, z nasileniem antyradzieckich ekscesów, z osłabieniem sojuszniczej wiarygodności. Poinformowałem o niebezpieczeństwie radykalnego ograniczenia dostaw. Moi rozmówcy z całą powagą przyjmowali te informacje. Doceniali trudności i zagrożenia. Ale Wałęsa główne przyczyny widział przede wszystkim w starych i nowych grzechach władzy. Te ostatnie to zbyt wolne wdrażanie reformatorskich rozwiązań, niechętny stosunek do „Solidarności", zwłaszcza na niższych szczeblach administracji.

Nie negowałem tych zarzutów, znałem je również z innych źródeł. Zwróciłem jednak uwagę, że w systemie sprawowania władzy zachodzą pozytywne zmiany. Od reform nie ma odwrotu. Wola ich kontynuacji została dobitnie potwierdzona na IX Zjeździe. Zachowawcze postawy w partii i ekstremalne tendencje w „Solidarności" żywią się wzajemnie. Mógłbym wskazać wiele przykładów, jak rządowi, zwłaszcza w sferze gospodarczej, rzuca się kłody pod nogi. To prawda, że w organach władzy są jeszcze nieodpowiedni ludzie. Krok po kroku ich eliminujemy, ale i w „Solidarności" też nie same anioły. Nawet w kierowniczych gremiach zdarzają się osobnicy „nawiedzeni", o psychopatycznych odchyleniach. Jeśli więc oczyszczać kadry, to jedni i drudzy.

Prymas wykazał zrozumienie dla racji obydwu stron. Z właściwym sobie spokojem mówił, co powinno łączyć, służyć ugodzie, porozumieniu. Ale stwierdził też: „Panie premierze, biskupi i księża informują, że duża część ludzi władzy działa nadal starymi metodami". Z kolei zwracając się do przewodniczącego powiedział, że postawa części działaczy „Solidarności" budzi różne zastrzeżenia, w tym także moralne. Między innymi wskazał na rozwodników.

Wałęsa potwierdził, że trzeba szukać wyjścia z tej sytuacji. Nie chcemy obalać władzy, ustroju, podważać sojuszy. Ale są gorące głowy, są ludzie, którzy doznali różnych krzywd, reagują więc na układy miejscowych władz. „Solidarność" to szeroki, zdecentralizowany ruch. Nie zawsze można nad nim zapanować. Władza w większym stopniu powinna wpływać na swoją bazę. Ale przede wszystkim ludziom żyje się ciężko.

Podczas tej rozmowy, podobnie jak w wielu innych, prowadzonych na różnych szczeblach, zarzucano nam, że źle rządzimy. Ludzie stoją w kolejkach, fatalne jest zaopatrzenie, brakuje wielu towarów. My z kolei podkreślaliśmy, że dzieje się tak dlatego, ponieważ „Solidarność", pomimo wcześniejszych obietnic i zobowiązań, utrudnia procesy gospodarcze (między innymi sprawa wydobycia węgla), destabilizuje społeczną i produkcyjną dyscyplinę. Krążyliśmy w obrębie wzajemnych pretensji, w poczuciu, że właściwie nikt z nas nie dysponuje możliwościami, ażeby tę sytuację zasadniczo zmienić. Kwadratura koła. Przełamać ją mogliśmy tylko wszyscy razem. Ale jak? Wzajemna nieufność, podejrzliwość radykalizującej się coraz bardziej bazy — „Solidarności", jak i władzy — utrudniały kompromisowe rozwiązanie.

Mimo to wszyscy trzej uznaliśmy za niezbędne znalezienie jakiejś płaszczyzny, na której można byłoby budować porozumienie w sprawach kluczowych dla kraju. A więc — Rada Porozumienia Narodowego. Prymas z większą, a przewodniczący z mniejszą aprobatą przyjęli tę inicjatywę. Zastrzeżenia wywołała głównie obawa, czy Rada nie stanie się jakąś odmianą Frontu Jedności Narodu.

Wałęsa ponadto zauważył, że lepiej byłoby najpierw rozwiązać sporne problemy, a dopiero później zacząć budować tę instytucję. Starałem się wyjaśnić swoje intencje. To nie może być fikcja, bo fikcje niczego nie rozwiążą. Polska znajduje się na skraju katastrofy. Aby jej zapobiec, konieczne jest rzeczywiste, partnerskie współdziałanie wszystkich liczących się sił. Ubolewam, iż dotąd, w wyniku oporów ze strony „Solidarności", nie udało się zgromadzić przy wspólnym stole nawet przedstawicieli wszystkich związków zawodowych. Właśnie brak autentycznego dialogu nie pozwala rozwiązać wielu kontrowersyjnych spraw. Bardziej logiczna jest więc kolejność — stworzenie odpowiedniego forum, a następnie wykorzystanie go dla koniecznych uzgodnień i rozwiązań.

Zaproponowałem powołanie grupy, komisji inicjatywnej, która przedstawiłaby odpowiednie propozycje co do składu Rady Porozumienia oraz ewentualnych dalszych działań. Ze strony władzy gotów do kontaktów jest Kazimierz Barcikowski. Prymas ze strony kościelnej wymienił biskupa Bronisława Dąbrowskiego. Wałęsa nie mógł w tym momencie zaproponować przedstawiciela „Solidarności". Wówczas wydawało mi się to dziwne. Wkrótce jednak zrozumiałem przyczyny jego rezerwy. W chwili „spotkania trzech" nie miał już zbyt mocnej pozycji w kierownictwie związku. Miał więc w jakimś sensie związane ręce. W Gdańsku żegnały go słowa Jana Rulewskiego: „Jedziesz z prezentem do pana premiera — Żyrardów, Tarnobrzeg, a może i Zielona Góra". Rulewski miał na myśli to, że Wałęsa chciał uśmierzać akcje strajkowe. A ważne jest to, aby te strajki trwały i dawały pozycje przetargowe. Wałęsa — jak pisze we wspomnieniach — replikował: „Moja głowa spadnie od ich ciosu albo od twojego, Jasiu". Jan Łużny proponował, żeby Wałęsa w ogóle nie jechał: „Niech Jaruzelski do nas przyjedzie". Zygmunt Rolicz sugerował nawet zmianę przewodniczącego. Za swój umiarkowany kurs Wałęsa zapłacił nie tylko nikłym zwycięstwem w wyborach na funkcję przewodniczącego, ale także wzmagającym się w radykalnych kręgach związku oporem przeciwko polityce dialogu i kompromisu.

W swej książce „Droga nadziei" Wałęsa przyznaje, że w Komisji Krajowej kwestionowano w ogóle prawo przewodniczącego „Solidarności" do rozmów ze mną. Uważano, że może przedstawiać wyłącznie opinie uzgodnione w Komisji. A tych uzgodnień nie było. Kiedy wracał do Gdańska, Komisja Krajowa podjęła uchwały stawiające pod znakiem zapytania sens dopiero co odbytej rozmowy, w tym grożąc strajkiem generalnym. 5 listopada rano minister Kuberski, który przybył na lotnisko, aby pożegnać prymasa udającego się do Rzymu, powiadomił o niepokojących sygnałach z Gdańska. Prymas był zaskoczony i zmartwiony. Chciał coś zrobić, ale do odlotu pozostało zaledwie 20 minut. Pomógł przypadek. Mgła opóźniła odlot samolotu o dwie godziny. Prymas wrócił szybko do rezydencji. Nadał do Wałęsy telegram dziękując mu za „obecność i rozmowę w Warszawie". Przyczyniło się to do złagodzenia treści ostatecznego komunikatu z posiedzenia Komisji Krajowej. Nie poskromiło jednak jej wojowniczego ducha.

Mimo tych niepomyślnych sygnałów przystąpiłem do kolejnej tury konsultacji. Kościół przedstawił propozycję swojego reprezentanta w komisji inicjatywnej; miał nim być Andrzej Micewski. Ze strony ZSL — Bolesław Strużek, z SD — Jan Paweł Fajęcki, ze środowisk naukowych — Aleksander Gieysztor. Od nas miał być Barcikowski. Ale te personalne propozycje ciągle się zmieniały. Krążyły różne nazwiska. Na przykład, ze strony Kościoła, już z myślą o przyszłej Radzie, jej statusie i programie, również nazwiska: Stanisława Stommy, Andrzeja Wielowieyskiego, Stefana Sawickiego, Michała Pietrzaka, Jerzego Turowicza. ZSL wnioskował Dyzmę Gałaja.

Natomiast „Solidarność" odwlekała zgłoszenie swego przedstawiciela. Dochodziły głosy, że rozważana jest osoba Jana Olszewskiego. Początkowo sądziliśmy, że jest to kwestia czasu, niezbędnego na uzgodnienia. Dlatego proponowaliśmy rozpoczęcie spotkań grupy inicjatywnej bez udziału reprezentanta „Solidarności", rezerwując dla niego miejsce. Nie uzyskało to jednak aprobaty Kościoła. Później okazało się, że „Solidarność" ma po prostu inną koncepcję. Radę Porozumienia miałyby tworzyć posiadające specjalny status „Solidarność", Kościół, rząd. A w ogóle widać było brak serca do tej inicjatywy. Preferowano raczej powołanie Społecznej Rady Gospodarczej. My z kolei proponowaliśmy Społeczną Radę Konsultacyjną do Spraw Gospodarczych. Byłoby to ciało bardziej robocze, a więc nie zamiast, ale niejako obok Rady Porozumienia Narodowego. W rezultacie, poszukiwania rozwiązań grzęzły coraz bardziej. To była przeklęta logika owego czasu. Baliśmy się wzajemnie przechytrzenia. Niemal każdą propozycję traktowano jak podstęp, próbę osłabienia i wyprowadzenia w pole drugiej strony. Niemniej, mam prawo stwierdzić — władza naprawdę chciała porozumienia. To była nasza szansa, powiedziałbym wręcz: ucieczka od przegranej. Nie mogliśmy jednak z różnych względów — i wewnętrznych, i zewnętrznych — pójść zbyt daleko. To także skończyłoby się klęską. Natomiast „Solidarność" czuła się mocno. Dla niej kompromis ze słabnącym partnerem nie wydawał się dobrym interesem. Wielu radykalnych działaczy liczyło, że władza „spadnie z drzewa jak robaczywe jabłko". Należy tylko potrząsnąć. To właśnie stać się mogło już w drugiej połowie grudnia.

Zarzuca mi się, że idea Rady i Frontu Porozumienia Narodowego była „dość enigmatyczna, bez konkretyzacji struktury i kompetencji owego ciała". Istotnie, struktura nie była określona, a kompetencje tylko w zarysie. Te kwestie miały być wynegocjowane przez przyszłych partnerów. Główną bowiem intencją było powołanie Rady właśnie po to, aby określiła, a następnie realizowała najwłaściwsze formy porozumienia czytelne dla tych, którzy rzeczywiście o porozumieniu myśleli.

Powszechnie uważano tę koncepcję za ważny krok w kierunku ustanowienia pokoju społecznego. Byłem po konsultacjach z ZSL i SD, ze stowarzyszeniami i organizacjami społecznymi, z licznym gronem wybitnych przedstawicieli świata nauki i kultury. Nie mogliśmy zaakceptować stanowiska „Solidarności", które prowadziło do zminimalizowania, a praktycznie wyeliminowania wszystkich innych partnerów rozmów.

Nie należy bowiem abstrahować od realiów tamtego czasu. Sojusznicze stronnictwa uzyskiwały stopniowo polityczną podmiotowość. Przyjęcie koncepcji „Solidarności" oznaczałoby zdezawuowanie naszych politycznych partnerów. Także pozostałych związków zawodowych. Partia miała wobec nich swoje grzechy, tym bardziej więc nie mogła sobie pozwolić na takie warunki.

Był jeszcze jeden aspekt. Otóż „Solidarność", choć była związkiem zawodowym, to na ogół mniej interesowała się problematyką socjalną. Wysuwała zaś coraz częściej na czoło polityczne cele. W tym czasie akcentowała np. sprawy samorządu terytorialnego, wyborów do rad narodowych. A tych kwestii nie można było przecież rozstrzygać w gronie okrojonym z przedstawicieli innych ruchów politycznych. To było oczywiste i mocno podkreślane na posiedzeniu Komisji Współdziałania PZPR, ZSL i SD, które odbyło się 11 listopada.

Było to jedno z najważniejszych posiedzeń tej komisji. Zebraliśmy się w niezwykłej chwili. Ze strony PZPR byli Kazimierz Barcikowski, Zbigniew Michałek, Mieczysław Rakowski i Marian Woźniak. Ze strony ZSL: Roman Malinowski, Józef Kukułka, Ryszard Nowak, Jerzy Szymanek, Waldemar Winkiel. Ze Stronnictwa Demokratycznego: Edward Kowalczyk, Alfred Beszterda, Józef Eljasiewicz, Jan Fajęcki, Józef Musioł, Marek Wieczorek. Widać było w tym szerokim gronie, że zaczyna kształtować się między nami poczucie autentycznego współdziałania. Przedstawiłem dotychczasowe wysiłki na rzecz realizacji idei porozumienia.

Kierownictwa ZSL i SD były bardzo uczulone, ażeby nie znaleźć się na marginesie tej inicjatywy. Roman Malinowski, który zastąpił niedawno Stefana Ignara na czele ZSL, uznał powołanie struktur Frontu Porozumienia Narodowego za sprawę niezwykle pilną. Program stworzony przez Radę byłby programem polskiego kompromisu. Zapewnił, że ZSL zrobi wszystko, co możliwe, aby przyczynić się do sukcesu tego przedsięwzięcia. Również przewodniczący CK SD — Edward Kowalczyk — mocno poparł tę ideę. Zaakcentował zwłaszcza konieczność umocnienia pokoju społecznego, lepszego zrozumienia polskiej racji stanu, a także dotarcia do młodego pokolenia z przekonywającym programem. Wszyscy byliśmy przeświadczeni, że idziemy w dobrym kierunku.

Idea Frontu Porozumienia Narodowego stała się w tym okresie głównym tematem politycznym, przedmiotem ożywionej dyskusji prasowej, a także — w ślad za listem Biura Politycznego do podstawowych organizacji partyjnych — dyskusji wewnątrzpartyjnej. Robiliśmy wszystko, by nadać jej jak największą nośność. Nie powiodło się...

Istotę problemu bardzo klarownie objaśnił Rakowski w obszernej wypowiedzi opublikowanej w „Trybunie Ludu", 1 grudnia. Najpierw trzeba doprowadzić do utworzenia Rady i Frontu Porozumienia Narodowego. Pozwoli to nam wspólnie podjąć i skutecznie rozwiązywać problemy, z którymi się borykamy. Natomiast „Solidarność" chce, aby dopiero rozwiązanie problemów doprowadziło do frontu porozumienia. „Nie wiem — mówił Rakowski — czy jest dobrym objawem patriotyzmu większa dbałość o to, by «Solidarność» nie «umoczyła się» w niepopularne, acz konieczne decyzje, aby związek chronić od współodpowiedzialności — niż troska o kraj i społeczeństwo".

Wcześniej, po objęciu przeze mnie funkcji I sekretarza partii, 19 października odbyło się posiedzenie Rady Wojskowej. Złożono mi gratulacje, życzenia. Podziękowałem, ale bez radości. Wiedziałem, że to znaczy jeszcze większy ciężar. Mówiłem o skrajnie trudnej sytuacji. Uznałem za konieczne szersze włączenie się armii do życia społecznego, gospodarczego, politycznego. Gdy dom płonie — nie może zabraknąć żołnierza. Musimy szukać form, które zostaną społecznie zaaprobowane. Miałem na uwadze przede wszystkim uruchomienie Terenowych Grup Operacyjnych. Rozwój wydarzeń jest bardzo niepokojący. Uchwała IV plenum upoważnia do podjęcia działań, jakie okażą się konieczne. Albo operacja ostateczna, albo inne warianty, które po zaakceptowaniu przez Sejm byłyby zrealizowane. Myślałem o projekcie specjalnej ustawy, dotyczącej zakazu strajków w okresie zimy. „Dbać, aby nie został naruszony autorytet wojska". Dyskusja była gorąca, podobnie jak na poprzednim posiedzeniu.

Potem odbyły się narady z przedstawicielami Terenowych Grup Operacyjnych. Brali w nich udział przedstawiciele partii i rządu, m.in.: minister Ciosek, a także ówczesny kierownik Kancelarii KC Andrzej Barzyk, przedstawiciele resortów gospodarczych. Chodziło o to, ażeby wyposażyć członków TGO w niezbędną wiedzę ekonomiczną, społeczną. Miały przyczynić się do wyeliminowania różnych deformacji w funkcjonowaniu lokalnych władz, okazać pomoc społeczeństwu. Informowano też o idei porozumienia narodowego, zachęcając do jej krzewienia w terenie.

9 listopada odbyło się kolejne posiedzenie Rady Wojskowej MON. Chociaż, w związku z objęciem funkcji I sekretarza KC, czasu miałem jeszcze mniej, to temu posiedzeniu przewodniczyłem. Chciałem osobiście poinformować kierowniczą kadrę Sił Zbrojnych o „spotkaniu trzech". Wierzyłem wówczas, że nadal jest realna szansa porozumienia narodowego. Dotarły do mnie jednak informacje, iż w niektórych kręgach kadry wojskowej spotkanie to przyjęte zostało z mieszanymi uczuciami. Potwierdzili to zresztą niektórzy członkowie Rady Wojskowej. Mówiono, iż dotychczasowe reakcje na inicjatywy władz nie były zachęcające. Informowali poza tym o bardzo złej sytuacji w terenie. Nagminne łamanie prawa, bezsilność władz, rozkład gospodarki, odczuwalny również w zaopatrzeniu materiałowo-technicznym wojska. Mimo iż Główny Kwatermistrz gen. Mieczysław Obiedziński i Główny Inspektor Techniki gen. Zbigniew Nowak oraz podległe im służby dwoiły się i troiły, to jednak trudności coraz częściej zaglądały do koszar. Wywoływało to niezadowolenie już nie tylko kadry, ale i żołnierzy służby zasadniczej.

Wojsko — mówił jeden z członków Rady — jest zdrowym organizmem. Drobne okaleczenia potrafi samo regenerować. Inny mówił, że nowo wcieleni żołnierze nie przyznają się, że należeli do „Solidarności". Są chłonni na informacje. Różnią się korzystnie od poprzednio wcielanych. To była bardzo interesująca, a nawet znamienna ocena.

Podsumowałem: czas wciąż trudny, niebezpieczny. Podejmujemy kroki, odpowiadające duchowi IX Zjazdu i IV plenum. Spotkanie z prymasem i Wałęsą zaskoczyło wielu, ale było uzasadnione. Musimy cenić swe słowa, odbudować zaufanie wśród społeczeństwa. Stąd i praktyczna inicjatywa w kierunku tworzenia frontu porozumienia. Trzeba przejąć inicjatywę. Chodzi też o to, aby Kościół się włączył, wypowiedział swoje słowo. Oświadczenia Wałęsy stwarzają pewne szanse. Jednocześnie ujawniły się wyraźniej siły skrajne. Jest niezwykle ważne, ażeby teraz nastąpiło ich izolowanie. Społeczeństwo pragnie spokoju. Znalazło to wyraz w badaniach opinii społecznej. Każdy stan napięcia służy ekstremie, a stan spokoju — lepszej pracy. Jeśli zajdzie potrzeba, zwrócimy się do Sejmu o nadanie legislacyjnego biegu projektowi ustawy zawieszającej strajki na okres zimy.

Myślę, że społeczeństwo będzie za tą ustawą. Każdy nasz krok powinien przekonywać o uczciwości władzy. Państwo ponosi dziś wielkie straty dlatego, że jego przedstawiciele często je kompromitowali. Potwierdzają to Terenowe Grupy Operacyjne. Hasło Frontu Porozumienia Narodowego trzeba uwiarygodnić. To nie jest obrona władzy, to jest obrona Polski.

Front Porozumienia to — *de facto* — front ocalenia narodowego. Budować go chcemy na szerokiej płaszczyźnie. Ale jej ramy określa ustrój, bezpieczeństwo narodowe, spokój społeczny. Chcemy przeprowadzić w tej sprawie wielką konsultację.

Terenowe Grupy Operacyjne. Społeczeństwo powinno wiedzieć, że prezes Rady Ministrów kontroluje rezultaty ich pracy, wnika w sytuację w terenie, w administracji. Jest to skarbnica doświadczeń. Należy przygotować kolejną operację skierowaną na kilkaset wielkich zakładów przemysłowych, ażeby tam również eliminować różnego rodzaju schorzenia. Powinna ona objąć także funkcjonowanie systemu transportu, łączności, obrony cywilnej. Chodzi m.in. o zapewnienie naszej wiarygodności jako członka Układu Warszawskiego. Niepokój sojuszników. Otrzymałem właśnie notę Ministerstwa Obrony ZSRR o niewłaściwym stosunku wobec żołnierzy Północnej Grupy Wojsk. Społeczeństwo powinno odczuć, że gdzie wojsko, tam porządek, tam szczególna odpowiedzialność za los kraju.

Minęły lata, wiele się zmieniło. Można było wrócić do zmarnowanej wówczas inicjatywy. W roku 1989 „Solidarność" zasiadła do rozmów nie tylko z PZPR, ZSL i SD, ale i ze stowarzyszeniami katolików świeckich — PAX, ChSS i PZKS. A także z OPZZ — które w pewnym sensie zajęło miejsce związków branżowych. Później zaś utworzyła koalicję parlamentarną, właśnie z klubami poselskimi ZSL i SD.

25 listopada 1990 roku, a więc w dniu wyborów prezydenckich, oblegający mnie dziennikarze zadali pytanie: co uważa pan za swoją największą polityczną porażkę? Odpowiedziałem — niedoprowadzenie do porozumienia narodowego jesienią 1981 roku. Nie zmieniłem zdania. W sytuacjach kryzysowych kraj można ratować i wyprowadzić z kryzysu tylko przez wspólne działanie.

To, że jakoby władza rozmowami zwodziła opozycję, zaś w ukryciu czyniła przygotowania do stanu wojennego, co do którego podjęła już wcześniej decyzję, nie wytrzymuje rozumnej krytyki. Kiedy można by to uznać za wiarygodne? Gdyby „Solidarność" wykazała gotowość wejścia do Rady Porozumienia, a praktyka by dowiodła, że propozycja władz była fałszywa i zwodnicza. Nic takiego nie nastąpiło. Nasza oferta nie została podjęta. A była ona przecież poważna, odpowiedzialna, w swych konsekwencjach mogąca iść daleko. Czy fałszywie odczytano intencję władz?

„Trybuna Ludu" pisała w dniu 9 grudnia, wyrażając jako organ partii oficjalne stanowisko: „Nie ulega wątpliwości, że Rada Porozumienia, nawet nie dysponując żadnymi sankcjami wykonawczymi, gdyby tylko ukonstytuowała się jako emanacja głównych sił politycznych i zaczęła funkcjonować — stałaby się najwyższym autorytetem, któremu nikt nie ośmieliłby się sprzeciwiać; nawet w minimalistycznym ujęciu funkcjonowanie Rady musi dawać konstruktywne wyniki. Samo zajęcie miejsca przy okrągłym stole automatycznie zmusza do sformułowania stanowiska w sprawie stojącej na porządku obrad (...) Nie wykluczone, że Sejm następnej kadencji, wybrany wedle uzgodnionej wewnątrz Rady demokratycznej ordynacji, przejmie funkcje Rady, czyniąc zbędnym dalsze jej istnienie". Znamienne stwierdzenie: „uzgodniona wewnątrz Rady demokratyczna ordynacja". To właśnie to, co dokonywało się po latach przy „okrągłym stole". Zaryzykuję twierdzenie, że być może nawet wówczas zasada 35% byłaby i wewnątrz, i zewnątrz do przyjęcia. A w każdym razie spróbować było warto.

Polska 1981 roku, rozpadająca się jako kraj socjalistyczny — cementowała blok pozostałych państw Układu Warszawskiego w niechęci do zmian. Gdyby mogła odnawiać się stopniowo, nie w sposób szokowy, być może stworzyłaby zachętę, wzorzec dla innych. Moglibyśmy stać się lokomotywą przemian w całym systemie, gdyby nie jechała tak szybko. Wracam jednak na ziemię.

Czy musieliśmy przejść przez stan wojenny, przez te wszystkie trudne lata, aby wrócić do punktu wyjścia? Nie chcę kierować zarzutów tylko w jedną stronę. Dziś sądzę, że moje działania mogły być bardziej zdeterminowane, śmiałe. Ale nie mogę zgodzić się z zarzutem, że brakowało mi dobrej woli. Wiedziałem, przed jaką stoję alternatywą: albo porozumienie, albo decyzja, której nieznośny ciężar będę dźwigał do końca życia.

Nie tylko Wałęsy, ale i moje możliwości manewru były coraz bardziej ograniczone. W szeroko rozumianym obszarze władzy nasilały się pomruki: nie wolno cofać się w nieskończoność, trzeba działać stanowczo, pryncypialnie. Każdy z nas musiał się liczyć z układem sił we własnej bazie politycznej. W sumie jednak sam fakt „spotkania trzech" i to, co ono otwierało, uważałem za sukces polityczny i psychologiczny. Ożywiło ono szansę porozumienia. Przypomnę, że zaproponowany przeze mnie komunikat, następnie ogłoszony w środkach masowej informacji, przyjęty został z dużym społecznym zadowoleniem i nadzieją. Oceniał on spotkanie jako „pożyteczne, a jednocześnie przygotowawcze do dalszych konsultacji merytorycznych". Niestety, rozwój sytuacji nadzieje te zniweczył. My, Polacy, mamy jakiegoś dziwnego pecha, a może raczej swoisty „talent", aby sukcesy przekształcać w porażki.

ROZDZIAŁ 32

Między młotem a kowadłem

W drugiej połowie 1980 roku i przez cały rok 1981 przed polską polityką zagraniczną zarysowały się trzy podstawowe zadania. Po pierwsze — zapewnić finansowe i materialne zasilanie gospodarki narodowej zarówno przez partnerów z RWPG, jak też z Zachodu. Po drugie — uzyskać zrozumienie dla naszej polityki wewnętrznej i na Wschodzie, i na Zachodzie. Po trzecie — przeciwdziałać instrumentalnemu traktowaniu i wykorzystywaniu Polski w nasilającej się konfrontacji pomiędzy obydwoma blokami polityczno-militarnymi.

Mówi Józef Czyrek *:

Czy cele te były w ówczesnych warunkach możliwe do osiągnięcia? Mieliśmy nadzieję, że tak. Choć nie brak było ostrzeżeń przed zbytnim optymizmem. O wielu z nich mówiono już i pisano. Nikt jednak nie wie o ostrzeżeniu ze strony premiera Wielkiej Brytanii pani Margaret Thatcher. W marcu 1981 roku przebywałem z wizytą oficjalną w Londynie. Pani premier przyjęła mnie w swej siedzibie na Downing Street. Z uwagą i nie skrywanym zainteresowaniem wysłuchała mego wywodu o sytuacji w Polsce. Stwierdziłem między innymi, że skoro dotychczas tak poważne sprzeczności rozwiązujemy w drodze kompromisu ze związkiem zawodowym „Solidarność", to mamy nadzieję na dalszy pomyślny rozwój sytuacji wewnętrznej.

Margaret Thatcher nawiązała do tego stwierdzenia. Bez dyplomatycznych upiększeń powiedziała wprost, iż w świetle własnych doświadczeń z ruchem syndykalistycznym nie podziela naszego optymizmu, choć, oczywiście, życzy nam powodzenia.

W ostatnich miesiącach 1980 roku w państwach Układu Warszawskiego nasiliły się głosy zaniepokojenia, krytyki i ostrzeżenia wobec Polski. Obok ZSRR szczególnie aktywną rolę odgrywało kierownictwo NRD. Wykorzystując nasze osłabienie próbowało osiągnąć pierwszą za Związkiem Radzieckim pozycję w Układzie Warszawskim. Zapoczątkowało ono, mimo naszych protestów, politykę „kwarantanny", zawieszając jednostronnie porozumienie o ruchu bezwizowym między naszymi państwami. W ślad za NRD poszła wkrótce Czechosłowacja.

---

* Józef Czyrek — w 1981 roku minister spraw zagranicznych, od 21 lipca 1981 roku członek Biura Politycznego KC PZPR.

W styczniu 1981 jako minister spraw zagranicznych złożyłem wizytę oficjalną w Moskwie. W rozmowie Gromyko wielokrotnie podkreślał, że nie wolno dopuścić, aby kryzys gospodarczo-społeczny mógł przerodzić się w konflikt polityczny, w którym opozycja podważyłaby podstawy socjalizmu. Krytyka sytuacji w Polsce oraz bezpośrednio lub pośrednio naszego kierownictwa nasiliła się po decyzji zwołania IX Nadzwyczajnego Zjazdu PZPR. Kwintesencją był czerwcowy list KC KPZR do KC PZPR, w istocie wymierzony przeciwko Stanisławowi Kani i Wojciechowi Jaruzelskiemu.

Zjazdowe wystąpienia dotyczące spraw międzynarodowych, prezentowane świadomie w nieomal ortodoksyjnym języku, nie mogły stworzyć płaszczyzny dla zaostrzania krytyki. Natomiast proklamowana przez zjazd linia socjalistycznej odnowy, dialogu, porozumienia oraz reform spotkała się z wielkim niepokojem i zastrzeżeniami większości delegacji krajów socjalistycznych. Z kuluarowych rozmów z członkami tych delegacji wiem, że negatywnie oceniono układ sił w nowym kierownictwie partii, w którym według nich przewagę zdobywali „liberalni i rewizjonistyczni reformatorzy". Wtedy, w gronie delegacji KPZR, pierwszy raz usłyszałem takie określenie — Jaruzelski to „gienierał-liberał".

Kiedy, mimo mitygującej postawy Lecha Wałęsy, radykalizujące się kierownictwo związku zastosowało taktykę ignorowania porozumienia, z całą ostrością zarysowały się paradoksy polskiego dramatu. Oto, niejako we wspólnym froncie z „Solidarnością" przeciwko linii IX Zjazdu, choć, oczywiście, z diametralnie różnych pozycji, znalazły się państwa socjalistyczne.

Zachód, co prawda ze zróżnicowanym zaagażowaniem, popierał „Solidarność". Czy zrozumie dramatyzm naszej sytuacji? Jakie zajmie wobec niej stanowisko? Czy widzi groźne scenariusze możliwych wydarzeń i europejskie skutki umiędzynarodowienia polskiego kryzysu? Czy byłby skłonny wywierać mitygujący wpływ, a jeśli tak, czy byłby gotów wyjść Polsce naprzeciw w sprawach gospodarczych, pomóc w opanowaniu rozregulowanego rynku, zwłaszcza żywnościowego?

Po rozmowach ze Stanisławem Kanią i Wojciechem Jaruzelskim zapadła decyzja o przeprowadzeniu możliwie pilnie rozmów z najważniejszymi zachodnimi partnerami Polski.

17 sierpnia przyjął mnie premier Francji, Mauroy. Stworzył atmosferę życzliwości i szczerości, demonstrował przyjazne wobec Polski uczucia. Przyjął zaproszenie premiera Jaruzelskiego, proponując datę swej wizyty w Warszawie na połowę grudnia 1981 roku. Obiecał rozpatrzyć pozytywnie nasze postulaty gospodarcze. Podzielał zaniepokojenie pogarszającym się klimatem w stosunkach Wschód—Zachód. Ale nie to było najciekawsze.

Mauroy przedstawił bardzo otwarcie własną filozofię stosunku socjalistycznego rządu Francji do Polski. Nawiązując do mojej informacji o sytuacji po IX Zjeździe, o zagrożeniach wewnętrznych i zewnętrznych stwierdził, że stosunki Francji z Polską powinny być nie tylko uprzywilejowane, ale szczególnie bliskie. Francja po niedawnym objęciu rządów przez partię socjalistyczną wchodzi w proces własnej odnowy. Uznając pluralizm związkowy i proklamując na IX Zjeździe politykę socjalistycznej odnowy, Polska wkracza na podobną drogę. Powinniśmy sobie zatem wzajemnie pomagać. Będzie to korzystne nie tylko dla naszych krajów. Francja na Zachodzie, Polska na Wschodzie mogą razem torować drogę socjalistycznej transformacji Europy. Chodzi o socjalizm demokratyczny, nowoczesny, ale socjalizm. W imię tego celu partia socjalistyczna weszła w koalicję z Komunistyczną Partią Francji, choć wiele spraw je dzieli. W Polsce powinniście iść razem z „Solidarnością", która jest wprawdzie ruchem wobec was krytycznym, ale chce odnowy socjalizmu.

Słuchając Mauroya zacząłem ponownie żywić nadzieję na zrozumienie i wsparcie naszego kraju na arenie międzynarodowej. Akcentowałem znaczenie stanowiska partii socjalistycznej oraz rządu Francji nie tylko na Zachodzie, ale również na Wschodzie. Zapytałem, czy ich stanowisko znane jest kierownictwu naszej „Solidarności", która przygotowuje swój pierwszy zjazd. Jeśli zwyciężą na nim siły konfrontacyjne, nie biorące pod uwagę ani zewnętrznych uwarunkowań, ani wewnętrznych kosztów realizacji ich polityki, może to doprowadzić do nieszczęścia, do załamania się linii socjalistycznej odnowy. Mauroy odnotował to z powagą. Zapowiedział rychły przyjazd do Warszawy ministra spraw zagranicznych. Zrozumiałem, że będzie on o tych sprawach rozmawiać również z kierownictwem „Solidarności".

Rok 1981 nie sprzyjał składaniu wizyt w Polsce, zwłaszcza przez polityków z Zachodu. Przyglądano się nam z oddali, zastanawiając się, co z tego wyniknie. Natomiast bardzo aktywnie pracowały ambasady. Niektórzy ambasadorowie składali mi wizyty, sondując ocenę sytuacji. Zapamiętałem m.in. wizytę ambasadora USA Meehana, wkrótce po objęciu przeze mnie stanowiska premiera. Potwierdziłem intencje rządu zawarte w moim sejmowym exposé. Sondowałem jego opinię, podobnie jak ambasadorów Francji, Wielkiej Brytanii i RFN, na temat odroczenia spłat naszych odsetek od długów. Rozumieliśmy się dobrze. Poza jednym. Ambasador amerykański zapytał, jak należy rozumieć moje stwierdzenie, iż „Polska nie będzie koniem trojańskim socjalistycznej wspólnoty". Odpowiedziałem, iż należałoby zapytać o to Homera. Ale poważnie — po prostu chodzi o to, aby w tym trudnym dla Polski okresie nie stała się ona polem rozgrywek między blokami.

Ważnym wydarzeniem była wizyta wicekanclerza, ministra spraw zagranicznych RFN Hansa Dietricha Genschera. Niemcy, jak zwykle, pierwsi. Tak się, niestety, złożyło, iż przyjąłem gościa 20 marca, a więc nazajutrz po wydarzeniach w Bydgoszczy. Nie miałem jeszcze pełnej wiedzy o tym, co się tam stało, ale przedsmak skandalu już dotarł. Dlatego też akcentowałem nasze oczekiwanie, iż Zachód przyczyni się do spokojnej realizacji reform w Polsce. W tym celu potrzebna jest pomoc ekonomiczna. Genscher doceniał związek między polityką a gospodarką. Zgodził się ze mną, że wydarzenia w Polsce nie powinny być wykorzystywane dla rozgrywek między blokami ani też dla nacisków zewnętrznych na nasz kraj. Zwróciłem również uwagę, iż potrzebny jest umiar w działalności propagandowej. A więc Deustche Welle, a przede wszystkim rozgłośnia „Wolna Europa", nadająca z terenu RFN. Ten temat był zresztą obecny przy prawie wszystkich moich rozmowach z Genscherem, a było ich kilka. Dobrze je zresztą wspominam. To wytrawny polityk.

Tu mała dygresja. **Genscher** ma dość specyficzny sposób rozmowy. Z dużą uwagą słucha rozmówcy, odnosi się nawet wrażenie, że mu przytakuje, aby za chwilę w taktownej formie przedstawić swoje własne racje. Genscher powtórzył znane już wcześniej stanowisko Zachodu, że patrzą z zainteresowaniem i aprobatą na nasze przemiany. Jednocześnie obawiają się o ich losy, mając zwłaszcza na uwadze interwencję z zewnątrz. Postarają się pomóc. M.in. zadeklarował 150 milionów marek kredytu na zakup towarów i materiałów. Mówiliśmy także o różnych problemach związanych z ówczesną sytuacją polityczno-militarną w Europie i świecie. Zresztą prawie zawsze zachodni mężowie stanu starali się w rozmowach ze mną uzyskać „generalską" opinię na te tematy. W sumie rozmowa z Genscherem rzeczowa, konstruktywna. Po wizycie w Polsce, w wywiadzie dla telewizji RFN powiedział on między innymi: „Jesteśmy zainteresowani, aby naród polski, jego kierownictwo i siły społeczne mogły same rozwiązywać swoje problemy na drodze odnowy, którą sobie wytyczyły".

Teraz, gdy piszę tę książkę, nasuwa mi się i taka myśl. Ile straciliśmy wszyscy na Wschodzie i na Zachodzie nie tylko politycznie i ekonomicznie, ale również psychologicznie, moralnie w wyniku pojałtańskiego podziału świata. Byliśmy jak gdyby zatruci wrogością, nieufnością. Dla jednych na zachód, a dla drugich na wschód od Łaby wszystko było podejrzane. Przyznaję, iż w takim jednorodnym kolorze przez lata całe widziałem RFN. Pewne podstawy ku temu były, ale nie w tym stopniu. Po raz pierwszy na zachód od Łaby, w Badenii Wirtembergii, znalazłem się dopiero jesienią 1991 roku. Byliśmy tam z żoną — germanistką — zaproszeni prywatnie. Mimo to chęć spotkania wyraziło wielu lokalnych polityków, dziennikarzy i biznesmenów. Miałem również kontakty ze zwykłymi ludźmi, w tym z robotnikami w kilku zwiedzanych zakładach pracy. Wszędzie przyjęcie sympatyczne, nierzadko serdeczne. A przecież znano dobrze drogę polskiego generała w ciemnych okularach. To mnie ujęło. Lepiej późno niż nigdy dojść do takich wniosków.

Mówi Józef Czyrek:

18 sierpnia rozmawiałem z Hansem Dietrichem Genscherem, spędzającym urlop w Bad Reichenhall. Gospodarz wypoczęty, odprężony, życzliwy z uwagą śledził moje wywody. Jego stanowisko: musicie poszukiwać rozwiązania kryzysu własnymi siłami, bez ingerencji z zewnątrz. RFN jest zainteresowana stabilizacją sytuacji w Polsce. Zaostrzenie sytuacji w waszym kraju może niekorzystnie wpłynąć na stosunki międzynarodowe. Rząd RFN, jako największy na Zachodzie partner gospodarczy Polski, z życzliwością rozpatrzy postulaty ekonomiczne. Proponował kontynuację rozmów w Nowym Jorku podczas sesji ONZ.

Wróciłem do kraju z pewnym optymizmem, którym podzieliłem się ze Stanisławem Kanią i Wojciechem Jaruzelskim.

Przed sesją ONZ poleciałem na Kubę. Fidel Castro z uwagą konfrontował swoje wiadomości o sytuacji w Polsce z moimi ocenami. Z wyraźnym zadowoleniem odnosił się do informacji o możliwości przezwyciężenia konfliktu w drodze dialogu i porozumienia. Pytał, czy „Solidarność" ma dostęp do broni. Moją odpowiedź, że nie tylko nie ma, ale nawet jej nie poszukuje, przyjął z wyraźną ulgą. Widocznie z innych źródeł otrzymywał odmienne informacje. W sumie rozmowa dobra, życzliwa. Kuba, w odróżnieniu, na przykład od NRD, nie była zainteresowana w konfrontacyjnym rozwoju sytuacji w Polsce. Obawiała się „afganizacji" Polski. Oznaczałoby to przecież „umiędzynarodowienie" konfliktu, w tym ze skutkami groźnymi zwłaszcza dla Kuby. Odmówiłem przyjęcia we wspólnym komunikacie passusu ostro krytykującego rząd USA za wykorzystywanie bazy amerykańskiej w Guantanamo. Gospodarze przyjęli to spokojnie, nawet z pewnym zrozumieniem.

Na sesji ONZ wyraźnie czuło się pogorszenie stosunków Wschód—Zachód. Główny problem sporny to Afganistan i eurorakiety. Moje wystąpienie było świadomie pryncypialne w duchu polityki państw Układu Warszawskiego. Jego odbiór ratowała teza o naszej woli rozwiązania wewnętrznego kryzysu własnymi siłami bez ingerencji z zewnątrz, bez propagandowego nacisku ze strony Zachodu. Wschód odbierał tę tezę dosłownie. Zachód widział w niej obronę przed ingerencją i naciskami ze strony naszych sojuszników.

W rozmowach z ponad 30 ministrami spraw zagranicznych — głównie z krajów KBWE — nie korygowałem różnych interpretacji mego wystąpienia, bo w istocie chodziło nam o uniknięcie wszelkiej ingerencji. Podejrzewałem też, że pewnym siłom na Zachodzie odpowiadałoby doprowadzenie do konfrontacji Polski ze Związkiem Radzieckim. Wyczuwałem, że gotowe są popchnąć Polskę, podobnie jak Węgry w 1956 roku, na stos konfrontacji międzyblokowej. Byłby to najgorszy dla naszego narodu i państwa scenariusz wykorzystania polskiego kryzysu.

Zasadnicze znaczenie przywiązywałem do rozmowy z przedstawicielami obu supermocarstw. 22 września spotkałem się z sekretarzem stanu USA, Alexandrem Haigiem. Nie znałem go. Obawiałem się, że jego rozumienie spraw Polski będzie specyficznie „generalskie", czarno-białe. Sądziłem, że to on właśnie zechce wykorzystać sytuację w Polsce w rozgrywce ze Związkiem Radzieckim. Jeśli nawet tak było, nie dał tego odczuć. Mimo to Haig nie poruszył kwestii stosunków polsko-radzieckich, ograniczając się do życzenia rozwiązania naszych spraw własnymi siłami, w drodze porozumienia. Poinformowałem go o sytuacji w Polsce, zwłaszcza gospodarczej. Uczynimy wszystko, aby nasze sprzeczności i zagrożenia rozwiązać środkami politycznymi. Gdyby jednak było to niemożliwe — mogą się okazać nieuchronne środki nadzwyczajne. Musimy przecież zahamować proces destabilizacji państwa. Haig odpowiedział, że wówczas Stany Zjednoczone byłyby zmuszone ponownie rozważyć swoją politykę. Podobnie jak Francja i RFN obiecał rozpatrzenie naszych postulatów ekonomicznych. W sumie rzeczowa, poważna rozmowa.

Następnego dnia w radzieckim przedstawicielstwie przy ONZ spotkałem się z ministrem Andriejem Gromyko. Zaprowadził mnie do specjalnego, zabezpieczonego przed podsłuchem pomieszczenia. Wówczas zorientowałem się, że będzie to rozmowa o szczególnym znaczeniu. Tak rzeczywiście było. Gromyko ze zniecierpliwieniem słuchał mojej informacji. Bez kurtuazyjnych zwrotów przeszedł do „ofensywy". Nigdy nie widziałem go tak podnieconego, mówiącego podniesionym głosem. Stwierdził, że kierownictwo radzieckie ma inną ocenę sytuacji w Polsce i inny pogląd na drogi jej rozwiązywania. Nie rozumie naszej polityki wobec „Solidarności" i Kościoła. Kierownictwo polskie bierze na siebie dużą odpowiedzialność nie reagując na antysocjalistyczną i antyradziecką działalność opozycji. Przecież Polska ma strategiczne znaczenie w systemie bezpieczeństwa państw Układu Warszawskiego. Nikt nie powinien i nie może dopuścić do jego zachwiania. Czy możemy obojętnie przyglądać się, jak sfanatyzowany wróg zacznie nas wieszać na latarniach, co zresztą publicznie zapowiada. Jesteście ślepi i głusi.

Mówił ostro, wręcz utrudniając mi zabranie głosu. Zaszokowany nie tyle treścią, którą z jego punktu widzenia mogłem rozumieć, ile stylem i tonem wypowiedzi, zareagowałem krótko, jak mi się wydaje — spokojnie. Powiedziałem: „Od proklamowanej na IX Zjeździe linii socjalistycznej odnowy dialogu i porozumienia nie chcemy i nie możemy odejść. Jeśli jednak krajowi zagrozi zapaść gospodarcza i anarchizacja życia społeczno-politycznego, będziemy zmuszeni sięgnąć po środki nadzwyczajne. Taka konieczność musi być jednak zrozumiała dla możliwie najszerszych warstw społeczeństwa, gdyż inaczej nasze działania przyniosą nieobliczalne szkody. Dlatego też trzeba nadal szukać rozwiązań politycznych".

Byłem tą rozmową przybity. Nie pamiętam, czy moi współpracownicy przedstawili mi do akceptacji radziecki projekt komunikatu o tej rozmowie. W normalnej sytuacji nie zwróciłby mojej uwagi, jednak w świetle treści rozmowy stwierdzenie o konieczności „uczynienia wszystkiego, co niezbędne dla dalszego umocnienia Układu Warszawskiego i wspólnoty państw socjalistycznych" miało wymowę wyraźnie ostrzegawczą.

Nasunęła mi się wówczas jeszcze jedna myśl. Przecież Gromyko stosunkowo nie tak dawno, bo na początku lipca był w Warszawie. Odbył długie rozmowy z pierwszym sekretarzem i premierem. Wypowiadał opinie krytyczne, surowe. Ale można było rzeczowo z nim rozmawiać, jakieś argumenty docierały. Nastąpiła więc poważna zmiana. Eskalacja nacisku. Pozostawało tylko pytanie, czy to jej przedostatni, czy już ostatni, dramatyczny etap.

9 października 1981 roku przybył do Warszawy francuski minister spraw zagranicznych Claude Cheysson. Przyjąłem go. Rozmowa dotyczyła sytuacji w Polsce. Był już po spotkaniu z Czyrkiem, więc jedynie podkreśliłem główne problemy. Nasze nadzieje, ale i coraz

większe obawy. W tym kontekście znaczenie stosunków z Francją, z jej socjalistycznym rządem. Gość wykazał zrozumienie dla naszej sytuacji, życzył pomyślnych rozwiązań, zadeklarował życzliwy stosunek Francji. Ale też, jak zresztą wszyscy zachodni rozmówcy, podkreślił znaczenie rozwiązania polskich problemów bez ingerencji zewnętrznej. Mówiliśmy również o zaplanowanej na grudzień wizycie premiera Mauroya. Jak wiadomo, nie doszła do skutku. Nie dostałem więc historycznej szabli, która była przewidziana jako prezent. To zresztą najmniejsze zmartwienie. Ale przy okazji taka ciekawostka. Otóż pan Mauroy, już jako sekretarz generalny Socjalistycznej Partii Francji, złożył mi wizytę w Belwederze jesienią 1989 roku. Była kolacja z udziałem przedstawicieli klubów parlamentarnych. Gość wygłosił toast, w którym w co drugim zdaniu przewijało się: socjalizm, socjalistyczna, socjalistyczne. Żegnając uczestników spotkania spytałem posła Michnika: „Słyszał Pan, jak Mauroy mówi o socjalizmie?" Michnik na to z humorem: „On nie wie, co mówi". Ja myślę, że wie. W tym sensie, że społeczne, humanistyczne wartości socjalizmu są i będą zawsze żywe.

Mówi Józef Czyrek:

W przeprowadzonych z ministrem Cheyssonem rozmowach zwróciliśmy uwagę na nowe elementy w sytuacji wewnętrznej i międzynarodowej Polski. Dalszemu pogorszeniu uległa nasza pozycja w Układzie Warszawskim. Uchwały IX Zjazdu pogłębiły ideologiczne zastrzeżenia wobec linii socjalistycznej odnowy. Mimo że wielokrotnie nakłanialiśmy „Solidarność" do umiaru w stosunkach z naszymi sąsiadami, to jej zjazd ze swym apelem do ludzi pracy państw socjalistycznych w radykalny sposób sytuację zaostrzył.

Pogarsza się również nasza sytuacja ekonomiczna. W związku z bojkotem przez „Solidarność" dobrowolnej pracy górników w wolne soboty, grozi nam w zimie kryzys energetyczny oraz załamanie eksportu węgla. Przygotowana jest nowa inicjatywa polityczna — stworzenie „frontu porozumienia i współpracy", ale nie wiemy, jak zareaguje na nią „Solidarność".

Znamienne w tym kontekście było wygłoszone w czasie przyjęcia przemówienie Cheyssona. Powiedział m.in.: „Niepodważalne jest prawo Polski do życia w lepszych warunkach, do określania swego losu bez ingerencji z zewnątrz przy poszanowaniu jej specyfiki... Ewolucja ta powinna, oczywiście, odbywać się bez naruszania wszelkiej równowagi międzynarodowej, w której oba kraje są poważnymi elementami składowymi". Czy też jego wypowiedź na podsumowującej wizytę konferencji prasowej: „Obydwa kraje przeżywają wydarzenia o wymiarze historycznym, we Francji od niedawna rządzi lewica... Połączyli swe siły socjaliści i komuniści. W Polsce zachodzą głębokie przemiany, dokonuje się bardzo trudny, unikalny eksperyment polityczny. Polacy muszą sami rozwiązać swoje problemy. Należymy do dwóch różnych sojuszów, układów i jesteśmy ich lojalnymi partnerami. Nasze modele są różne, ale wy i my poszukujemy własnej drogi...

Zamierzamy kontynuować różne formy pomocy, zarówno kredytowej, jak i dostaw żywności. Ale mamy nadzieję, że wasz eksport zacznie wzrastać, że zaczniecie wyrównywać dysproporcje. Czekamy na polski węgiel bardzo nam potrzebny, którego eksport może przynieść Polsce tak niezbędne dochody".

Cheysson nie ukrywał swego zaniepokojenia zaostrzaniem się polskiego kryzysu. Ponieważ chciał się spotkać z Lechem Wałęsą, pytał mnie, jakie sprawy uważamy za najważniejsze do poruszenia w tej rozmowie. Odpowiedziałem, że najważniejszy jest powrót „Solidarności" na drogę dialogu i porozumienia, a w gospodarce przerwanie destrukcyjnej fali strajków, w szczególności bojkotu wydobycia węgla w wolne soboty.

Z gdańskiego spotkania minister Cheysson nie przywiózł pozytywnych wieści. Kierownictwo „Solidarności" rozumiało wprawdzie znaczenie przedstawionych mu problemów, ale w obecnej sytuacji nie widzi możliwości ich rozwiązania. Dotyczy to również sprawy wydobycia węgla. Odnieśliśmy wrażenie, że Cheysson był rozczarowany rezultatami swej misji.

Kluczową dla nas sprawą była pomoc dla znękanej, duszącej się gospodarki. Wstrzemięźliwość Zachodu miała różne przyczyny. Najważniejszą był pogłębiający się chaos, napięcia, nie kończące się akcje strajkowe. Kanclerz Austrii Bruno Kreisky — według relacji PAP z Wiednia z dnia 24 września 1981 roku — skierował apel do polskich robotników, podkreślając potrzebę wywiązywania się z podjętych przez nasz kraj zobowiązań w umowach z innymi państwami, w tym także z Austrią. Austria udzieliła Polsce znacznych kredytów, które mają być spłacane dostawami węgla i energii. Powiedział, że stan polskiej gospodarki, która pracuje teraz na półobrotach, powinien stać się głównym przedmiotem troski polskich związkowców. Dodał też, że wolność i chaos gospodarczy wzajemnie się wykluczają. W zbankrutowanym kraju nikt nie będzie mógł osiągnąć wolności.

Kreisky powiedział także — jak informuje z kolei DPA — że na Zachodzie są i tacy ludzie, dla których żadne ryzyko kosztem Polski nie jest zbyt wielkie. Przyglądaliby się oni chętnie jeszcze szybszemu ześlizgiwaniu się naszego kraju w stronę otwartego konfliktu. Sytuacji takiej można by uniknąć, gdyby rozmiary uzyskanej w Polsce wolności rozbudowywane były krok za krokiem, a sytuacja w zakresie zaopatrzenia nie prowadziłaby do coraz to nowych wybuchów rozpaczy.

Kanclerz RFN Helmut Schmidt 24 września powiedział: „Trzeba mieć nadzieję, że wszyscy Polacy świadomi są potrzeby rozsądku i umiarkowania, tak aby polski eksperyment zakończył się pomyślnie".

Tragizm tamtego okresu polegał na tym, że stawaliśmy się coraz bardziej przedmiotem, pionkiem w rozgrywkach międzyblokowych, w konfrontacji Wschód—Zachód. Liczni rozmówcy sygnalizowali, iż destabilizacja polityczno-gospodarcza w Polsce zagraża utrzymaniu pokojowego ładu w Europie. Wielu polityków zachodnich uważało jesienią 1981 roku, że w Polsce władza „leży na ulicy". Poinformowano mnie, iż przyjaźnie do Polski nastawiony ambasador Włoch — Mario Favale powiedział: „Jesteście tak słabi, że właściwie rządzicie jedynie z łaski «Solidarności»". Inni ambasadorzy, choć używali słów bardziej dyplomatycznych, nie szczędzili podobnych uwag.

W tej sytuacji, a zwłaszcza w świetle przebiegu i wyników zjazdu „Solidarności" uznaliśmy za konieczną podróż ministra Czyrka do Watykanu na rozmowę z Janem Pawłem II. Nasze ówczesne kontakty z Episkopatem były ożywione. Sądziliśmy jednak, że papież-Polak powinien otrzymać informacje również bezpośrednio od przedstawicieli władz. Panowało wówczas przekonanie, że głównym świeckim informatorem papieża o sytuacji w Polsce jest redaktor Jerzy Turowicz oraz krąg bliskich mu osób. Uważaliśmy, iż przekazywana w ten sposób wiedza może być jednostronna. Dziś, kiedy widzę lepiej i głębiej orientację, rzetelność „Tygodnika Powszechnego", uważam, iż nasze obawy szły zbyt daleko.

Mówi Józef Czyrek:

W dniach 13-14 października przebywałem z roboczą wizytą w Rzymie. Instrukcje Stanisława Kani i Wojciecha Jaruzelskiego brzmiały: poinformować wszechstronnie papieża o narastających gwałtownie zagrożeniach, zwrócić się o pomoc w ich przezwyciężeniu. Chodziło o powrót na drogę dialogu, o inicjatywę stworzenia frontu porozumienia narodowego i współpracy jako alternatywy dla scenariusza grożącego konfrontacją z międzynarodowymi jej konsekwencjami. W tym też kontekście miałem mówić o komplikujących się stosunkach Polski z sojusznikami, o możliwości drastycznego ograniczenia przez ZSRR dostaw żywotnie dla nas ważnych nośników energii (ropa, gaz). Wreszcie o naszych zabiegach o przyjęcie do Międzynarodowego Funduszu Walutowego i uzyskanie od zachodnich partnerów dostaw żywności oraz kredytów, m.in. na obsługę zagranicznego zadłużenia. Miałem zwrócić się do papieża o wsparcie jego wysokim autorytetem naszych wysiłków na arenie międzynarodowej.

Jan Paweł II przyjął mnie w swej letniej rezydencji Castel Gandolfo. Przebywał tam na rekonwalescencji po zbrodniczym zamachu. Na jego twarzy widoczne były jeszcze oznaki cierpienia, był osłabiony, ale nie opuszczała go ani na chwilę zdolność koncentracji, szybkiej refleksji, docierania do istoty sprawy. Rozmowa trwała prawie dwie godziny.

Papież konfrontował moje informacje z ocenami, jakie posiadał z innych źródeł. Niektóre kwitował aprobującym ruchem głowy, przy innych twarz jego wyrażała zdziwienie czy wręcz niedowierzanie. Pogłębiał informacje i oceny zadając wiele pytań. Zmierzały one przede wszystkim do uściślenia, czy sytuacja ekonomiczna i polityczna kraju jest rzeczywiście tak poważna, że grozić może załamaniem. Czy realna jest groźba interwencji? Akcentował swój pozytywny stosunek do „Solidarności" jako autentycznego ruchu społecznego zmierzającego do obrony godności człowieka i jego pracy, narodowej tożsamości i ludzkiej solidarności. Życzył władzom i „Solidarności" rozwiązania polskich spraw na gruncie tych wartości. Nie ukrywał troski. Mówił, że Kościół sprzyjać będzie wysiłkom służącym dialogowi i porozumieniu. Poinformował o działaniach na Zachodzie na rzecz ekonomicznej pomocy dla Polski.

W czasie pobytu w Rzymie przeprowadziłem również rozmowy z premierem Spadolinim i ministrem spraw zagranicznych Colombo. Nie kryli zaniepokojenia sytuacją w Polsce i wokół Polski. Dał temu wyraz minister Colombo, stwierdzając w oświadczeniu dla prasy, że: „Włochy śledzą z wielkim zainteresowaniem, a także z niepokojem i troską rozwój sytuacji w Polsce, kraju o doniosłym znaczeniu dla Europy i stosunków Wschód—Zachód".

W czasie wizyty Józefa Czyrka we Włoszech dziennik „Prawda" opublikował artykuł „Solidarność prze do władzy". Potwierdzał on w istocie aktualność tzw. doktryny Breżniewa, mówiąc, że „zachowanie rewolucyjnych zdobyczy narodu polskiego jest nie tylko jego sprawą wewnętrzną, jest to sprawa dotycząca bezpośrednio żywotnych interesów wszystkich narodów i państw, które obrały drogę socjalizmu". Z kolei 3 listopada 1981 roku w wywiadzie dla RFN-owskiego „Spiegla" Breżniew na pytanie: „Czy można przyjąć założenie, że w Związku Radzieckim sprawa unormowania sytuacji w Polsce traktowana jest w ścisłym powiązaniu ze sprawą zachowania pokoju w Europie?" odpowiedział: „Niewątpliwie tak — w ścisłym związku ze sprawą zachowania pokoju, a dodałbym jeszcze — miejsca socjalistycznej Polski w Europie". Wywiad „Spiegla" poprzedzał wizytę Breżniewa w Bonn. Odbyła się ona w dniach 22-25 listopada. Ożywiła relacje między wydarzeniami polskimi a „kwestią niemiecką". Uaktywniły się również w tym czasie związki i stowarzyszenia wypędzonych. Bonn chciało wybadać ewentualną szansę zjednoczenia Niemiec. Spekulowano, czy w ogóle, a jeśli tak, to w jakim stopniu Moskwa gotowa jest tolerować istnienie opozycji politycznej w Polsce. Odpowiedź Breżniewa była negatywna. Zasadę nieingerowania w sprawy wewnętrzne odniósł on do działań Zachodu wobec Polski, nie kryjąc jednocześnie, że losy naszego państwa są ściśle związane ze wspólnotą socjalistyczną.

Podobnie brzmiał komunikat ze spotkania sekretarzy do spraw ideologicznych i międzynarodowych partii komunistycznych i robotniczych państw Układu Warszawskiego w Moskwie, opublikowany 4 listopada 1981 roku. „Przedstawiciele bratnich partii — głosił on — potwierdzili swą solidarność ze wszystkimi patriotami socjalistycznej Polski w walce z antyludowymi siłami kontrrewolucji i anarchii o niezachwiany rozwój PRL jako nieodłącznego ogniwa wspólnoty socjalistycznej".

Mówi Józef Czyrek:

W dniach 10-13 listopada 1981 roku przebywałem w Austrii. Przeprowadziłem rozmowy z kanclerzem Kreisky'm, ministrem spraw zagranicznych Paarem oraz innymi kierowniczymi osobistościami tego kraju.

Do rozmów tych przywiązywałem szczególne znaczenie. Podczas sesji ONZ w Nowym Jorku minister Paar wyszedł bowiem z inicjatywą upoważnienia go do rozmów z państwami zachodnimi na temat zorganizowania wielostronnej międzynarodowej pomocy gospodarczej dla Polski. Powoływał się przy tym na upoważnienie kanclerza Kreisky'ego oraz sondażowe rozmowy z RFN, Włochami i Amerykanami. Oczywiście, wyraziłem nasze poparcie dla tej inicjatywy. Według Paara sprawa była na dobrej drodze. Ale w związku z pogorszeniem się sytuacji w Polsce i wokół Polski postanowiono zaczekać z decyzją uruchomienia międzynarodowej pomocy gospodarczej. Jej realność zależy od rozwoju wydarzeń, choć nie wyłącznie. Nie chciał ujawnić, kto był „hamulcowym" tej inicjatywy. Kanclerz odniósł się krytycznie do polityki kierownictwa „Solidarności". Określił ją wprost jako polityczne awanturnictwo, które wiedzie do katastrofy gospodarczej, politycznej i dalszego pogorszenia stosunków międzynarodowych. Wyraził wątpliwość, czy ruch o tym charakterze będzie zdolny do porozumienia, współpracy i współodpowiedzialności za kraj. Niepokoił się perspektywą ograniczenia lub przerwania dostaw polskiego węgla do Austrii, który odgrywa znaczącą rolę w jej bilansie energetycznym. Przyjął zaproszenie premiera Jaruzelskiego do złożenia wizyty w Polsce. Wyrażał obawy, czy stosunki Wschód—Zachód nie wejdą na czas dłuższy w nowy okres zimnej wojny, która w dużym stopniu może skomplikować sytuację wielu krajów, w tym szczególnie Polski. Nie mogę się dziś powstrzymać do refleksji, jak mądrym i dalekowzrocznym politykiem był Kreisky.

Kolejnym celem moich podróży był Londyn. 20 listopada 1981 roku przeprowadziłem rozmowy z ministrem spraw zagranicznych Wielkiej Brytanii — lordem Carringtonem. Ceniłem go jako wytrawnego, życzliwego wobec Polski polityka. Tym razem słuchał uważnie, zadawał wiele pytań, ale nie wypowiadał się szerzej. Głównym tematem były sprawy gospodarcze. Sondowałem, na ile realna jest inicjatywa ministra Paara zorganizowania wielostronnej pomocy dla Polski. Bez rezultatu. Czułem przez skórę, że wokół Polski zaczyna się dziać coś niedobrego. Carrington wyrażał wprawdzie poparcie dla naszych wysiłków „zmierzających do rozwiązania problemów politycznych i gospodarczych, do wyjścia z kryzysu, w jakim znalazła się Polska", ale w jego postawie czytelny był pesymizm.

O tych rozmowach informował mnie Józef **Czyrek**. Człowiek rozumny, rozważny, skromny. Doświadczony dyplomata. Duża umiejętność prowadzenia negocjacji w najbardziej nawet skomplikowanych sprawach. Konsekwentny w obronie polskiej racji stanu. Wniósł istotny wkład — najpierw jako wiceminister, a potem minister spraw zagranicznych — m.in. do rozwoju stosunków z Watykanem oraz z RFN. Jego zdolności koncyliacyjne okazały się i później bardzo cenne w rozmowach z Bronisławem Geremkiem i Andrzejem Stelmachowskim, które stanowiły znaczący element zbliżania się do idei „okrągłego stołu".

Realizacja celów postawionych przed polską polityką zagraniczną w 1981 roku nie była łatwa, a w wielu przypadkach okazała się wręcz nieosiągalna. Związek Radziecki i inni sojusznicy nie chcieli zrezygnować z Polski jako państwa socjalistycznego, kluczowego ogniwa Układu Warszawskiego. Zachód z kolei nie chciał utracić szansy wyłuskania Polski z zależności od Moskwy i z socjalistycznej koalicji. Dla Wschodu nie mogliśmy być poligonem heretyckich reform. Dla Zachodu już wtedy powinniśmy być poligonem procesu rozkładu komunizmu.

Rozdział 33

Nie wykorzystane szanse

Od października trwały konsultacje nad projektami aktów prawnych, określających nowe zasady funkcjonowania gospodarki. Skierowano je do zaopiniowania przez związki zawodowe, organizacje społeczne, stowarzyszenia naukowo-techniczne, uczelnie, a także sto największych zakładów pracy. Uznaliśmy, że w sprawach tak zasadniczych — nawet kosztem pewnych opóźnień — potrzebna jest szeroka konsultacja. Przez prasę przeszła fala publikacji na temat projektowanych zmian w systemie gospodarowania. To była złożona materia. Chcieliśmy ją rozpatrzyć wnikliwie, ostrożnie, aby nie dopuścić do arbitralnych decyzji. Wiadomo, jak zaciążyły one na polskiej gospodarce w latach 70.

Trwały negocjacje z „Solidarnością", którą reprezentowali m.in. Jacek Merkel i Grzegorz Palka. Ich opinie wpłynęły dopiero 23 listopada. Późno — bowiem nowe akty prawne miały wejść w życie 1 stycznia 1982 roku. Do końca nie traciliśmy nadziei, że uda się przezwyciężyć rozbieżności, doprowadzić do porozumienia. Ważnym krokiem w tym kierunku były ponownie podjęte rozmowy z „Solidarnością".

19 listopada w Radzie Ministrów odbyło się organizacyjne spotkanie. Komisji rządowej przewodniczył prof. Jerzy Bafia. Ustalono, że przeprowadzone zostaną w najbliższym czasie rozmowy — w szerokim zakresie. W sprawach struktur gospodarczych trzy punkty miały zasadnicze znaczenie. Jednym z nich było utworzenie Społecznej Rady Gospodarki Narodowej. Właśnie podczas tego spotkania Grzegorz Palka w sposób ultymatywny stwierdził, że powołanie Społecznej Rady Gospodarki Narodowej jest warunkiem konstruktywnego stosunku „Solidarności" do całego pakietu spraw gospodarczych.

Po raz pierwszy pomysł Rady Gospodarki zreferował 15 października Grzegorz Palka w czasie rozmów grupy negocjacyjnej Komisji Krajowej z grupą roboczą Komitetu Rady Ministrów do Spraw Związków Zawodowych.

***Mówi Grzegorz Palka* *:**

Rada ma być niezależna od rządu i władz związkowych, aczkolwiek przez nie powoływana. Skład — proporcjonalny do wielkości związków. Zaproszeni przedstawiciele samorządów. Cele — współkształtowanie polityki gospodarczej i efektywny wpływ na reformę gospodarczą. Do jej kompetencji należałaby kontrola nad działalnością rządu i niższych szczebli administracji gospodarczej w ten sposób, że Rada miałaby prawo żądać informacji, wyjaśnień, a także powinna mieć dostęp do informacji na tych samych zasadach, co rząd czy jednostki gospodarcze. Czyli jednostki gospodarcze oraz ministerstwa muszą udzielać wyczerpujących informacji i udostępniać dokumenty.

Do ważnych uprawnień tej Rady należałoby prawo zgłaszania weta co do błędnych decyzji rządu, jeśli w trybie konsultacji nie dałoby się tych decyzji uzgodnić. Musi być także przewidziany mechanizm, w którym społeczeństwo — w przypadku sprzeczności nie do usunięcia — decydowałoby, który wariant w polityce gospodarczej czy reformie gospodarczej byłby realizowany. Rada musi mieć dostęp do radia i telewizji, żeby tłumaczyć decyzje niepopularne, ale także, by reprezentować swój pogląd i ocenę gospodarki. Potrzebne byłoby także przyznanie inicjatywy ustawodawczej po to, żeby Sejm miał do wyboru różne projekty ustaw, a nie tylko rządowe. Może to być zastąpione obowiązkiem rządu uzgadniania projektów ustaw z Radą bądź przedkładania Sejmowi alternatywnych projektów przedkładanych przez Radę. Bardzo ważnym punktem jest ustalenie, że Rada może być rozwiązana wtedy, kiedy społeczeństwo uzna, że jej rola się skończyła. Chodzi o to, żeby nie była ona rozwiązana wtedy, kiedy będzie niewygodna dla rządu (Biuletyn pism związkowych i zakładowych, nr 45 z dnia 13 października 1981 r.).

Nasza strona obawiała się tego rozwiązania, a zwłaszcza paraliżu decyzyjnego. Mam wrażenie, że wykazaliśmy wówczas za mało odwagi. Obawy przed Radą były chyba przesadne. Można było — jak sądzę — doprowadzić do tego, ażeby w jej kompetencjach nie znajdowało się prawo veta wobec działań rządu, ale inna procedura pozwalająca reagować na jego decyzje przy użyciu oficjalnych dróg prawnych. Wreszcie, Radzie można było przyznać funkcje kontrolne. Już wcześniej związek otrzymał uprawnienia do prowadzenia kontroli magazynów, zakładów itd. Miał jednak poważne trudności, aby z nich skorzystać. 9 listopada podczas spotkania z hutnikami w Krakowie Wałęsa stwierdził, że związek nie wykorzystał posiadanych 300 mandatów uprawniających do kontroli. Również na tle sporu o Społeczną Radę Gospodarki Narodowej widzę jeszcze lepiej, jakim przekleństwem była w owych czasach wzajemna nieufność, podejrzliwość. Z dalszego biegu wydarzeń jednak wynika, iż nawet jakiś kompromis w tej dziedzinie nie dawał szansy na generalne porozumienie.

---

* Grzegorz Palka — w 1981 roku działacz Regionu Łódzkiego „Solidarność".

Mówi prof. Władysława Baka:

27 listopada w Urzędzie Rady Ministrów odbyły się rozmowy z grupą negocjacyjną „Solidarności", której przewodniczyli Jacek Merkel i Grzegorz Palka. W jej składzie byli między innymi: Witold Trzeciakowski, Andrzej Stelmachowski, Jerzy Eysymont, Andrzej Topiński, Aleksander Jędryszczak. Z drugiej strony stołu znaleźli się wiceministrowie resortów gospodarczych oraz eksperci z Biura Pełnomocnika Rządu do Spraw Reformy Gospodarczej. Funkcję gospodarza pełniliśmy wspólnie z prof. Zdzisławem Sadowskim.

Tu krótkie uzupełnienie. Profesor Zdzisław **Sadowski**, wybitny uczony, człowiek pod każdym względem dużego formatu. Objęcie przez niego stanowiska zastępcy ministra—szefa Urzędu do Spraw Reformy było jeszcze jednym dowodem, jaką wagę przywiązujemy do tej problematyki. Prof. Sadowski wniósł i wówczas, i w późniejszych latach wiele cennych myśli i działań do reformatorskiego kursu rządu. Powracam do relacji prof. Baki:

Jacek Merkel na wstępie oświadczył: Krajowa Komisja oczekuje, iż bez akceptacji przez „Solidarność" projektów ustaw wprowadzających reformę gospodarczą (o cenach, o systemie finansowym przedsiębiorstwa, o zasadach opodatkowania, o prawie bankowym itd.) rząd nie skieruje ich do Sejmu. Zwróciłem uwagę, że projekty tych ustaw przesłaliśmy do Gdańska 16 października i do tej pory nie ma żadnej reakcji ze strony Krajowej Komisji. „«Solidarność»" — stwierdził Merkel — to wielki związek. Uzyskanie jego akceptacji wymaga znacznie dłuższego czasu. Musimy bowiem te ważne kwestie poddać pod konsultację ogólnozwiązkową".

Te słowa skłaniają do komentarza. Jacek **Merkel** — jak widać — nie był wówczas nadmiernym entuzjastą przyspieszenia prac nad reformą. Dziś nie takie reformy się podejmuje nie pytając związkowców o zdanie. Ale były to inne czasy i uwarunkowania. Być może Merkel nie mógł inaczej postąpić. Dlaczego tak sądzę? Spotkałem się z nim dwukrotnie. Po raz pierwszy jako z kandydatem na szefa Kancelarii nowo wybranego prezydenta Lecha Wałęsy i po raz drugi jako z ministrem stanu do spraw obrony narodowej i bezpieczeństwa państwa. Pozostał w mej pamięci jako człowiek mądry i odpowiedzialny, otwarty i sympatyczny. Znów oddaję głos prof. Bace:

Nie mogliśmy przystać na ten warunek. Oznaczałoby to przesunięcie startu reformy przynajmniej o kilka miesięcy. Wytworzyłaby się próżnia systemowa: stary system już nie działa — opóźniamy wprowadzenie nowego. Rezultat mógł być tylko jeden: kompletne załamanie gospodarki. Informując o tym powiedziałem: „Jesteśmy otwarci, zgłaszamy gotowość zmiany każdego artykułu w projektach ustaw, jeśli tylko przedstawicie Panowie lepszy zapis". Atmosferę rozładował W. Trzeciakowski, stwierdzając, że nie ma żadnych wątpliwości co do szczerości intencji gospodarzy spotkania. „Rozumiemy wasze racje — powiedział — ale i wy powinniście zrozumieć nasze. Musimy ustalić nowe zasady współpracy z ponad 10-milionowym związkiem zawodowym. To, co się obecnie dzieje, trudno nazwać partnerstwem". Trzeciakowski odniósł się również do kwestii merytorycznych. Rozpoczęła się naprawdę interesująca, profesjonalna dyskusja. Od razu, niejako z marszu, deklarowałem gotowość uwzględnienia niektórych propozycji. Co do innych — uważałem, że powinny stać się one przedmiotem bardziej pogłębionej analizy, dokonywanej przez wspólne rządowo-związkowe zespoły robocze. Wydawało się, że ten kierunek zyskuje poparcie naszych partnerów.

Wiele miejsca zajęła sprawa tzw. prowizorium systemowego. Na zarzuty ze strony przedstawicieli „Solidarności", że prowizorium odstępuje od linii reformy i jest manewrem obliczonym na utrzymanie *status quo*, replikował Zdzisław Sadowski: „Zarzutów tych — stwierdził — nie można uzasadnić na gruncie faktów. Właśnie dlatego, aby już od 1 stycznia 1982 roku można było zacząć kompleksową reformę, trzeba przyjąć zastępczą uchwałę Rady Ministrów o zasadach działalności przedsiębiorstw w 1982 (czyli tzw. prowizorium systemowe), której byt zakończy się z chwilą wejścia w życie ustaw określających reformę gospodarczą. Gwarancją jest natomiast — i takie zobowiązanie składamy tutaj — że równolegle z uchwaleniem przez rząd prowizorium systemowego cały pakiet projektów ustaw, w kształcie uzgodnionym z «Solidarnością», zostanie skierowany do Sejmu".

Ja natomiast podkreśliłem, że nie ma żadnych przeszkód, aby cały ten proces znalazł się pod ścisłą kontrolą społeczną, z wydatnym udziałem „Solidarności". Spodziewałem się, że propozycje te zostaną podchwycone, że rozwinie się nad nimi dyskusja. Tymczasem J. Merkel zwrócił się do jednego z członków grupy negocjacyjnej o odczytanie oświadczenia następującej treści: „Grupa negocjacyjna «Solidarności» uważa, że przekazywanie przez rząd do Sejmu projektów ustaw dotyczących reformy w ich obecnym kształcie byłoby przedwczesne, ze względu na znaczne rozbieżności między projektami a oczekiwaniami społeczeństwa. Ze względu na wagę reformy rząd powinien przekazać projekty ustaw do Sejmu dopiero po ich zaakceptowaniu przez nasz związek... Grupa negocjacyjna po wymianie uwag i wysłuchaniu informacji o autopoprawkach rządu do kolejnych wersji uchwały Rady Ministrów w sprawie zasad działalności przedsiębiorstw w 1982 roku uważa za niezbędne, aby kolejne spotkanie negocjacyjne było wyłącznie w tej sprawie".

Ustaliliśmy z J. Merklem, że spotkamy się ponownie, w tych samych składach, 4 grudnia o godzinie dziewiątej w Urzędzie Rady Ministrów.

Do spotkania nie doszło.

W komunikacie z radomskich obrad kierownictwa „Solidarności" z dnia 4 grudnia stwierdzono natomiast: „Tzw. prowizorium systemowe na 1982 rok utrzymuje w praktyce stary system zarządzania gospodarką, obciążając jednocześnie przedsiębiorstwa i ich załogi odpowiedzialnością za decyzje, które pozostaną w rękach organów centralnych. Równa się to przekreśleniu reformy oraz uchwalonych już przez Sejm ustaw o samorządzie i przedsiębiorstwie, przy jednoczesnym zagrożeniu przedsiębiorstw licznymi bankructwami lub redukcjami i obniżkami płac. Wraz z prowizorium mają być wprowadzone podwyżki cen projektowane przez rząd. Społeczeństwu każe się zapłacić za reformy, których nie ma. Przed skutkami takich podwyżek, zamykaniem fabryk, redukcjami i obniżkami płac bronić będziemy ludzi pracy zgodnie z ustawowymi celami związku zawodowego i przy użyciu wszystkich statutowych środków".

Zastanawiam się: skąd taka zmiana frontu? Przecież przebieg negocjacji 27 listopada i uzgodnienie dotyczące ich kontynuacji 4 grudnia w niczym nie zapowiadały takiego obrotu sprawy. Skąd ta konfrontacyjna, populistyczna retoryka? Jakie siły i mechanizmy, jakie ambicje i intencje uniemożliwiają osiągnięcie consensusu?

Zarówno sierpniowe, jak i listopadowe rozmowy z ,,Solidarnością'' upewniły mnie, że w dziedzinie społeczno-ekonomicznej nie ma takich kwestii, w odniesieniu do których nie moglibyśmy osiągnąć porozumienia. ,,Okrągły stół'' mógł odbyć się siedem lat wcześniej. Gdyby do tego doszło, Polska byłaby dzisiaj w innej sytuacji.

Taktyka ,,Solidarności'' zasadzała się na stopniowo dojrzewającej koncepcji przejmowania pewnych segmentów władzy, bez brania na siebie odpowiedzialności. W tym okresie zarysowało się to najmocniej na płaszczyźnie ekonomicznej. W sytuacji olbrzymiego niedoboru budżetowego państwa (dzienny deficyt gospodarki narodowej sięgał 3 mld zł, zaś w skali rocznej — 800 do 1000 mld zł) wciąż wysuwano hasła rewindykacyjne, a jakakolwiek podwyżka cen spotykała się z zagrożeniem strajkowym.

Prof. Wacław Wilczyński z Poznania, wielokrotnie krytykowany wcześniej za propagowanie mechanizmu rynkowego, opublikował wówczas na łamach ,,Polityki'' dramatyczny list do doradców i ekspertów ekonomicznych ,,Solidarności''. Wykazując absurdalność ich stanowiska w sprawach kosztów stabilizacji gospodarczej, możliwości zrównoważenia rynku i pokrycia zobowiązań wobec zagranicy, stwierdzał: ,,Nasuwa się przypuszczenie, że jest to stanowisko tylko wobec tego systemu, tylko na użytek rządu, zaś w innym układzie stosunków politycznych zgodzilibyście się zarówno na podwyżki cen, jak i na zupełnie inne mechanizmy polityczne. (...) Nie widać Was — pisał dalej — w pierwszych szeregach walki o reformę systemu gospodarczego, stwarzającą szansę reintegracji ludzi pracy dokoła problemów racjonalnego gospodarowania''. W konkluzji zadawał pytanie: ,,Dokąd idziecie, ku czemu zmierzacie? Czy oczekujecie porażki socjalistycznego państwa na rzecz systemu, w którym Polsce na pewno nikt nie zagwarantuje niczego?''. Wtedy to jeszcze nie było pytanie retoryczne. Dziś wszystko jest oczywiste. Koncepcja strukturalnego, kilkumilionowego bezrobocia po prostu nikomu wówczas nie mieściła się w głowie. Detonatorem strajku w Gdańsku było zwolnienie z pracy Anny Walentynowicz. Teraz doszliśmy do tego, że wyżala się ona na łamach opozycyjnego pisma ,,NIE'', a jej ówcześni obrońcy milczą jak głazy. Ot, ironia losu...

Jesienią 1981 roku radykałowie ,,Solidarności'' nie mówili wprost: chcemy przejąć władzę, czy też: chcemy zmiany ustroju.

Przyczyna była prosta — zupełnie inny niż dziś był stan świadomości społecznej, nie mówiąc o warunkach geopolitycznych.

Przypomnijmy, choć może to wygląda na filologiczną archeologię. Takie pojęcia jak „prywaciarz", „badylarz" oznaczały nie tylko sposób zarobkowania, ale po prostu miały wydźwięk społecznie pejoratywny. Haseł „prywatyzacja" czy „reprywatyzacja" nie znajdzie nikt w żadnym poważniejszym opracowaniu programowym opozycji. Robotnicy, w tym przedstawiciele „Solidarności" pytali mnie wprost, kiedy ukrócę tę prywatę. Tak się wówczas mówiło w kręgu ludzi pracy. Dlaczego się o tym dziś nie pamięta? Taki był wtedy stan świadomości społecznej. Taki był stosunek do fundamentalnych założeń ustroju, których nikt — przynajmniej oficjalnie — nie kwestionował. Wąziutki nurt współpracy bezpośredniej z kapitałem zachodnim, pierwowzór joint ventures zwany „firmami polonijnymi", był często traktowany jako synonim łatwego zarobku cudzym kosztem.

30 listopada 1981 roku Rada Ministrów ogłosiła zasady funkcjonowania przedsiębiorstw w roku 1982 — w postaci tzw. prowizorium systemowego. Pakiet ustaw skierowano do Sejmu. Planowano ich rozpatrzenie w trybie pilnym w dniach 15 i 16 grudnia.

26 lutego 1982 roku, już w czasie stanu wojennego, Sejm uchwalił ustawy: o cenach, o planowaniu społeczno-gospodarczym, o gospodarce finansowej przedsiębiorstw państwowych, o opodatkowaniu jednostek gospodarki uspołecznionej, o prawie bankowym, o statucie NBP, o uprawnieniach do prowadzenia handlu zagranicznego. Weszły one w życie 1 marca 1982 roku. Warto dodać, że treść tych ustaw nie odbiegała od projektów, które w zasadzie uzgodniono z „Solidarnością" właśnie w roku 1981.

Rozdział 34

Strajki i ostrzeżenia

„Spotkanie trzech" — nazwano także spotkaniem ostatniej szansy. Jak została wykorzystana? Powołam się na wywiad prof. Jana Szczepańskiego dla „Die Zeit". Profesor podał, że od 5 do 28 listopada 1981 roku proklamowano w kraju 105 bezterminowych strajków, 196 razy ogłaszano gotowość strajkową, zapowiedziano dalszych 115 strajków, doszło także do 50 różnych innych incydentów.

Nie będę tu przywoływał całej długiej listy wydarzeń, które przetaczały się przez Polskę, potęgowały wzrost napięcia, dezorganizowały życie zakładów produkcyjnych, wyższych uczelni, komunikacji, handlu itd. Nie zamierzam pomniejszać czy dezawuować powodów, dla których strajkowano. Kryzys pogłębiał się, ludziom było coraz ciężej. To zrozumiały powód do niezadowolenia. Ale strajki niczego nie rozwiązywały. Przeciwnie, ciągnęły w dół, pogłębiały chaos. „Iskrzyło" z najbardziej nawet błahych, absurdalnych powodów. Strajkowano, aby — o ile pamiętam — poprzeć żądania pociągnięcia do odpowiedzialności osób winnych zbojkotowania zebrania wyborczego do rady pracowniczej czy zamieszczenia krytycznego artykułu o pracy handlu. Okupowano sklep meblowy z powodu niemożności zrealizowania nowo przyznanego kredytu dla młodych małżeństw.

W tamtych dniach otrzymałem też kuriozalny telegram od Komisji Zakładowej „Solidarności", o ile pamiętam, z jakiegoś zakładu w Trzciance. Nie wiedziałem nawet, co te zakłady produkują, ale telegram był ostry. Kilka czy kilkadziesiąt osób — bo nie sądzę, aby tamtejsze zakłady były potentatem przemysłowym — zakwestionowało uprawnienia Sejmu do powierzenia mi stanowiska premiera. Było to osiem miesięcy po objęciu przeze mnie tej funkcji. Reakcja zatem mocno spóźniona. Ale to jeszcze nic. Autorzy depeszy stanowczo też zakwestionowali mój wybór na I sekretarza

KC PZPR, gdyż nie był on konsultowany z „Solidarnością". Z tego właśnie powodu zapowiedzieli gotowość strajkową.

Na moim biurku piętrzyły się doniesienia o kolejnych przerwach w pracy, teleksy, protesty, żądania, często całkowicie przeciwstawne. Gotowość strajkowa, strajki czynne, bierne, kroczące, okupacyjne, włoskie, rotacyjne i Bóg wie jeszcze jakie, wypełniały każdy kolejny dzień. Region Mazowsze „Solidarności" dysponował nawet — by użyć słów Zbigniewa Bujaka — „sprawnym zespołem do organizowania strajków, wieców, manifestacji, wyposażonym w łączność radiotelefoniczną itd." Zespołu do rozwiązywania strajków, oczywiście, nie było. To była wstrząsająca „droga przez mękę", jaką szła polska gospodarka i zmaltretowane społeczeństwo. Jednocześnie domagano się wyższych pensji, większych świadczeń społecznych, lepszych warunków pracy. Z kolei rolników wzywano do niepłacenia podatków, do wstrzymania dostaw.

A teraz, po dziesięciu latach („Polityka", 23 marca 1991 r.), Jan Krzysztof Bielecki potępia podobne postawy społeczne: „...będziemy strajkować i protestować tak długo, dopóki rząd nie da...", określając je jako „wyuczone w komunizmie". Ciekawe, kto tych postaw wyuczył?

Racjonalne argumenty, apele, aby ten niebezpieczny proces zahamować, przerwać, trafiały w próżnię. Fryderyk Wielki podobno kiedyś powiedział: „Ludzie mówią co chcą, a ja robię co chcę". Musiałbym to powiedzenie odwrócić: ludzie robili co chcieli, a ja mówiłem co chcę. Twierdzono wówczas, a i dziś te opinie są powtarzane, że władza widziała wówczas sytuację kasandrycznie. Celowo ją dramatyzowała, aby znaleźć pretekst i usprawiedliwienie dla późniejszych radykalnych rozwiązań.

Głoszony był też pogląd, że czas strajkowy nie miał większego wpływu na bilans gospodarki. Jest to stwierdzenie co najmniej nieprecyzyjne. Przecież negatywne skutki strajków nie sprowadzają się wyłącznie do przerwy w pracy. Trzeba oceniać je w szerszej skali. Czy pogotowie strajkowe lub stan postrajkowy nie przynoszą negatywnych skutków? A cały kompleks różnych ubocznych konsekwencji? Rozluźnienie dyscypliny produkcyjnej, naruszony rygor technologiczny, zerwanie więzi kooperacyjnych, paraliż dyrekcji, zwiększona absencja, porzucanie pracy, nierzadko wzrost kradzieży na terenie zakładów, marnotrawstwo. To wszystko nie kosztuje? Nigdy i nigdzie strajki nie były i nie są zjawiskiem społecznie i gospodarczo obojętnym. A poza tym w naszych ówczesnych warunkach sytuacja, nastroje, zwłaszcza w wielkich fabrykach, miały znaczenie szczególne. Przedsiębiorstwo państwowe było swego rodzaju odpowiednikiem w mikroskali ogólnych zasad działania systemu. Dlatego strajk, konflikt, protest pracowniczy, do którego z reguły szybko dołączano żądania polityczne, odbijał się na całym życiu województwa, a nawet kraju. Właściwie każdy z nich traktowaliśmy jak wstrząs, coś anormalnego, sprzecznego z naturą ustroju. Słowem, trzęsienie ziemi. Nawiasem mówiąc — przeżyłem je rzeczywiście będąc w Japonii, w Tokio. Podczas przyjęcia zaczęły nagle skakać szklanki na stole, rozkołysał się żyrandol. To uczucie nieprzyjemne, denerwujące. Japończycy zachowywali się jak gdyby nigdy nic. Dla mnie było to zdarzenie nadzwyczajne. Podobnie odczuwaliśmy strajki. Oczywiście, nasza nadwrażliwość w tej sprawie była kwestią drugorzędną. Najistotniejsze było to, że strajki zagrażały ekonomicznej egzystencji kraju. W tym czasie organ wielkiej finansjery amerykańskiej „Wall Street Journal" (z dnia 7 października) pisał w artykule „«Solidarność» zabiera się za gospodarkę", że „zrobiła ona to samo w sferze idei ekonomicznych, co w sferze idei politycznych — wywołała burzę i obudziła reakcję publiczną, nie dając rozwiązań i recept coraz gorzej czującej się gospodarce".

W ostatnich latach uważnie śledziłem przebieg zdarzeń w państwach naszego regionu. W byłej NRD demonstracje i akcje protestacyjne odbywały się z reguły po godzinach pracy i nie na terenie zakładów. W Pradze zapowiedziany na dwie godziny strajk komunikacji miejskiej został odwołany i przekształcony w niekosztowną akcję plakatową. Stało się tak na osobisty apel ówczesnego lidera opozycji, a dziś prezydenta — Havla. „Aksamitnej rewolucji" towarzyszył jedynie bojkot radia i telewizji ogłoszony przez... orkiestrę symfoniczną. Co kraj, to obyczaj!

Społeczny niepokój i lęk pogłębiał także stan bezpieczeństwa i porządku publicznego. Ludzie nie czuli się bezpieczni ani w domu, ani na ulicy. Brutalne pobicia, napady rabunkowe, kradzieże, rozboje, włamania do mieszkań, wyrywanie kobietom torebek, zrywanie kosztowności. Przestępczość nakładała się na inne uciążliwości, z jakimi borykało się polskie społeczeństwo. Rosła też niechęć do organów ścigania. Szczególnie drastyczny był incydent w Radogoszczy. We wrześniu 1981 roku pobito tam milicjantów, przybyłych na miejsce wypadku drogowego. Aby poprawić sytuację — do patroli milicji, zwłaszcza w dużych miastach, włączono żołnierzy Wojskowej Służby Wewnętrznej. Efekty w stosunku do skali zagrożeń były jednak niewspółmierne.

Opinię publiczną bulwersowały także groźne incydenty w zakładach karnych — bunty, ucieczki. Na przykład konflikt w bydgoskim areszcie śledczym. Budynek, w którym przebywali więźniowie, został przez nich zdemolowany, 130 więźniów zbiegło. Nie brakowało zdarzeń, które dziś wywołują śmiech. Wtedy budziły niepokój, trafiały na strony poważnych gazet. 15 listopada 1981 roku z więzienia w Załężu uciekło 11 recydywistów. W depeszy agencyjnej PAP napisała: „Wdrapali się oni na szczyt 43-metrowego komina kotłowni, gdzie założyli kwaterę, z której rozpoczęli dyktować swoje żądania. Domagają się rewizji wszystkich — nie tylko swoich — wyroków wydanych przez sądy w okresie lat 1970-1981, nowelizacji przepisów kodeksu karnego, zastosowania w wielu wypadkach amnestii oraz likwidacji tzw. ośrodków przystosowania społecznego". Zacytuję jeszcze jedno zdanie: „Na teren zakładu przybyli przedstawiciele Centralnego Zarządu Zakładów Karnych, którzy wraz z przedstawicielami miejscowych władz wymiaru sprawiedliwości rozpoczęli pertraktacje z więźniami". Fala buntów przebiegła przez wszystkie zakłady karne.

Wystąpiły też zakłócenia w funkcjonowaniu PKP i PKS. Miało to skutki nie tylko wewnętrzne. Coraz ostrzej reagowali nasi sąsiedzi. Mając między innymi i to na uwadze, obarczyłem wojsko zadaniem czuwania nad sprawnością transportu.

Wreszcie tylko od 1 sierpnia do 22 września 1981 roku — organa MO skonfiskowały 146 sztuk nielegalnie posiadanej broni palnej, 21 kg dynamitu skradzionego z transportu kolejowego, 106 pocisków artyleryjskich.

Powrócę do opisu sytuacji gospodarczej. Przejrzałem niedawno listopadowe numery gazet codziennych — istny horror! Przypominam sobie, że w Chinach kupowaliśmy interwencyjnie wieprzowinę. Trzeba ją było wieźć aż przez pół świata. Warszawiacy dziwili się, że świnie te mają jakieś długie nogi. Dowcipkowano, że mogłyby ścigać się z końmi na Służewcu. Brakowało wszystkiego. W woj. katowickim do końca listopada zgromadzono zaledwie 2/3 ziemniaków potrzebnych na zimę. Zbigniew Michałek informował, że już w lutym 1982 roku może zabraknąć chleba. Niedomagał skup i transport.

Zaciskająca się obręcz niedoborów — to była codzienność. Rozpaczliwe próby rządu, aby skromne dostawy podzielić jak najsprawiedliwiej, skierować tam, gdzie są najniezbędniejsze, do najbardziej potrzebujących, były mało skuteczne.

Warto przypomnieć, że rozkwitła wtedy profesja tzw. „stacza", a więc osoby, która nie robiła nic innego, tylko stała w kolejkach. Albo kupowała sama poszukiwany towar, aby sprzedać go później za podwójną cenę, bądź za opłatą odstępowała swoje miejsce, gdy dochodziła już do lady. „Stacze" stali, bo mieli czas. A co miały robić obarczone dziećmi kobiety, które po pracy chciały kupić cokolwiek? W sklepie zaś pustki. Nie dość, że towaru mało, to jeszcze to, co było, „wywędrowało" na targowisko.

Brakowało pokrycia na realizację kartek na mięso. Również piekarnie miały coraz większe trudności z dostarczaniem odpowiedniej ilości pieczywa. 15 listopada wizytowałem jedną z nich przy ul. Szwoleżerów. Dowiedziałem się, że bywa i tak, iż zapasy mąki na wypiek są zaledwie jednodniowe, zamiast dwutygodniowych. Pamiętam — na Syberii zdarzało się, że zamiast kartkowego przydziału chleba matka przynosiła surowe ciasto. Naszym piekarniom też było coraz trudniej.

Nadchodziła zima... Opady śniegu i mrozy mogły zupełnie sparaliżować ledwo żyjącą już gospodarkę. W stolicy sytuacja wyglądała bardzo źle. Nie było żadnej możliwości zmniejszenia deficytu ciepła. Z braku części zamiennych remonty urządzeń ciepłowniczych wlokły się w nieskończoność. Ustalono, że przede wszystkim będą ogrzewane mieszkania. Przygotowano specjalny plan, by chronić przed brakiem prądu także szpitale, wodociągi, duże zakłady produkujące artykuły spożywcze.

Chyba to właśnie wówczas poszła w świat wstrząsająca depesza Reutera, której autor przewidywał, że 3 miliony Polaków nie przeżyje tej zimy. Liczba, oczywiście, wzięta z sufitu. Ale widmo głodu i chłodu było więcej niż realne. Groziło egzystencji wielu ludzi, zwłaszcza starych, chorych, dzieci.

W tym też czasie otrzymałem odręcznie napisaną notatkę — list od ministra Stanisława **Cioska**. Licząc się z drastycznym niedoborem zwłaszcza ciepła i energii, proponował przygotowanie specjalnych planów przesunięć ludności zamieszkującej wielkie aglomeracje. Chodziło o czasowe przegrupowanie i skoncentrowanie mieszkańców wyłącznie w wytypowanych dzielnicach. Tylko one byłyby ogrzewane i zaopatrywane. Dziś można powiedzieć: panikarstwo. Nie — Ciosek jest dynamiczny, szybki, ale inteligentny, rozsądny. To, że nie jest asekurantem, udowodnił nawet z nadwyżką przy

„okrągłym stole". W danym przypadku z właściwą sobie energią wskazał na zagrożenie — i poważne, i realne. Nie on jeden. Jakiś czas później przeczytałem w „Życiu Warszawy" alarmistyczny artykuł Józefa Kuśmierka „Naostrzyć krajzegi", proponujący równie radykalne środki zaradcze, m.in. trzystopniową ewakuację i koncentrację mieszkańców miast. Nie mogłem lekceważyć tych niebezpieczeństw.

26 października rozpoczęły działalność wojskowe Terenowe Grupy Operacyjne. Skierowane zostały głównie na wieś i do małych miast. Traktowałem tę inspekcję jako dodatkowe, niezależne źródło informacji o problemach, trudnościach, konfliktach występujących w terenie. Grupy te były uczulone na niegospodarność, nieudolność terenowych władz i instytucji, niemal wskazywały palcem, ile jest jeszcze do zrobienia. Ich działalność wywołała wstrząs wśród lokalnych klik, niekompetentnych biurokratów, spekulantów, wszystkich tych, którzy żerowali na kryzysie. Nikt nie lubi kontroli. Ale nie tylko władza na szczeblu podstawowym poczuła się zagrożona, także niektórzy ich zwierzchnicy w województwach. W rezultacie to głównie oni słali do Warszawy alarmujące sygnały o podważaniu prestiżu i autorytetu, o dezintegracji struktur władzy w wyniku działań grup wojskowych. Była to swoista miotła. Uderzała nie w opozycję, ale przede wszystkim we władzę. W ten sposób reagowaliśmy również na skargi „Solidarności", że w tzw. terenie — na wsi, w gminach, miasteczkach — dzieje się źle, lokalne układy blokują odnowę. W wyniku działalności grup odwołano wielu sekretarzy, naczelników, dyrektorów. Obszernie informowano o tym społeczeństwo.

Rozumowałem mniej więcej tak: dotychczasowe wstrząsy, protesty, żądania rozliczeń spotykały się na średnim i niższym szczeblu władzy głównie z reakcją obronną — wrogowie socjalizmu załatwiają swoje porachunki, zarzuty są demagogiczne lub kłamliwe, jedyną odpowiedzią powinno być „zwarcie szeregów". W wielu przypadkach reakcja ta była uzasadniona. Właśnie w tym okresie trwało „wielkie polowanie na czarownice". Ale tą samą argumentacją posługiwali się również ludzie, którym legitymacja partyjna lub pełniony urząd miały służyć do osłonięcia własnej nieudolności lub nawet korupcji. Trzeba było dowieść, że bez końca nie będą trzymać się swych stołków. Że krytyka pod ich adresem przychodzi nie tylko ze strony ówczesnego przeciwnika, lecz również z własnych szeregów.

Zarzucano mi, że zadaniem tych grup było przygotowanie warunków do późniejszego wprowadzenia stanu wojennego. Oczywiście, przydało się doświadczenie, jakie zdobyli. Ale nie w tym celu zostały skierowane w teren. To była jedna z metod zmierzających do skutecznego przeciwdziałania zjawiskom dezorganizującym funkcjonowanie gospodarki, handlu, skupu, usług, służb komunalnych itd. Dwa tysiące oficerów zapoznało się z prawdziwym obrazem codziennego życia Polaków. To była mocna lekcja. 19 listopada wycofano grupy z małych miast i wsi. 25 listopada skierowano drugi rzut do większych aglomeracji i zakładów przemysłowych. Cel był ten sam.

25 listopada odwiedziłem Piotrków i Bełchatów. Rozmawiałem z ludźmi. Wyrażali głęboki niepokój. Pytali: co dalej? Spotkałem się z budowniczymi elektrowni „Bełchatów". Oddawano właśnie do użytku dopiero pierwszy blok energetyczny. Przyjechałem tam ponownie w 1988 roku, kiedy uruchamiano ostatni, dwunasty blok. Mimo woli ciśnie się na usta uwaga. Oto, w latach tak często jednostronnie ocenianych, zbudowano największą w Europie elektrownię pracującą na węglu brunatnym.

27-28 listopada obradowało VI plenum KC PZPR. Głównym tematem miała być gospodarka, jej reformowanie, tymczasem... zdominowała je problematyka polityczna. Nie w referatach, lecz w dyskusji. Wynikało to nie z wulgarnie pojmowanego prymatu polityki nad ekonomiką czy też szukania politycznych uzasadnień dla decyzji gospodarczych. Przyczyną była realnie istniejąca sytuacja. Podkreślano, że bez stabilizacji społeczno-politycznej realizacja reformy gospodarczej jest czystą abstrakcją. Nieuwzględnienie tego — jak ktoś powiedział — będzie oznaczało konieczność dopisania reformie czwartego „S" — samounicestwienia kraju. Kategorycznie żądano, aby wyposażyć rząd w nadzwyczajne pełnomocnictwa. Uchwałą plenum zobowiązano Klub Poselski PZPR, aby wystąpił z inicjatywą niezwłocznego podjęcia prac legislacyjnych nad projektem ustawy „O nadzwyczajnych środkach działania w interesie ochrony obywateli i państwa". Sytuacja była już taka, że rząd bez nadzwyczajnych pełnomocnictw nie mógł spełniać dalej swych konstytucyjnych zadań.

Oceniając sytuację, wypowiedziałem na tym plenum mocne słowa: „Napięcia, konflikty, działalność skierowana przeciwko partii i socjalistycznemu państwu zaostrzają się. Suma i tendencje tych wszystkich niebezpiecznych zjawisk wskazują, iż obecnego stanu utrzymać dłużej nie można, proces rozkładowy musi być zatrzymany. Inaczej nieuchronnie doprowadzi do konfrontacji, do stanu typu wojennego". To i dziesiątki innych ostrzeżeń miały studzić rozpalone głowy. Nikt nie może zarzucić, że nie apelowałem, nie ostrzegałem, jak się to skończyć może. To nieuczciwe, nawet niegodne rozkładać dziś ręce, twierdząc, że zastosowanie środków nadzwyczajnych było zaskoczeniem. Owszem, techniczno-organizacyjne, wojskowe elementy nie były ujawniane. Ale stan wojenny nie mógł być zaskoczeniem dla tych, którzy chcieli słuchać apeli, ostrzeżeń, wezwań Sejmu, IX Zjazdu, plenarnych posiedzeń KC, moich jako premiera oraz innych członków kierownictwa rządu. Wreszcie komunikaty KOK i Rady Wojskowej MON. Nakazywałem także nawet w niektórych gorących miejscach i momentach — demonstracyjne przemarsze wojsk. Czy wreszcie powszechnie znane wstrzymanie zwolnienia do rezerwy żołnierzy starszego rocznika — nie było wyrazistą formą ostrzeżenia?

W końcu można było nas nie słuchać. Lekceważenie władzy było ostentacyjne. Ale dlaczego nie słuchano Kościoła, prymasa, Episkopatu Polski? Dlaczego nie dawano wiary prasie czy rozgłośniom zagranicznym, które również te informacje przekazywały? Uważam, że przestróg było może nawet za dużo. Radykalne kręgi „Solidarności" uodporniły się na nie. Uznały, że nie ma powodu do obaw, bo ta władza może jedynie paść.

Wiedzieliśmy, co piszczy w trawie. Jak zachowują się i co mówią ludzie z kierowniczych kręgów „Solidarności" nie na użytek publiczny, ale między sobą, a także w czasie wizyt zagranicznych czy w salonach zachodnich ambasad. Odżyły stare polskie iluzje, które tyle razy w historii doprowadziły nasz kraj do nieszczęścia: my zaczniemy, a Zachód nam pomoże. Byłoby ciekawe, co by powiedzieli dziś. Co mówiono o zewnętrznym zagrożeniu Polski? Czy obiecywano im pomoc? Czy to usprawiedliwiało ich wzrastającą pewność siebie?

Niezależnie od publicznych ostrzeżeń korzystaliśmy również z innych form. Między innymi Barcikowski spotykał się z doradcami „Solidarności" — Mazowieckim, Geremkiem, Olszewskim, Chrzanowskim. W czasie jednej z rozmów ktoś zapytał: „To co, grożą nam papachy?" „A dlaczego nie maciejówki?" — odparował Barcikowski. Po latach Tadeusz Mazowiecki przypomniał Barcikowskiemu tamtą wymianę zdań, mówiąc żartobliwie, z jaką ulgą — gdy przywieziono go na poligon w rejon internowania — zobaczył żołnierzy w „maciejówkach".

Przy okazji parę słów o naszych żołnierskich czapkach. Otóż w końcu lat 50. wprowadzono w wojsku nowe umundurowanie polowe, w tym czapki, które nie były jednak rogatywkami, bo miały boczne rogi ścięte. Kiedy zostałem ministrem obrony narodowej, zarządziłem, aby skrojono je w formie rogatywki. I tak zostało do dziś. Przez jakiś czas nazywano je „wojciechówkami". A więc rogatywka, wprawdzie w polowym wydaniu, ma w naszym wojsku swoją kolejną ponad dwudziestoletnią tradycję.

Kilka słów o Kazimierzu Barcikowskim. Mówiąc skrótowo — **Barcikowski** to „solidna firma". Doświadczony działacz partyjny i państwowy. Nie doktrynerski, nie dogmatyczny, choć — co może wydawać się wzajemnie sprzeczne — pryncypialny. Odważny w sądach, oryginalny, nawet dosadny w wypowiedziach. Z natury aż denerwujący flegmatyk, ale momentami impetyk. Uważnie słuchany przez kręgi kościelne oraz umiarkowaną opozycję. Zwalczany przez zachowawcze koła w partii. Długo chodził z etykietką rewizjonisty. Chyba przyczyniłem się do tego, że dano mu wreszcie spokój w kraju i za granicą. W sumie to jedna z atutowych pozycji w reformatorskim obozie ówczesnej władzy.

Wracam do przerwanego wątku. Nie ukrywam, że owo zaskoczenie „Solidarności" stanem wojennym i nas zaskoczyło. Nawet historycy tego nie rozumieją. Micewski pisał: „Jest wprost nie do pojęcia, ale jest realnym faktem. Myślę, że wytłumaczenie go jest w pełni możliwe. Aktyw «Solidarności» trafnie oceniał słabość systemu społeczno-gospodarczego panującego w kraju. Nie rozumiał jednak, że system ten ma swoje poważne zaplecze w szeroko rozumianym aparacie władzy (...) «Solidarność» dała się ponieść własnemu entuzjazmowi i uległa przedstawicielom kilku politycznych grup nacisku w Związku. O realiach wszyscy wiedzieli, ale woleli o nich zapomnieć. Klęski i tragedie narodowe nie raz już w dziejach Polski prowadziły do erupcji absolutnego irracjonalizmu. Szlachetna idea — solidarności całego społeczeństwa — przesłoniła krajowy i międzynarodowy układ sił".

Można dzisiaj ówczesną władzę obwiniać absolutnie o wszystko. Niektórym obecnym elitom jest to potrzebne. Jeżeli mój głos jest dzisiaj za słaby, to inni przypomną, że w 1981 roku wpędzono gospodarkę „pod nóż". Próbę nadwerężenia pozycji Polski w ówczesnym układzie geopolitycznym można też interpretować dziś całkiem dowolnie. Ale w roku 1981 za tę dowolność mogliśmy zapłacić cenę najwyższą.

Postanowienia VI plenum przyjęto w różny sposób. Ryszard Reiff uważał, że była to „konsekwentna kontynuacja obranej przez kierownictwo partii taktyki wprowadzania w błąd przeciwnika, usypiania jego czujności". Jerzy Holzer zaś — przeciwnie — określił VI plenum jako „grom". Niestety, władzę traktowano już wtedy jak „zdechłego psa". Gdyby tak nie było, być może sprawy potoczyłyby się inaczej. Świadczą o tym dalsze wydarzenia. Jest znane powiedzenie de Gaulle'a z 1958 roku: „Władzy się nie bierze, władzę się podnosi". Zdaje się, iż „Solidarność" uważała wówczas, że to nie jest branie władzy siłą, ale branie władzy właściwie już leżącej. Nie potrafię inaczej wytłumaczyć takiego połączenia arogancji z niefrasobliwością.

Niezależnie od ocen, uchwał, wyroków, które sformułują obecny czy przyszłe parlamenty, komisje i trybunały — podtrzymuję mój punkt widzenia. W 1981 roku żywotne interesy kraju były śmiertelnie zagrożone. Przy tym nie było tak, że jeśli jedni tracili, to zyskiwali inni. Była to gra o sumie ujemnej — tracili wszyscy.

Każdy, kto w sposób odpowiedzialny oceniał bieg wydarzeń, miał świadomość, co należy zrobić w przypadku skrajnego niebezpieczeństwa. Kiedy to w końcu zrobiliśmy — w słowniku Doroszewskiego zabrakło słów na określenie działań władzy i moich. Jaruzelski „przetrącił kręgosłup narodowi", „zniewolił prawdziwych Polaków", „wykonywał cudze rozkazy", „wypowiedział wojnę polsko-jaruzelską", „zdławił wolnościowy zryw"...

Rozdział 35

Niegasnące pożary

2 grudnia 1981 roku przy użyciu sił porządkowych zlikwidowano strajk okupacyjny w Wyższej Oficerskiej Szkole Pożarnictwa. Powodem strajku stał się projekt ustawy o szkołach wyższych. Rozpalenie „ogniska" w uczelni przygotowującej kadrę dla organizacji paramilitarnej, bo taki niemal wszędzie mają charakter służby pożarnicze, miało prawdopodobnie stanowić kolejny test na zbadanie słabości władzy.

Awanturę w WOSP zorganizowała „Solidarność" Region Mazowsze, a właściwie jego wiceprzewodniczący, Seweryn Jaworski. 29 listopada dostał się na teren szkoły i wszedł do gabinetu jej komendanta. Powiedział dosłownie: „Aresztuję was. Macie tu siedzieć".

Kiedy milicja zajęła budynek WOSP — „Solidarność" zarządziła ostre pogotowie strajkowe. To była symptomatyczna reakcja. Incydent staje się pretekstem do przeniesienia konfliktu na teren całej Polski. „Zarządzam ostre pogotowie w biurach zarządów regionów. Poczynić przygotowania do gotowości strajkowej". Tak brzmiały pierwsze zdania teleksu wysłanego do wszystkich ogniw regionalnych.

Przy okazji inna uwaga. Otóż przeglądając prasę z tamtych dni, można znaleźć krótką notatkę PAP, że właśnie również 2 grudnia usunięto siłą, m.in. forsując bramę przy pomocy specjalnej ciężarówki policyjnej, 70 studentów z budynku administracyjnego politechniki londyńskiej. Okupowali oni gmach przez 10 dni na znak protestu przeciwko rządowym planom cięć wydatków na oświatę. Jednak z tego powodu Wielka Brytania nie „stanęła na głowie". To wszystko jest bardziej smutne niż śmieszne, nawet obecnie, po tylu latach.

Do akcji milicyjnej w Wyższej Oficerskiej Szkole Pożarnictwa użyto sił i środków większych, niż wymagała sytuacja. Chodziło w danym przypadku również o przestrogę. Niestety, nie na wiele to się zdało. Na odwrót, akcję tę piętnowano jako bezpośredni powód gwałtownej radykalizacji znacznej części kierownictwa „Solidarności". To bardzo naciągany argument. Radykalizacja postępowała przecież przez cały 1981 rok. Z czasem proces ten zaczął wymykać się spod kontroli. Przytłaczał i spychał na pobocze realistycznie myślących, umiarkowanych.

Owych wysuwających się na plan pierwszy „nowych radykałów" — w odróżnieniu od radykalnych działaczy z przeszłości, takich chociażby jak Andrzej Gwiazda czy Anna Walentynowicz — celnie scharakteryzował Adam Michnik w 1984 roku, w książce „Takie czasy".

„Ich radykalizm — napisał — nie był wyrazem stanowisk przemyślanych, uwzględniających realia i limity polskiej sytuacji. Od realiów był Wałęsa i był Kuroń — oni byli od podgrzewania atmosfery. Dlatego z ich punktu widzenia nie było właściwie żadnej różnicy między ekspertami a korowcami, pomiędzy Mazowieckim a Kuroniem, Gwiazdą a Geremkiem. Wałęsa był ich zdaniem nazbyt miękki głównie z winy ekspertów, których wpływom ponoć bezwolnie się poddawał. Oni zaś widzieli już władzę leżącą na ulicy. Czuli się jednak zbyt słabi, by się po nią schylić. Miał to za nich zrobić Wałęsa. Brak doświadczenia podsuwał im wizje coraz bardziej niezwykłe, z którymi trudno było jednak polemizować w kategoriach wiedzy i zdrowego rozsądku, bowiem właśnie wiedzę uważali za skompromitowany zbiór frazesów epoki minionej, zaś w zdrowym rozsądku widzieli artykulację inteligenckiego strachu".

My nie mieliśmy złudzeń co do postaw owych radykałów. Może powinienem wyciągnąć z tego wnioski. Żadne „centrowe" rozwiązanie nigdy ich nie zadowoli. W chwilach napięć i powszechnego wzburzenia centryści narażają się wszystkim i z reguły przegrywają.

Wiem, jak trudna była wówczas rola Wałęsy. W jakimś sensie przecież podobna do tej, którą Kania i ja spełnialiśmy po naszej stronie. On też był człowiekiem „środka". Pamięta chyba, jakie to było ciężkie. Zresztą i dziś stara się taką rolę odgrywać — raz z lepszym, raz z gorszym skutkiem. My jednak widzieliśmy wówczas przede wszystkim zaskakującą zmienność jego ocen. Z jednej strony wynikało to ze spontaniczności wypowiedzi będących reakcją na konkretne sytuacje. Z drugiej, jak sądzę, Wałęsa zostawiał sobie świadomie możliwie najszersze pole manewru. Z rana powie jedno, wieczorem powie drugie. Każdy w tym znajdzie coś dla siebie. Humorystyczną kwintesencją tej postawy jest późniejsze sławne powiedzonko: „Jestem za, a nawet przeciw". Kiedyś oglądając telewizję słyszałem na ten temat jak zwykle błyskotliwy komentarz Bronisława Geremka: „W tym jest urok naszego przewodniczącego".

Radykalizacja działań „Solidarności" osiągnęła apogeum w Radomiu, a następnie w Gdańsku na zebraniu KKP. Wałęsa przyznaje w swoich pamiętnikach, że przestał panować nad sytuacją. Dlatego: „Robię się największym radykałem, dołączam się do nastrojów całej sali po to, żeby się nie dać zostawić z boku wobec nadchodzących wydarzeń (...). W Radomiu poszedłem na ostro, wbrew swoim przekonaniom, żeby nie dać się odłączyć". Kiedyś zgrabnie to wytłumaczył: „Jak nie można zahamować rozpędzonego konia, to trzeba skoczyć mu na grzbiet i pokierować nim". Tyle że ten koń był już na tyle rozbrykany, że kierować się nie dał. Przecież to właśnie wtedy Seweryn Jaworski zagroził mu: „Jeśli się cofniesz o krok, to osobiście utnę ci głowę". Chcąc zachować wpływy, Wałęsa zrobił więc woltę. W Radomiu w czasie spotkania Prezydium Krajowej Komisji „Solidarności" z przewodniczącymi związków regionalnych oraz grupą ekspertów — 3 grudnia 1981 roku powiedział: „Od początku było jasne, że walka będzie. Trzeba tylko i wyłącznie dobierać środki, żeby jak najwięcej społeczeństwa rozumiało tę walkę. Głośno nie mówić, konfrontacja nieunikniona i rozmowy także to tylko jest przechytrzenie, kto kogo, a my się sami przechytrzymy. My mamy mówić: kochamy Związek Radziecki, a... przez fakty dokonane robić robotę i czekać. Konfrontacja będzie, tylko niech będzie to konfrontacja, żeby nas nie zaskoczyła, ale ona jest nieunikniona. (...) Żadna władza, zmiana systemu nie może obejść się bez targania po szczękach..." To zapis z taśmy magnetofonowej, robi więc nie najlepsze wrażenie „rwaną" stylistyką, grubymi kolokwializmami. Ale słowa te tchnęły sugestywnością, siłą, autentyzmem.

Zadziwiające — bo oto wcześniej w warszawskim hotelu „Solec" 1 i 2 grudnia odbywała się narada Prezydium KK. Lech Wałęsa wygłosił wtedy z okna hotelu zaimprowizowane przemówienie do kilkusetosobowej grupy ludzi. Utrzymane było w spokojnym tonie. Zaapelował m.in. o rozsądek i dyscyplinę. Skądinąd wiemy, że na obradach Prezydium KK w hotelu „Solec" unosił się — jak to ujął Mieczysław Rakowski w swoich wspomnieniach — „duch bezwzględnej walki". Wałęsa, jak widać, nie poddał mu się od razu. Ale w końcu poszedł z burzliwym prądem... Był to więc i jego dramat — człowieka, który tym razem naprawdę „nie chciał, ale musiał".

W czasie radomskich obrad główny ton dyskusji był ostry, właściwie awanturniczy, a wnioski daleko idące. Przewodniczący Regionu Podbeskidzia — Kosmowski: „Należy pójść na całego". Rulewski wystąpił z propozycją „cofnięcia mandatu zaufania rządowi Jaruzelskiego" i powołania na okres przejściowy „rządu tymczasowego". Przewodniczący Zarządu Regionu Ziemi Radomskiej, Sobieraj, radził: „Trzeba władze wojewódzkie wpuszczać w przeróżne tematy — w gminy, miasta, trzeba koniecznie rozdyskutować chłopów, napuszczać na urzędników gminy, niech zajmują urzędy gminne". Bujak: „... zaczynamy krążyć jak sępy nad trupem, no, któryś się jeszcze trochę rusza, ale już wiadomo, że można oczy wydziobywać". A wcześniej mówił, że „Radiokomitet odbije specjalnie przygotowana grupa robotników."

W tym miejscu kilka słów o Zbigniewie **Bujaku**. W Radomiu Bujak znalazł się wśród radykałów. Różnie z nim bywało. Czasami wykazywał znaczne umiarkowanie. Myślał racjonalnie. Ale w praktyce ponosił go nierzadko temperament desantowca. Mój stosunek do niego bywał też złożony. Dziś mam dla niego duże uznanie. Wyszedł z wielkiej biedy, ale dzięki zdolnościom, inteligencji, pracy nad sobą wzniósł się — nie mając formalnie wyższych studiów — na wysoki poziom intelektualny. Nie odciął się jednak od korzeni, zachował wrażliwość społeczną. Mam do niego pewną słabość również dlatego, że był dobrym żołnierzem, „komandosem". Kiedy podczas stanu wojennego bezskutecznie go poszukiwano, kiedy ciągle „mylił pogonie" — przyznam, w duchu miałem jakąś satysfakcję. Głośno zaś trochę drwiłem: „Sami widzicie, co daje szkoła «czerwonych beretów»". W latach 1989-1990 spotkałem się z nim dwukrotnie. Mówiliśmy o wielu sprawach i mogę stwierdzić jedno: to człowiek nietuzinkowy. Jak mi mówiono — podobny format to Frasyniuk. Nie zetknąłem się z nim jednak osobiście.

Wróćmy do Radomia. Mówiąc po staropolsku: „kurzyło się tam z głów". Dominowały głosy ostre, konfrontacyjne. Nawet ci, którzy jeszcze na I Zjeździe „Solidarności" w Gdańsku robili wrażenie umiarkowanych, tu poddali się wojowniczej atmosferze. A było to przecież oficjalne stanowisko grona faktycznie decydującego — centrali „Solidarności" oraz regionalnych przywódców. W przypadku nieprzyjęcia przez rząd postawionych mu warunków, a w szczególności po podjęciu próby czasowego ograniczenia prawa do strajku, stanowisko to — po zatwierdzeniu przez Komisję Krajową — zobowiązywało związek jako całość do zorganizowania strajku generalnego. Oprotestowano również projekt prowizorium systemowego na 1982 rok, bez którego start reformy gospodarczej był nie do pomyślenia. Odrzucono ideę porozumienia narodowego. Jeszcze w tym samym dniu na spotkaniu w „Radoskórze" Wałęsa powiedział: „Nie ma porozumienia, bo nie ma się z kim porozumiewać".

Jak miałem, a właściwie jak powinienem zareagować na przebieg i stanowisko związku zajęte w Radomiu? Jasną i jednoznaczną odpowiedź władz przedstawił rzecznik rządu w oświadczeniu opublikowanym 7 grudnia: „Sejm PRL dwukrotnie — 26 marca i 31 października — podjął uchwały wzywające do poniechania wyniszczających kraj akcji strajkowych i naruszających ład społeczny niepokojów. 18 listopada 1981 Prezydium Sejmu zgodnie z poprzednią uchwałą Sejmu PRL wydało oświadczenie stwierdzające, że jeżeli sejmowe uchwały i apele nie odniosą skutku, Sejm w obliczu wyższej konieczności, która być może powstanie — rozpatrzy propozycje wyposażenia rządu w takie ustawowe środki działania, jakich wymagać będzie sytuacja. Uchwały te i oświadczenia nie odniosły skutku, zostały zignorowane. Podobnie bezskuteczne były apele sejmowe premiera z 12 lutego o 90 spokojnych, pracowitych dni, z 24 września i z 30 października 1981, inne wezwania rządu, a także apele partii i stronnictw politycznych oraz organizacji społecznych.

Ponieważ strajki, a także liczne akty łamania prawa zagrażają podstawom bytu społeczeństwa oraz strukturom państwa polskiego — powstaje konieczność wyposażenia rządu w niezbędne możliwości działania. W danym przypadku chodzi o środki ograniczone, przy czym tylko na okres zimowy (do 31 marca 1982 roku) z intencją, aby nie dopuścić do konfrontacji, do potrzeby zastosowania ostatecznych środków. Rząd ubiega się o nie po długotrwałym okresie apeli i perswazji. Kierownictwo «Solidarności» występuje przeciwko nie istniejącej jeszcze i nie zaprezentowanej Sejmowi ustawie — grożąc strajkiem powszechnym w razie zastosowania ustawowej próby pohamowania strajków..."

W tym miejscu pragnę raz jeszcze przypomnieć, że projekt ustawy leżał w Sejmie od 28 października. Zwlekałem z nadaniem mu biegu. Parlament, podobnie jak i rząd, liczył, że może te pełnomocnictwa okażą się zbędne, że uda się przywrócić normalny rytm gospodarce. Nie ukrywam, że skierowanie już w październiku projektu ustawy miało być także jedną z form ostrzeżenia. Naprawdę, przynajmniej od października do grudnia „Solidarność" miała sporo czasu, aby rozsądnie ocenić sytuację oraz intencje władzy. Nawoływaliśmy do porozumienia. Nie kryliśmy zarazem, że fiasko tej idei musi wywołać w końcu stanowczą reakcję.

Żałuję, że ostatecznie nie doszło do przyjęcia tej ustawy. Była to próba ratowania konającej gospodarki. Niestety, przeważyło zdecydowane „nie" „Solidarności", grożącej strajkiem generalnym, ze wszystkimi jego konsekwencjami. Brał to pod uwagę Episkopat, odwodząc Sejm od tej inicjatywy.

W piśmie adresowanym do Marszałka Sejmu, do Konwentu Seniorów, do wszystkich posłów, podpisanym w imieniu Episkopatu przez prymasa Józefa Glempa i biskupa Bronisława Dąbrowskiego, znajdowało się następujące uzasadnienie: „Wydanie w chwili obecnej aktu prawnego, zakazującego na drodze przemocy administracyjnej stosowania środka protestu, grozi wzburzeniem nastrojów społecznych, ogromnym naciskiem z dołu na władze związkowe i żądaniem strajku generalnego. (...) Kościół, mając na uwadze zarówno dobro ludzi pracy, jak Państwa, dzieląc od tysiąca lat dobre i złe losy naszej wspólnej Ojczyzny, przestrzega Sejm Polskiej Rzeczypospolitej Ludowej przed podjęciem decyzji, która w sposób tragiczny zaważyłaby na losach Kraju".

Takiego ostrzeżenia nie można było zlekceważyć.

W tych gorących dniach wyczuwało się w różnych kręgach „Solidarności" nastrój triumfalny, wręcz euforyczny. Ciosek — człowiek dialogu i porozumienia — który miał wiele kontaktów z czołówką związku, mówił mi z troską o buńczucznych oświadczeniach, m.in.: „Czapkami was nakryjemy". Radom nie był więc całkowitym zaskoczeniem. Chociaż nie liczyłem, że „Solidarność" pójdzie tam tak ostro, właściwie do końca.

Rozdział 36

Ściśle tajne

Sojusznicy oceniali Polskę jako obszar ciężko skażony. W procesach zachodzących w naszym kraju dostrzegano — nie bez pewnych podstaw — niebezpieczeństwo dla całego bloku, osłabienie jego stabilności i zwartości. Stąd aktywna penetracja, w tym oddziaływanie — nazwijmy to — perswazyjno-indoktrynacyjne.

Jedną z powtarzających się melodii były próby dezawuowania Kani i mojej osoby. W niektórych naszych kręgach słuchano tego, a nawet podpowiadano chętnie. O mnie mówiono, że jestem ukrytym zwolennikiem „finlandyzacji" Polski. Chcę, aby był silny rząd wsparty wojskiem, a słaba partia, nie mająca wpływu na politykę państwa. Działania poszerzające funkcjonowanie demokracji określano jako „rozpłaszczanie rządów przez powoływanie różnych komitetów, rad, komisji". Oczywiście też zastrzeżenia związane z moim pochodzeniem. Nawet puszczono w obieg „informację", iż mój ojciec mieszka w Anglii, spełniając tam jakąś podejrzaną rolę. I tak dalej... Sondowano, jak zachowałaby się generalicja, gdyby jakaś niesprecyzowana siła pozbawiła mnie władzy. Wyczuwałem, że moje całkowite zaabsorbowanie działalnością rządową powoduje osłabienie kontaktu z wojskiem. W powstałej sytuacji mogło to przynieść negatywne skutki. Tym m.in. uzasadniałem chęć rezygnacji z funkcji premiera. Zgłosiłem ją 10 czerwca na posiedzeniu Biura Politycznego. Mówiłem o tym również 18 czerwca. Okazało się to wówczas niemożliwe.

Mówi gen. Czesław Kiszczak*:

W książce „Generał Kiszczak mówi — prawie wszystko" opisałem ważniejsze wydarzenia i refleksje z całego mojego długiego życia. Z konieczności więc lata 1980-1981 ujęte zostały skrótowo. Niemniej jednak wielokrotnie stwierdzałem, iż zewnętrzna interwencja realnie, a nawet bezpośrednio Polsce zagrażała. Obecnie,

---

* Czesław Kiszczak — gen. dywizji, szef Wojskowej Służby Wewnętrznej, od 31 lipca 1981 roku minister spraw wewnętrznych.

gdy jest możliwość skoncentrowania się na okresie poprzedzającym stan wojenny, postaram się naświetlić ten problem szerzej.

Po objęciu stanowiska ministra spraw wewnętrznych, na spotkaniach zapoznawczych z komendantami MO większych województw — rozmawiałem m.in. z płk. Grubą z Katowic. Rozmowa wykroczyła poza tematykę województwa. Gruba wywarł dobre wrażenie otwartością wypowiedzi, śmiałością myślenia. Już w tej pierwszej rozmowie przekazał mi szereg istotnych faktów, potwierdzających nasze obawy, że istnieje realne zagrożenie wejściem obcych wojsk. Ponadto Gruba na podstawie różnych kontaktów stwierdził, że w Polsce znajdzie się grupa ludzi, podobnie jak to miało miejsce w Czechosłowacji w 1968 roku, która będzie skłonna zwrócić się do sojuszników z Układu Warszawskiego o internacjonalistyczną pomoc. Poinformował mnie również o swoich rozmowach z czeskimi odpowiednikami, między innymi z szefem SB w Morawskiej Ostrawie, płk. Kinclem, późniejszym ministrem spraw wewnętrznych Czechosłowacji. Nie ukrywali oni, że są gotowi do okazania Polsce ,,pomocy'' i na czym ta pomoc będzie polegała: wejście ich wojsk i grup operacyjnych Służby Bezpieczeństwa do kilku przygranicznych województw. Gruba meldował, że przygotowania sił czechosłowackich do wejścia do Polski są widoczne gołym okiem. Charakterystyczne ruchy wojsk były zauważalne z różnym natężeniem pod koniec 1980 roku, a także wiosną oraz późną jesienią 1981. O ile mi wiadomo, Gruba pisał o tym w ostatnich latach na łamach niektórych śląskich pism.

Meldował mi również, że czechosłowacki wywiad wojskowy prowadzi systematycznie rozpoznanie dróg i przygranicznych rejonów po stronie polskiej. Jemu, jego rodzinie oraz kolegom proponowano schronienie w Czechosłowacji, bowiem ,,siły kontrrewolucyjne mogą spowodować u mniej uświadomionej części klasy robotniczej opór, który przerodzi się w akty zemsty na rodzinach działaczy politycznych''. Powoływano się przy tym na ówczesnego I sekretarza KW w Katowicach, Andrzeja Żabińskiego, na którego przyjęcie jakoby czekała willa po stronie czeskiej. Czechosłowackich kolegów szczególnie przy tym niepokoiły postawy części aparatu naszego MSW, w tym próby utworzenia związku zawodowego w milicji.

Pułkownicy Gruba oraz Dudek z Olsztyna, Biernaczyk z Wrocławia, Andrzejewski z Gdańska, Ochocki z Legnicy, a także kilku innych, meldowali mi o aktywności cywilnego (KGB) i wojskowego (GRU) wywiadu radzieckiego, a także STASI i czechosłowackiej SB. Moi rozmówcy operowali nazwiskami oraz możliwymi do sprawdzenia faktami. Niektóre z tych informacji były potwierdzane kanałami wojskowymi.

Odnotowano kilka okresów szczególnie ożywionej penetracji. Pierwszy — to sierpień i wrzesień 1980 roku, drugi — listopad i początek grudnia 1980, trzeci — marzec i początek kwietnia 1981, wreszcie czwarty — listopad-grudzień 1981 roku.

Główny nacisk położony był na rozpoznawanie sposobów ochrony kluczowych zakładów pracy, węzłów komunikacyjnych, systemów zasilania w prąd i wodę. Można było to odczytać jako ,,przymierzanie się'' do tych zakładów i instytucji, które będą opanowywane w pierwszej kolejności. Dominowało jednak studiowanie nastrojów społecznych poszczególnych środowisk, w tym zwłaszcza ,,Solidarności'' i jednocześnie urabianie pozytywnego stosunku do ZSRR.

Z dużym zaskoczeniem przyjąłem meldunek Gruby z listopada-grudnia 1981 roku. Wynikało z niego, że niektórzy — według jego wyczucia i rozeznania — pracownicy KGB, pracujący pod przykryciem grupy specjalistów w Hucie Katowice, nie tylko rozpoznają środowisko „Solidarności", ale nawet wchodzą w jej oficjalne struktury organizacyjne. Jeden z nich, inżynier Antoni Kuśnierz, wszedł do KZ „Solidarności" Huty Katowice. Gruba otrzymał ode mnie polecenie interwencji w konsulacie ZSRR w Krakowie. Rozmawiał z Konsulem Generalnym — Rudnowem, wskazując na osobliwe zachowanie się niektórych obywateli ZSRR i żądając odwołania ich do kraju. Konsul tłumaczył się mętnie, że to samowola, że pierwszy raz słyszy, że zbada sprawę, że ktoś w tej sprawie do nas się zgłosi. I zgłosił się — rezydent KGB, płk Tołkunow. Ten zagrał w otwarte karty: Gruba powinien mieć więcej zrozumienia dla radzieckich interesów w Polsce, bo sytuacja może się różnie rozwijać, trzeba zatem przychylnie ustawiać także „Solidarność" na wypadek okazania „pomocy". Gruba, zgodnie z moim poleceniem, domagał się jednak odwołania inż. Kuśnierza. Osobiście już nie zdążyłem wkroczyć na moim szczeblu w tę sprawę. Wkrótce bowiem nastąpił 13 grudnia.

Po wprowadzeniu stanu wojennego w Hucie Katowice „Solidarność"zorganizowała strajk okupacyjny. Został on zlikwidowany siłami MO i wojska. W krótkim czasie zorganizowano tam drugi strajk, na czele którego — o dziwo — stanął właśnie inż. Kuśnierz. Gruba zagroził wówczas rezydentowi KGB, że jeżeli w przeciągu kilku godzin go nie uspokoi, to każe go aresztować. W ostatniej chwili Kuśnierza wywieziono do ZSRR. Tej sprawy nie udało się wyjaśnić do końca.

Bardzo istotnych, rozsądnie interpretowanych informacji dostarczał mi ówczesny komendant wojewódzki MO w Olsztynie płk Kazimierz Dudek. Za moją zgodą utrzymywał on kontakty z kierownictwem KGB Obwodu Kaliningradzkiego, na czele którego stał generał-major Aleksandrow. Rejon Kaliningradu był nasycony jednostkami wojskowymi, które od sierpnia 1981 roku były uzupełniane do pełnych stanów. Pułkownik Dudek meldował o podwyższonej gotowości bojowej w tych jednostkach, o wstrzymaniu zwolnień do rezerwy, maksymalnym ograniczeniu urlopów dla kadry, zakazie opuszczania garnizonów, o pojawieniu się w Zarządzie KGB powołanych z rezerwy tłumaczy języka polskiego.

W okresach napięć w Polsce wyciągano — pod pozorem ćwiczeń — jednostki i sprzęt bojowy (czołgi, transportery opancerzone, artyleria) na drogi wiodące ku naszej granicy. Radzieccy koledzy pytani przez Dudka o powód takich manewrów oświadczali wprost, że sytuacja w Polsce rozwija się w kierunku zagrażającym wspólnocie socjalistycznej. „Solidarność" inspirowana i aktywnie wspomagana przez Zachód jest coraz bardziej antyradziecka. Przytaczali przykłady bezczeszczenia grobów i pomników. Powoływali się również często na słynne posłanie do ludzi pracy Wschodu. Ich zdaniem tego ZSRR tolerować nie może i nie będzie. „Jak wy nie zaprowadzicie porządku, to my to zrobimy. Polski nie pozostawimy samej w biedzie" itp.

W drugiej połowie 1981 roku wzrosło zainteresowanie sytuacją ze strony konsulatu radzieckiego w Gdańsku — konsula Zielenowa oraz skierowanego specjalnie w tym okresie do Olsztyna pracownika konsulatu NRD w Gdańsku — w stopniu pułkownika STASI — nazwiska nie pamiętam. Obaj wykazywali wzmożone zainteresowanie sytuacją w województwie oraz zapewniali o gotowości okazania Polsce pomocy wojskowej wobec kontrrewolucyjnego zagrożenia. O faktach tych płk Dudek na bieżąco mnie informował.

Około 20 grudnia 1981 roku generał Aleksandrow wraz ze swoim zastępcą spotkał się na granicy polsko-radzieckiej z płk. Dudkiem. Ze strony polskiej także uczestniczyli zastępca komendanta KW MO płk Gregorczyk i komendant Wyższej Szkoły Oficerskiej MO płk Stanisław Biczysko. Była to długa i wielowątkowa rozmowa, w czasie której Aleksandrow stwierdził, że gdybyśmy nie wprowadzili stanu wojennego, to ich wojska, a także grupy operacyjne KGB były gotowe wejść do Polski ok. 16 grudnia 1981 roku, aby uprzedzić przejęcie władzy przez opozycję. Miał tu niewątpliwie na uwadze możliwe skutki demonstracji przewidzianych na 17 grudnia. Wyraził przy tym wielką ulgę, że władze polskie wprowadziły stan wojenny i uwolniły tym samym stronę radziecką od bardzo bolesnej decyzji. Relacjonował również nastrój odprężenia we wszystkich środowiskach Obwodu Kaliningradzkiego w wyniku ustabilizowania sytuacji w Polsce.

Już w drugiej połowie 1980 ustaliłem z generałem Kiszczakiem, który był wówczas szefem WSW MON (kontrwywiadu i „żandarmerii"), że będzie obserwował i analizował zamierzenia sojuszników w stosunku do Polski. Czynił to ostrożnie. Wykorzystywał do tego celu w pełni zaufanych oficerów oraz osobiste znajomości z niektórymi kierowniczymi pracownikami wywiadu i kontrwywiadu wojskowego państw Układu Warszawskiego.

Interesujące informacje otrzymał od dowódcy dywizji zmechanizowanej (byłego z-cy szefa wywiadu wojskowego CSRS) generała Vlka z Karlovych Varów, szefa wywiadu wojskowego NRD generała Gregory'ego, szefa wywiadu wojskowego Bułgarii generała Zikułowa, a także od byłego attaché wojskowego ZSRR w Warszawie płka Korżenkowa, z którym utrzymywał również po jego wyjeździe z Polski dość bliski kontakt. Stwierdzali oni, że przywódcy państw Układu Warszawskiego są ogromnie zaniepokojeni rozwojem sytuacji w Polsce, że obawiają się przeniesienia „zarazy" na sąsiednie kraje. Z rozwoju sytuacji wynika, że polskie władze własnymi siłami uporać się z kontrrewolucją albo nie potrafią, albo nie chcą. Poza słowami i gestami, które mają uspokoić sojuszników, praktycznie robią niewiele. Mniej lub bardziej otwarcie informowali Kiszczaka, że nabrzmiewa decyzja, ażeby udzielić Polsce „pomocy" na wzór inwazji Czechosłowacji w 1968 roku. W tym celu przygotowywane są wydzielone jednostki wojskowe sąsiednich państw, głównie radzieckie i czechosłowackie. Korżenkow powoływał się przy tym na opinie swoich wysoko postawionych kolegów z Głównego Zarządu Wywiadowczego Armii Radzieckiej oraz sztabu Zjednoczonych Sił Zbrojnych Układu Warszawskiego. Informował również o bezpośredniej rozmowie z marszałkiem Kulikowem, który z uwagi na długoletni pobyt w Warszawie traktował go jako eksperta od spraw polskich. Kiszczak był z Korżenkowem zaprzyjaźniony. W minionych latach często razem polowali. Korżenkow nieraz wypowiadał się bardzo krytycznie o wielu przejawach życia społeczno-politycznego w ZSRR. Mówił o przebiegu Rewolucji Październikowej, o metodach stosowanych przez Lenina po zdobyciu władzy, stwierdzając nawet, że nie był on lepszy od Stalina. Kiszczak informował mnie o tych wypowiedziach. Nie wiedzieliśmy, jak je odczytywać. Wyglądały wręcz na prowokację. Ale z kolei Korżenkow, wykazując wiele sympatii wobec naszego kraju, budził zaufanie. Gdy przyjeżdżał do Polski w roku 1981, to przestrzegał, że u radzieckich marszałków i generałów nastroje są „bardzo bojowe''. Nie widzą oni innej możliwości uporządkowania sytuacji w Polsce, jak tylko przez wkroczenie wojsk. Grupa „jastrzębi'' w Armii Radzieckiej w tym duchu informuje radzieckie kierownictwo i naciska na takie rozwiązanie. Korżenkow był tym wszystkim przerażony. Stwierdzał, że „grupa starców'', pozbawiona wszelkiej wyobraźni, przygotowuje w Polsce nowy Afganistan. Kontakty miał dobre. Wiedział — co prawda *post factum* — o terminie ewentualnego wejścia wojsk sojuszniczych do Polski: 8-10 grudnia 1980 roku. W rok później, w końcu listopada 1981 roku, w rozmowie telefonicznej przez WCz w sposób zakamuflowany, ale czytelny poinformował, że ostateczne rozstrzygnięcie musi nastąpić przed końcem 1981 roku. Kiszczak meldował mi o tym.

Mniejszym zasobem informacji, bowiem nie z „pierwszej ręki'', dysponował pozostający w bliskich stosunkach z Kiszczakiem szef węgierskiego kontrwywiadu wojskowego, generał Matuška. Na przełomie października i listopada 1981 roku, będąc przejazdem w Warszawie, nawiązał kontakt i poinformował, że jakoby waży się decyzja polityczna o wprowadzeniu wojsk do Polski. Był tym zatrwożony. Uważał, że przy polskim temperamencie przebieg wydarzeń będzie inny niż w Czechosłowacji w 1968, a być może nawet gorszy od węgierskiego w 1956 roku. Oświadczył, że węgierskie kierownictwo polityczne i wojskowe jest przeciwne takiemu rozwiązaniu. Naciski strony radzieckiej, a zwłaszcza czynników wojskowych, są jednak bardzo silne.

Informacje i przestrogi Korżenkowa znajdowały potwierdzenie w rozmowach, jakie gen. Kiszczak prowadził z wysokimi oficerami wywiadu wojskowego ZSRR oraz KGB, w tym z zastępcą szefa KGB — wówczas Andropowa — Kriuczkowem, a także z generałami Pawłowem, Dożdalowem, Gruszko i innymi, z którymi był w dobrych stosunkach. Rzecz jasna, rozmowy te miały inną tonację, inny stopień otwartości. Kiszczak mówił, iż zwłaszcza Kriuczkow i Pawłow to ludzie, z którymi można było rozsądnie rozmawiać. Niemniej wszyscy oni uważali za konieczne ,,zdławienie kontrrewolucji", w tym, jeśli zajdzie konieczność, przez okazanie Polsce ,,bratniej pomocy". Niektórzy podwładni generała Kiszczaka, który od lipca 1981 roku pełnił funkcję ministra spraw wewnętrznych, prowadzili wiele rozmów z pracownikami służb specjalnych, głównie ZSRR, NRD i CSRS, akredytowanymi w Polsce. Wykorzystywali także rutynowe spotkania dwustronne oraz liczne kontakty przedstawicieli przygranicznych województw. Z przekazywanych mu właściwie przez cały czas meldunków rysował się groźny obraz:

— sojusznicy są jednomyślni w skrajnej ocenie sytuacji w Polsce. Zagraża ona zwartości obozu socjalistycznego, jego interesom obronnym, politycznym, gospodarczym. Kontrrewolucja, opozycja polska wspierana jest finansowo, propagandowo, politycznie przez Zachód. Nawiązuje również bezpośrednie kontakty z opozycją na Węgrzech, w Czechosłowacji i w NRD, zachęca do działania, zasila materiałami propagandowymi;

— należy wywierać nacisk na PZPR, aby przywróciła porządek w jak najkrótszym terminie. Jeżeli kierownictwo w składzie Kania—Jaruzelski, a następnie sam Jaruzelski nie będzie działać szybko i zdecydowanie — trzeba okazać maksymalne wsparcie ,,zdrowym siłom" w partii, które gwarantują zdławienie kontrrewolucji;

— w przygranicznych, sąsiadujących z Polską okręgach wojskowych uzupełniane są stany osobowe jednostek, wymieniane obsady punktów ochrony granicznej, wzmacniane służby kontrwywiadu i rozpoznania wojskowego, powoływane grupy rezerwistów znających język polski;

— bardzo aktywni są pracownicy służb specjalnych uplasowani pod różnymi przykryciami (konsulaty, specjaliści współpracujący przy niektórych budowach, remontach statków itp.) w Krakowie, Katowicach, Wrocławiu, Szczecinie i Gdańsku;

— zauważono specyficzne kontakty kilku członków Komitetu Centralnego partii z pracownikami sojuszniczych placówek dyplomatyczno-konsularnych. Po każdym plenum KC konsulat radziecki w Krakowie odwiedzany był przez te same osoby,zwłaszcza z Katowic. Podobne „odwiedziny" miały miejsce w ambasadzie NRD w Warszawie.

Źródeł, ogniw operacyjnych, z których generał Kiszczak otrzymywał te informacje, było sporo. Ze zrozumiałych względów unikano pozostawiania śladów na piśmie. Źródła były starannie kamuflowane.

Niektóre nazwiska i fakty utkwiły jednak w generała Kiszczaka i mojej pamięci. No, może jeszcze kilku innych ludzi...

Mówi gen. Czesław Kiszczak:

Ciekawych informacji dostarczał mi płk Olgierd Darżynkiewicz, awansowany później na generała. Znał on bardzo dobrze język rosyjski i w ogóle Związek Radziecki, gdzie przebywał w latach 1940-1943, pracował w tajdze przy wyrębie drzewa. Byłem z nim zaprzyjaźniony od 1945 roku. Miałem do niego pełne zaufanie.

W połowie sierpnia 1981 roku przyjął on zaproszenie radzieckiego attaché wojskowego, pułkownika Rylowa, na kolację w domu przy ul. Jaworzyńskiej. Przyszedł punktualnie, ale gospodarza nie było — przyjął go jego syn. Po około 30 minutach płk Darżynkiewicz został poproszony do telefonu przez attaché, który był jeszcze w ambasadzie. Serdecznie przepraszał. Prosił, aby jeszcze poczekał, bo ma do niego kilka ważnych spraw. Przyszedł po przeszło godzinie, cały roztrzęsiony. Na pytanie Darżynkiewicza, co się stało — odpowiedział, że jak wiadomo, w Polsce znowu przebywa marszałek Wiktor Kulikow. Doszło do ostrego publicznego spięcia, co w praktyce oznacza szybkie odwołanie Rylowa z Warszawy i koniec kariery w organach wywiadu.

Otóż marszałek Kulikow podczas dwudniowej narady, z udziałem wyższych urzędników ambasady, żądał od każdego z nich szczegółowej informacji o sytuacji w Polsce, wniosków i propozycji. Chciał też usłyszeć opinie w sprawie wejścia wojsk radzieckich do Polski. Każdy pracownik referował sytuację z odcinka, którym zajmował się z racji pełnionej w ambasadzie funkcji.

Stare wygi dyplomatyczne przedstawiały sytuację wedle optyki Kulikowa, który był zwolennikiem szybkiego i zdecydowanego uporządkowania spraw polskich. Co prawda starali się zabezpieczyć, formułując końcowe wnioski, że trzeba wnikliwie śledzić dalszy rozwój sytuacji i od tego uzależnić ostateczną decyzję, a także wybrać optymalny wariant i czas interwencji.

Jako jeden z ostatnich składał meldunek attaché wojskowy. Kulikow prawdopodobnie oczekiwał od niego jakiegoś uogólnienia dotychczasowych wystąpień i jednoznacznego, końcowego wniosku, że do Polski trzeba wprowadzić wojska sojusznicze, gdyż bez tego dojdzie do katastrofy. Jego wystąpienie odbiegało jednak od oczekiwań marszałka. Co prawda podzielał on opinię, że sytuacja w Polsce jest bardzo zła, socjalizm zagrożony, ale powołując się na doświadczenia węgierskie, czechosłowackie, amerykańskie w Wietnamie i radzieckie w Afganistanie opowiedział się przeciwko wprowadzeniu wojsk Układu Warszawskiego do Polski. Zostało to przyjęte bardzo źle. Kiedy usiłował uzasadnić swój wniosek, marszałek Kulikow przerwał mu w brutalny sposób, koszarowym językiem ocenił wystąpienie i polecił natychmiast opuścić salę odpraw. Szczególnie rozgniewało Kulikowa stwierdzenie, że Polska to nie Czechosłowacja, że dojdzie do poważnego oporu i przelewu krwi na dużą skalę.

Do wyrzuconego z sali odpraw attaché wojskowego wyszedł ambasador Aristow, starał się go uspokoić. Zwrócił mu jednak uwagę, że znając stanowisko kierownictwa ZSRR w sprawie Polski, a szczególnie „bojowość" marszałka Kulikowa, nie powinien był sprawy wkroczenia wojsk układu tak mocno kontrować i z uporem bronić swego stanowiska. I rzeczywiście, ów attaché przedterminowo, w trybie pilnym, bo już w pierwszych dniach września, został z Polski odwołany. Na jego miejsce przybył gen. Chomienko. Reprezentował twardszy kurs. Był bardzo wścibski. Próbował przekraczać swoje kompetencje. W rezultacie telefonicznej interwencji generała Wojciecha Jaruzelskiego u Michaiła Gorbaczowa Chomienko został z Polski odwołany.

Ale wracam do głównego tematu. Po raz pierwszy ujawniam pewne fakty i nazwiska. Nie wszyscy moi byli podwładni, którzy ciężko przeżyli ostatnie lata, chcą ujawniać swą tożsamość. Na poinformowanie o sprawie, o której za chwilę, uzyskałem jednak zgodę.

Wyjątkowo dobre rozeznanie sytuacji w dowództwie, sztabie i niektórych jednostkach Północnej Grupy Wojsk Armii Radzieckiej posiadał komendant wojewódzki MO w Legnicy, ówczesny płk Marek Ochocki. Informował o tym ścisłe kierownictwo MSW. M.in. dzięki ujmującemu sposobowi bycia miał on dobre dotarcie do wielu radzieckich generałów, nie wyłączając samego dowództwa. Dobrze układał współpracę z szefem kontrwywiadu i Prokuraturą Północnej Grupy Wojsk przy załatwianiu przeróżnych konfliktów, zwłaszcza związanych z naruszaniem prawa i porządku przez żołnierzy radzieckich.

Płk Ochocki był jednoznaczny w swej patriotycznej postawie. W uzgodnieniu ze mną uaktywnił swoje kontakty z radzieckimi generałami i starszymi oficerami. Niektóre z nich przeniósł na grunt towarzysko-rodzinny. Różne okazje: urodziny, imieniny — były wykorzystywane do organizowania spotkań i przyjęć. Krąg znajomych Ochockiego powiększył się o generałów i oficerów radzieckich, czechosłowackich i NRD-owskich, którzy weszli w skład grupy sztabowej marszałka Kulikowa w Legnicy. Tam właśnie planowano i przygotowywano od strony organizacyjno-operacyjnej wejście wojsk sojuszniczych do Polski.

Czechosłowaccy i niemieccy generałowie i oficerowie wychodzili na zewnątrz ubrani po cywilnemu. Szef kontrwywiadu Grupy na spotkania z Ochockim przyprowadzał przyjeżdżających z Moskwy szefów różnych grup operacyjnych KGB. W czasie licznych kontaktów, spotkań, przyjęć rozwiązywały się języki.

Ochocki wykorzystał również ożywione kontakty ze swoimi NRD-owskimi i czechosłowackimi kolegami z przygranicznych województw. Bywał u nich i w pewnych okresach 1980-1981 roku oglądał na własne oczy, np. w rejonie Hradec Kralove, na drogach prowadzących w kierunku Polski, manewrujące jednostki wojskowe. Rozmówcy Ochockiego z Armii Radzieckiej, Czechosłowackiej Armii Ludowej i Niemieckiej Armii Ludowej oraz ze służb specjalnych potwierdzali, że „są w pełni przygotowani do udzielenia Polsce internacjonalistycznej pomocy". Inne źródła potwierdzały meldunki Ochockiego. Potrzebna była tylko decyzja polityczna. Płk Ochocki osobiście meldował m.in., że bezspornie ustalił fakt przemieszczenia z Okręgu Nadbałtyckiego ZSRR do Legnicy około dwóch pułków spadochroniarzy.

Z pozycji konsulatu NRD we Wrocławiu systematyczny kontakt z KW MO w Legnicy miał Hans Gotsching — III sekretarz ambasady NRD w Warszawie, pracownik STASI. Prowadził on aktywne rozpoznanie na terenach zachodniej części Polski. Nie krył się z tym wcale. Płk Ochocki miał również kontakty z komendantem Służby Bezpieczeństwa w Hradec Kralove, pułkownikiem Miroslavem Blažkiem. Kilkakrotnie sygnalizował on zaawansowane przygotowania do wkroczenia wojsk CSRS. Na czas interwencji przygotowywał, w ramach „pomocy" dla polskich zaprzyjaźnionych rodzin, pomieszczenia na terenie Czechosłowacji.

W trzy dni po wprowadzeniu stanu wojennego, tj. 16-17 grudnia, Blažek przyjechał do Ochockiego. Wyściskał go wylewnie i poinformował, że już nie muszą wkraczać do Polski, gdyż „sami zdecydowaliście rozwiązać sprawę". W tym też czasie odwołano wysoki stopień pogotowia, wycofując jednostki czechosłowackie do koszar.

Mówię o tym wszystkim z jednej strony z głęboką satysfakcją, iż udało się uniknąć najgorszego. Z drugiej zaś strony z poczuciem dramatu, jaki stwarzał ówczesny podział świata na dwa antagonistyczne bloki. Mówiłem tu obszernie o aktywności rozpoznawczej sojuszników. Ale również widziałem, jak w tym samym czasie próbują penetrować Polskę zachodnie służby, zwłaszcza USA i RFN. Wiedziałem też, jak wielka polityczno-propagandowa oraz materialna pomoc docierała do „Solidarności" z Zachodu. To z kolei wywoływało wzmożoną, ostrą reakcję Wschodu. Włącznie z przygotowaniami do interwencji. Byłaby ona tragedią, której następstw wręcz ocenić nie sposób.

Sygnałów płynących ze źródeł Kiszczaka nie można było lekceważyć. W różnych formach docierały one także z pól obserwacji wojska, administracji, partii. Ilość w pewnym momencie mogła przejść w jakość.

Rozdział 37

Zawodne scenariusze

Często wraca pytanie: w jaki sposób oryginalna taśma z nagraniem radomskich obrad „Solidarności" dotarła do władz? Nie jest to sekret. Dostarczył ją przewodniczący regionu „Solidarności" w Pile — Eligiusz Naszkowski. Wyjechał później na Zachód. Po kilku latach publicznie ujawnił, że był podwójnym agentem: Służby Bezpieczeństwa w „Solidarności" oraz jednego z zachodnich wywiadów w strukturach MSW. To nie jedyna zagadka czy raczej szarada z tamtego okresu. Przecież i Ryszard Kukliński dostarczał Amerykanom różnych informacji. Zarówno Kukliński, jak i Naszkowski należeli do kręgu najlepiej chyba poinformowanych ludzi w owym czasie. Nie mieli — bo nie mogli mieć — złudzeń, w jakim kierunku rozwija się sytuacja w kraju.

Dobrze znali stan społecznych nastrojów oraz potencjał i intencje „Solidarności". Wiedzieli też, że władza ma coraz bardziej ograniczone ruchy, ale wciąż dysponuje znacznymi siłami i środkami.

Naszkowski — ujawniając przebieg narady w Radomiu — obnażył konfrontacyjne nastroje kierowniczych kół „Solidarności", zadał więc jej poważny cios — ostrzegł bowiem władzę. Kukliński z kolei znał bardzo dobrze plany stanu wojennego. Przekazując je na Zachód uderzył tym samym we władzę. Ale „Solidarność" nie została ostrzeżona. Czy nie jest to ciekawe? Obaj panowie żyją dziś na Zachodzie i na pewno nie są gastarbeiterami.

Wśród kolegów i przełożonych **Kukliński** cieszył się dobrą opinią. Inteligentny, zdolny, o wysokich kwalifikacjach sztabowych. Politycznie aktywny — w okresie poprzedzającym ucieczkę na Zachód pełnił funkcję członka komitetu partyjnego instytucji centralnych MON. Ci, którzy go znali najbliżej, twierdzą, że był człowiekiem niezwykle ostrożnym, wręcz skrytym. Ale układał dobrze stosunki z kolegami w swoim środowisku. Wobec przedstawicieli armii sojuszniczych bardzo układny. Gdy tajemniczo zniknął, początkowo nie wierzono, że to może być dezercja. Człowiek tak mocno związany z wojskiem, z systemem, nie mógł dopuścić się zdrady. Opowiadano mi, iż jeden z jego najbliższych kolegów w szerokim gronie powiedział: „Rękę dam sobie uciąć, że Kukliński nie zdezerterował".

Jak na ówczesne polskie warunki, Kukliński był zamożny. Miał willę, samochód. To nie dziwiło. Wiązało się z okresem, kiedy pełnił służbę w Komisji Międzynarodowej w Wietnamie. Sądzę, że tam właśnie został zwerbowany przez wywiad amerykański. W ostatnich kilku latach przed ucieczką uprawiał żeglarstwo morskie, m. in. uczestniczył w rejsach jachtów, zawijających do różnych portów państw zachodnich. To niewątpliwie ułatwiało kontakty agenturalne.

Znałem go dość dobrze, ale, oczywiście, na tyle, na ile wynikało to z dużego przecież dystansu w hierarchii służbowej. Zewnętrznie niczym się nie wyróżniał. Powierzchowność raczej sympatyczna. Trochę wypłowiały blondyn, wzrostu mniej niż średniego, raczej szczupły, ale niezbyt sprężysty. Taki — powiedziałbym — urzędnik w mundurze. Ceniłem w nim doświadczenie, pracowitość, skrupulatność sztabową. Kiedy zdradził, odczułem to także osobiście. Zawiódł zaufanie.

Dezercja Kuklińskiego była jednak czymś jeszcze gorszym. Stanowiła kolejny poważny uszczerbek w zaufaniu naszych sojuszników wobec Polski. Nastąpiło ujawnienie wielu tajnych informacji i dokumentów pochodzących z Doradczego Komitetu Politycznego Państw — Stron Układu Warszawskiego. Kukliński znał przecież plany działań operacyjnych na kierunku zachodnim. Miałem zatem świadomość, że jego ucieczka czyni z Polski kraj niebezpiecznych przecieków najściślej strzeżonych tajemnic sojuszniczych.

Dezercja ta już wtedy skojarzyła mi się z podobną ucieczką czechosłowackiego generała Szejny w 1968 roku. Szejna, człowiek bliski prezydentowi Novotnemu, zabrał ze sobą na Zachód również wiele tajemnic istotnych nie tylko dla Czechosłowacji, ale całego Układu Warszawskiego. W Pradze krążył wówczas gorzki żart. Podobno na ostre wymówki radzieckich marszałków Novotny miał odpowiedzieć: „Nie przejmujcie się, kopie tych wszystkich dokumentów przechowuję w swoim sejfie". Żart żartem, ale ta dezercja pogłębiła brak zaufania sojuszników do Czechosłowacji. Była więc brana pod uwagę w rozważaniach na temat interwencji.

W drugiej połowie 1981 roku bardzo nasiliły się próby werbunku naszych obywateli przez wywiady zachodnie. Penetrowane były środowiska Polaków przebywających za granicą, infiltrowane struktury państwowe, ruchy społeczne i polityczne. Zasięg i głębokość tej penetracji były bardzo rozległe. Obejmowały oprócz organów administracji państwowej — gospodarkę, różne organizacje społeczne. Nienotowany wzrost aktywności wykazywały rezydentury wywiadowcze istniejące przy placówkach dyplomatycznych. Bardzo temu sprzyjały ułatwione kontakty z pracownikami zakładów i instytucji, w tym także przemysłu obronnego. Szczególną aktywność wykazywały służby wywiadowcze USA i RFN. Myślę, że Zachód znał dobrze sytuację w Polsce. Nie mógł więc nie liczyć się z tym, że środki nadzwyczajne będą podjęte.

W polityce liczą się nie tylko fakty czy wydarzenia, lecz również to wszystko, co mogłoby się zdarzyć, a z jakichś powodów się nie zdarzyło. Puśćmy więc na chwilę wodze fantazji. Zastanówmy się, dlaczego Zachód milczał, widząc, ku czemu zmierza w pierwszych dniach grudnia sytuacja w Polsce.

Prof. Brzeziński za zasługę Cartera i swoją uznaje, że skoro przyjął za wiarygodną informację o planowanej interwencji w 1980 roku w Polsce, to uruchomił dostępne mu mechanizmy, aby tragedii zapobiec. Z cytowanej wcześniej książki i szeregu wywiadów Brzezińskiego wynika, że skłonił prezydenta Cartera do wysłania listu, w którym przestrzegał Breżniewa przed interwencją zbrojną, domagał się, aby zagwarantować Polakom możliwość samodzielnego rozwiązania kryzysu. Tą opinią Brzeziński podzielił się również z papieżem w bezpośredniej rozmowie telefonicznej.

Nowych rewelacji na temat raportów Kuklińskiego dostarczył znany z ujawnienia w 1972 roku afery Watergate amerykański publicysta, Carl Bernstein. 24 lutego 1992 roku w tygodniku „Time" napisał dosłownie: „Kukliński został przeszmuglowany z Polski po tym, jak ostrzegł, że Związek Radziecki jest przygotowany do inwazji, jeśli rząd polski nie wprowadzi stanu wojennego".

Sam Kukliński w następujący sposób przedstawił w paryskiej „Kulturze" treść głównego meldunku przekazanego Amerykanom na miesiąc przed 13 grudnia: „Obserwując radzieckie posunięcia militarne z bliska, a nawet stykając się z nimi bezpośrednio, nigdy nie miałem żadnych wątpliwości, że Związek Radziecki mógł sobie pozwolić i był gotów do akcji militarnej w stylu inwazji Czechosłowacji..."

Sprawa była więc podobna do tej sprzed roku, tyle że Amerykanie dysponowali już nieporównywalnie większym zasobem informacji. Dlaczego więc nie reagowali? Na co liczyli? Czy na to, że rozwój sytuacji w Polsce zmusi ZSRR do interwencji, a dorzucenie Polski do Afganistanu okaże się ponad siły wschodniego mocarstwa?

Mówi Brzeziński: „Waszyngton nie uprzedził ani władz, ani «Solidarności», obawiając się, że ujawnienie zamiaru wprowadzenia stanu wojennego dałoby czas na przygotowanie społeczeństwa do reakcji zbrojnej. W takiej sytuacji musiałoby dojść do wojny domowej, w której interwencja radziecka byłaby — prędzej czy później — koniecznym następstwem wydarzeń". Zatem milczenie Waszyngtonu Brzeziński tłumaczy wyborem mniejszego zła.

Można by przyjąć to wyjaśnienie, gdyby nie jego ostatnie wypowiedzi: w „Expressie Wieczornym" z 20 marca oraz w „Gazecie Wyborczej" z 8 kwietnia 1992 roku. Zarzucił on generałowi Dubyninowi pomylenie lat. O niebezpieczeństwach 1980 roku już mówiłem. Dubynin, jako dowódca dywizji stacjonującej na Białorusi, jest właściwym źródłem w sprawie roku 1981. Brzeziński tymczasem — wówczas już od blisko roku nie pełnił żadnej funkcji w amerykańskiej administracji. Był prywatną osobą, profesorem na uniwersytecie Georgetown. Nie miał więc — jak sądzę — dostępu do ściśle tajnych materiałów wywiadowczych.

W tej sytuacji bardziej wiarygodne są stwierdzenia prof. Richarda Pipesa, pracującego w owym czasie w reaganowskiej administracji na stanowisku doradcy do spraw Europy Wschodniej w Krajowej Radzie Bezpieczeństwa Narodowego. Właśnie Pipes w wywiadzie udzielonym 12 czerwca 1988 roku radiu francuskiemu RFI powiedział m.in.: „Byliśmy w posiadaniu informacji przekazanych nam przez pułkownika Kuklińskiego. Można było zatem uprzedzić i polski rząd, i Jaruzelskiego, i Rosjan, jakie będą konsekwencje wprowadzenia stanu wojennego. Niestety, tak się nie stało. Widocznie większość naszych mężów stanu uważała, że jest to mniejsze zło, że wprowadzenie stanu wojennego jest lepsze niż inwazja wojsk sowieckich". I dalej: „Informacje Kuklińskiego znało bardzo niewielu ludzi. Wątpię, czy wiedziało o tym więcej niż sześć osób w Waszyngtonie. Jakikolwiek przeciek do prasy nie był możliwy. Rząd amerykański uważał po prostu, że jedyna alternatywa to sowiecka inwazja... że Rosjanie sami wkroczą i będzie dużo gorzej".

Nie inaczej podchodził do tej sprawy prezydent Ronald Reagan, sprawujący wówczas swój urząd już od jedenastu miesięcy. W „Pamiętnikach" wydanych w 1989 roku mówi: „Jakkolwiek chcieliśmy, aby naród polski walczący o wolność wiedział, że stoimy za nim, nie mogliśmy wysłać fałszywego sygnału (jak zdaniem niektórych uczyniły Stany Zjednoczone przed skazanym na klęskę powstaniem węgierskim w 1956 roku), który mógłby skłonić ich do myśli, że będziemy interweniować zbrojnie po stronie ich rewolucji. Choć mocno chcieliśmy im pomóc, istniały jednak ograniczenia w działaniach na rzecz Polski, które nasz naród gotów był poprzeć".

Dalej w tych samych „Pamiętnikach" Reagan przytacza swój list do Breżniewa: „To uderzenie (wprowadzenie stanu wojennego — WJ) było o krok od interwencji wojskowej, przed którą ostrzegaliśmy, jednakże eksperci naszego wywiadu stwierdzili, że cała ta operacja poprzez bardziej bezpośrednie użycie radzieckiej siły zbrojnej z pewnością nie przyniesie na dłuższą metę stabilizacji w Polsce i może rozpętać proces, którego ani wy (to znaczy Związek Radziecki — WJ), ani my nie będziemy mogli w pełni kontrolować".

W stwierdzeniach tych odczytać można swego rodzaju amerykańskie *desinterésement* wobec wprowadzenia stanu wojennego, a nawet — jak wynika również z listu prezydenta Stanów Zjednoczonych do Breżniewa — nadzieję na poprawę stosunków radziecko-amerykańskich, jeśli — używając słów Reagana — „Rosjanie nie będą interweniować".

Mogę powiedzieć tylko tyle, że miałem podstawy, aby sądzić, iż odpowiedzialne koła polityczne Zachodu — dotyczy to przede wszystkim państw europejskich — wprawdzie bez entuzjazmu, ale jednak ze zrozumieniem przyjmą nasze wewnętrzne rozwiązania. Potwierdzają to późniejsze wypowiedzi Mitterranda i Schmidta oraz przebieg rozmowy kanclerza RFN z Erichem Honeckerem 13 grudnia w NRD. Natomiast, jeśli chodzi o Stany Zjednoczone, sprawa jest bardziej skomplikowana ze względu na globalne interesy tego kraju. Waszyngton zakładał, że rozwój sytuacji w Polsce zakończy się wkroczeniem wojsk Układu Warszawskiego. Na inną okoliczność Amerykanie nie byli przygotowani. Zastanawiam się, czy mogli nie dowierzać Kuklińskiemu? Przecież według późniejszych, zawartych w książce „Caveat: Realism, Reagan and Foreign Policy" zwierzeń Alexandra Haiga rozwiązanie wewnętrzne, czyli stan wojenny, było dla Amerykanów całkowitym zaskoczeniem. „Na taką ewentualność — pisze on — nie przygotowano żadnego działania".

Stany Zjednoczone nie brały więc pod uwagę polskiego wariantu rozwiązania kryzysu. Świadczy o tym jeszcze coś innego — dokładne odtworzenie restrykcji politycznych i gospodarczych planowanych przez poprzednią administrację w przewidywaniu interwencji w grudniu 1980 roku. W tym miejscu warto przytoczyć bardzo osobliwy tekst. Chodzi o przygotowany przez biuro Zbigniewa Brzezińskiego w 1980 roku projekt oświadczenia prezydenta USA — Jimmy Cartera. Miał on je wygłosić w Kongresie w momencie uruchomienia radzieckiej interwencji zbrojnej. Początek tego tekstu, opublikowanego w numerze z 6 grudnia 1991 roku „Tygodnika Solidarność", brzmi: „Tego wieczoru łączę się ze wszystkimi, którzy na całym świecie boleją nad losem polskiego narodu. Ponownie na tej nieszczęśliwej ziemi słychać zgrzyt obcych czołgów i stąpanie podkutych butów. Fakt, że inwazja ta spotkała się ze współdziałaniem, a nawet błogosławieństwem pewnej części władz polskich, niczego nie zmienia. Widzimy sytuację taką, jaką ona jest. Żadne prawne szarady nie są w stanie ukryć brutalnej i cynicznej natury tej akcji".

W dalszej części prezydent zapowiada „realne sankcje", poczynając od zawieszenia amerykańskich dostaw zboża do Związku Radzieckiego, a na wstrzymaniu rejsów Aerofłotu kończąc. W zakończeniu projektowanego przemówienia Jimmy Carter oświadcza: „Kiedy będziemy się konsultować z naszymi przyjaciółmi i sprzymierzeńcami w nadchodzącym tygodniu, jednym z naszych oczywistych celów będzie dopilnowanie, aby konflikt ten nie rozszerzył się poza granice Polski".

Z pamiętników Reagana wynika, że ani na jotę nie zmienił scenariuszy opracowanych przez swego poprzednika. W nowej sytuacji okazały się one jednak bezużyteczne. Nie powstały warunki, w których prezydent USA mógłby wygłosić przygotowane przez jego poprzednika rok wcześniej przemówienie. Przekonanie, że Polacy sami nie uporają się z konfliktem, że w końcu dojdzie do interwencji, było jednak tak silne, że USA czekały aż dziesięć dni, nim ogłosiły restrykcje wobec Polski.

Nadal intrygujący jest brak klarownej odpowiedzi na pytanie: dlaczego Waszyngton nie ostrzegł „Solidarności", mając tak wiele informacji z pierwszej ręki? Dlaczego w scenariuszach przeciwdziałań nie znalazł się apel o spokój, bo grozi większe zło?

Telewizja Polska w I programie 4 stycznia i „Gazeta Wyborcza" 14 stycznia 1992 roku przekazały rozmowę przeprowadzoną przez Jana Nowaka-Jeziorańskiego z byłym sekretarzem stanu USA, Alexandrem Haigiem. Otóż ci dwaj panowie sprowadzają postać Kuklińskiego do roli mało znaczącego agenciny, którego raportów nie znał nawet szef wywiadu USA. „William Casey — mówi Haig — dowiedział się o nich dopiero po kryzysie, po wprowadzeniu stanu wojennego". To zakrawa na ironię. Czyż w okresie narastającej konfrontacji, w atmosferze wysokiego napięcia między Związkiem Radzieckim a Stanami Zjednoczonymi, kiedy Polska stała się punktem szczególnie zapalnym, można uznać za wiarygodne, że kierownicze osobistości Waszyngtonu nie znały na bieżąco raportów przekazywanych przez ich czołowego agenta? Haig twierdzi, że tak było. Inne źródła powiadają co innego.

Zbigniew Brzeziński niejednokrotnie mówił, że Kukliński zasługuje na wysokie ordery i awanse. Taką ocenę amerykańskiego szpiega potwierdzają również inne źródła. Na przykład znany amerykański publicysta, Bob Woodward, w książce „CIA, tajne wojny 1981-1987" poświęconej operacjom wywiadowczym Stanów Zjednoczonych oraz dyrektorowi Centralnej Agencji Wywiadowczej Williamowi Caseyowi, wymienia też Kuklińskiego. Według niego Kukliński należał do najcenniejszych i utajnionych agentów CIA, którzy figurują na specjalnej liście oznaczonej kryptonimem „Bigot". Ich informacje szef CIA przekazuje tylko pięciu osobom: prezydentowi, wiceprezydentowi, sekretarzowi stanu, sekretarzowi obrony i doradcy do spraw bezpieczeństwa. Dostarcza się je w specjalnych kopertach do rąk własnych. Potwierdził to również cytowany już prof. Richard Pipes.

Komu więc wierzyć? Czy Stany Zjednoczone naprawdę nie wiedziały o przygotowaniach do stanu wojennego? Skąd ta informacyjna plątanina?

Osobiście gotów jestem uwierzyć Richardowi Pipesowi i wcześniejszym wypowiedziom Zbigniewa Brzezińskiego, że Stany Zjednoczone uznały za niecelowe zarówno uprzedzenie „Solidarności", jak i ostrzeżenie władz polskich. To bowiem ich zdaniem mogło grozić jeszcze większymi konsekwencjami. Jeśli do tego dodamy dość tajemniczą sprawę związaną z Eligiuszem Naszkowskim, to muszę pozwolić sobie na jeszcze kilka uwag.

Otóż Nowak-Jeziorański stara się za wszelką cenę udowodnić wariant niewiedzy na najwyższym szczeblu. Niedawno czytałem jego wypowiedź, że wywiad amerykański zdobył informacje o przewidywanym uderzeniu Japończyków na Pearl Harbor w grudniu 1941 roku. Tymczasem nic o tym nie wiedzieli ani prezydent, ani dowództwo wojskowe. Mamy więc do czynienia z podobnym faktem. Rozumiem, że łatwiej jest obciążyć odpowiedzialnością ludzi niższego szczebla niż kierownictwo państwa. Nie mam powodu bronić dobrego imienia wywiadu amerykańskiego. Mówię o logice takich publikacji.

Nowak-Jeziorański z równą pewnością siebie ogłasza, że plany stanu wojennego opracowano w Moskwie przez grupę polsko-radziecką. Obie te informacje tyle samo są warte. Nawet Kukliński tak nie twierdzi, bo doskonale wie, iż plany były opracowane w Polsce przez Polaków i przez Polaków zrealizowane.

Po drugie — Reagan, Haig, Brzeziński, Nowak i inni piszą o radzieckich naciskach na rozwiązanie konfliktu wszelkimi siłami. Nie ukrywaliśmy tych nacisków. Mówiliśmy o nich w sposób wyraźny, czytelny naszym ówczesnym opozycjonistom. Sygnalizowaliśmy je Kościołowi. Odkrywanie zatem takich „rewelacji" jest po prostu śmieszne. To przecież oczywiste, że radzieccy znali nasze przygotowania. Tkwiąc w Układzie Warszawskim, mając jego przedstawicielstwa, kontaktując się z dowództwem Zjednoczonych Sił Zbrojnych, nie mieliśmy ani możliwości, ani chęci, aby to ukryć. Tym bardziej — o czym zresztą piszę — że na te przygotowania bardzo nalegano, chciano je przyspieszyć, zradykalizować. Istotne jest to, że informując o przygotowaniach, o naszej determinacji obrony socjalistycznego państwa, blokowaliśmy i osłabialiśmy groźbę interwencji. Tego nie było w Czechosłowacji i to kosztowało ich tak wiele.

W zwierzeniach Haiga, podobnie jak w „Pamiętnikach" Reagana, powtarza się stwierdzenie: Stanom Zjednoczonym leżało na sercu dobro Polski. Wierzę, że tak było. Narażono jednak „Solidarność" — nie informując, nie ostrzegając, nie uprzedzając. Przecież gdyby podjęto działanie mitygujące, gdyby nałożyło się ono na nasze wysiłki po „spotkaniu trzech", na ofertę Rady Porozumienia Narodowego, to być może przebieg wydarzeń byłby inny. Nawet zamrożenie strajków na okres zimy było możliwe, gdyby nadeszły z Zachodu takie sugestie. Dlaczego stamtąd nie padły słowa — słuchajcie, wiemy, że władze szykują się do uderzenia? Wyhamujcie więc swoją presję, działajcie spokojniej, z umiarem.

Przecież nawet dla politycznego laika było oczywiste, że Związek Radziecki, Układ Warszawski, na tak dla siebie niekorzystny rozwój sytuacji w Polsce pozwolić nie może. Zachód też by sobie nie pozwolił na tolerowanie analogicznego zagrożenia.

Nawiążę tu do artykułu wydawcy „Sterna", Henry Nannena, napisanego pod koniec 1981 roku, w którym przeprowadził on następujący wywód: proszę sobie wyobrazić, że w RFN w sytuacji dramatycznie rozwijającego się kryzysu — „zieloni", młodzież, przeciwnicy rakiet jądrowych, pacyfiści i komuniści utworzyli 20-milionową zorganizowaną opozycję antyparlamentarną. Opierając się na ideologicznym i materialnym wsparciu bloku wschodniego postanowili zmienić ustrój państwowy, naruszyć sojusznicze stosunki z NATO. Zachód nie patrzyłby na to obojętnie. Co więcej, w przypadku jeśli sytuacja w Republice Federalnej zagrażałaby obecności wojsk sojuszniczych, dowódcy sił zbrojnych USA, Wielkiej Brytanii, Francji mogliby niezwłocznie przedsięwziąć odpowiednie działania.

Sięgnę do książki Mérétika „Noc Generała". Pisze on, że 13 grudnia rozdzwoniły się telefony. Haig, Cheysson, Genscher... Główne pytanie brzmiało — czy są czołgi radzieckie? Haig przebywający w tym dniu w siedzibie NATO w Brukseli skorzystał nawet z łączności satelitarnej, aby w warszawskiej ambasadzie USA uzyskać potwierdzenie tych przewidywań. Był chyba zaskoczony, kiedy chargé d'affaires powiedział mu, że obcych czołgów nie ma i że w polskim MSZ zapewniono go o „wyłącznie wewnętrznym charakterze działań władz".

Do końca przypuszczano, że nastąpi interwencja. Wciąż zyskujemy więc potwierdzenie tego, czego Zachód się spodziewał, czego oczekiwał. To bardzo znamienne. Jeśli dopatrywano się wówczas wszędzie „ręki Moskwy", co w warunkach ówczesnego podziału świata wygląda logicznie, to trzeba być konsekwentnym.

„Krótko przed Nowym Rokiem — pisze Reagan — poparliśmy nasze słowa czynem", ogłaszając też sankcje przeciwko Związkowi Radzieckiemu. Miały one zgoła inny charakter. Jeśli wobec Polski zastosowano drastyczne środki zakazu współpracy finansowej, gospodarczej, naukowej, to wobec Związku Radzieckiego podjęto kroki selektywne. Zawieszono negocjacje w sprawie długoterminowej umowy o sprzedaży zboża, ale pszenica i kukurydza nigdy nie przestały płynąć z Nowego Orleanu do Odessy, a do długofalowych negocjacji wrócono już na wiosnę 1982 roku. Farmerzy nie mogli ponieść strat. Liczyli przecież na 3 mld dolarów rocznie z eksportu do ZSRR. Zakazano lotów Aerofłotu z Moskwy do Waszyngtonu, ale rejsy te odbywały się i tak tylko raz w tygodniu przy malejącej liczbie pasażerów. Wprowadzono embargo na sprzedaż do ZSRR amerykańskich wyrobów o szczególnym znaczeniu gospodarczym, włączając w to urządzenia do konstrukcji ropociągów i gazociągów.

Ale ten zakaz godził przede wszystkim w umowy zachodnioeuropejskie, a nie amerykańskie. Godził w gospodarkę RFN i Francji, które radzieckim gazem chciały pokryć ponad 20% swego zapotrzebowania na ten surowiec.

Na tym tle doszło zresztą do poważnej utarczki między Amerykanami a Niemcami i Francuzami. Budowany wówczas europejski gazociąg nie miał bowiem dla Amerykanów gospodarczego, lecz tylko polityczne znaczenie. Dla zachodnich Europejczyków był szansą przezwyciężenia recesji i rozbudowy kilku gałęzi przemysłu. „Kiedy prosiłem o wsparcie polityki bojkotu przez naszych europejskich sojuszników — napisał w „Pamiętnikach" Reagan — byłem rozczarowany. Zgodzili się na wysłanie Rosjanom sygnału dezaprobaty, ale takiego, który nie wstrzymałby prac nad rurociągiem. Reakcja niektórych spośród naszych sojuszników wskazywała, że zyski przemawiają do nich głośniej niż zasady".

Dziś mówię o tym spokojniej, niż reagowałem kiedyś. Nie tylko dlatego, że czas łagodzi emocje. Po prostu lepiej rozumiem reguły wielkiej gry. Jeżeli my, Polacy, nie potrafiliśmy sami ze sobą dojść do ładu — to dlaczego Zachód miałby nie zadbać o własne interesy, nie skorzystać z okazji.

Poprzestanę więc na słowach Talleyranda: „Nie osądzam, nie potępiam, opowiadam".

Sądzę, że przy okazji takich rozważań powinienem również sięgnąć do cytatów z artykułów zamieszczanych w najważniejszych czasopismach zachodnich w pierwszych dniach po wprowadzeniu stanu wojennego.

14 grudnia Anthony Lewis pisał w „The New York Times": „Decyzja generała Jaruzelskiego, aby uderzyć w «Solidarność» poprzez stan wojenny, jest zrozumiała... Związek naciskał na konfrontację z rządem komunistycznym". 15 grudnia artykuł wstępny londyńskiego „Guardiana" wyrażał pogląd, że „Generał, jako człowiek o patriotycznej reputacji i umiarkowaniu, działał z czystej desperacji w obliczu narastających wyzwań politycznych"... W tym samym dniu amerykański „The Washington Post": „Sam generał ma reputację uczciwego patrioty. Oczywiście, nie jest popychadłem ani Rosjaninem... Dopóki wydaje się chronić od sowieckiej zemsty tak wiele owoców walki i poświęcenia narodu polskiego, dopóty zasługuje na ostrożny szacunek, którym cieszył się dotychczas". Również w dniu 15 grudnia bostoński „Christian Science Monitor": „Należy pochwalić godną uwagi powściągliwość Zachodu w reago-

waniu na wydarzenia w Polsce. Gorączkowa retoryka utrudniałaby Polakom podjęcie pilnego dialogu wewnętrznego, koniecznego do zamknięcia polskiego kryzysu".

W dzień po wprowadzeniu stanu wojennego wiele komentarzy przyniosła prasa francuska. „Figaro" pisał: „Biorąc pod uwagę, do czego doszedł kraj, generał Jaruzelski nie mógł działać inaczej, niż to uczynił z soboty na niedzielę. To ostatnia szansa niepodległej Polski". „Aurore": „Możemy być pewni, że generał Jaruzelski nie podjął tych trudnych decyzji z lekkim sercem. Z pewnością nie miał już innych środków, by rozwiązać mniejszym kosztem kryzys, zdolny doprowadzić naród do krwawej łaźni". „Parisien Libere": „Jedyne usprawiedliwienie generała Jaruzelskiego wiąże się z alternatywą: albo jego milicjanci, albo czołgi radzieckie".

18 grudnia zastępca redaktora naczelnego zachodnioniemieckiego tygodnika „Die Zeit", Theo Sommer, pisał: „Jakkolwiek wiele może być sympatii Zachodu dla polskich reformatorów, nie przeważa ona jednak faktów geograficznych. W realnym świecie (...) rozwiązania wewnętrzne tworzą czas na oddech — dla samych Polaków, dla Rosjan, dla Zachodu. Dają one szansę być może ostatnią".

Warszawski korespondent amerykańskiego tygodnika „Newsweek", Douglas Stanglin, w świątecznym numerze wyrażał pogląd, że: „Polityka «Solidarności» była zawsze splątana z polskim idealizmem, a związek często wydawał się niezdolny do zakreślenia rozumnych granic w realnie istniejącym świecie (...) dążył do zbyt wielu celów, w zbyt krótkim czasie".

A jakie były pierwsze reakcje zachodnich polityków, wyrażane również na łamach prasy?

Spędzający świąteczne wakacje na Florydzie kanclerz RFN Helmut Schmidt: „Uważam, że Jaruzelski działa przede wszystkim w kierunku, który uważa za najlepszy dla interesów narodu polskiego, w pierwszej kolejności jest on Polakiem. Dopiero w drugiej sprawia wrażenie wojskowego. A dopiero w trzeciej kolejności ujawnia się jako komunista".

Premier Kanady, Pierre Trudeau, w czasie konferencji prasowej 18 grudnia: „Stan wojenny nie jest aż tak zły, skoro zapobiegł wojnie domowej". A następnie w wywiadzie telewizyjnym i oświadczeniu: „Napięcia w Polsce były spowodowane przez nadmierne żądania «Solidarności». Kryzys jest wewnętrzną sprawą Polski, a wszystkie kraje powinny respektować jej prawo do rozwiązywania problemów na własny sposób". Wreszcie Bruno Kreisky w wywiadzie dla telewizji austriackiej powiedział, że „wprowadzenie stanu wojennego stanowiło ostatnią i poważną próbę zapobieżenia najgorszej ewentualności. Krok ten podjęto po tym, jak nie udał się zamiar pojednania przeciwstawnych sił".

Ze zrozumieniem przyjęli wprowadzenie stanu wojennego również tacy znani politycy, jak Papandreu i Andreotti.

Zmiana poglądów niektórych polityków zachodnich, a w ślad za nimi komentarzy prasowych, przyszła później jako następstwo rozgrywek w stosunkach Wschód—Zachód, w których Polska była ofiarą i instrumentem.

Rozdział 38

Wszystko było inne

Jeszcze nie przebrzmiały echa obrad w Radomiu, a na II Walnym Zgromadzeniu Regionu „Mazowsze" 6 grudnia przyjęto uchwałę proklamującą „dzień protestu". Wyznaczono go na 17 grudnia. Wiązał się on z 11. rocznicą wydarzeń na Wybrzeżu. Oceniano, że w Warszawie udział w tej manifestacji weźmie kilkaset tysięcy osób. W ślad za stolicą miały iść inne miasta. Taka perspektywa, nawet wbrew intencjom organizatorów, mogłaby w ówczesnej sytuacji prowadzić do konfrontacji, przerosnąć w konflikt bratobójczy.

Po blisko dziesięciu latach rozmawiałem na ten temat ze Zbigniewem Bujakiem. Zapytałem go: „Panie Zbigniewie, czy zapowiadając tę demonstrację nie zdawaliście sobie sprawy, że żyjemy na wulkanie? Jeżeli setki tysięcy rozgorączkowanych ludzi wyjdą na ulicę, to może dojść do najgorszego. Może powtórzyć się tragedia z Poznania, Budapesztu. Wystarczy, że wystrzeli jakiś pierwszy pistolet, potem drugi, trzeci. A później wszystko już będzie poza ludzką kontrolą. Tak jak z rozlaną benzyną, do której ktoś rzuca tylko jedną zapałkę".

Mój rozmówca zawahał się, głęboko zastanowił. „To był istotnie wielki dylemat. Obawialiśmy się. Opinie były podzielone. Zwyciężył jednak pogląd, że potrafimy zapanować nad sytuacją. Poparto to m. in. argumentem, że niedawna demonstracja w Siedlcach przeszła spokojnie. Zwróciliśmy się — mówi dalej Bujak — do Wajdy, aby zaproponował jakiś artystyczny scenariusz. Odmówił: — Panowie, to może być niebezpieczne".

Jak odnotowała prasa, części delegatów też nie udało się przekonać. Zgłosili *votum separatum*. Jerzy Filipowicz, były żołnierz AK, powiedział: „Tu się namawia do konfrontacji, a jeszcze nie dokończono budowy pomników ofiar z 1956 i 1970".

Ryszard Reiff o projekcie tego wiecu napisał potem tak w swojej książce „Czas Solidarności": „11 grudnia w godzinach rannych złożył mi wizytę w moim gabinecie w PAX-ie z ramienia «Solidarności» Zbigniew Romaszewski, zapraszając mnie w charakterze jednego z mówców na wiec, który planowano 17 grudnia o godz. 16.00 na Placu Defilad. Gdy dowiedziałem się, że to wszystko ma się odbyć o tej porze i w tym miejscu, zaprotestowałem przeciw takiej lekkomyślności. Wielkie tłumy w ciemności — mówiłem (grudzień, godz. 16^{00}) — to zachęta do prowokacji. Zaplanowanej lub nie, czy przypadkowego tumultu, który wywoła panikę i może spowodować nawet śmiertelne wypadki. Jedna petarda, jeden pojemnik z gazem łzawiącym i sytuacja wymknie się spod kontroli. Odpowiedzialność spadnie na «Solidarność», bo należało przewidywać taką ewentualność".

Byłem poruszony uchwałą „Mazowsza". Wielu moich rozmówców z owych dni przedstawiało wręcz apokaliptyczne wersje możliwych wydarzeń. Widmo konfrontacji, konfliktu i jego umiędzynarodowienia coraz wyraźniej stało przed oczami.

Wszystko się wtedy straszliwie sumowało i „zapętlało". Radom ze swoją atmosferą, z agresywną retoryką i zamiar tej manifestacji. Dowiedziałem się też, że w Komitecie Warszawskim partii rozważano przygotowanie kontrmanifestacji. Ewentualne zderzenie — choć sił o bardzo różnej skali — mogło być fatalne. Przede wszystkim jednak prześladowała mnie pamięć o wydarzeniach węgierskich 1956 roku. Znałem różne wojskowe opracowania na temat ich genezy i samoeskalacji. Przecież cała tragedia rozpoczęła się od rozbrojenia jednego żołnierza, dosłownie — od pierwszej pepeszy, która dostała się w ręce tłumu. A skutki? Kilka tysięcy poległych, powieszonych, rozstrzelanych, zmiażdżonych przez czołgi lub spalonych w nich żywcem. Tysiące wdów, sierot, kalek w tak stosunkowo niewielkim narodzie. Setki tysięcy uciekinierów i emigrantów. Ruiny i zgliszcza w centrum jednego z najpiękniejszych miast Europy. Kto mógł zagwarantować, że podobny scenariusz nie powtórzy się w Polsce? Czy można było ryzykować bezczynność, oczekiwać — że może uda się przejść przez to spokojnie? Nie. Aż takiej odpowiedzialności nie mogłem wziąć na siebie.

Pamiętam front. Widziałem i wiem, jak umierają ludzie trafieni pociskiem, rozerwani przez granat, spaleni w czołgu. Na szczęście — nie widziałem z bliska, bezpośrednio tragedii w Poznaniu i na Wybrzeżu. Ale wiedzę miałem wystarczającą.

Kiedy zaczyna działać psychoza tłumu — wystarczy nieraz rakietnica albo zwykły korkowiec, aby doprowadzić ludzi do stanu gorączki. Cóż dopiero mówić o broni palnej! Jest przy tym psychologiczną prawidłowością, że emocje zaczynają działać równocześnie w obie strony. Kiedy zostanie ranny bądź zabity uczestnik manifestacji — to każdy żołnierz i milicjant staje się dla wszystkich osobistym wrogiem. I odwrotnie, kiedy „ci w mundurach" tracą kolegę — zaczynają również reagować emocjonalnie. Znam relacje zwykłych żołnierzy uczestniczących w wydarzeniach na Wybrzeżu w 1970 roku. Wielu z nich znajdowało się wobec tłumu w stanie jakiejś psychozy, poczucia zagrożenia i agresji jednocześnie.

Utkwiła mi w pamięci zasłyszana opowieść, pochodząca zdaje się od wybitnej skrzypaczki, Wandy Wiłkomirskiej. W grudniu 1970 roku była w Szczecinie. Na własne oczy oglądała scenę, kiedy kilkunastu wyrostków rozbijało butelki z benzyną o pancerz nieruchomego, nie strzelającego czołgu. Czołg stanął w ogniu, z włazu wychylił sie przerażony żołnierz i zaczął krzyczeć, że jest Polakiem, ma rodziców na wsi pod Krakowem... Dostał kamieniem w głowę...

W późniejszym czasie działacze „Solidarności" upowszechniali opinię, że w grudniu strajki zaczęły wygasać, następowało uspokojenie. To nie jest ścisłe. Jedynie obszar napięć nieco się zmienił. W tym okresie główny ich ciężar zaczął przenosić się na młodzież.

Prof. Tadeusz Kotarbiński napisał: „Minimum argumentacji wystarcza, aby zaszczepić w młodym umyśle ideę irracjonalną, a maksimum argumentacji potrzeba, aby ją z tego umysłu usunąć". Ci, którzy podjęli decyzję o wybuchu Powstania Warszawskiego, wciąż podkreślali, a za nimi także niektórzy historycy, że nie miano już innego wyjścia, bo młodzież parła do walki. Była tak rozpalona, że sama ruszyłaby na Niemców. Młodzi zawsze rwali się do powstań. Podchorążowie rozpoczęli je w noc listopadową 1830 roku. A przywódcy styczniowego: Stefan Bobrowski, który w pierwszych tygodniach faktycznie stał na jego czele, miał 23 lata, Zygmunt Padlewski — 28 lat, Jarosław Dąbrowski — 26 lat, Roman Rogiński, dowódca powstańczy województwa podlaskiego — 23 lata, Leon Frankowski, naczelnik wojenny województwa lubelskiego — 20 lat.

Romantyka powstańcza jest ponoć w naszych genach, historycznie dziedziczona. Istnieje w Polsce kult powstań. A w ogóle paradoks — z jednej strony skłonność do cierpiętnictwa, martyrologii, a z drugiej do romantyczno-niefrasobliwego traktowania wojny. Nie wiem, czy jest na świecie drugi taki kraj, gdzie o wojnie — tak jak w Polsce — śpiewano by niemal pieszczotliwie jako o wojence. „Jak to na wojence ładnie, kiedy ułan z konia spadnie". „Wojenko, wojenko, cóżeś ty za pani...". „Rozkwitały pąki białych róż, wróć, Jasieńku, z tej wojenki, wróć..."

W 1981 roku też najbardziej rozgrzana była młodzież. Nieprzypadkowo więc w ostatniej fazie rozlały się tak szeroko niepokoje wśród młodych. Uczniowie, studenci, robotnicy... Ton, a raczej temperaturę polityczną żądań „Solidarności", zarówno rzesz członkowskich, jak jej gremiów kierowniczych — tworzyli i narzucali ludzie młodzi, a nawet bardzo młodzi. Przywódcy wielu regionów liczyli często zaledwie po dwadzieścia kilka lat. W tym wieku doświadczenie i wiedza na ogół nie nadążają za energią i animuszem. Rosjanie nazywają to obrazowo: „morie po koliena". Kiedy wracam pamięcią do tamtych dni, to i dziś sądze, że ci ludzie zachowywali się jak gdyby mieli „morze do kolan". Właściwie trudno się temu dziwić. Nawet kariera Napoleona i jego marszałków przebiegała wolniej. „Solidarnościowi" przywódcy niemal z dnia na dzień uzyskali ogromną władzę. Kierowali setkami tysięcy ludzi. Odbierali niekiedy wręcz żenujące publiczne hołdy, w tym znanych ludzi nauki, a zwłaszcza kultury. Ówcześnie więc nadawali ton „młodzi gniewni" — w wielu przypadkach niewątpliwie utalentowani, o wybitnych cechach przywódczych. Po dziesięciu latach, gdy emocje ostygły, a życiowe i polityczne doświadczenie wzrosło, widać lepiej, jak niejednokrotnie wartościowe były to jednostki. Naszym błędem, błędem ówczesnej władzy było niedostateczne uwzględnianie tego częstokroć bardziej psychologicznego niż politycznego czynnika.

Faktem jest jednak, że zbliżyliśmy sie do atmosfery powstaniowej. Było zapotrzebowanie na bohaterów! „Nieszczęsny kraj, który potrzebuje bohaterów" — mówi Galileusz w znanej sztuce Brechta. Musiałem to brać pod uwagę. Od takiego właśnie kataklizmu, jak Powstanie Warszawskie, chciałem Polskę uchronić. I oto proszę sobie wyobrazić: jeszcze dziś znajdują się tacy, jak Krzysztof Kąkolewski, którzy mają mi to za złe! Kosy na sztorc!

Jeśli ktoś sam miałby pójść na barykady, to proszę bardzo, jego sprawa. Ale jeśli popycha do tego innych, zwłaszcza młodych, niedojrzałych ludzi, to jest to zbrodnia. Umieranie w chwale — jak ktoś słusznie powiedział — jest legendą tworzoną zazwyczaj przez tych, którzy żyją i chcieliby, aby inni gotowi byli umierać.

Gdyby 17 grudnia odbyły się planowane demonstracje protestacyjne, jeśli doszłoby w ich wyniku do konfrontacji, byłoby za późno, aby szukać sprawców. Sprawcą mógł być dosłownie każdy.

I prowokator, i najuczciwszy człowiek, którego nerwy nie wytrzymały.

Nie mogłem lekceważyć faktów. Na przełomie listopada i grudnia, o czym już mówiłem wcześniej, tzw. straż robotnicza gromadziła hełmy, pałki, różne narzędzia do walki wręcz. Tworzono systemy łączności, szkolono ludzi, jak blokować, barykadować zakłady pracy. To nie były działania spontaniczne, lecz precyzyjnie organizowane. Na wspomnianym już II Walnym Zgromadzeniu delegatów NSZZ ,,Solidarność'' Regionu Mazowsze podjęto decyzję o zorganizowaniu specjalnych grup w poszczególnych zakładach, odpowiednio wyposażonych i przygotowanych do tzw. samoobrony. Podobne przygotowania podejmowano w innych regionach i zakładach pracy.

Także pewna część aktywu partyjnego i państwowego wyposażała się w broń osobistą. Narastało w niej poczucie fizycznego zagrożenia, lęku o swoich bliskich. Ale to obustronne uzbrajanie się — choć deklaratywnie tylko dla obrony — mogło w każdej chwili wywołać eksplozję. Albo w wyniku przypadkowego incydentu, albo w wyniku świadomej prowokacji.

Według meldunków MSW z początku 1981 roku, gdzieś w Polsce znajdowało się prawie 3 tysiące sztuk zaginionej lub skradzionej broni palnej. A ile jej zostało z lat wojennych? A prawie ćwierć miliona broni myśliwskiej, śrutowej i kulowej? A broń sportowa? A broń używana w studiach wojskowych, w Lidze Obrony Kraju, w więziennictwie, w straży przemysłowej, w Służbie Ochrony Kolei, w innych organizacjach? Czy można było o tym nie pamiętać?

W owych dniach dotarła znamienna informacja. Otóż minister Czyrek zrelacjonował mi rozmowę, jaką z naszym ambasadorem w Bonn, Janem Chylińskim, odbył ambasador ZSRR Władimir Siemionow. Wiedząc, iż Chyliński udaje się do Warszawy na VI plenum KC, podzielił się z nim — raczej nieprzypadkowo — opinią, nazwijmy to historiozoficzną, na tematy polskie. ,,Polacy to naród bardzo emocjonalny. Co kilkadziesiąt lat muszą koniecznie doprowadzić do upuszczenia gorącej krwi. I stąd kolejne powstania. Z rozwoju sytuacji wynika, że u was szykuje się awantura. Należy przewidywać taki scenariusz, że dojdzie do wojny domowej. Może to kosztować życie do pół miliona ludzi. Co wtedy nastąpi? Związek Radziecki będzie błagany i przez Polaków, i przez Zachód, ażeby wkroczył i nie dopuścił do dalszej tragedii''.

Chyliński — notabene syn Bolesława Bieruta — relacjonował tę rozmowę z ogromnym przejęciem, wręcz przerażeniem. Wiedział, że Siemionow jest człowiekiem dobrze poinformowanym, ma kontakty na najwyższych szczeblach radzieckiej władzy. Jego myślenie musi więc odzwierciedlać pewną ogólniejszą ocenę. Było to dla mnie poważnym sygnałem. Trzeba się liczyć ze wszystkim, nawet z jakąś prowokacją.

Opinia Siemionowa była chyba bliska prawdy, co sprawdziło się kilka lat później, w grudniu 1989 roku, w czasie krwawych wydarzeń w Rumunii. Ówczesny premier Związku Radzieckiego Nikołaj Ryżkow powiedział 26 grudnia tego roku, że amerykański sekretarz stanu James Baker uznał celowość ewentualnej radzieckiej interwencji w Bukareszcie, ponieważ mogłaby ona przerwać bratobójczą wojnę. Podobne zdanie miał francuski minister spraw zagranicznych Roland Dumas. „Le Monde" 5 stycznia 1990 roku pisał, że z inicjatywą interwencji ZSRR, państw Układu Warszawskiego „w celu powstrzymania przelewu krwi w Rumunii wystąpili szefowie dyplomacji Francji, Stanów Zjednoczonych i Wielkiej Brytanii".

Gdyby nie zapowiedziano na 17 grudnia masowych manifestacji — czy odkładałbym nadal podjęcie ostatecznej decyzji? Raczej tak. Choć zależałoby to również od tego, co działo się poza naszymi granicami. Była także pewna, co prawda znacznie mniejsza przeszkoda. Już raz przedłużyliśmy służbę wojskową starszemu rocznikowi służby zasadniczej. Ostateczny termin zwolnienia do rezerwy mijał 18-20 grudnia. Na kolejne przedłużenie służby potrzebna już jednak była zgoda Sejmu. To utrudniało ten zabieg, ale przecież nie uniemożliwiało. Główna przyczyna tkwiła gdzie indziej. Pole manewru już się kończyło. Każdy kolejny dzień był gorszy od poprzedniego.

Konfrontacja była realnym zagrożeniem. Nawet najmniejsze zdarzenie mogło do niej doprowadzić. To nie był propagandowy straszak. Jeżeli nie udawało się opanować strajków, to czy możliwe byłoby zapanowanie nad znacznie groźniejszym żywiołem? Nie zamierzam nikogo oskarżać o tendencyjne, celowe zaognianie atmosfery. Biorę pod uwagę prawidła psychologii. Narastanie temperatury miało swoją nieubłaganą logikę: ilość zadrażnień przechodziła w nową jakość, w ostrzejszy rodzaj ludzkich emocji, reakcji, odruchów.

Oto fragment listu, jaki w grudniu 1981 wystosowała organizacja „Solidarności" Zakładów Mechanicznych „Ponar" w Tarnowie:

„Wzywamy wszystkie ogniwa «Solidarności» w Polsce, aby przy najbliższej potyczce z komunistami niezwłocznie przystąpić do likwidacji, obojętnie jakimi środkami, wszystkich sędziów, prokuratorów, sekretarzy partii, funkcjonariuszy SB bez względu na płeć, łącznie z rodzinami"... Gdy dziś się to czyta — rzecz wygląda wręcz nieprawdopodobnie. A jednak... Gdyby wszakże takie listy — jak niektórzy twierdzą, a o czym ja wątpię — były prowokacją ze strony Służby Bezpieczeństwa — to też byłyby faktem, z którym należało się liczyć. Świadczącym, że po każdej stronie nikt już nie może zapanować nad sytuacją.

W mojej pamięci kumulowały się liczne wypowiedzi, uchwały i rezolucje o konfrontacyjnym zabarwieniu.Bogdan Krakowski, przewodniczący „Solidarności" w Fabryce Obrabiarek w Zawierciu, wołał na zebraniu: „Powiesić na szubienicach miliony partyjniaków". Andrzej Rozpłochowski ze Śląska: „Nie ustąpimy. Niech rżną, mordują. Za każdego solidarnościowca trzech milicjantów w łeb"... Wypowiedzi takie, trafiające codziennie na moje biurko, musiały wpływać na psychikę. A przecież znałem je nie tylko ja. Znali je również inni działacze partyjni i państwowi, wojskowi i cywile. Ich zachowania i reakcje nie mogły być inne. Mówili z trwogą w oczach, żądali ostrych działań.

5 lipca 1991 roku Lech Wałęsa w wywiadzie dla „Rzeczypospolitej" nazwał ówczesną działalność „Solidarności" — „narodową insurekcją". Sztandar związku powinien więc być traktowany jak „sztandar naszego powstania narodowego". Rozumiem, że to przenośnia — chodziło o „powstanie pokojowe" — ale jaka pewność, że wydarzenia nie przerosłyby w krwawą konfrontację.

Warto tu przypomnieć książkę z dziedziny fantastyki politycznej pod tytułem „Trzecia wojna światowa", autorstwa brytyjskiego generała Johna Hacketta. Otóż trzecia wojna światowa rozpoczyna się w niej od drobnych wydarzeń w stoczni gdańskiej. Książka została wydana na Zachodzie w 1979 roku, a więc na wiele miesięcy przed rzeczywistymi wydarzeniami w Gdańsku. Hackett wybrał całkiem prawdopodobne miejsce dla zobrazowania bezpośredniego źródła konfliktu, jaki mógł zderzyć dwa głęboko podzielone światy: Wschód i Zachód. Być może autorem kierowało doświadczenie drugiej wojny światowej. Na pewno jednak brał pod uwagę to, że w opinii Zachodu Polska historycznie i współcześnie była naturalnym polem konfrontacji. Takim gorącym punktem, gdzie wszystko może się zdarzyć.

Wszystko było wtedy inne niż dziś. Inni byli sąsiedzi, inna Europa, inny świat. Głęboko podzielony, zantagonizowany. Inni byliśmy my — i ówczesna władza, i ówczesna opozycja. Dlatego uważam za rzecz niestosowną i historycznie fałszywą zadawanie pytań w rodzaju — a dlaczego nie zrobiliście wówczas tego, co zrobiliście później? Władysław Warneńczyk też nie zrobił tego, co Jan Sobieski. Mówiłem już zresztą wielokrotnie, że przeszliśmy przez czyściec po to, aby nie przechodzić przez piekło. To nie asekuranctwo, lecz poczucie odpowiedzialności.

Czy „Solidarność" mogła mniej od nas żądać? Czy my „Solidarności" mogliśmy więcej dać? Dziś to spór właściwie tylko historyczny. Żyliśmy w realnym świecie. Stosowaliśmy się do jego reguł. Nie można było uciec od rzeczywistości.

Męczy mnie jednak myśl — czy wyczerpaliśmy wtedy wszystkie możliwości porozumienia? Może należało ratować kraj w inny, wręcz rozpaczliwy sposób? Na przykład wsiąść w samolot, polecieć do Gdańska i tam przed kierownictwem „Solidarności" spróbować raz jeszcze wytłumaczyć nasze położenie? Zdaję sobie jednak sprawę — rozumując na chłodno — że nie miałoby to żadnych szans. To już nie był czas do rozmów. Prawdopodobnie spotkałby mnie afront, a w najlepszym przypadku „fura" pretensji i żądań nie do zrealizowania. Panująca w „Solidarności" psychoza — jak pisał wnikliwy obserwator tych wydarzeń, Andrzej Micewski — „paraliżowała ludzi rozumniejszych, także wśród doradców, którzy podobnie jak trzeźwiejsi przywódcy związku bali się, że zostaną zmieceni ze sceny przez zrewoltowanych aktywistów robotniczych. Odczuwało się też grę oraz inspirację różnych grup interesu".

Czy mógł zrobić coś więcej Lech Wałęsa? Niewątpliwie zdawał sobie sprawę, że władza przyparta jest do muru. A przecież z Gdańska do Warszawy jest tak samo daleko, jak z Warszawy do Gdańska. Rozumiem go jednak: miał już ręce związane. Jakiś jego wyraźny ruch na spotkanie władzy potraktowany by został jako zdrada lub kapitulacja. Czy z kolei prymas Glemp nie mógłby zaprosić nas do siebie na spotkanie? Teoretycznie tak, ale po Radomiu, w obliczu radykalizacji jednej i drugiej bazy, byłoby to chyba mało owocne. Tym bardziej gesty dalej idące były już trudne i politycznie, i psychologicznie. Wszyscy znaleźliśmy się w pułapce.

Sytuację w Polsce porównywano wtedy do tragedii greckiej, w której wszyscy aktorzy przeczuwają, że skończy się nieszczęściem, ale grają — muszą grać swoje role do końca.

Emocje prowadziły w jedną stronę, rozum — w drugą. Wielu Polaków przeżywało wtedy dylemat. Mówiąc obrazowo — czy serce, czy głowa? Taka kolizja bywa niesłychanie bolesna, dramatyczna. Odpowiedź daje generał Ignacy Prądzyński, którego prof. Jerzy Łojek nazwał „Chopinem strategii”. Pisał on w swych pamiętnikach: „W sprawach stanu, gdzie idzie o losy całego narodu na wieki, nie wolno rządzić się sercem, do czego my, Polacy, zanadto skłonni jesteśmy. Tam najzimniejsza tylko rozwaga i rozsądek przewodniczyć powinny, a rzeczywisty pożytek główną, jeżeli nie wyłączną sprężyną do działania być powinien”.

Wiele razy pytano mnie: „Jak pan to wszystko znosił już nie mówiąc psychicznie, ale nawet fizycznie?” Widocznie to też interesuje ludzi. Mam znaczną odporność, służba wojskowa hartuje. Potrafię obejść się dłuższy czas bez snu. Może to jakieś pozostałości z czasów wojny. Dla zwiadowcy noc była przecież sojusznikiem. Później, na wyższych stanowiskach prowadziłem liczne ćwiczenia, m.in. jako szef Sztabu Generalnego czy minister obrony narodowej — nie śpiąc przez 3-4 noce z rzędu.

Ale niewątpliwie w tym strasznym grudniu przemęczenie rzutowało w jakimś stopniu na moje reakcje i odruchy. Gdybym miał większy spokój, większy dystans, to może niektóre oceny, działania, wypowiedzi byłyby bardziej wyważone. A tak częstokroć musiałem decydować niejako z marszu — niekiedy więc być może emocjonalnie, nerwowo. Uważam zresztą, że czynnik psychofizyczny wpływał również na postępowanie naszych ówczesnych przeciwników. Dawało się to nieraz całkiem wyraźnie zauważyć.

Znane są z historii chwile załamań, jakie przeżywali nawet wielcy ludzie będący u steru władzy. Daleki jestem od porównywania się z nimi. Ale mnie to się nigdy nie zdarzyło w takiej, jak niektórym z nich, skali. Piłsudski w 1926 roku po spotkaniu z prezydentem Wojciechowskim na warszawskim moście, które nie odbyło się po jego myśli, popadł w stan apatii i przygnębienia. Pojechał na Pragę, położył się na kanapie, był bezczynny. To właściwie generał Orlicz-Dreszer przeprowadził całą operację. Podobnie generał de Gaulle w 1968 roku w pewnym momencie zupełnie się zagubił. Zabrał rodzinę i wyjechał do Baden-Baden, do kwatery głównej francuskich sił zbrojnych w Niemczech Zachodnich. Generał Massu napisał później obrazowo: „de Gaulle zdjął nogę z pedału”.

W pewnych sytuacjach rzeczywiście potrzebna jest wprost nadludzka wytrzymałość. U mnie nigdy nie nastąpiło skrajne załamanie, opuszczenie rąk. Ale byłem na krawędzi.

Wypytywano mnie również, czy w najbardziej dramatycznych momentach dzieliłem się z kimś swoimi wątpliwościami, obawami. Oczywiście, tak. Przede wszystkim liczne posiedzenia, narady, rozmowy przeprowadzane w owym czasie aż pulsowały od trosk i zagrożeń. A w sensie osobistych kontaków — było ich dużo z ludźmi, z którymi pracowałem najdłużej: z Siwickim, Kiszczakiem, Janiszewskim. Bardzo wiele, chyba najwięcej — z Rakowskim, Barcikowskim.

Ten okres był dla mnie również ciężki i z innego powodu. W roku 1981 pojawiły się ostre bóle kręgosłupa. Jako młody chłopak byłem niski, jeden z najmniejszych w klasie. I właśnie wtedy, kiedy nadeszły najtrudniejsze lata — lata wojny, Syberii, bardzo słabego odżywiania — zacząłem szybko rosnąć. A pracowałem bardzo ciężko. Piłowanie drzew w przegięciu, na kolanie, czy noszenie ciężkich worków na ramieniu. Były jakieś bóle nóg i pleców, ale później przeszło. Przez długie lata nie odczuwałem dolegliwości. Ostry ból dał znać o sobie — jak na złość — w najtrudniejszym momencie. Udręką było siedzenie, zasznurowanie buta, nawet kaszel czy przewrócenie się z boku na bok. Nie miałem jednak czasu na ćwiczenia rehabilitacyjne. Dopiero w 1983 roku prof. Donat Tylman oraz doktor Wiesław Siwek z Wojskowego Centrum Medycznego przy ul. Szaserów postawili mnie na nogi.

Rozdział 39

Kulisy tajnych złudzeń

Historyczne przełomy służą odsłanianiu różnych tajemnic. W dniach Wielkiej Rewolucji Francuskiej zwycięzcy rzucali ulicznemu tłumowi bulwersujące wieści o zbytku dworu Ludwika XVI. W listopadzie 1917 roku robotników Piotrogradu karmiono tajemnicami z życia pałacowych sfer. Zawsze w okresach przełomów istniało zapotrzebowanie na ujawnienie dokumentów opatrzonych klauzulami wieloletniej tajności — przede wszystkim w celu skompromitowania władzy.

Wydaje się, że mamy do czynienia z podobną sprawą w wyniku opublikowania przez londyńskie wydawnictwo „Aneks" protokołów z posiedzeń Biura Politycznego PZPR. Aby rozbudzić apetyt czytelników, „Polityka" w numerze 49 z 7 grudnia 1991 roku zamieściła najważniejszy — jak można sądzić — z tych protokołów. Dokumentuje on bowiem ostatnie przed wprowadzeniem stanu wojennego posiedzenie Biura Politycznego z 5 grudnia 1981 roku. Czy znalazło się w nim potwierdzenie dla wciąż krążącej tezy o stanie wojennym przygotowywanym z premedytacją? Przecież wielu dzisiejszych polityków czytałoby z lubością materiały potwierdzające cynizm, dwulicowość władzy. Publicznie wzywała do dialogu, do porozumienia narodowego, a za kulisami knuła spisek „przeciwko narodowi". Posiedzenie Biura Politycznego 5 grudnia 1981 roku, a więc w dzień po radomskim spotkaniu władz „Solidarności" oraz siedem dni przed wprowadzeniem stanu wojennego, takich wniosków nie dostarcza. Zanim jednak omówię to posiedzenie — kilka innych wydarzeń.

W dniach 1-3 grudnia w Bukareszcie obradowali ministrowie spraw zagranicznych, a 1-4 grudnia w Moskwie ministrowie obrony narodowej państw Układu Warszawskiego. W Bukareszcie był minister Czyrek, w Moskwie — wiceminister obrony narodowej, generał Siwicki. Wrócili w najczarniejszych nastrojach.

Mówi gen. Florian Siwicki:

W dniach 1-4 grudnia 1981 roku w Moskwie odbyło się posiedzenie Komitetu Ministrów Obrony państw Układu Warszawskiego. Reprezentowałem ministra obrony narodowej PRL. Były to dla mnie bardzo ciężkie dni. Wszyscy ministrowie obrony podejmowali, w mniej lub bardziej wyrazistych sformułowaniach, sprawy polskie. Kilka przykładów z moich notatek. Minister obrony Czechosłowacji gen. Martin Dzur: „NATO dąży do zmiany równowagi sił i osłabienia jedności państw socjalistycznych. Stąd z dużym zaniepokojeniem śledzimy wydarzenia w Polsce. Zachód, wykorzystując kryzys, zamierza wyrwać Polskę z sojuszu. Dotyka to interesów wszystkich naszych krajów".

Minister obrony NRD gen. Heinz Hoffman: „NATO zmierza do zdobycia przewagi nad Układem Warszawskim. Niebezpiecznie rozszerza się antysocjalistyczna i antyradziecka polityka. W świetle wydarzeń w Polsce widoczna jest nasilająca się kampania kłamstw i oszczerstw. Aktywizują się siły kontrrewolucyjne, wspierane przez Zachód. Liczyć się trzeba z zaostrzaniem walki. Najwyższy czas bronić skuteczniej socjalizmu przed zamachem kontrrewolucji..."

Minister obrony Bułgarii gen. Dobri Dżurow: „Nie można pominąć milczeniem wpływu wydarzeń w Polsce na stan gotowości Zjednoczonych Sił Zbrojnych. Kontrrewolucja w tym kraju przystąpiła do realizacji ostatecznego celu — przejęcie władzy. Zagraża to nie tylko ludziom pracy Polski, ale przynosi szkodę całemu Układowi. Konieczne są radykalne, zdecydowane działania zapewniające stabilizację w tym bratnim kraju..."

Naczelny Dowódca ZSZ marszałek Wiktor Kulikow: „Tocząca się walka polityczna wywiera ujemny wpływ na Wojsko Polskie, co budzi niepokój członków Układu Warszawskiego. Polscy komuniści mogą liczyć na poparcie i pomoc zaprzyjaźnionych krajów..."

Charakterystyczne były również głosy szefa Głównego Zarządu Wywiadowczego Armii Radzieckiej gen. Iwaszutina oraz szefa wywiadu Bułgarskiej Armii Ludowej gen. Zikułowa. M. in. stwierdzali oni, że istnieje niebezpieczeństwo naruszenia równowagi strategicznej na niekorzyść Układu Warszawskiego. Przyczynia się do tego również „rozmiękczanie" Układu, a w szczególności działalność wywrotowa, o której dobitnie świadczą wydarzenia w Polsce.

Po zakończeniu oficjalnych wystąpień wszyscy ministrowie wyrazili życzenie spotkania się ze mną w cztery oczy. Prawdopodobnie partyturę rozmów, przynajmniej dla większości, rozpisał Sztab Zjednoczonych Sił Zbrojnych.

Najważniejsze spotkanie było z marszałkiem Dmitrijem Ustinowem. Był to jeden z trzech ludzi faktycznie rządzących Związkiem Radzieckim. Radykalny w poglądach i zdecydowany w obronie mocarstwowych interesów państwa radzieckiego. Przedstawienie przeze mnie sytuacji w Polsce, jak odczytałem z grymasów twarzy, nie przylegało do posiadanej przez niego informacji. Zapamiętałem mimo upływu tylu lat podstawowe treści jego monologu.

Wciąż ustępujecie — mówił — przed zuchwałym natarciem kontrrewolucji. Przeciwnicy socjalizmu zwiększają swoje żądania i faktycznie dyktują rozwój sytuacji. Demontują państwo, jutro zabiorą wam władzę, a wy się przyglądacie. Pamiętajcie, że my się nigdy nie zgodzimy na wyrwanie Polski Ludowej z obronnego systemu Układu, a także na jego dalsze osłabianie. Polska zajmuje kluczowe strategiczne położenie na europejskim teatrze. NATO dozbraja się bardzo intensywnie. Wprowadza do swoich wojsk najnowsze uzbrojenie, a Polska nie wykonuje planów przemysłu zbrojeniowego. Osłabia to zdolność bojową nie tylko Wojska Polskiego, ale również innych armii Układu. To już nie tylko wasza sprawa. Więcej zdecydowania, bo sprawy rozwijają się bardzo niekorzystnie dla socjalistycznej Polski. W waszych warunkach „oborona smierti pochoża" — obrona podobna do śmierci. Miejcie na uwadze, że pod żadnym względem nie dopuścimy do naruszenia żywotnych interesów naszej wspólnoty. Moje wyjaśnienia nie zmieniły jego poglądów i ocen.

Treści rozmów z pozostałymi ministrami obrony były podobne. Różniły się jedynie rozłożeniem akcentów.

Poczułem się jak przepuszczony przez maszynkę. Podzieliłem się uwagami i obawami z członkami delegacji. Już tylko formalnie uczestniczyliśmy w posiedzeniu Komitetu. Myślami byliśmy w kraju. Przygotowaliśmy meldunek premierowi-ministrowi obrony narodowej gen. Wojciechowi Jaruzelskiemu, który wykorzystałem tylko częściowo 5 grudnia 1981 r. w swej wypowiedzi na posiedzeniu Biura Politycznego KC PZPR. Osobiście przedstawiłem Zwierzchnikowi Sił Zbrojnych atmosferę, w jakiej odbyło się posiedzenie Komitetu Ministrów Obrony Układu Warszawskiego. Odtworzyłem również treść rozmów i oficjalne wypowiedzi jego członków. Nasz niepokój narastał. Co przyniesie jutro? Tym bardziej że wkrótce do Sztabu Generalnego wpłynął wniosek o zezwolenie na odbycie ćwiczeń Armii Radzieckiej z przemarszem wojsk w obszarze Polski — początek w dniu 24 grudnia 1981 roku. Jak nas poinformowano, nie miały to być wielkie ćwiczenia. Ale byliśmy wówczas bardzo uczuleni na wszelkie ruchy wojsk na naszym terytorium. Nie było wiadomo, jak sie to może rozwinąć. Premier nie wyraził więc zgody. Pretekst był dobry — Wigilia. Dyletanctwo planistów wojskowych Armii Radzieckiej czy świadomie wybrany termin — Boże Narodzenie? Było znów się nad czym zastanawiać. A czas uciekał. Nie tylko zima zaglądała nam groźnie w oczy.

Komunikat z bukaresztеńskiego posiedzenia ministrów spraw zagranicznych państw Układu Warszawskiego mówił o pogorszeniu klimatu międzynarodowego, wzroście niebezpieczeństwa wojny, zagrożeniu dla wolności i niepodległości narodów. Podkreślano niebezpieczne zwiększenie tempa i skali zbrojeń, zwłaszcza jądrowych. Stwierdzono, że w rozwoju techniki wojennej zachodzą zmiany grożące naruszeniem stabilizacji międzynarodowej. Sytuację w Polsce oceniano jako czynnik głęboko destabilizujący — mówił Czyrek po powrocie z Bukaresztu, dodając, że w kuluarach obrad był wręcz atakowany zarzutami o bierność, brak skutecznych przeciwdziałań wobec destrukcyjnych poczynań sił antysocjalistycznych. „Nie są to tylko wasze zagrożenia — mówiono mu — ale dotyczą nas wszystkich. Godzą w zwartość całej wspólnoty".

1 grudnia obradował Operacyjny Sztab Antykryzysowy. Wnioski były alarmujące. Podjęto decyzje w sprawie zapewnienia ciągłości

dostaw podstawowych artykułów, wydobycia resztek rezerw na zaopatrzenie przedświąteczne oraz zaostrzenia walki ze spekulacją.

Tego samego dnia obradowało Biuro Polityczne. Pierwsza część miała charakter wspólnego posiedzenia z udziałem kierownictwa ZSL i dotyczyła problemów rolnictwa. Na drugiej — już tylko w składzie Biura Politycznego i sekretariatu KC PZPR — oceniano sytuację społeczno-polityczną.

Tadeusz **Porębski**, człowiek twardy, w sposób wręcz nerwowy apelował — nie po raz pierwszy zresztą — o ochronę rodzin aktywu: „Czują się zagrożone, obawiają się o życie". Takich głosów było więcej. Dla mnie to było też niezwykle trudne moralnie — presja, swego rodzaju oskarżenie. Wy na górze czujecie się bezpieczni, dogadacie się, a tam, w terenie, w zakładach pracy, ludzie są narażeni na najgorsze. Stanisław Opałko z Tarnowa mówił, że w województwie pojawiły się grupy bojówkarskie, w hełmach, z opaskami. Jan Główczyk i Stanisław Kociołek mówili o nasilających się próbach wyprowadzenia partii z zakładów pracy. Mirosław Milewski informował, że na posiedzeniu zarządu „Solidarności" w Szczecinie domagano się odsunięcia partii od władzy, powołania Społecznej Rady Gospodarki i powierzenia jej funkcji Sejmu i rządu. W coraz szerszym zakresie zaczyna się u nas potwierdzać scenariusz wydarzeń węgierskich i czeskich. Oby na działanie nie było za późno. Marian Orzechowski: „Doszliśmy do kresu. Ludzie oczekują od kierownictwa działań. IV plenum KC dało pełnomocnictwa Biuru Politycznemu i rządowi". Bardzo dramatycznie ocenili też sytuację członkowie Biura Politycznego — robotnicy. Na atmosferze obrad ciążył strajk w Wyższej Oficerskiej Szkole Pożarnictwa, obawa, że przeniesie się on do zakładów pracy. W podsumowaniu podkreśliłem, iż ekstremalne siły „Solidarności" zaostrzyły gwałtownie kurs. Zwróciłem uwagę, że w powstałej sytuacji nasz reżim pracy musi być inny: pogotowie, całodobowe dyżury, ochrona gmachów urzędowych. Trzeba pilnie uzyskać wykładnię Rady Państwa o konstytucyjnym prawie partii do obecności w zakładach pracy. Kiedy dziś czytam swoje notatki z tego posiedzenia Biura — przeżywam jak gdyby na nowo tę jakże groźnie rozwijającą się wówczas sytuację. Ale znajduję też potwierdzenie, że wciąż jeszcze liczyłem na uniknięcie ostatecznych rozwiązań.

Wkrótce po tym przyszedł do mnie Obodowski. Wręczył memoriał przedstawiający dramatyzm sytuacji. Do dziś pamiętam — żegnał się słowami: „Generale, dokąd nas prowadzicie? Polska ginie". Obodowski to człowiek odważny. Nie histeryk. Dobrze znał gospodarcze zagrożenia. Zapoznałem się też z informacjami o różnorodnych atakach na organizacje partyjne. Przez cały listopad nasilała się kampania zmierzająca do wyrugowania partii z terenu zakładów pracy. Wiele komisji zakładowych „Solidarności" podjęło w tej sprawie uchwały, przygotowano konkretne posunięcia. W niektórych zakładach Łodzi doszło do ich realizacji. A to wszystko wówczas, gdy jeszcze trwały dyskusje na temat Rady i Frontu Porozumienia Narodowego. Bezmyślność czy prowokacja? 3 grudnia wysłałem więc pismo okólne, nakazujące ochronę lokali i działaczy partyjnych w miejscu pracy. Wiedziałem, iż w ówczesnej sytuacji taki frontalny atak na partię musi skończyć się źle.

3 grudnia na akademii „barbórkowej" w Dąbrowie Górniczej powiedziałem, że wierzę w możliwość porozumienia. Ale, podobnie jak 27 listopada na VI plenum KC, również upominałem, ostrzegałem. Nie czyni tego publicznie człowiek, który czai się w ukryciu. Z mojego też polecenia 6 grudnia rzecznik prasowy rządu Jerzy Urban odczytał wyraźnie ostrzegawczy tekst, w tym znamienne słowa, że „Prezydium Komisji Krajowej odrzuciło porozumienia, a więc faktycznie opowiedziało się za drogą mogącą doprowadzić do konfrontacji".

4 grudnia przyjąłem delegację Stowarzyszenia Architektów Polskich, którzy właśnie w tym dniu odbywali swój statutowy zjazd w Warszawie. Im też mówiłem o wiszącym nad krajem niebezpieczeństwem, jeśli nie zdołamy się porozumieć.

Wreszcie 5 grudnia posiedzenie Biura Politycznego. Oprócz członków i zastępców członków BP uczestniczyli w nim: Mieczysław Rakowski — wicepremier, Stanisław Ciosek — minister do spraw związków zawodowych, Czesław Kiszczak — minister spraw wewnętrznych, Michał Janiszewski — szef URM, Stanisław Kociołek — I sekretarz Komitetu Warszawskiego, Kazimierz Cypryniak — kierownik Wydziału Organizacyjnego KC.

Protokół — jak już wspomniałem wcześniej — został w całości opublikowany w „Polityce". Ograniczę się więc do głównych treści i wniosków z posiedzenia. Oczywiście, żaden dokument, zwłaszcza czytany po latach, nie jest w stanie oddać w pełni klimatu czy ulotnych, właściwych dla danego czasu akcentów. W danym przypadku to bardzo istotne. Nastrój posiedzenia był bowiem „grobowy". Uderzaliśmy głową w mur. To było szamotanie się. Wciąż nadzieja, ale i desperacja. Co jednak bardzo charakterystyczne? Już od kilku tygodni podziały wewnątrz KC i Biura Politycznego — od „Kubiaka do Siwaka" zeszły na dalszy plan. To nie zmiana orientacji czy poglądów. Bowiem i na tym posiedzeniu ujawniły się zasadnicze rozbieżności. Dotyczyły one jednak oceny dotychczasowych metod działania. Jedni uważali je za słuszne. Inni zaś mówili, że droga ugody, kompromisów, ustępstw okazała się błędna, nieskuteczna. Te różnice z jeszcze większą mocą wystąpiły po wprowadzeniu stanu wojennego. Jednakże wówczas, w ostatnim kwartale 1981 roku, dominowało poczucie wspólnoty losu. Gorzka świadomość, iż linia IX Zjazdu została zagrożona. Że nasze wysiłki idą na marne. Że zarysowało sie śmiertelne niebezpieczeństwo. Mimo to jednak członkowie kierownictwa partii oraz pozostali uczestnicy posiedzenia nie byli skłonni do pochopnych deklaracji oraz skrajnych wniosków. Mówiono: „Solidarność" stała się partią opozycyjną o kontrrewolucyjnym obliczu. Zwyciężył nurt ekstremalny. Głośno mówią, że konfrontacja jest nieunikniona. Oświadczyli, że nie wejdą do Frontu Porozumienia Narodowego. Kategorycznie odrzucają wprowadzenie pełnomocnictw dla rządu, w tym możliwość zakazu strajków na okres zimy. Grożą strajkiem generalnym. Zapowiadają też, że Krajowa Komisja, która zbierze się w Gdańsku, pójdzie jeszcze dalej niż Prezydium w Radomiu. Tej linii Wałęsa przeciwstawić się nie jest w stanie. Kościół stara się wpływać mitygująco, ale sympatia lokowana po stronie „Solidarności" utrudnia mu tę rolę.

Administracja terenowa jest paraliżowana. Niektóre budynki okupowane. Ludzie partii zastraszani, tracą siły i nadzieje. „Solidarność" tworzy swego rodzaju bojówki. Awanturnicza rola KPN i NZS. Kolejną fazą będzie użycie przemocy przez opozycję. Społeczeństwo jest przerażone i rozdarte. Pragnie spokoju i porządku, ale też nie występuje przeciwko wichrzycielom. Sytuacja gospodarcza niezwykle trudna. Od stycznia 1982 braki mogą się spotęgować. Grozi obniżenie norm przydziału mięsa. Niedawne posiedzenie Komitetu Ministrów Obrony państw-stron Układu Warszawskiego w Moskwie jest dla nas poważnym sygnałem ostrzegawczym. Jednocześnie w „Solidarności" pojawiają się iluzje o jej możliwościach „dogadania się" z ZSRR. To, oczywiście, kompletna bzdura. Najświeższy przykład. Profesor Romuald Kukołowicz, podając się za wysłannika „Solidarności", próbował nawiązać w Rzymie kontakt z ambasadą ZSRR. Oferta rozmowy została odrzucona. Odesłano go do ambasady radzieckiej w Warszawie. Po prostu spławiono. Ta zaś, warszawska ambasada, była ostatnim miejscem, w którym „Solidarność" mogłaby znaleźć zrozumienie.

Mimo tak groźnej sytuacji, zdecydowana większość uczestników posiedzenia, w różny sposób, z różnym stopniem determinacji, opowiadała się za poszukiwaniem pokojowych rozwiązań. Nadal więc aktualna oferta Rady i Frontu Porozumienia. Konieczne możliwie szybkie przyjęcie ustawy o związkach zawodowych oraz pełnomocnictwach dla rządu. Zgłaszano kolejne sugestie. Pogłębić współdziałanie z sojuszniczymi stronnictwami — ZSL i SD. Przeciwdziałać skuteczniej naruszeniom prawa. Bardziej konsekwentnie usuwać ze stanowisk nieuczciwych lub nieudolnych przedstawicieli władz. Zapewnić normalne funkcjonowanie łączności i transportu, radia i telewizji.

Padały też głosy o stanie wojennym, ale gdy wszystkie inne działania zawiodą. Po wyczerpaniu innych środków. Przede wszystkim trzeba pozyskiwać zrozumienie i zaufanie do naszej polityki większej niż dotąd części społeczeństwa. W podsumowaniu mówiłem z goryczą o ogromnej kompromitacji, jaką jest osłona i obrona partii siłą milicyjną. Część aktywu żyje mitem stanu wojennego, a część mitem reformy. A nie są to cudowne, samoistnie działające środki. Najważniejsze to pozyskać ludzi. Musimy być gotowi na każdy wariant. Konieczne są więc odpowiednie przygotowania. Ale ostatecznej decyzji nie podejmujemy.

W trzy dni później odbyła się narada sekretarzy komitetów wojewódzkich. Mówiłem to, co na posiedzeniu Biura. Róbmy wszystko, aby do konfrontacji nie doszło. Społeczeństwo musi być przekonane, że środki dyscyplinujące, a zwłaszcza nadzwyczajne uprawnienia dla rządu są po to, aby uniknąć konfrontacji, aby nie było dwóch walczących stron. Mówienie o konfrontacji to błąd polityczny i psychologiczny.

W tę noc — z soboty na niedzielę — wracałem do domu bardzo późno. Wyludnione, słabo oświetlone ulice Warszawy robiły ponure wrażenie. Włączone w samochodzie radio przekazywało nocne wiadomości: ograniczone zapasy węgla, niski stopień zasilania energią, gazem... Różne ekscesy... Anarchizacja życia ogarniała najbliższe ludziom rewiry. Jak temu wszystkiemu zaradzić? Co jeszcze powinienem, co jeszcze mogę zrobić?

W poniedziałek — 7 grudnia — posiedzenie Rady Ministrów. Sytuacja trudna, nastrój ciężki, świadomość niebezpieczeństwa. Najważniejsze akcenty: „Solidarność" ujawniła się wyraźnie jako siła opozycyjna i destrukcyjna. Jesteśmy władzą, nie możemy dopuścić do rozkładu państwa. Zima, zima i jeszcze raz zima. Szczególna uwaga na sprawy rynku. Żywność, paliwo dla wsi, środki czystości, odzież robocza. Dalsze przygotowania do wdrożenia reformy gospodarczej. Weszliśmy w swego rodzaju stan szczególny. Muszą wzrosnąć wymagania w stosunku do pracowników administracji. Wprowadzenie wzmocnionych dyżurów w ministerstwach. Stworzenie systemu interweniowania na rzecz rwącej się kooperacji. Mamy na sumieniu wiele różnego rodzaju zaniedbań, nieporadności, ślamazarności. Przeciwdziałanie powszechnemu niezdyscyplinowaniu. Wzmożona uwaga i pełna odpowiedzialność za funkcjonowanie łączności i komunikacji. Są to również dziedziny, które wiążą się z naszymi zobowiązaniami koalicyjnymi. Mogą się zdarzyć różne prowokacje. Będą nas wiele kosztować. O każdym przypadku zakłóceń w tych obszarach meldować niezwłocznie. Dbać o zabezpieczenie magazynów żywności. Pytać pracowników administracji będących członkami „Solidarności", jaki mają stosunek do wypowiedzi w Radomiu.

Po południu odbyła się telekonferencja z wojewodami, na której przekazano zadania wynikające z posiedzenia Rady Ministrów.

W tym czasie publicysta „Polityki" Andrzej Krzysztof Wróblewski w przenikliwym artykule „Za ciasno w jednej Polsce" (nr 50) stawiał następującą diagnozę: „Rośnie zaniepokojenie. Ludzie pytają, dlaczego zamiast spotykać się i rozmawiać, czołowe osobistości polityczne składają wojownicze oświadczenia? A przecież politykom pozostaje tylko postawienie kropki nad «i». Rozwód sił, które miały z sobą współpracować, chociaż jeszcze publicznie nie ogłoszony, dokonywał się stopniowo i przykładało do niego rękę wiele tysięcy ludzi. Każdy, kto pochopnie parł do strajku — i każdy, kto intencje tego strajku fałszywie potem przedstawiał. Każdy, kto mając w pamięci krzywdy doznane dawniej od partii chciał je teraz mścić — i z drugiej strony każdy, kto tuszując dawne grzechy prowokował społeczny gniew. Wielu działaczy partyjnych zachowywało się jak obrażone dziewice, że naród śmie nie darzyć ich zadekretowaną miłością — ale też wielu ludzi zachowywało się jak dzieci, zamykając oczy na realia geograficzne, polityczne, a także gospodarcze, żądając np. rekompensat za wszelkie podwyżki cen". Pytał w dramatyczny sposób: „Czy obie strony muszą cofnąć się od linii porozumienia w głąb swoich obozów i uruchomić artylerię wzajemnych oskarżeń, po której może nastąpić atak piechoty, już właściwie w Radomiu zapowiedziany?"

I dochodził do konkluzji: „Z chwilą, kiedy się podzielimy na obozy, kiedy kto nie z nami, ten przeciw nam, kiedy zniknie amortyzator obopólnego zaufania — jesteśmy skazani na wojnę domową". Niestety, ten amortyzator już nie funkcjonował.

9 grudnia wraca z Waszyngtonu wicepremier Zbigniew **Madej** — człowiek bardzo inteligentny i kompetentny. Był tam przez dwa dni na posiedzeniu polsko-amerykańskiej Komisji do Spraw Handlu. Został przyjęty przez wiceprezydenta Busha. Zarówno Bush, jak i minister Malcolm Baldrige rozmawiali z nim rzeczowo, konkretnie. Poinformowali, że nasze wnioski o rozłożenie spłat odsetek i części długu, przypadających na 1982 rok, oraz o otwarcie kredytu na zakup pasz zostaną wkrótce rozpatrzone przez administrację. Rozszerzenie współpracy z Polską administracja oraz biznes wiążą jednak z koniecznością stabilizacji życia w naszym kraju. Te rozmowy były dla nas niezwykle ważne jeszcze z jednego względu — odbywały się już miesiąc po ucieczce Kuklińskiego. Było też VI plenum i był Radom. Dochodziły coraz silniejsze grzmoty ze Wschodu. W tej sytuacji nasłuchiwaliśmy szczególnie uważnie głosów z Waszyngtonu. Ich spokojny ton pozwalał sądzić, że Amerykanie są skłonni uznać nasze racje „mniejszego zła".

Pozostawało już niewiele czasu na ostateczną analizę różnych opcji. W 1984 roku ukazała się w Anglii, a później w USA, zredagowana przez Leopolda Łabędzia książka „Polska pod rządami Jaruzelskiego" („Poland under Jaruzelski"), zawierająca m. in. teksty Leszka Kołakowskiego, Jana Józefa Lipskiego, Jacka Kuronia, Adama Michnika, Konstantego Jeleńskiego, Czesława Miłosza. Jest w niej również artykuł pułkownika Michała Sadykiewicza, zatytułowany „Wojna Jaruzelskiego". Autor wyjechał z Polski w 1970 roku i przebywał na emigracji. O jego losach i naszych stosunkach napiszę kiedyś szerzej. W tym eseju Sadykiewicz wymienia pięć teoretycznych opcji:

„1) Stosowanie taktyki opóźniania.

2) Wezwanie Armii Radzieckiej w celu zniszczenia «Solidarności».

3) Czekanie na inwazję przy zachowaniu neutralnej postawy Wojska Polskiego, jak uczyniła to większość jednostek armii węgierskiej w 1956 roku i cała armia czechosłowacka w 1968 roku.

4) Podjęcie walki narodowej przeciwko najeźdźcom.

5) Zgniecenie «Solidarności» za pomocą wojska i milicji".

Analizując je — autor stwierdza, że w świetle nacisków zewnętrznych i radykalizacji nastrojów w „Solidarności" „taktyka opóźniania" traciła wszelki sens. Wezwanie Armii Radzieckiej zostało odrzucone, gdyż groziło nieobliczalnymi następstwami. Z kolei czekanie na inwazję i zachowanie neutralności — było opcją nierealną. Natomiast wystąpienie wojska wraz z narodem przeciw inwazji radzieckiej skończyłoby się katastrofą. „Radzieckie konwencjonalne siły zbrojne — pisze Sadykiewicz — są bardziej niż wystarczające do zdruzgotania zorganizowanego oporu zbrojnego ze strony Wojska Polskiego. Z tego względu ta opcja odpada. Tym bardziej dla każdego Polaka musi być oczywiste, że w wypadku wojny sowiecko-polskiej Zachód nie ruszy nawet palcem w bucie. Żaden Polak, zwłaszcza polski generał, oficer, a nawet szeregowy żołnierz nie ma co do tego złudzeń".

W rzeczywistości stawałem wobec alternatywy dalszego odwlekania decyzji o wprowadzeniu stanu wojennego lub jej podjęcia w najbliższym czasie. *Tertium non datur* — trzeciego wyjścia nie było.

Michnik powiedział kiedyś dowcipnie: „Banda gangsterów napadła na dom wariatów". Ja sprowadzę to do jeszcze większego absurdu. Według jednych: „10 milionów miłujących pokój aniołów zostało podstępnie napadniętych przez ileś tam tysięcy krwiożerczych diabłów, z Belzebubem w ciemnych okularach na czele". Według drugich: „10 milionów szaleńców inspirowanych przez przebiegłą mafię zagroziło zburzeniem kryształowego pałacu sprawiedliwości dziejowej".

Oto proste archetypy dobra i zła. Tylko że mają one sens jedynie w westernach. Oby jak najszybciej odeszły bezpowrotnie w przeszłość. Wtedy będzie więcej miejsca na mądrą syntezę.

Rozdział 40

Godzina „0"

Rozmowa telefoniczna z Breżniewem 7 grudnia z rana. Krótka. Odniosłem wrażenie, że tym razem odrywał się od zawczasu przygotowanego tekstu. Zdania rwane. Znał radomskie wypowiedzi. Natomiast chyba nie znał, bo nic nie mówił, o planowanej przez „Solidarność" demonstracji w dniu 17 grudnia. Powiedział, że informowano go o mojej rozmowie z ambasadorem Aristowem: „Kontrrewolucja siedzi wam na karku. Jeśli nie podejmiecie koniecznych środków, będzie za późno. A to już sprawa nas wszystkich". Mówił o tym Ustinow Siwickiemu. Odpowiedziałem, iż na ostatnim posiedzeniu Biuro Polityczne oceniło sytuację jako skrajnie niebezpieczną. Liczymy się z każdym wariantem. Starczy nam determinacji i starczy sił, aby nie dopuścić do kontrrewolucyjnego przewrotu. Istotnie, w Radomiu ekstremiści uzyskali przewagę. Ale jednocześnie zraziło to do nich, do konfrontacyjnego kursu, zaniepokojną rozwojem sytuacji część społeczeństwa. Możemy więc liczyć na większe społeczne zrozumienie dla naszej polityki, dla naszych działań. Ostatecznej decyzji jednak nie podejmujemy. Są pewne szanse, o których mówiłem ambasadorowi Aristowowi. Jeśli jednak stanie się ona konieczna, to musimy mieć pewność co do ekonomicznego wsparcia. Proszę o przyjazd Bajbakowa.

Breżniew wysłuchał. „No dobrze — przyjedzie Bajbakow".

Muszę tu dodać, że przez cały 1981 rok częstym gościem — głównie Kani, a później moim — był ambasador ZSRR Borys **Aristow**. Z reguły przekazywał stanowisko kierownictwa radzieckiego. Nie stronił jednak od własnego komentarza. Inżynier-elektronik, przez wiele lat pracownik partii. Był I sekretarzem komitetu partyjnego Leningradu. Twardy, krytyczny wobec sytuacji w Polsce. Jak powiedział mi Kania, wyraził się kiedyś o mnie, powołując się zresztą na pewne radzieckie, a także polskie kręgi: „generał-liberał". W dzisiejszych czasach to nawet dobra legitymacja. Stoi przecież długa kolejka towarzyszy do uzyskania pieczątki reformatora, demokraty, liberała. Mnie, jako żołnierza, to określenie drażniło. Czasami było nawet w jakimś sensie dopingiem do twardych słów i posunięć. Kim jak kim, ale liberałem, mięczakiem być nie chciałem. Dziś mnie to nawet śmieszy, ale tak było.

Ostatnie dni przed podjęciem decyzji to koszmar. Psychiczna, moralna męczarnia. Nie chcę pozować na herosa, który postanowił i zmierzał prosto do celu. Coraz bardziej czułem, że już nie ma wyjścia. Ale wciąż, rzecz zadziwiająca, na jakieś wyjście liczyłem. Słyszałem, że prymas, kierownictwo Episkopatu podejmują wysiłki, aby ostrzec, wyhamować impet „Solidarności".

5 grudnia prymas spotkał się z Wałęsą oraz jego doradcami: Bronisławem Geremkiem, Tadeuszem Mazowieckim i Andrzejem Wielowieyskim — w obecności sekretarza Episkopatu, biskupa Bronisława Dąbrowskiego i dyrektora Biura Prasowego, księdza Alojzego Orszulika. Zaproszony na nie był również Andrzej Micewski, który napisał później, że było ono „bardzo kontrowersyjne". Wiedzieliśmy, że różnice postaw pogłębiały się. Byli tacy, którzy chcieliby, aby prymas, jak ksiądz Skorupka, z krzyżem w ręku ruszył na KC.

7 grudnia prymas znowu spotkał się z grupą — jak to określa Micewski — „reprezentatywnych przedstawicieli kierownictwa Związku". Powiedział wtedy bez ogródek:

„1) Uprawiając taką politykę, Panowie, przekroczyliście mandat dany wam przez świat pracy. Jeśli chcecie prowadzić czystą grę polityczną — utwórzcie komitet przy Zarządzie «Solidarności», a nie wciągajcie do gry całego związku.

2) Nie liczycie się z psychologią narodu.

3) Nie uwzględniacie (chyba świadomie) analizy sytuacji międzynarodowej i gospodarczej".

„Ksiądz Prymas — pisze dalej Micewski — tak skomentował później, kiedy było już po wszystkim, swoje stanowisko: «Nic to nie pomogło. Przygotowywano manifestacje uliczne i wiece. Rząd i centrum partii śledziły te ruchy z niepokojem i troską i przygotowywały warianty rozwiązania nieuniknionej konfrontacji»".

Po raz kolejny prymas Glemp spotkał się z Wałęsą i doradcami „Solidarności" 9 grudnia.

„Perswazje Kościoła — pisze Micewski — okazały się bezskuteczne. Ludzie, faktycznie wtedy decydujący o postanowieniach «Solidarności», działając na wysokiej fali nastrojów społecznych, zupełnie nie doceniali determinacji i siły strony rządowej, a także jej zobowiązań w ramach Układu Warszawskiego. Katastrofa była już więc nieunikniona".

Znamienne, że w tak licznych przecież książkach, opracowaniach, relacjach ze strony „solidarnościowej" ten aspekt sprawy jest omijany, przemilczany. O ile wiem, nikt przestrogom i napomnieniom prymasa w swoich wspomnieniach nie poświęca ani jednego słowa. Rozumiem, że to materia delikatna. Dlatego też chyba dokumentalna książka Micewskiego na ten temat przyjęta została z rozdrażnieniem.

Przyznam, że bardzo liczyliśmy na tę ostudzającą rolę Kościoła. Dlatego do różnych jego przedstawicieli, jak i do pewnych kół „Solidarności" nadawaliśmy sygnały przez Barcikowskiego, Werblana, Wiatra, Gertycha, Kuberskiego, Rakowskiego, Cioska. Również Kiszczak w osobistych rozmowach oraz przez resortowe dotarcia rozpoznawał sytuację i przestrzegał. Istniały więc rozległe kontakty, przez które przekazywano alarm, że znaleźliśmy się na „krawędzi".

W niektórych przypadkach miało to pewien rezonans. Dotyczy to m.in. rozmów, które prowadził Walery Namiotkiewicz, ówczesny kierownik Wydziału Ideologicznego KC, z mecenasem Janem Olszewskim. Znali się z okresu wspólnej pracy w redakcji „Po prostu". Potem ich drogi się rozeszły. Namiotkiewicz został sekretarzem Gomułki. Ale jakiś kontakt chyba pozostał. W tym okresie stał się bardzo ożywiony. Aby uniknąć niepożądanego „oka i ucha" — z obydwu zresztą stron — odbywali wspólnie długie wieczorne spacery. Można powiedzieć, że Namiotkiewicz stał się swego rodzaju „łącznikiem" między mną a Olszewskim oraz jego środowiskiem. Informował mnie, co tam się mówi, jak się nas ocenia, co się zamierza. Z kolei, jestem przekonany, informował Olszewskiego o tym, jak widzę sytuację, przed czym ostrzegam. To, jak sądzę, miało wpływ na stanowisko Olszewskiego i mecenasa Siły-Nowickiego, którzy zwłaszcza 11-12 grudnia w Gdańsku wygłaszali oświadczenia mitygujące Komisję Krajową. Ale na nic się to zdało.

Mecenas Władysław **Siła-Nowicki** odznaczał się zawsze śmiałością, ale i trzeźwością sądów — o czym później mogłem się wielokrotnie przekonać, kiedy został członkiem Rady Konsultacyjnej przy Przewodniczącym Rady Państwa. W roku 1947 aresztowany za działalność w konspiracyjnej organizacji „Wolność i Niezawisłość" i skazany na karę śmierci. Po ułaskawieniu — jak często podkreślał — dzięki wstawiennictwu swej dalekiej kuzynki, a siostry Feliksa

Dzierżyńskiego, Aldony, więziony przez 9 lat. Po październiku 1956 zwolniony, a następnie zrehabilitowany. Znany obrońca w procesach politycznych, m.in. działaczy KOR. Ekspert Krajowej Komisji, obecny przy podpisywaniu porozumień gdańskich. Dodam, że najpierw na posiedzeniu Rady Konsultacyjnej 17 lipca 1989 roku, a ostatnio w wypowiedzi dla tygodnika „Prawo i Życie", udzielonej w dziesiątą rocznicę wprowadzenia stanu wojennego, Siła-Nowicki stwierdzał konsekwentnie, że w zaistniałych warunkach „stan wojenny wprowadziłby niewątpliwie przedwojenny rząd polski i znaczna większość ówczesnych rządów europejskich. Jednoznaczne potępienie stanu wojennego jest więc bezsensowne. Trzeba sobie zdać sprawę, że był on w tamtejszej sytuacji w jakiś sposób nieuchronny".

Jeszcze jeden nasz błąd. Byliśmy jak zahipnotyzowani przekonaniem, że centralne ogniwa „Solidarności", że jej doradcy robią co chcą. Przecenialiśmy ich możliwości sterowania i manipulowania organizacją. Taki potężny, rewindykacyjny socjalnie i politycznie ruch radykalizuje się samoistnie. Coraz bardziej niesie przywódców, niż przywódcy go prowadzą. To ich, oczywiście, nie w pełni usprawiedliwia, ale to jest fakt. W grudniu osiągnął on swe apogeum.

8 grudnia przyjechał Bajbakow. Poinformowałem, jak potoczyły się ostatnie wydarzenia. Nadzieje są nikłe i jeśli trzeba będzie podjąć tę bolesną decyzję, to chcielibyśmy mieć pewność, że — po pierwsze — my sami, własnymi siłami ją zrealizujemy. A po drugie, że zostanie zdjęta zapowiedź *de facto* blokady ekonomicznej. Bez względu na to, jaką pójdziemy drogą — bez tej pomocy Polska stanie w ogniu. Licząc się jednocześnie z tym, że możemy mieć utrudnienia we współpracy z Zachodem, Związek Radziecki powinien zagwarantować nam nawet zwiększenie pomocy. Tego samego dnia późnym wieczorem powiedziałem to również Kulikowowi.

Jeden, a zwłaszcza drugi, starali się przezwyciężyć moje wahania. Będą meldować kierownictwu o moim stanowisku. Uważają, że nie ma innego wyjścia. Socjalistyczna Polska tonie. Związek Radziecki, Układ Warszawski, nigdy nie mogłyby się zgodzić na to, ażeby znalazła się w orbicie obcych wpływów. Nie bardzo wierzą, żeby mogła być jeszcze jakaś nadzieja i szansa na zmianę sytuacji. Już tyle razy na to liczyliśmy, tyle razy to zapowiadaliśmy. Jeśli w Polsce będzie ład i porządek, zacznie normalnie pracować gospodarka, będziemy wychodzić z chaosu, to oczywiście deklarują pomoc w imieniu kierownictwa radzieckiego. Kulikow był wyraźnie zniecierpliwiony.

Chcę podkreślić, iż spotkanie z Kulikowem, które odbyłem 24 listopada, następnie relacje gen. Siwickiego z posiedzenia Komitetu Ministrów Obrony w Moskwie, wreszcie ta rozmowa sumowały się w jeden mocny akord. Oto jego istota:

„Solidarność" przekroczyła wszelkie granice. Faktycznie przejmuje władzę. Anarchia w Polsce nie jest tylko wewnętrzną sprawą. Uwaga na Wybrzeże. Transport, łączność, energetyka. Niebezpieczne procesy w przemyśle obronnym. W zakładach produkcji zbrojeniowej jest dużo broni, zwłaszcza strzeleckiej. Należy ją zabierać codziennie, bo może dostać się w niepowołane ręce. Nawiasem mówiąc, robiliśmy to już od pewnego czasu z własnej inicjatywy. To wszystko rzutuje na wojskowe i polityczne interesy Układu Warszawskiego. Utrudnione jest funkcjonowanie Północnej Grupy Armii Radzieckiej. Dotyczy to m.in. zaopatrywania w żywność i energię. Zakłócenia energetyczne to nie tylko sprawa produkcyjna czy bytowa, ale i ciągłość funkcjonowania systemów obronnych. Rozpasana antyradzieckość przybiera najrozmaitsze formy. Mają miejsce różne prowokacje w stosunku do żołnierzy radzieckich. Tak dalej być nie może. „W koniecznej odpowiedzi ręka nam nie drgnie". Te ostatnie słowa zapamiętałem wyjątkowo dobrze. To był sygnał alarmowy.

Obodowski przegadał z Bajbakowem prawie całą noc z 8 na 9 grudnia. Ciągle słyszał od niego: „Wpłyńcie na Generała, bo skończy się to bardzo źle". Rano, na lotnisku, Bajbakow miał ponoć łzy w oczach. Przy pożegnaniu powiedział: „Tak dalej żyć nie można, zróbcie coś".

9 grudnia 1981 roku odbyła się odprawa, w której uczestniczyli: kierownictwo Ministerstwa Obrony Narodowej, szefowie głównych instytucji ministerstwa oraz kilku innych generałów i pułkowników, jak również dowódcy okręgów wojskowych i rodzajów sił zbrojnych. Udział wziął również szef Urzędu Rady Ministrów.

Godz. 23^{00}, sala odpraw Sztabu Generalnego. Późna pora, otaczająca atmosfera czyni tę odprawę szczególnie poważną i tajemniczą. Wszyscy przytłoczeni ciężarem sytuacji. Meldunki składają dowódcy okręgów oraz rodzajów sił zbrojnych. Nazwisk nie wymienię. Dziś mogłoby to im zaszkodzić. Relacjonuję na podstawie zachowanych notatek własnych oraz kilku uczestników odprawy: „Nastroje wśród kadry inne, bardziej radykalne niż sprzed miesięcy. Nie realizuje się tego, co mówiono, nie broni się socjalizmu. Kadra, również młodsza, oczekuje rozstrzygnięcia siłą. Trzeci rocznik służby zasadniczej pyta, kiedy zostaną wykorzystani. Pojawiają się głosy krytyczne wobec ministra obrony narodowej. Wróg wystąpił jawnie, a my nic nie robimy. Zaostrza się problem warunków bytowych w wojsku. Oficerowie muszą losować, komu przypadnie kostka mydła".

„Coraz więcej konkretnych pytań ze strony kadry. Jaka jest koncepcja władzy? Dlaczego władze nie są rozliczane za bezczynność?"

„Stan moralno-polityczny nie uległ zmianie. Nastroje wahają się stosownie do sytuacji w kraju. Kadra zdecydowana na działanie. Pyta: kiedy? Z pierwszym i drugim rocznikiem nie ma problemów. Trzeci rocznik wykonuje zadania, ale żołnierze mają pretensje, że nie są należycie wykorzystani".

„Kadra z wielką powagą i troską pyta, co z krajem, z narodem, z nami? Szantaż, terror ze strony ekstremy. Spada zaufanie kadry do władzy. Pozostał ostatni ratunek — przejęcie władzy przez wojsko. Brak wiary, że w Sejmie przejdzie ustawa o pełnomocnictwach".

„Powaga wśród kadry. Lęk o własny los. Zwłaszcza w małych garnizonach. Żądania niedopuszczenia do organizowania się ekstremy. Wręcz obawy, czy nasze kierownictwo nie zechce iść na ugodę".

„Niepokój kadry, że znów może dojść do ustępstw. Również znaczna część żołnierzy służby zasadniczej wykazuje niecierpliwość. Czas najwyższy, aby władzę przejęło wojsko".

Zabieram głos. Opisuję sytuację. Mówię o rosnącym napięciu, o konfrontacyjno-powstańczej atmosferze. Gospodarka dochodzi do dna, faktycznie obumiera. Sklepy ogołocone, zapasów brak, zbliża się zapaść energetyczna. Na progu zimy grozi to społeczeństwu wręcz biologicznymi następstwami. Nasza pozycja międzynarodowa ulega degradacji. Anarchia i samowola, procesy rozkładowe państwa wykluczają liczącą się pomoc zagraniczną. Co więcej, grozi załamanie dostaw również od sojuszników. Warunkiem stabilizacji gospodarczej, a w tym rozpoczęcia reformy, jest stabilizacja polityczna. Obecnie życie gospodarcze jest paraliżowane i dezorganizowane.

Społeczeństwo coraz bardziej skłócone, rozdarte. Ludzie pytają, kiedy to się skończy. Władza musi być władzą. Dotychczasowe wysiłki na rzecz porozumienia okazały się bezskuteczne. Nurt radykalny „Solidarności" wziął górę. Nawet autorytet Kościoła — apele prymasa, mediacyjne starania Episkopatu — nie dają oczekiwanych rezultatów.

Wreszcie jeszcze jedna próba — projekt ustawy o szczególnych pełnomocnictwach dla rządu, z jej głównym punktem przewidującym możliwość zakazu strajków na okres zimy. Chyba to nie wygórowane ograniczenie w obliczu społeczno-gospodarczej katastrofy. Niestety, i ta droga zostaje przegrodzona groźbą strajku generalnego. Do tego dochodzi igranie z ogniem — zapowiedź masowych demonstracji w Warszawie, w 11. rocznicę tragicznych wydarzeń na Wybrzeżu. W obecnej rozpalonej atmosferze może to być detonator konfliktu bratobójczego. Nieodległa przecież historia zna takie przypadki.

A przede wszystkim, Polska staje się coraz bardziej niewiarygodna jako partner i sojusznik, członek Układu Warszawskiego. To grozi ciężkimi, trudnymi do przewidzenia następstwami.

Co więc robić? Mówię z ciężkim sercem, wręcz z bólem, iż doszliśmy do momentu krytycznego. Zobaczymy, co przyniosą najbliższe dni, a zwłaszcza posiedzenie Komisji Krajowej w Gdańsku. Gdy stan wojenny okaże się nieuchronny, należy udowodnić w słowie, a przede wszystkim w czynie, że jest to mniejsze zło, że chodzi o ocalenie kraju, że w ostatecznym wyniku naszym celem jest i będzie porozumienie. Dlatego tak ważne jest rozwiązanie własnymi siłami. Uczynić też trzeba wszystko, co możliwe, aby ani jedna kropla krwi nie została przelana.

Najpilniejszą i najważniejszą sprawą jest funkcjonowanie gospodarki, a w szczególności zaspokojenie w okresie zimy elementarnych potrzeb społeczeństwa. Musi być postawiona tama niebezpiecznie toczącej się lawinie. Nie może to jednak oznaczać powrotu do starych czasów. Socjalistyczna odnowa musi być kontynuowana. Obce nam być muszą zemsta, odwet, porachunki. Trzeba więc odróżniać inspiratorów, organizatorów, ekstremistów od ludzi ulegających emocjom, zdezorientowanych. A więc aktywnie wyjaśniać, odzyskiwać i pozyskiwać zrozumienie, dotrzeć zwłaszcza do młodych, do ich rodziców, do szkół. Nawiązywać także kontakty z Kościołem, składać wizyty biskupom i proboszczom.

Przed nami swego rodzaju druga rewolucja. Armia musi wziąć w swe ręce odpowiedzialność za kraj. Polska powinna być oczyszczona ze zła, które narastało przez lata. Na naszych plecach, na plecach wojska nie mogą odzyskać swych pozycji we władzy ludzie tego niegodni. Dlatego też trzeba działać energicznie w kierunku usuwania z instancji, instytucji i urzędów różnych kacyków, osób skompromitowanych i nieudolnych. W uzasadnionych przypadkach proponować na te miejsca odpowiednich oficerów.

Wszystko to oznacza wielką odpowiedzialność. A więc wymaga od nas wszystkich mądrości politycznej, wysokiej dyscypliny i kultury, potwierdzenia bliskości, więzi wojska z narodem.

Wysłuchano tych słów w wielkim napięciu. Oczekiwano ich. Nie zgłoszono żadnych wątpliwości.

Na zakończenie odprawy wszyscy wstali. Podchodziłem do nich kolejno, ściskałem mocno dłoń, obejmowałem każdego. Byliśmy wzruszeni i zdeterminowani. Ale jakaś iskierka nadziei wciąż się tliła. Zupełnie irracjonalne oczekiwanie chyba na cud.

Ze Sztabu Generalnego wróciłem jeszcze do Urzędu Rady Ministrów. Był już 10 grudnia — godz. 1^{00} w nocy. Przystąpiłem do czytania różnych informacji i materiałów. Niestety, nie przyniosły one nic optymistycznego. Gdy położyłem się na kanapce na zapleczu swego gabinetu, zbliżał się już ranek. Nie mogłem zasnąć. Poczucie straszliwej odpowiedzialności przytłaczało jak ciężki głaz.

Poranna prasa przyniosła przedruk fragmentów artykułu, jaki ukazał się w organie radzieckich sił zbrojnych „Krasnaja Zwiezda". Oceny w nim zawarte przypominały treść komunikatu wydanego na zakończenie wizyty Honeckera w Pradze, oferującego pomoc w odparciu ofensywy kontrrewolucji. Widać było wyraźnie, że „wspólny front" sojuszników jest skonsolidowany i gotów do czynu.

Miałem w owych dniach niewiele czasu na chłodne rozważania. Czytałem jednak najbardziej charakterystyczne dla tego momentu listy. Oto jeden z nich, pochodzący od jednego z moich doradców: „Po radomskim posiedzeniu Prezydium KK możliwości pokojowego porozumienia z opozycją zostały wyczerpane. Kierownictwo «Solidarności» niezależnie od swych intencji dostało się pod wpływ sił ekstremalnych... Oznacza to, że konfrontacja już się rozpoczęła. Każdy upływający dzień będzie stwarzał teraz coraz większą liczbę faktów dokonanych... Badania opinii publicznej wskazują, że społeczeństwo osiągnęło próg niebezpiecznej frustracji. Psychologia społeczna poucza, że nieuchronnym następstwem frustracji musi być u połowy populacji reakcja agresywna, z reguły irracjonalna, u drugiej zaś połowy — apatia, czyli wycofanie się. Najnowsze badania OBOP potwierdzają tę prawidłowość w sposób uderzający: połowa badanych ma jeszcze zaufanie do rządu, połowa — do KK. Także połowa badanych obciąża obie strony równą odpowiedzialnością za obecny stan rzeczy...

Zamach stanu, «otwarcie nowej karty»... Uważam za konieczne uświadomienie wszystkim, którzy ze względów politycznych i moralnych opowiadają się za operacją «Z», że weszliśmy w rozstrzygający moment historii Polski. Jedyną alternatywą dla operacji «Z» z całym jej ryzykiem jest krwawa, przewlekła, wyniszczająca i toczona równocześnie w setkach miejsc wojna domowa, która skłóci Polaków ze sobą co najmniej na dwa pokolenia. Spowoduje długotrwałą obecność obcych wojsk i może doprowadzić do wojny europejskiej. Historia Polski zna o wiele więcej przykładów błędów w wyniku zaniechania działań, niż w wyniku ich podjęcia”.

Stan ducha, w jakim się wówczas znajdowaliśmy, oddaje najpełniej dramatyczny list, który napisał do mnie w tamtym okresie jeden z moich najbliższych współpracowników:

„Rozwój sytuacji politycznej i gospodarczej w Polsce w ostatnich kilkunastu dniach wszedł w nową, krytyczną i bardzo niebezpieczną fazę.

Praktycznie rzecz biorąc istnieją następujące wyjścia z sytuacji, w jakiej się znajdujemy.

Pierwsze wyjście to kontynuacja obecnej linii, czyli milczące przyzwolenie na stopniowe (i skuteczne) osłabianie władzy. Kontynuowanie obecnej linii musi w efekcie prędzej czy później przynieść kompletny rozkład władzy, manifestacje uliczne, samosądy, terroryzm itd. Kontynuowanie tej linii może doprowadzić do krwawych zderzeń na ulicach miast, a w efekcie do interwencji zewnętrznej.

Drugie wyjście polega na poddaniu się, na podniesieniu rąk. Jest to wyjście (wprawdzie teoretyczne), które spowodowałoby natychmiastową interwencję.

Trzecie wyjście polega na przejęciu inicjatywy przez Grupę Ocalenia Narodowego. Istotą tej inicjatywy jest przejęcie pełnej władzy przez Ludowe Wojsko Polskie. Obiektywnie oceniając istniejącą sytuację, należy stwierdzić, że jest to jedyne wyjście, jakie nam jeszcze pozostało.

Bierzesz (bierzemy) na siebie straszliwe brzemię odpowiedzialności za los 36 milionów żywych ludzi.

Rozważ to dobrze. To nie jest jedna z tych trudnych, lecz w końcu tuzinkowych decyzji, jakie codziennie podejmujemy. To jest wybór na śmierć i życie. Czy masz (mamy) zupełną pewność, że warto ryzykować wszystko, dosłownie wszystko? Czy przy swojej wrażliwości (także mojej) na napaści i ataki masz w sobie dość siły, aby znieść tę kampanię plucia, nienawiści i pogardy, jaka na Ciebie (na nas) może spaść? Czy nie lepiej — póki nie jest za późno — podać się do dymisji? Może jest to wyjście? Nie chcę Cię odwodzić od tej dramatycznej decyzji — mam na myśli operację «Z» — bo może historia przypisała Ci ten sam polski wybór, jakiego w swoim czasie musiał dokonać Wielopolski i Piłsudski, ale chodzi mi jedynie o to, żebyś pamiętał, że masz już swą młodość daleko za sobą (podobnie jak ja), że jesteś przede wszystkim człowiekiem, który ma tylko jedno życie, a dopiero później żołnierzem i politykiem. Nawet przy najsprawniejszym przeprowadzeniu Operacji możesz stać się na wiele lat przedmiotem oszalałej, polskiej nienawiści, a nie można wykluczać zamachu terrorystycznego".

Dylemat tych ostatnich dni i godzin polegał na tym, czy osiągnęliśmy granice ryzyka. Na podstawie różnych symptomów można było wnioskować, że doszliśmy do granicy, poza którą stanie się to, co najgorsze. Wciąż w uszach dźwięczała zapowiedź Breżniewa: „Jeśli sytuacja będzie się komplikowała — to wejdziemy". A ona się wciąż komplikowała.

Więc tak czy nie? Trzeba było dokonać straszliwego wyboru, mając świadomość, że jeśli się ten krok zrobi, to złem będzie jego zrobienie. Ale jeśliby się go nie zrobiło i doszłoby do najgorszego, to spadnie na nas wręcz niewyobrażalna odpowiedzialność. Tu nie można rozumować lekkomyślnie: a może się uda...

Jedno było wówczas pewne: linia tolerancji Moskwy wobec tego, co się u nas dzieje, jest napięta do ostateczności. Dziś wiemy o tym więcej niż przed dziesięciu laty. Jeżeli nie na podstawie dokumentów, to przynajmniej wedle opinii i wspomnień tych, którzy o tym coś mogą powiedzieć.

Eduard Szewardnadze pisze w swojej wspomnieniowej książce „Przyszłość należy do wolności" (cytuję wg wydania francuskiego z 1991 roku), że Polska stanęła w tym czasie wobec podwójnego zagrożenia: wojny domowej oraz radzieckiej „tradycji" przywracania porządku za pomocą siły. „Mówiło się dużo i słusznie — wiem o tym z pewnością — że odpowiednie siły były przygotowane do wysłania przez Związek Radziecki. Świadomi skutków, jakie taka interwencja by przyniosła, Polacy zdecydowali się wybrać rozwiązanie «domowe» i ustanowili stan wojenny". Mówi on również, że dla uniknięcia tej interwencji „generał Jaruzelski odegrał, w bardzo szerokim stopniu, rolę decydującą. Uratował swój kraj od interwencji zagranicznej: udało mu się wytłumaczyć kierownictwu radzieckiemu, że Polacy potrafią sami opanować sytuację. I ogłaszając stan wyjątkowy w polskim uniformie — ominął zagrożenie interwencji w Polsce".

„Gazeta Wyborcza" z dnia 4 października 1991 roku wydrukowała korespondencję z Moskwy Leona Bójki, relacjonującą jego rozmowę z anonimowym pracownikiem KC KPZR, doskonale poinformowanym o sprawie. „Według mego rozmówcy — pisze Bójko — na wszystkich naszych granicach stały wojska gotowe wkroczyć do

Polski z «bratnią pomocą». Zadaniem oddziałów «specnazu» było opanowanie i zneutralizowanie sztabów Wojska Polskiego do szczebla dywizji włącznie. W najwyższym dowództwie Armii Radzieckiej było bardzo wielu zwolenników interwencji".

Z kolei płk Wiktor Ałksnins, deputowany do Rady Najwyższej ZSRR, w wywiadzie dla tygodnika „Polityka" (5 października 1991 roku) mówi, że w owym czasie „sam brałem udział w akcjach, które przeprowadzano po alarmach w stanie wysokiej gotowości bojowej, oczekując na rozkaz wejścia do Polski". Dodaje przy tym, że „zdecydowane działania Jaruzelskiego zapobiegły ogromnej liczbie ofiar. Nie dopuścił do wojny domowej, dlatego można było potem przejść do demontażu systemu".

Nie można pominąć również wypowiedzi generała Wiktora Dubynina, od lipca 1989 roku dowódcy Grupy Wojsk Radzieckich w Polsce i Pełnomocnika Rządu ZSRR ds. Wojsk Radzieckich w Polsce, opublikowanej w „Gazecie Wyborczej" 14-15 marca 1992 roku: „Byłem wtedy na Białorusi dowódcą dywizji. Nie znałem wszystkich planów rządu, Biura Politycznego, Sztabu Generalnego, ale wiem, że szykowano się do wprowadzenia wojsk — dla udzielenia pomocy, dla ustabilizowania sytuacji (...) I tylko dzięki wprowadzeniu stanu wojennego, chyba to było 13 grudnia, akcja została zatrzymana. Uważam, że generał Jaruzelski postąpił słusznie. Jeśliby tego nie zrobił, to 14 grudnia nasze dywizje wkroczyłyby na terytorium Polski. Wszystko było gotowe. Wojsko Polskie byłoby zneutralizowane, nie miałoby szans na aktywny opór.

— Podobnie jak w 1968 r. w Czechosłowacji?

— Tak, to ten sam scenariusz.

— Kiedy rozpoczęliście przygotowania?

— Miesiąc czy półtora przed 13 grudnia.

— Czy w tym scenariuszu miały brać udział jednostki radzieckie stacjonujące w Polsce?

— Naturalnie. Poza tym byliście wtedy otoczeni naszymi wojskami, staliśmy w Niemczech, Czechosłowacji. W ciągu jednego, no najwyżej dwóch dni wszędzie, w każdym mieście, w każdej miejscowości byłyby wojska radzieckie. Proszę mnie dobrze zrozumieć. Nie wiadomo, jak zachowaliby się wasi żołnierze, społeczeństwo, młodzież. Ale oprócz przelania krwi nic by nie zdziałali.

Uważam, że trzeba podziękować Jaruzelskiemu. On tę sytuację uratował. To, co się potem stało, nie było tak dramatyczne, a poza tym to już była sprawa wewnętrzna, między swoimi. Nikt obcy nie dyktował warunków. Muszę powiedzieć, że wtedy to, co zrobił Jaruzelski, było dla mnie zaskoczeniem".

W szerszej relacji radzieckie przygotowania przedstawił na łamach „Moskowskich Nowosti" (31 marca 1992 roku) generał Władimir Dudnik z Podkarpackiego Okręgu Wojskowego, który uczestniczył w opracowaniu planów operacji „Bratnia pomoc" już od wiosny 1981 roku. Pisze on, że analogiczne plany przygotowano w Białoruskim i Nadbałtyckim okręgach wojskowych oraz we Flocie Bałtyckiej. „Pod koniec listopada planowanie zostało zakończone i zaakceptowane w Moskwie". Zdaniem Dudnika „Czechosłowakom i Niemcom przeznaczono podobne, lecz w mniejszej skali, operacje w południowo-zachodniej i zachodniej Polsce. (...) W nocy z 1 na 2 grudnia 1981 roku grupa wozów dowodzenia przekroczyła granicę radziecko-polską (...) na jednodobowy rekonesans..."

Sporo szczegółów na ten temat przekazał również czeski tygodnik „Forum" — organ Forum Obywatelskiego. W 44 numerze z 1990 roku napisał, że „wojsko czechosłowackie miało w 1981 roku rozkazy dokonania inwazji na Polskę w celu stłumienia «Solidarności»". Oddziały liczące 45 tysięcy żołnierzy (w tym dywizja pancerna i dywizja zmechanizowana) stały gotowe do inwazji od nocy 6 grudnia. „Pierwszy kierunek wtargnięcia do Polski miał prowadzić wzdłuż linii Nahod—Wrocław. Drugi na kierunku Opava—Opole. Dowódcą czechosłowackiej armii interwencyjnej mianowano generała Františka Veselego". Według „Forum" operacja „została wstrzymana rozkazem otrzymanym w ostatniej chwili, gdy generał Wojciech Jaruzelski przekonał rząd ZSRR, że Wojsko Polskie zdoła opanować sytuację w kraju własnymi siłami".

Do dyskusji na temat udziału Czechosłowacji w planach interwencyjnych włączył się też generał Stanislav Prohazka — były dowódca zachodniego okręgu wojskowego, a obecnie doradca rządu do spraw demokratyzacji wojska. Na pytanie dziennika „ Zemedelske Noviny" (9 listopada 1990 roku) o udział armii czechosłowackiej w „okupacji Polski" generał Prohazka odpowiedział: „Chodziło o okresową internacjonalistyczną pomoc, podobnie jak w sierpniu 1968 roku w Czechosłowacji. Akcja miała dość podobny scenariusz. Generałowi Jaruzelskiemu udało się jednak wcześniej ocenić całą sytuację, uświadomił sobie konsekwencje, jakie miałby ów międzynarodowy atak na jego kraj, gdyż w Polsce nie obyłoby się bez przelania krwi. Dlatego też ową interwencję międzynarodową poprzedził własną akcją".

Podobnych opinii świadków historii można znaleźć więcej.

Chcę w tym miejscu przypomnieć również słowa Michaiła Gorbaczowa, wygłoszone na X Zjeździe PZPR 30 czerwca 1986 roku. Mówił on: „Socjalizm jest obecnie rzeczywistością międzynarodową, sojuszem państw ściśle związanych interesami politycznymi, ekonomicznymi, kulturalnymi, obronnymi. Zamachy na ustrój socjalistyczny, próby podważania go z zewnątrz, wyrwania tego czy innego kraju ze wspólnoty socjalistycznej oznaczają targnięcie się (...) na cały ład powojenny, a w ostatecznym rachunku na pokój (...) Historia niewątpliwie oceni należycie kierownictwo PZPR (...), wszystkich patriotów kraju, partyjnych i bezpartyjnych za to, że opierając się na solidarności przyjaciół i sojuszników, wyprowadzili własnymi siłami kraj z dramatycznej sytuacji..."

Każdy, kto umie choć trochę politycznie myśleć, istotę tej wypowiedzi, szeroko wówczas upowszechnianej w polskiej prasie, zrozumie dobrze. Oczywiście, jeśli chce zrozumieć.

Dla mnie bardzo ważnym doświadczeniem były wydarzenia związane z Czechosłowacją w 1968 roku. Ministrem obrony narodowej zostałem w połowie kwietnia 1968 roku. Na początku sierpnia zwróciłem się do Cyrankiewicza, czy mogę pojechać na urlop. Uzyskałem zgodę. Znamienne, że było to bezpośrednio po spotkaniu 3 sierpnia w Bratysławie. Były tam zwyczajowe „misie", całusy Breżniewa z Dubczekiem. Komunikat też był zupełnie spokojny. Wkrótce potem zmarł marszałek Rokossowski. Udałem się więc do Moskwy na pogrzeb. Przewodniczyłem dużej polskiej wojskowo-cywilnej delegacji. Była wśród nas, przybyła z Warszawy, w której mieszkała przez całe życie, siostra marszałka — Helena Rokossowska. Starsza, miła pani. Na trybunie Mauzoleum stałem między Breżniewem a marszałkiem Greczko. Breżniew: „Gdie otdychajetie?" „W Krymu". „Otdychajtie charaszo". To było około 10 sierpnia. Jeszcze go nawet zapytałem: „Kak tam w Czechosłowakii?" Odpowiedział słowami, które po dziś dzień w uszach mi brzęczą: „Tiażeło na dusze. No, może byt' uładitsa". Spokojnie pojechałem na Krym. I dopiero 2-3 dni przed wkroczeniem wojsk do Czechosłowacji telefonuje szef Sztabu Generalnego, generał Bolesław Chocha. Jestem wzywany do kraju. Z własnego więc doświadczenia wiedziałem, że takie decyzje zapadają właściwie w ostatniej chwili. I chyba niewiele potrafią powiedzieć również archiwa. Przykład Afganistanu jest bardzo znamienny.

Przeczytałem niedawno książkę Jana Widackiego, byłego wiceministra spraw wewnętrznych, już z ekipy „solidarnościowej". Mówi w niej m.in., że w archiwach resortu nie znaleziono żadnych dokumentów, które świadczyłyby o zagrożeniu interwencją zewnętrzną. Sugeruje więc, że takiego zagrożenia nie było.

Dziwni są ludzie, którzy chcą w naszych archiwach znaleźć zapowiedź, że o wymienionej godzinie określona liczba dywizji zapali silniki, zachrzęści gąsienicami i wkroczy. Gdy ktoś zdecydowany jest wejść, to wcześniej nie zawiadamia o tym strony będącej obiektem inwazji. Przekonał się o tym Dubczek obudzony w środku nocy i przetransportowany samolotem do Moskwy.

O północy z 20 na 21 sierpnia 1968 roku wojska interweniujące przekroczyły granice Czechosłowacji. Straż graniczna była całkowicie zaskoczona. Spadochroniarze radzieccy opanowali lotniska w Pradze i Bratysławie. O godzinie 3^{00} prezydent Svoboda wydał rozkaz, aby armia czechosłowacka nie stawiała oporu. O tych wszystkich faktach pamiętałem. Wyciągałem wnioski. Najważniejszy — u nas do tego nie może dojść.

Według różnych strategów, polityków „od siedmiu boleści" — Rosjanie to albo siepacze, albo głupcy. Oczywiście, bzdura. Problemu ewentualnej interwencji nie wolno oceniać w tych kategoriach. Oni nie przebierali nogami, aby tylko wkroczyć. Dla nich byłaby to też ostateczność. W tym przypadku powiedzenie, że „nie chcieli, ale by musieli" — jest jak najbardziej uzasadnione. Jest tylko kwestia wysokości progu, który był do przekroczenia. Nad tym można dyskutować. Nam jednak nie wolno było iść dalej drogą prób i błędów. To nie poker. To kwestia odpowiedzialności za los Polski.

Nigdy do końca nie wiadomo, jak sprawy mogą się potoczyć. To następuje w ostatniej chwili. Taka rzecz finalizuje się w momencie, kiedy dochodzi się do wniosku, że nie ma innej drogi. Podobnie i my w pewnym momencie doszliśmy do przekonania, że nie ma wyjścia.

Czytałem kolejny list wspomnianego współpracownika, swego rodzaju wstrząsające *pro memoria:*

„Przez wiele miesięcy uważałem, że będziemy w stanie zmusić «Solidarność» do przyjęcia współodpowiedzialności za losy kraju. Sądziłem, że istnieje możliwość stworzenia układu partnerskiego. Życie dowiodło, że myliłem się. Nie ja jeden...

Jestem zwolennikiem powstrzymania procesów niszczących państwo polskie za pomocą środków nadzwyczajnych. Podpisanie się pod takim rozwiązaniem polskiego kryzysu jest aktem o wielkim znaczeniu dla każdego z nas. Podpis ten może stać się naszym dramatem osobistym, porażką, klęską na skalę historyczną.

... Tylko taki krok może rokować nadzieje na uniknięcie rozlewu krwi.

... Weź, proszę, pod uwagę, że zdanie to sformułował człowiek, który nigdy nie uchodził za twardego, za beton".

A więc w tych szczególnie ciężkich dla mnie dniach czytałem bieżące informacje, spotykałem się z różnymi ludźmi, prowadziłem rozmowy. 9 grudnia przyjąłem Kazimierza Morawskiego, przewodniczącego Chrześcijańskiego Stowarzyszenia Społecznego, Janusza Zabłockiego, przewodniczącego Polskiego Związku Katolicko-Społecznego, a także przewodniczącego Stowarzyszenia „PAX" Ryszarda Reiffa. Pamięć nie utrwaliła zbyt wiele. Ale rozmowę z Ryszardem Reiffem zapamiętałem do dziś. Był sugestywny, konkretny. „Panie Generale — trzeba podzielić się władzą". Tu zrobił charakterystyczny gest, odmierzając na stole jak gdyby trzy równe części: partia, „Solidarność", Kościół. To była istota wywodu. Miała oznaczać kompromisowe wyjście, a faktycznie kapitulację — dezawuującą wszystkie inne siły polityczne, społeczne, związkowe. Wyszedł nie usatysfakcjonowany moją odpowiedzią. A zapamiętałem tę rozmowę chyba dlatego, bo 24 grudnia, w dzień wigilijny, otrzymałem od pana Reiffa list. Są tam m.in. takie stwierdzenia:

„Ogarniam coraz lepiej ogrom zadań, które Pan Generał w imię najwyższego poczucia odpowiedzialności za los narodu i państwa wziął na swe barki. Na tym tle uświadamiam sobie również chybioną treść, której poświęciłem swoje wywody w czasie jedynej rozmowy, jaką miałem zaszczyt odbyć z Panem Generałem. Rozumiem, że słowa moje musiały zabrzmieć obco w odbiorze Pana Generała, którego poczucie misji, w obliczu której postawiła go historia, kierowało uwagę w inną stronę, niż tok mojego myślenia, kiedy referowałem swoje koncepcje.

Sprawa ocalenia Polski — jest to brzemię nadludzkie. Trzeba jeszcze ogromnej siły i odporności, by doprowadzić do sytuacji, która przyniesie wytchnienie Pana sercu, a Ojczyźnie stabilizację i nowe perspektywy rozwojowe.

Panie Generale! Pragnę uczestniczyć w dziele dźwigania Rzeczypospolitej i czynić to u boku Pana Generała, przyjmując cząstkę ciężaru na siebie i organizację, której przewodniczę (...)

Panie Generale! Życzę urzeczywistnienia Polski, której jasny obraz jest natchnieniem sprawowanego przez Pana przywództwa. Jest to pragnienie nas wszystkich jako Polaków i obywateli".

10 lat nie robiłem z tego listu użytku. Każdy, nawet tak mocny człowiek jak pan Reiff, miewa chwile słabości. Starałem się ponadto zrozumieć jego intencje. Nie mogę jednak w nieskończoność czytać różnych dziarskich oświadczeń na temat wprowadzenia stanu wojennego byłego pana senatora, który chyba zapomniał, że jego droga nie była wcale tak nieskazitelnie prosta.

10 grudnia spotkałem się z Radą Ekumeniczną. Będę zawsze bardzo ciepło myślał o duchownych różnych wyznań uczestniczących w tej Radzie — o ich poczuciu odpowiedzialności za państwo polskie. Szczególnie zapamiętałem metropolitę Bazylego Doroszkiewicza, głowę Polskiego Autokefalicznego Kościoła Prawosławnego, a także Janusza Narzyńskiego, biskupa Kościoła Ewangelicko-Augsburskiego. Następnie spotkałem się z reprezentacją związków branżowych oraz Związku Nauczycielstwa Polskiego. Czuło się, że wszyscy są przygnębieni, oczekują jakiegoś przełomu. 11 grudnia odbyłem spotkanie z marszałkiem Sejmu Stanisławem Gucwą. Oceniliśmy sytuację jak bardzo groźną. Była mowa o nikłych szansach ustawy dotyczącej specjalnych pełnomocnictw dla rządu na okres zimy. O stanie wojennym nie mówiliśmy. Decyzja jeszcze nie dojrzała.

12 grudnia w godzinach przedpołudniowych odbyłem też bardzo krótkie telefoniczne rozmowy z Susłowem i Ustinowem. Chciałem mieć całkowitą jasność co do ewentualnych radzieckich reakcji. Czy nic nas nie zaskoczy? Upewniłem się u Susłowa, a w mniejszym stopniu u Ustinowa, że będzie to nasza wewnętrzna sprawa. Susłow zresztą był wówczas jakoś mało komunikatywny. Wkrótce, bo już w styczniu 1982, zmarł. Zrozumiałem, że Ustinow, nie wykluczając „bratniej pomocy", jeśli sytuacja w Polsce będzie nadal „ugrażała intieresam sodrużestwa", chciał wreszcie przełamać moje wahania i skłonić do zdecydowanych działań.

Wielokrotnie pytano mnie, czy decyzja o wprowadzeniu stanu wojennego była rzeczywiście w pełni suwerenna? Czy wolno uznać, że przysłowiowa „ręka Moskwy" była w tym przypadku za krótka?

Decyzję podjęliśmy w Polsce, w gronie złożonym wyłącznie z Polaków. Odpowiedzialność za nią biorę na siebie. Mówiłem to wielokrotnie. Byłoby poniżej mojej oficerskiej godności, gdybym zasłaniał się jakąś zewnętrzną dyspozycją czy dyrektywą. Przez blisko półtora roku było nękanie, dręczenie, wywieranie przemożnego nacisku. Ale decyzja — jej planowanie i realizacja — były własne.

Obradująca w Gdańsku 11 i 12 grudnia Komisja Krajowa „Solidarności" zatwierdziła uchwały radomskie.

Nie było większych różnic zdań co do meritum sprawy. A. Słowik: „Obecnie nie stać nas na to, by dać hasło: szable w dłoń, ale może uświadomić władzy, że potrafimy się bez niej obejść". S. Jaworski: „Bierzemy władzę w zakładach pracy już nawet nie przy pomocy powolnych «Solidarności» samorządów, lecz metodą faktów dokonanych (...). Gospodarka jest więc nasza, a kto rządzi dobrami, ten dyktuje warunki". J. Rulewski: „Należy powołać rząd tymczasowy złożony z fachowców, wprowadzić swoiste prowizorium polityczne". G. Palka zaproponował przeprowadzenie referendum na temat wyborów do Sejmu, zaznaczając, że „jeśli partia do niego dopuści, to będzie ono równoznaczne z likwidacją systemu".

Nikt nie krył, co rozumie pod pojęciem działalności związkowej. A. Pietkiewicz: „Oficjalnie musimy mówić, że na porozumieniu narodowym nam zależy (...). Musimy politycznie sprowokować władzę — najlepszym sposobem będzie wyrzucenie PZPR z zakładów pracy". J. Łużny: „Musimy jasno powiedzieć: Chcemy władzy? — Chcemy!" B. Lis: „Żadnych rozmów".

Wielu innych nie cytuję — chcę im tego oszczędzić. Przyjmuję, iż młodość musiała się wyszumieć.

Komisja Krajowa „platformę radomską" zmieniła w konkretny plan walki. Nie pomogły apele o rozsądek ze strony niektórych doradców. W broszurze „Internowanie" Tadeusz Mazowiecki wspomina: „Przyjęto uchwałę i oświadczenie, do których sześciu z nas (Geremek, Olszewski, Strzelecki, Siła-Nowicki, Macierewicz, Mazowiecki) zgłosiło w dyskusji — na piśmie stanowcze zastrzeżenie, uważając, że nie należy iść dalej niż uchwały radomskie. Nie zrobiło to większego wrażenia, mimo wszystko uważaliśmy, że należy wykonać swój obowiązek i przestrzec «Solidarność» przed dalszymi krokami, które mogłyby być przyjęte jako zaostrzenie sytuacji". Nazwisko Macierewicza przeczytałem ze zdziwieniem. Uchodził za radykała. W kluczowym momencie wykazał jednak rozwagę, poczucie odpowiedzialności. Przekonałem się raz jeszcze, że żadnego człowieka, zwłaszcza od strony politycznej, nie należy oceniać według formuły „czarne-białe".

Wałęsa, jak wynika z jego wspomnień, wracał w nocy do domu mocno zaniepokojony. Bezkompromisowe głosy w dyskusji poirytowały go. „Czyście na obiad najedli się blekotu?" — powiedział do kogoś. Liczył się — jak pisze — „ze zbliżającym się końcem pewnego etapu". „Nie zapominajmy, że ludzie chcą jeść" — mówił na posiedzeniu w Gdańsku, ale Komisję Krajową zajmowały już inne sprawy.

Aby nie polała się krew, aby Polska nie zapłonęła, 12 grudnia zdecydowałem się wystąpić do Rady Państwa o podjęcie niezbędnych aktów prawnych wprowadzających stan wojenny w Polsce. Był to najtrudniejszy dzień w moim życiu. Wtedy wie się naprawdę, że trudniej jeden dzień przeżyć niż napisać księgę...

Nieraz wydaje się, że żyć jest trudniej niż umrzeć. A jednak trzeba żyć. Człowiek może udźwignąć bardzo wiele. Dziś, gdy oglądam się poza siebie, widzę, jak wiele. Ale ciężar wydałby się jeszcze większy, gdyby był jałowy, bez sensu. Nie... Takiej oceny przyjąć nie mogę.

Mówiłem wiele razy o swojej odpowiedzialności za tę decyzję. O błędach i winach. Ale czy weszliśmy w ślepy zaułek z winy jednej tylko strony? Czy druga strona, choć dziś zwycięska, nie znajduje w swoim postępowaniu żadnych win i błędów? Czy stać ją tylko na oskarżenia? Przywołując sławne słowa biskupów polskich, mogę jeszcze raz powiedzieć: prosimy o przebaczenie... Nie byłbym jednak szczery, gdybym nie powiedział, że chciałoby się wreszcie usłyszeć podobne słowa od drugiej strony. Skierowane nie do mnie, do byłej władzy, broń Boże! Do społeczeństwa, do narodu. To naród zapłacił najwięcej za to, co działo się przed 13 grudnia i po tym dniu. To przed nim trzeba być pokornym. Wiem, że pokora wymaga odwagi. Nauczyłem się tego.

Rozdział 41

W imię nadziei

3 grudnia był Radom. A ja w tymże dniu przebywałem w Dąbrowie Górniczej. Jakże jednak zasadniczo różniły się nasze głosy. Tam agresja. A tu powiedziałem: „Od zdolności do narodowego porozumienia nigdy jeszcze nie zależało tak wiele. Oby utraty tej szansy historia nie zaliczyła do nie spełnionych, zaprzepaszczonych możliwości. Jest ich w dziejach polskich niemało. Płaciliśmy zawsze za to ogromną cenę (...) Szczerze pragnę i wierzę, że inicjatywa partii, że poparcie wszystkich konstruktywnych sił, że zbiorowa mądrość naszego narodu spowodują, aby porozumienie było nię tylko hasłem, wezwaniem. Aby stało się rzeczywistością". Było to nadawane w telewizji, w radiu, opublikowane.

Jeszcze raz wyciągnięcie ręki, jeszcze raz i apel, i przestroga.

Ktoś może sobie wyobrażać, że generał potrzebował jeszcze jednej bitwy. Ja miałem za sobą długą frontową drogę. A przecież ci generałowie, ci oficerowie, którzy przeszli tygiel wojny, a także ci, którzy wiedzą z teorii, z ćwiczeń, co to znaczy walka, wojna, są najmocniej przekonani o jej bezsensie. Pragnąłem głęboko, ażeby ten generał wygrał wojnę bez walki. Wojnę o porozumienie. To dałoby mi przecież największą satysfakcję. Niestety! Atmosfera gęstniała z minuty na minutę. Dalej w tych warunkach nie można było żyć. Mogły być dwa warianty. Przesilenie pokojowe, ewolucyjne. Taką szansę dawało stworzenie Rady Porozumienia oraz zakaz strajków na zimę. Lub przesilenie dramatyczne, radykalne.

„Spotkanie trzech" — prymas, Wałęsa i ja — nie było zabiegiem taktycznym. Zakładałem stopniowy proces zmian. A więc taki ich zakres i tempo, jakie były możliwe do przyjęcia dla wszystkich stron, także do tolerowania przez sojuszników. Była to koncepcja uczciwa. Okazała się jednak nierealna. Nikt z nas nie jest bez winy. Nie dojrzeliśmy wówczas do historycznego kompromisu.

Rozważmy inny wariant. Do porozumienia nie dochodzi, ale stanu wojennego nie ogłaszamy. Co wtedy? Widzę kilka możliwości.

17 grudnia wielka manifestacja w Warszawie oraz w kilku innych miastach. Pękają hamulce, konfrontacja, konflikt bratobójczy, z nieuchronnością obcej interwencji. Tragiczne wydarzenia w Rumunii w grudniu 1989 roku potwierdziły, że świat z dużą tolerancją przyjąłby użycie siły przez Układ Warszawski w celu powstrzymania przelewu krwi.

Inne niebezpieczeństwo. Do wewnętrznego rozkładu gospodarki dochodzi swego rodzaju blokada z zewnątrz. Od 1 stycznia 1982 roku następuje drastyczne ograniczenie dostaw podstawowych surowców, materiałów, towarów. Nie ma żadnych szans, ażeby zrekompensować niedobory dostawami z Zachodu, odgrodzonego od nas kordonem NRD i Czechosłowacji. W rezultacie paraliż gospodarki. Zimno i ciemno, głód i chłód zajrzały do każdego domu. A co na to polskie rodziny? Myślę, że błagałyby o środki nadzwyczajne. Na taczkach zaś wywożono by nie dyrektorów i sekretarzy, ale różnych krzykaczy i prowodyrów strajkowych.

Wreszcie jeszcze jeden aspekt ówczesnej sytuacji. Nie można wykluczyć wyeliminowania kierownictwa partii i państwa w bardziej lub mniej dramatyczny sposób. Miałoby to poparcie, a nawet inspirację z zewnątrz. Próbkę mieliśmy na XI plenum. Nie trzymałem się kurczowo stanowiska. Chyba z ulgą pozbyłbym się jego ciężaru. Wówczas jednak doszliby do władzy tak zwani „prawdziwi komuniści". Ci, którzy podważali wiarygodność polityki reform. Stosowali konserwatywną, sekciarską obstrukcję. Skutki ich rządów — najprawdopodobniej przy wsparciu obcych bagnetów — byłyby znacznie boleśniejsze niż te, które przyniósł stan wojenny.

Czy brałem pod uwagę możliwość takiej społecznej reakcji, która stan ten uczyniłaby środkiem niewystarczającym? Nie. Gdybym tak myślał — znaczyłoby, że w jego wyniku dopuszczałem krwawą konfrontację. A przecież decyzję podejmowałem właśnie po to, aby do tego nie doszło. O sprawności tej operacji pisał Stefan Bratkowski na łamach „Gazety Wyborczej" w artykule nawiązującym do 10. rocznicy stanu wojennego: „...Gdyby nas nie byli tak fachowo, podręcznikowo sparaliżowali, doszłoby, jak dwa a dwa cztery, do przelewu krwi, młodzież ruszyłaby przeciw broni nawet i z gołymi rękami".

Wyczuwałem — i nie omyliłem się — że przyszedł taki moment, kiedy znaczna część społeczeństwa przyjmie stan wojenny z ulgą. Zenitu sięgnął niepokój, wręcz strach, oczekiwanie na ład, stabilizację. Może zabrzmi to patetycznie, ale po prostu wierzyłem w naród, w jego rozsądek, jego gorzkie historyczne doświadczenia. Wiedziałem też — i to mnie może najbardziej wewnętrznie umacniało — że Wojsko Polskie cieszy się niezmiennym autorytetem i sympatią. Ale przede wszystkim ufałem, że znaczna część społeczeństwa zrozumie i doceni nasze intencje.

Znajdowało to także wsparcie w znajomości polskich dziejów. Słowa Bolesława Prusa: „Nasze egzaminy z patriotyzmu należą do najcięższych, jakie zdawały kiedykolwiek narody". Bratobójstwo byłoby zbrodnią najcięższą. To jeden z powodów, że nie zakorzenił się w naszej glebie terroryzm polityczny.

Załóżmy jednak, że w tej sytuacji z alternatywy: stan wojenny lub dalsze czekanie — wybralibyśmy wariant czekania. Zatem ustępstwa, ustępstwa — aż do stopniowego przejęcia władzy przez opozycję. W grudniowych rozmyślaniach nie odrzucałem takiego biegu wydarzeń. Nie był on jednak realny. Nie byłoby tak, jak w 1989 roku, kiedy w wyniku dłuższego procesu przekazaliśmy władzę w sposób bezkonfliktowy. Rok 1981 — to po prostu inna historycznie epoka. Musiałoby wówczas prędzej czy później dojść do konfrontacji. Po pierwsze, marsz „Solidarności" był gwałtowny. To zderzyłoby się z silnymi oporami w służbach bezpieczeństwa, w wojsku, administracji, partii. A po drugie sojusznicy nie zaakceptowaliby zmian, których domagała się opozycja. Skończyłoby się to właśnie najgorszym.

Było nam nie po drodze z radzieckim modelem realnego socjalizmu, z którego wyłamywaliśmy się coraz bardziej. Ale i nie po drodze z niezborną, anarchizującą filozofią „Solidarności". Niestety, inna droga okazała się ponad nasze siły. Czy jednak druga strona miała dostatecznie wyraźną wizję własnej drogi i dość siły, by ją przebyć? Jest to więcej niż wątpliwe.

Interesujące jest wyznanie prezydenta Wałęsy wobec działaczy „Solidarności" w styczniu 1992 roku na spotkaniu w Hucie Warszawa. Mówił on: „Nie jesteśmy przygotowani do sprawowania władzy tak samo, jak nie byliśmy gotowi do jej przejęcia w 1981 roku". Rozumiem, że wypowiedź ta miała na celu usprawiedliwienie trudności trawiących kraj. Wynika z tego jednak, że nieoddanie władzy w ręce opozycji w roku 1981, a nawet w kilku następnych latach, wyszło być może na dobre i jej, i Polsce. „Solidarność" — jakkolwiek by to zabrzmiało — przegrywając w istocie wygrała, bo gdyby wówczas wygrała — byłoby to klęską i jej, i Polski.

Co pozostawało? Tylko jedna furtka: prewencyjny w założeniu stan wojenny. W różnych krajach dziwiono się — dlaczego nie wyjątkowy. Otóż w konstytucji pojęcie stanu wyjątkowego wówczas nie istniało. W owym czasie nie podjęliśmy próby uchwalenia odpowiedniej poprawki. Obawialiśmy się ostrej reakcji. Przecież nawet propozycja ograniczonych pełnomocnictw dla rządu wywołała zdecydowany sprzeciw — zapowiedź strajku generalnego. Wiele lat wcześniej, kiedy nowelizowano konstytucję, Sztab Generalny Wojska Polskiego wystąpił z wnioskiem o wprowadzenie zapisu o stanie wyjątkowym. Wówczas tego nie przyjęto. Kilka osób z kierownictwa partii uważało, iż nie przystoi w kraju socjalistycznym posługiwać się tym pojęciem. W rezultacie pozostała tylko nazwa „stan wojenny". Była ona wielce niefortunna, rzutowała na ocenę wszystkiego, co działo się po 13 grudnia.

Wprowadzenie stanu wojennego oznaczało:

— po pierwsze — przerwanie procesu anarchizacji i rozpadu państwa; zahamowanie lawinowego, niesterowalnego już biegu wydarzeń; zapobieżenie konfliktowi bratobójczemu;

— po drugie — niedopuszczenie do katastrofy gospodarczej, do jej dotkliwych społeczno-biologicznych skutków, zwłaszcza w zimie;

— po trzecie — zapewnienie możliwości dalszych względnie suwerennych działań, a w szczególności warunków reformowania gospodarki oraz systemu społeczno-politycznego;

— i wreszcie — co najważniejsze — uniknięcie interwencji z zewnątrz.

Przy innych rozwiązaniach Polska mogła stracić wszystko. Przez stan wojenny straciła wiele. Nie została jednak pozbawiona szans. Otworzyliśmy je potem sami.

Społeczeństwo polskie jest w swojej większości na tyle dojrzałe, że rozumiało skalę zagrożeń, które stanęły przed Polską. Badania opinii publicznej nieodmiennie wskazywały, że w różnych okresach po wprowadzeniu stanu wojennego — większość, tj. około 60%, a bodajże w 1983 roku nawet 70% obywateli uznawało jego zasadność. Tak jest i teraz, po latach kanonady propagandowej przeciw tej decyzji. Wyniki sondażu przeprowadzonego przez niezależny instytut „Pentor", opublikowane w grudniu 1991 roku przez tygodnik „Prawo i Życie", wykazały, że 56% społeczeństwa uznaje wprowadzenie stanu wojennego za uzasadnione, a tylko 29% ma zdanie przeciwne (reszta nie ma na ten temat wyrobionej opinii).

Na tym tle warto odnieść się do maniery, która wielu politykom towarzyszy po dzisiejszy dzień. Wciąż powołują się na naród: „Naród uważa, naród potępia, naród żąda". Jednym słowem, oni wiedzą najlepiej, czego naród chce. A przecież jak celnie pisał Konstanty Grzybowski: „Naród nie jest monolitem jednej myśli, jednej ideologii, jednej woli". Nie był więc monolitem i w ów groźny czas. Potwierdzały to i potwierdzają nadal przytaczane wyniki badań opinii społecznej.

Używane przeze mnie określenie, że stan wojenny był „mniejszym złem", jest i dziś często rozumiane opacznie, a z reguły zawężająco. Stan wojenny był mniejszym złem dla wszystkich. Był mniejszym złem dla Polski, bo gdyby sprawy potoczyły się inaczej, ich konsekwencje byłyby katastrofalne. Ale zło pozostaje złem. Miałem świadomość, że ten akt naszego dramatu pogłębi, przynajmniej na jakiś czas, narodowe podziały. Pozostawi głębokie urazy i blizny.

Dla Związku Radzieckiego było to również mniejsze zło. Nie musieli interweniować, angażować swych sił zbrojnych w Europie Środkowo-Wschodniej, zakłócać czasowo stosunków z Zachodem. Ale i dla nich było to złem, bo jednak w Polsce utrzymał się proces odnowy, traktowany jako swego rodzaju herezja, rozsadnik zła. Z punktu widzenia Breżniewa wyrwaliśmy tylko „natkę od pietruszki", pozostawiając korzeń w ziemi.

Stan wojenny był mniejszym złem dla Zachodniej Europy. Skutki wybuchu w Polsce mogły bowiem zburzyć spokój kontynentu. Jednak było to zło i dla nich, gdyż utrzymał się reżim Zachodowi niemiły, a popierana przez nich „Solidarność" poniosła klęskę.

Wreszcie Amerykanie. Wydaje mi się, że duża część amerykańskiego establishmentu wyznawała podobny pogląd, jak Zachodnia Europa, że lepszy jednak stan wojenny niż jakaś awantura, która może zakłócić bieg spraw tego świata. Ale były też wpływowe koła, dla których było to większe zło. Oczekiwały one, że w Polsce dojdzie do wybuchu, dojdzie do interwencji, która spowoduje perturbacje w bloku, osłabi go, osłabi Związek Radziecki. Trudno dzisiaj powiedzieć, jaka opcja dominowała, a jaka była w mniejszości. Wszystko to jest, oczywiście, teoretycznym rozważaniem, lecz — sądzę — mającym logiczne podstawy.

Pojęcia „mniejszego zła" nie należy więc rozpatrywać tylko w kategoriach absolutnych. Wskutek takiego, a nie innego rozstrzygnięcia w Polsce wszyscy wtedy coś stracili, ale i wszyscy coś zyskali. Rad jestem, że w tym właśnie momencie mogę powołać się na prof. Zbigniewa Brzezińskiego, który autorowi książki „Noc

Generała", Gabrielowi Mérétikowi, powiedział: „Wprowadzenie porządku wojskowego (w białych rękawiczkach...) stanowiło dla wszystkich mniejsze zło".

Mówi prof. ***Jan Baszkiewicz*** *:

Problem mniejszego zła nie jest manipulatorskim wymysłem polityków, pomocnym przy upiększaniu lub postracjonalizowaniu niegodziwych decyzji. To nie przypadek, że zajmuje on tak żywo — i od tak dawna — filozofów i prawników, socjologów i politologów. Prawnicy nie dla intelektualnej satysfakcji rozbudowali finezyjną konstrukcję stanu wyższej konieczności. Socjologowie z empirii społecznej wywodzili swe rozważania na temat konfliktu wartości i funkcjonujących w społeczeństwie wyobrażeń na temat hierarchii owych wartości. Refleksja filozofów moralności nad odmiennością „etyki zasad" i „etyki odpowiedzialności" nie jest jakąś czystą spekulacją.

Rzecz w tym, że powszechnie przyjmowane (wypada dodać: w danej epoce i w danej zbiorowości) standardy moralne są solidnym wzorem i niezawodną dyrektywą w standardowych sytuacjach. Doświadczenie poucza nas jednak, że do naszej ludzkiej kondycji nieuchronnie są przywiązane także sytuacje graniczne i stany ostrych, brutalnych konfliktów wartości. A wówczas przy podejmowaniu decyzji, indywidualnych i zbiorowych (instytucjonalnych), zwykłe standardy nie wystarczają. Historyk zna doskonale takie dramatyczne sytuacje. Świadomość potoczna rejestruje je dużo słabiej.

Przykład ostrego konfliktu wartości. Abraham Lincoln cieszy się zasłużoną reputacją apostoła wolności i demokracji, chorążego praw człowieka, polityka powściągliwego i pełnego umiaru. Mniej już wiadomo o tym, że przez wszystkie lata prezydentury towarzyszyła mu zapiekła niechęć, a nawet nienawiść wielkiej części „klasy politycznej". Nie tylko wśród południowców, także na Północy.

Przypomnijmy, że w pierwszej fazie wojny secesyjnej opinia europejska nie miała wątpliwości, iż Północ poniesie klęskę. Pogląd taki nie był wyssany z palca. Szanse militarne Północy wyglądały bardzo mizernie. Jej klęska oznaczała rozpad Unii, utrwalenie na Południu niewolnictwa (nie jest prawdą, że ten system był już ekonomicznie zużyty), całkowite załamanie demokracji politycznej na Południu i jej zagrożenie na Północy.

W tym położeniu Lincoln nie zawahał się podjąć działań w najwyższym stopniu wątpliwych z punktu widzenia konstytucyjnej legalności. Zawieszał zasadę *habeas corpus* (tj. gwarancje nietykalności osobistej) i w rezultacie tysiące osób cywilnych pozbawiono wolności bez kontroli sądowej. Naruszono świętą dla Amerykanów wolność prasy. Prezydent wydawał wielkie sumy pieniędzy, zanim Kongres go do tego upoważnił. I tak dalej. Któż to dziś jeszcze pamięta, wyjąwszy zawodowych historyków? I kto byłby skłonny potępiać za to Abrahama Lincolna?

Także zwykli ludzie, pod ciśnieniem szaleństw historii, zmuszani są do dramatycznego wyboru „mniejszego zła". Przypomnijmy wspaniałego Janusza Korczaka, którego dom sierot postawiony został brutalnie w obliczu gwałtownej redukcji

* Jan Baszkiewicz — prof. Uniwersytetu Warszawskiego, w 1981 roku członek-korespondent PAN.

przydziałów żywności. I oto Korczak podejmuje straszliwą decyzję o skazaniu niemowląt, nieświadomych swego losu, aby dać szansę przeżycia dzieciom starszym. Jest to klasyczny przykład sytuacji granicznej. Czy mamy prawo potępiać taką decyzję? I czy mamy dość wyobraźni, aby wczuć się w położenie szlachetnych i mądrych ludzi postawionych w obliczu podobnych wyborów moralnych?

Pewien francuski polityk i filozof nazwiskiem Garat (nie żaden terrorysta, przeciwnie, poszkodowany przez jakobinów) pisał w roku 1795: „Gdy się jest poza wirem, poza rwącym potokiem namiętności i wydarzeń, łatwo jest roztrząsać problemy moralne tak, jak gdyby miało się zawsze wybór między tym, co dobre i złe, co dobre i co lepsze. Ale wśród wydarzeń rewolucji aż nazbyt często pozostaje tylko wybór między złem, które jest bardzo wielkie, i złem, które byłoby potworne".

Z obecnej perspektywy można — oczywiście — „gdybać". Gdzie byśmy teraz byli, gdyby nie stan wojenny? Jak byśmy żyli, gdyby nie te feralne lata? Ja też — mądrzejszy o gorzkie przeżycia — mógłbym „gdybać". Co by było, gdyby ówczesna opozycja dała nam wtedy nieco większe pole manewru? Gdyby zrobiła to, na co zdecydowała się w istocie osiem lat później? Z kolei co by było, gdyby nasza konsekwencja i skuteczność reformowania była większa. Gdyby stać nas było na szybsze, śmielsze rozwiązania. Gdyby ekstremizmy po obu stronach nie pchały nas w kierunku nienawiści, zamiast porozumienia. Przede wszystkim zaś gdyby sytuacja międzynarodowa była dla nas korzystniejsza.

Nie byliśmy izolowaną wyspą. Wręcz przeciwnie. Byliśmy historycznie rzecz biorąc przedmurzem, przedpolem, zderzakiem. A w latach 80. staliśmy się poligonem ostrej politycznej konfrontacji między Wschodem a Zachodem. Polska dla Związku Radzieckiego, dla Układu Warszawskiego była ogniwem kluczowym. To wyznaczało granice naszej suwerenności w rozwiązywaniu problemów wewnętrznych.

Sami także nie dojrzeliśmy jeszcze wówczas do fundamentalnych zmian systemowych. To był zbyt ostry wiraż. Jak „praska wiosna" wyprzedziła realia owego czasu, tak i nasza „polska jesień" wyprzedziła historyczny czas.

Na początku 1990 roku, podczas Kongresu ZBoWiD-u w rozmowie z grupą weteranów usłyszałem pytanie: „Po co tę «żabę» — stan wojenny — jedliśmy, skoro dzisiaj sami oddajemy władzę?" Odpowiedziałem: „Jedliśmy tę «żabę» po to, ażeby nie łykać ognia".

Trzeba było przejść przez ten „czyściec". To pozwoliło władzy i opozycji, partii i „Solidarności" — lepiej uświadomić sobie, że drogi do normalności, do demokracji nie można przebyć „na skróty". Ekstremalne skrzydła nie mogą mieć decydującego głosu. I rzeczywiście, skrzydła te zostały później utrącone lub zneutralizowane. Mogliśmy więc dojść, a ściślej mówiąc, dojrzeć do „okrągłego stołu". Choć brzmi to paradoksalnie, a dla wielu może nawet drażniąco — stan wojenny oczyścił drogę do dialogu, do porozumienia. W pewnym sensie zamroził bowiem układ społeczno-polityczny ukształtowany na przełomie lat 1980-1981. Przeniósł go w inny czas historyczny i wymiar geopolityczny. Do warunków, w których idea porozumienia narodowego stała się jedyną drogą rozwiązywania polskich spraw. Przecież „okrągły stół" był w istocie powtórzeniem koncepcji Rady Porozumienia Narodowego, którą wysunąłem jesienią 1981 roku. Nawet Magdalenka była pewnym odwzorowaniem tzw. grupy inicjującej, która miała zaproponować strukturę i zadania Rady.

My wszyscy — przeciwstawne wówczas strony — nabiliśmy sobie po drodze niemało guzów. Stawaliśmy się jednak dojrzalsi, uczyliśmy się inaczej patrzeć na świat, na siebie, na to, co konieczne i na to, co możliwe.

Uchylenie się w tamtym czasie od ciężkiego brzemienia odpowiedzialności byłoby z mojej strony małodusznością, igraniem z losem narodu. Miałem świadomość, że muszę wziąć na siebie całe odium. Liczyłem się z tym, że sprawiedliwej oceny mogę nie uzyskać do końca życia. Nie ja pierwszy i nie ja ostatni. Nawet historia nie zawsze feruje sprawiedliwe wyroki, bo przecież robi to ktoś w jej imieniu.

O tym wszystkim wiedziałem. Być może, gdybym był tylko politykiem, ten bolesny proces decyzyjny przebiegałby jeszcze inaczej. Ale byłem także żołnierzem, dowódcą. To, co można wybaczyć politykowi, nie zawsze można wybaczyć dowódcy.

A tymczasem w wojsku... Armia jest jednym z głównych filarów każdego państwa. Niezależnie od panującego w nim ustroju, ma poczucie współodpowiedzialności za funkcjonowanie jego struktur, a zwłaszcza wpływu ich stabilności na bezpieczeństwo zewnętrzne. Nic więc dziwnego, że zdecydowana większość kadry reagowała bardzo negatywnie na procesy zachodzące zwłaszcza w drugiej połowie 1981 roku.

Mówi generał Florian Siwicki:

Napięcie w kraju rosło. W tej sytuacji w szeregi kadry wkradała się nerwowość, radykalizowały się poglądy. W czasie licznych, w swobodnej formie odbywanych spotkań, kadra różnych szczebli formułowała ostre oceny i wnioski. Na przykład we wrześniu 1981 roku na spotkaniach i odprawach w 4 i 12 Dywizjach Zmechanizowanych oraz w 11 Dywizji Pancernej, domagano się od nas minimum zaopatrzenia, szczególnie w oddalonych garnizonach. Krytykowano też rząd za brak radykalnych działań, stawiających tamę rozprzężeniu, łamaniu prawa, rozkładowi państwa.

Na posiedzeniu Rady Wojskowej MON oraz na odprawach służbowych dowódcy okręgów wojskowych i rodzajów sił zbrojnych przedstawiali rosnący coraz bardziej jesienią 1981 roku niepokój kadry, a także części żołnierzy służby zasadniczej. Informowano również o narastającym niezadowoleniu ludności z powodu pogarszających się warunków bytu, zagrożeniu bezpieczeństwa obywateli, anarchizacji życia społecznego oraz niewydolności administracji terenowej. Przytoczę kilka wybranych z notatek wypowiedzi członków Rady Wojskowej MON. Nie podaję nazwisk, bo dzisiaj zabrzmiałoby to jak donos. „Kadra oczekuje stanowczych działań władzy wobec naruszycieli prawa zmierzających do rozkładu państwa". „Oczekujemy, że już nie będzie żadnych ustępstw". „Zdaniem kadry «Solidarność» wypowiedziała nam wojnę, czy wobec tego obowiązują porozumienia?" „Jeśli będziemy się cofać, kadra może stracić zaufanie do dowództwa..." „Również żołnierze służby zasadniczej domagają się porządku..." „Działania cząstkowe nie przynoszą rezultatu". „Jedyny postulat kadry — przywrócić w kraju porządek..."

Meldowano także o zauważalnym ochłodzeniu stosunków oficerów armii sojuszniczych do naszej kadry, o wyraźnie nasilających się z ich strony naciskach, przy różnych spotkaniach służbowych oraz towarzyskich. Sojusznicy krytykowali ostro nieskuteczność naszych prób politycznego rozwiązania konfliktu. Stwierdzono, że takie ugodowe postępowanie szkodzi interesom politycznym i obronnym całej wspólnoty. Najaktywniejsi pod tym względem byli oficerowie Armii Radzieckiej, Narodowej Armii Ludowej NRD, Czechosłowackiej Armii Ludowej oraz Bułgarskiej Armii Ludowej. W tym kontekście członkowie Rady Wojskowej MON oceniali, że zbliża się czas podjęcia ostatecznych decyzji, aby uniknąć trudno wyobrażalnej tragedii.

Czułem, wiedziałem z doświadczenia, że mam zaufanie kadry wojskowej, że jest ona w stosunku do mnie lojalna, że wykona rozkazy, że mogę na nią liczyć. Jednakże narastanie zagrożenia — jak to wówczas nazywano — powodowało, że stykałem się coraz częściej z dużą liczbą głosów, które brzmiały dramatycznie. Mówiono o narastającym niebezpieczeństwie, wyrażano coraz ostrzej niezadowolenie z istniejącej sytuacji.

Moje duże doświadczenie wojskowe daje mi niemal intuicyjne wyczucie, kiedy żołnierz, oficer pójdzie za dowódcą w ogień. I mam też wyczucie, kiedy pojawić się może rysa. Dzieje się to wtedy, kiedy zaufanie bywa nadwerężone, kiedy dowódca zaczyna być postrzegany jako ktoś, kto waha się, hamletyzuje, nie jest zdolny do podejmowania trudnych decyzji. W takiej sytuacji jest tylko jeden krok od zgubnych podziałów.

Byłem pod dużym naciskiem właśnie ze strony kadry, jej ogromnej części. Starszej, ale coraz bardziej także i średniej, i młodszej. Przychodziły do mnie najrozmaitsze meldunki, listy, informacje. Czułem, że w pewnym momencie mógłbym się rozminąć z oczekiwaniami.

Co byłoby moją największą tragedią? Gdyby w wojsku nastąpiły podziały. Gdyby żołnierz stanął przeciwko żołnierzowi. Do tego na szczęście nie doszło.

A przecież w naszej historii odmiennych przykładów było jakże wiele — poczynając od różnych rokoszy, konfederacji, aż po rok 1926. Tego nie ustrzegło się też wiele innych narodów. To, że udało się zapewnić zwartość armii, jej zdyscyplinowanie, było wielką sprawą. Wojsko Polskie zdało historyczny egzamin.

W tym miejscu wspomnę o żołnierzach służby zasadniczej. Była jesień 1980 roku. Pamiętam pewną odprawę. Było to bezpośrednio przed wcieleniem poborowych. Jako minister obrony narodowej nakazałem nie stosowanie żadnych różnic w podejściu do tych żołnierzy, którzy byli członkami „Solidarności". Żadnych uprzedzeń. Każdy żołnierz ma te same prawa. Ażeby nikt nie ważył się dzielić żołnierzy według ich związkowej przynależności. Każdy powinien być świadom, że zapisuje u nas od nowa kartę swojego żołnierskiego życiorysu. I rzeczywiście, w Siłach Zbrojnych ten podział nie występował. Potem, w czasie stanu wojennego, wszyscy wykonywali rozkazy. Mimo że przed przyjściem do wojska wielu z nich było w „Solidarności", ich rodziny były w „Solidarności".

Wracając późno w nocy do domu zatrzymywałem się często przy tych żołnierzach, którzy stali na posterunkach czy ogrzewali się przy koksowych piecykach. Rozmawiałem z nimi. Widziałem zrozumienie dla tego, co robią, nawet pewną satysfakcję. Zapamiętałem również i taki obrazek. Jadę ulicą Belwederską, patrzę — stoi duża grupa ludzi w mundurach. Była noc, w ciemności wszystkie mundury są podobne. Podchodzę bliżej, widzę, że to nie żołnierze, a milicja. Pytam: „Kim jesteście?" „ROMO". „Skąd?" „Z Elbląga". Zacząłem z nimi rozmawiać i okazało się, że większość to członkowie „Solidarności". To o czymś świadczy.

Mówi prof. Janusz Reykowski:

Podnosi się dzisiaj kwestię: dlaczego przywódcy państwa nie zdecydowali się w 1981 roku na ten sam krok, na który zdecydowali się w roku 1989? Czemu „narazili Polskę" na przedłużenie konfliktu i pogorszenie warunków startu do gruntownej przemiany, która i tak była nieuchronna. Można by powiedzieć, że takie postawienie kwestii uderza naiwnością (lub polityczną złą wolą). Niemniej dla wielu ludzi jest to problem realny — chodzi tu o zakres możliwości i stopień ograniczeń, jakim podlegają ludzie sprawujący (najwyższą nawet) władzę.

Co się tyczy sytuacji, w jakiej znalazła się Polska w 1981 roku, to bez przesady można jej przypisać wymiar tragedii, tzn. sytuacji nierozwiązywalnego konfliktu, który tak czy inaczej prowadzić musi do nieszczęścia. Zdaje się, że kiepsko zdawano sobie z tego sprawę, zarówno wtedy, jak i teraz.

Ruch „Solidarności" był w trakcie pierwszych 16 miesięcy swego istnienia żywiołowo narastającą lawiną buntu, wyrażającego długo tłumione urazy i aspiracje. Raz uruchomiony, samonapędzający się mechanizm rewolucyjny nadawał celom, które przyświecały ruchowi, cechy idealne. W rewolucyjnym ferworze niemal wszystko nabierało świętości. Tak np. walka o wolne soboty, rozpatrywana przez kręgi władzy jako wydzieranie szkodliwych dla interesu publicznego przywilejów, ujmowana była przez zainteresowanych jako realizacja najświętszych praw do podmiotowości ludzi pracy.

Ten żywiołowy ruch zderzał się ze strukturami ówczesnego państwa, nie przygotowanymi na radykalne zmiany. Im bardziej rosły aspiracje tego ruchu, tym gwałtowniejsze było to zderzenie.

Ale nie chodzi tylko o nieprzygotowanie struktur państwa do głębokich zmian. W rzeczy samej ruch w owym czasie był również zupełnie nie przygotowany do przejmowania władzy (zresztą, jak pokazuje obecne doświadczenie, nader kiepsko był przygotowany również i osiem lat później).

Trudno uznać, że w tej sytuacji ludzie odpowiedzialni za państwo mieli duży zakres swobody decyzyjnej, że to od nich zależało uniknięcie niszczących konsekwencji narastającego konfliktu. Tymczasem wiele osób, nawet bardzo wykształconych, rozpatruje decyzje polityczne jako akty swobodnego wyboru dokonywanego przez przywódców. Jeśli więc decyzja pociąga za sobą duży stopień kosztów społecznych, to znaczy, że ci, którzy ją podejmowali, działali celowo wbrew społecznemu interesowi. Przy ocenie takich decyzji często popełnia się pewien szczególny typ błędu, który psychologowie określają jako „podstawowy błąd atrybucji". Polega on na tym, że przy wyjaśnianiu przyczyn czyjegoś zachowania nie docenia się roli czynników sytuacyjnych (zewnętrznych konieczności) zakładając, że są one determinowane głównie przez stałe właściwości danej osoby. Tak więc czyny i decyzje, które mają jakieś negatywne aspekty, muszą być jakoby wynikiem jej negatywnych cech intelektualnych lub moralnych.

Siła tego rodzaju tendencji przy interpretowaniu zjawisk jest tak duża, iż nawet najbardziej oczywiste okoliczności mogą zostać pominięte lub zlekceważone. W tym przypadku nie wraca się uwagi na to, że: po pierwsze — Polsce groziło śmiertelne niebezpieczeństwo dokonania zewnętrznej ingerencji. Tylko lekkomyślność (lub polityczny interes) może skłaniać kogoś do twierdzenia, że były to „strachy na Lachy". Wszystko, co wiadomo na temat ówczesnej sytuacji, prowadzi do wniosku, że dylemat nie polegał na tym „czy wejdą", lecz na tym, w jakiej fazie załamywania się ówczesnej formy państwa „wejdą".

Po drugie — cały obóz rządowy był zupełnie nie przygotowany do głębokich zmian. Aparat państwa — ta cała licząca setki tysięcy osób „nomenklatura", a więc (wraz z rodzinami i innymi powiązaniami) ogromna zbiorowość, czuła się coraz bardziej zagrożona przez nowe, wstępujące na scenę historyczną siły. Czołowe zderzenie między tymi obozami to groźba wielkiej katastrofy — w rzeczy samej — wojny domowej. To prawda, że „Solidarność" odżegnywała się od gwałtu — w szczególności w początkowych fazach swej działalności. Ale bieg zdarzeń w takim wypadku nie zależy od tego, co sobie ludzie zamyślą. Logika konfliktu przybliżała nieuchronnie moment rzeczywistej konfrontacji (warto z tego punktu widzenia przypomnieć sobie przebieg wypadków w końcowych tygodniach 1981 roku).

Po trzecie wreszcie — jest oczywiste, że czynnikiem ograniczającym pole decyzyjne grup przywódczych jest ich własna perspektywa poznawcza. Grupy te z pewnością nie miały w owym czasie pełnego zrozumienia konieczności dokonania w Polsce zasadniczych demokratycznych przemian. Wprawdzie rozumiano, że kraj nie może być nadal rządzony tak jak dotychczas, ale nie miano konkretnej wizji nowego demokratycznego ładu. Wizja ta kształtowała się stopniowo w toku procesu rozwiązywania problemów państwa. W kształtowaniu tej wizji kluczową rolę odgrywał fakt istnienia demokratycznej opozycji.

Ale warto zaznaczyć, że ta sama demokratyczna opozycja miała nader rudymentarne wyobrażenie o naturze demokratycznego ładu. Próby jego rzeczywistej realizacji ukazały, jak skomplikowane, wielowarstwowe i niepewne jest to zadanie.

Mówiąc o tragicznym charakterze sytuacji, w jakiej Polska znalazła się w roku 1981, i wynikających z tej sytuacji ograniczeniach pola decyzyjnego ekip przywódczych, nie można jednak zaprzeczyć, że w każdych, nawet skrajnych okolicznościach są, na ogół, jakieś możliwości wyboru i dlatego nie jest zadaniem pozbawionym sensu badanie obszaru tych możliwości. Od właściwości przywódców zależy, jakie możliwości zostaną wybrane. Tak np. dokonując takiego wyboru, jak wprowadzenie stanu wojennego, można było realizować go w najprzeróżniejszy sposób — aby użyć konkretnych przykładów — bądź tak, jak zrobiono to w sierpniu 1991 roku w ZSRR, bądź tak, jak zrobiono to w 1973 roku w Chile, bądź wreszcie tak, jak zrobiono to w Polsce.

Czy można było pójść jeszcze dalej w procesie samoograniczania się władzy? Nie jest ono nigdy tożsame z wyrzeczeniem się użycia siły. Bywa, że siły używać musi także władza wyłoniona w najbardziej demokratyczny sposób — gdy wymaga tego interes państwa.

Zresztą nie jest to tabu i dla prezydenta Wałęsy. Mówił o tym niejednokrotnie. Między innymi na konferencji prasowej w ogrodzie belwederskim na jesieni 1991 roku. Dziennikarka powiedziała: „Jaruzelski użył siły, wprowadził stan wojenny, a Pan też niedawno powiedział, że jeśli będzie potrzeba..." „Jeśli zaistnieje anarchia — odpowiedział Lech Wałęsa — ja też użyję siły". Rozumiem prezydenta. Jeśli Polsce zagrażałby rozkład, pogwałcenie prawa, to jego obowiązkiem jest bronić tego prawa.

O możliwości użycia siły politycy z obecnej ekipy władzy mówią zresztą częściej. „Rząd jest rządem — powiedział Jarosław Kaczyński dziennikarzom z „Polityki" — i od pewnego stopnia nasilenia konfliktów ma prawo odwołać się do użycia siły, choćby przy okazji okupacji budynków publicznych". Zgoda, to też rozumiem. Jeśli jednak tak prominentna postać nurtu „solidarnościowego" potępia kilka zdań później „wysyłanie komisji rządowych do strajkujących", bo to „rozkręca spiralę żądań" i drwi z „obywatelskiej mądrości", powiadając, że „odwoływanie się do takich pojęć może się źle skończyć" — to doprawdy brak mi słów.

Za łagodniejsze sformułowania partia niegdyś odsądzana była od czci i wiary.

Właśnie — partia. Pewien dziennikarz powiedział mi niedawno: „To swoisty paradoks: porównanie losów dwóch głównych antagonistów z roku 1981. «Solidarność» — zawieszona, potem rozwiązana, przetrwała, aby się podzielić. PZPR — nie zawieszona i nie rozwiązana, musiała zejść ze sceny politycznej, a jej byłym członkom grozi teraz «dekomunizacja». Może nie doszłoby do tego, gdyby przed dziesięciu laty rozwiązał pan PZPR. Jak blisko był pan tej decyzji?" — zapytał.

Odpowiedziałem mu, że zastanawiałem się nad nią. Radził mi tak postąpić m.in. prof. Jan Szczepański. Również i w kręgach partyjnych pojawiały się podobne, chociaż odosobnione sugestie. Co przesądziło? Powiem wprost — trzeba było brać pod uwagę różne względy. Moi najbliżsi współpracownicy i ja sam czułem się z tą partią związany. Wiedziałem, że jest bliska — bynajmniej nie z karierowiczowskich pobudek — setkom tysięcy ludzi. Dla nich słowa: Polska Zjednoczona Partia Robotnicza oznaczały kawał życia, uczciwe i autentyczne zaangażowanie dla Polski. W takiej sytuacji odebranie tym ludziom partii mogłoby wywołać silne rozgoryczenie, ale, co najważniejsze — podważyć skuteczność naszego działania. Nie wolno zapominać, że w ówczesnym systemie — to było zresztą jego ciężką wadą — w wyniku doktryny o „kierowniczej roli" PZPR była faktycznie kośćcem państwa. Chcąc przeprowadzić skutecznie tak trudną operację, jak stan wojenny, nie można się było pozbawić tego ważnego elementu. Wreszcie trzeci powód — nasi sojusznicy wciąż zarzucali nam, że nie doceniamy partii, że ona słabnie, ulega erozji itd. Zawieszenie czy rozwiązanie PZPR faktycznie skazałoby nas na izolację, a może nawet na jakiś inspirowany z ich strony propartyjny „manewr". Oni przecież podejrzliwie patrzyli na polską „generalską rewolucję". A izolacja, w warunkach zachodnich restrykcji, to byłby ogromny problem.

Trzeba więc było stąpać ostrożnie — partia w naszym systemie to przecież była „świętość". Mogliśmy zostać zupełnie sami z tym wszystkim...

Weźmy przykład Węgier. Janos Kadar rozwiązał partię węgierskich komunistów w 1956 roku. Właściwie ta partia sama się rozpadła. Kadar był zresztą pierwszym, z którym konsultowałem taką możliwość. Wkrótce po wprowadzeniu stanu wojennego zwróciłem się do niego, aby przysłał upełnomocnionych przedstawicieli, u których mógłbym zasięgnąć rady, zapoznać się z węgierskimi doświadczeniami. Kadar skierował do Polski swoich dwóch bliskich współpracowników: György Aczela, zajmującego się ideologią, oraz byłego premiera Węgier Jenö Focka. Prowadziłem z nimi długie rozmowy. Wyciągnąłem wniosek, że rozwiązanie partii byłoby nieracjonalne. W owym czasie, w owym systemie, nowo tworzona partia byłaby zapewne znacznie gorsza. W warunkach toczącej się walki skupiliby się w niej bowiem przede wszystkim ci twardzi, niezłomni, a reformatorów doszczętnie by „wypłukano".

Tak więc „pół kroku za wojskiem" — cytuję określenie Kazimierza Barcikowskiego — partia weszła w stan wojenny. Czy warto było ją podtrzymywać? Gdybym miał dziś odpowiedzieć, to nie wiem, czy to był błąd, czy nie. Nie wiem, czy byłoby lepiej, czy gorzej, gdyby partia została wówczas rozwiązana. Po prostu nie wiem. Nie potrafię odwrócić tego filmu.

Rozdział 42

Jak cierń

Wprowadzenie stanu wojennego przebiegało sprawnie. Brały w nim udział duże siły milicji i wojska. Zastosowane zostały różnorodne uciążliwe dla społeczeństwa rygory i ograniczenia, jak chociażby wyłączenia telefonów czy godzina milicyjna. Wiele osób ugodziły zwolnienia z pracy. Były różne porachunki. Pierwsze reakcje prokuratorskie, sądowe też były na ogół ostre. Podobnie nasza retoryka. W licznych przypadkach było to „na wyrost". Ale jakie były intencje? Właściwie znów problem mniejszego zła. Udaremnienie konfrontacji, zniechęcenie do stawiania oporu. To dawało również poczucie, że na zewnątrz nie zrodzą się pokusy i podstawy, aby nas wspierać czy wyręczać. Uciążliwości stanu wojennego były łagodzone. Rygory stopniowo znoszone. Przychodziły kolejne amnestie. Ale wiem, że u wielu osób uraz, osad, poczucie krzywdy pozostały do dziś. To koszt operacji „bez znieczulenia". Jakie jednak mogło być znieczulenie?

Trzeba pamiętać, że i z drugiej strony byli ludzie, którzy przeżywali mocno i dotkliwie. Setki poranionych milicjantów, okrzyki: „gestapo", „faszyści". Poparcie dla restrykcji gospodarczych, wezwania do „pracy jak żółw". Nie chcę, oczywiście, tego porównywać. Inna jest sytuacja represjonowanych, a inna represjonujących. Najważniejsze jest to, że ówczesne ostre podziały nie stworzyły sytuacji nieodwracalnej. Nie powstała przepaść nie do przebycia. Dowodem „okrągły stół".

O jednej sprawie myślę z największym zakłopotaniem, a nawet ze wstydem. Chodzi o internowania.

Może ktoś wierzyć, może nie wierzyć, ale naprawdę nigdy nie powstała centralna, zatwierdzona przeze mnie lub przez któregokolwiek z członków ówczesnego kierownictwa, lista osób przewidzianych do internowania.

Uważam dziś za ciężki błąd, za ogromną lekkomyślność, że nie zainteresowałem się osobiście, kto będzie internowany. Kiszczak też przyznaje, że tego nie dopilnował. Na jednym z posiedzeń Komitetu Obrony Kraju była mowa o tym, jaka w przypadku wprowadzenia stanu wojennego byłaby skala internowań. Wtedy ktoś z MSW powiedział, że chyba około pięciu tysięcy. „Czy wyście oszaleli, pięć tysięcy! Po co?" Potem się tym nie interesowałem. Okazuje się jednak, że 13 grudnia było pięć tysięcy. Zadziałał mechanizm, który stanowił połączenie asekuracji z odwetem.

Asekuracja, czyli im więcej internujemy — tym bezpieczniej. A odwet, bo przy okazji dały znać o sobie różne lokalne animozje szefów bezpieczeństwa, komendantów milicji, przedstawicieli władz partyjnych i administracyjnych. Przykład wręcz kliniczny to internowanie Ryszarda Kurylczyka. Po latach jako znany działacz partyjny i państwowy został najpierw wojewodą, a następnie I sekretarzem KW PZPR w Słupsku. Skutki błędnych internowań miały, powiedziałbym, wymiar podwójny. Z jednej strony było to zbyteczne. Wiele osób odizolowanych, zwłaszcza z grona intelektualistów, nie zagrażało przecież spokojowi społeczeństwa. A więc kompletny idiotyzm. Już nie mówiąc, że było to wręcz niemoralne. Po drugie, było to w konsekwencji szkodliwe dla władzy. Bowiem teraz kombatantów, męczenników jest ponad wszelką racjonalną miarę. To było robienie na siłę wrogów. Tym bardziej że miały miejsce skandaliczne przypadki w samej procedurze zatrzymań, w warunkach internowania itd. Głęboko nad tym wszystkim ubolewam. Kiedy dużo później usłyszałem od pani Izabelli Cywińskiej, jak ją zakuwano w kajdanki — wprost nie wiedziałem, co z sobą zrobić.

Różne przeczytane przeze mnie relacje i wspomnienia potwierdzają, że forma internowania nie była sprawą uregulowaną odgórnie. Zależała głównie od kultury zatrzymujących. A z tym było bardzo różnie. Było więc i poprawnie, i było źle. Nie chcę tu nikogo tłumaczyć.

W żadnym momencie nie przebywało w miejscach odosobnienia więcej niż 5200 osób. Łączna liczba osób internowanych podczas stanu wojennego wyniosła 10 554. Wielu z nich — o czym m.in. mówią liczne pamiętniki — zwalniano po kilku, kilkunastu dniach. Z kolei w wiele miesięcy po wprowadzeniu stanu wojennego podlegali internowaniu ludzie, którzy początkowo nie znajdowali się na listach. O ile nie zainteresowałem się tym, kto będzie internowany z ówczesnych przeciwników, to miałem wpływ na to, kto będzie internowany z poprzednich władz. Ta sprawa nie jest prosta... Widzę ją też w kategoriach mniejszego zła. Chodziło w szczególności o to, aby zamortyzować ewentualne reakcje społeczne na wprowadzenie stanu wojennego. Mogły być one znacznie ostrzejsze, gdyby internowani zostali tylko działacze „Solidarności", a inni — odpowiedzialni również za powstałą sytuację — nie ponieśliby żadnych konsekwencji. Tym bardziej że ogromny nacisk na rozliczenie Gierka, Jaroszewicza i innych pochodził w znacznym stopniu z szeregów partii. W czasie IX Zjazdu osiągnęło to wręcz gwałtowną formę. Myślę więc, że internowanie uchroniło ich od znacznie większych przykrości. I jeszcze jedno. Mówiliśmy przecież, że „nie ma powrotu do stanu zarówno sprzed grudnia 1981, jak również sprzed sierpnia 1980 roku". Trzeba było uwiarygodnić to stanowisko. Wykazać, że nie będzie politycznej rehabilitacji dla tych ludzi władzy i aparatu, którzy zawiedli zaufanie, przyczynili się do kryzysu. Miała to być również przestroga dla różnych kacyków i bufonów. Niestety, jej skuteczność nie okazała się zbyt wielka.

Kilka dni po internowaniu skierowałem do Karwic — w rejonie poligonu Drawsko, gdzie początkowo przebywali — ówczesnego sekretarza KC, członka Biura Politycznego, Mirosława Milewskiego. Odbył z nimi rozmowę — wysłuchał ich, przekazał nasze intencje i argumenty. Po jakimś czasie zostali przeniesieni do Promnika koło Otwocka, do obiektu wypoczynkowego wybudowanego przez Jaroszewicza. Tam z kolei spotkał się z nimi Kazimierz Barcikowski. W rozmowie twierdzili, że zostali skrzywdzeni, że dekada lat 70. to niemal pasmo sukcesów. Wyrażali jednocześnie pełne zrozumienie i poparcie dla stanu wojennego.

Gierek w listach do mnie żalił się m.in., że „... w pełni popierając postawienie tamy kontrrewolucji przez wprowadzenie stanu wojennego, ja i byli członkowie kierownictwa partii muszą przez dłuższy czas być internowani". Celowość rozmowy z przedstawicielami kierownictwa partii określał tak: „W naszym przekonaniu może ta rozmowa przyczynić się do obiektywnego ustalenia przyczyn kryzysu z 1980 roku, jak również do rozgraniczenia tej odpowiedzialności od charakteru i źródeł faktycznego zagrożenia kraju i socjalistycznego budownictwa przez kontrrewolucję (...) między sierpniem 1980 a grudniem 1981 roku". Uwypuklał „nasze również emocjonalne zaangażowanie się w procesy umocnienia socjalistycznej Polski i stabilizacji politycznej i gospodarczej kraju, jakie realizuje partia i Wojskowa Rada Ocalenia Narodowego". Potępiał „totalną krytykę pryncypialnych zasad i całego procesu socjalistycznego budownictwa. Wraz z działaniami strajkowymi — pisał — doprowadziło to do demontowania władzy państwowej, rozbijania partii oraz groźby przewrotu kontrrewolucyjnego, któremu tamę postawił dopiero 13 grudnia 1981 roku". Podkreślał też przy okazji: „Polska lat 70. była skierowana na umocnienie jej wkładu w rozwój socjalistycznej wspólnoty, na zacieśnienie ideowych, politycznych i gospodarczych więzów z ZSRR". Trudno nie zauważyć, że sądy te zupełnie nie przystają do tego, co napisał później w „Przerwanej dekadzie" i „Replice".

Dlatego pamiętniki i Gierka, i Jaroszewicza są w tej części nieuczciwe. Obaj przedstawiają się jako już w latach 70. rzecznicy demokracji i głębokich przemian ustrojowych. Twierdzą, że gdyby byli u władzy, to nawiązaliby dialog z „Solidarnością" i nie trzeba byłoby wprowadzać stanu wojennego. Jaroszewicz, co jest dla mnie wielkim odkryciem, głosi, że należało pójść bardziej zdecydowanie drogą demokracji i suwerenności, zastosować w Polsce „finlandyzację". Kto jak kto, ale Jaroszewicz jako rzecznik demokratyzacji i „finlandyzacji" — to doprawdy rzecz kuriozalna. Ale nie żywię do nich niechęci. Pamiętam lata dobrej współpracy. Rozumiem ich rozgoryczenie. W tym także z powodu formy internowania, której nie można uznać za właściwą. Tego też, niestety, nie dopilnowałem.

Sytuacje i środki nadzwyczajne pociągają za sobą nierzadko przelew krwi. Wiemy, że w różnych krajach stan wyjątkowy kosztował setki i tysiące ofiar. A my przecież podjęliśmy tę dramatyczną decyzję właśnie po to, aby do takiej tragedii nie doszło. W znacznym stopniu się udało. Ale, niestety, nie w pełni. W kopalni „Wujek" doszło do użycia broni, dziewięciu górników zginęło. To bolesne wydarzenie rzutuje do dziś na całościową ocenę tamtych wydarzeń.

Miałem świadomość, iż przy tak rozległych działaniach, przy tak wysokiej temperaturze, może dojść do konfliktowych sytuacji. 13 grudnia powiedziałem więc: „Nie wznośmy barykad tam, gdzie potrzebny jest most". A także: „Niechaj w tym umęczonym kraju, który zaznał już tyle klęsk, tyle cierpień, nie popłynie ani jedna kropla polskiej krwi". Wyczulałem na to wszystkie ogniwa władzy. Cały czas nam to towarzyszyło. Dlatego ten dramat tkwi we mnie jak bolesny cierń.

Moja książka opisuje wydarzenia do 13 grudnia. To był koniec jednego i początek następnego etapu. Wymaga on odrębnego oświetlenia. Być może uczynię to w przyszłości.

Nie mogę jednak zakończyć mej książki bez kilku stwierdzeń. Stan wojenny był ocaleniem, ale i był okaleczeniem. Stąd pojęcie mniejszego zła. Takie operacje pozostawiają bolesne ślady i blizny. Spełnił cel najbliższy, podstawowy. Zapobiegł katastrofie. Nie spełnił wielu długofalowych oczekiwań. Niektórych spełnić nie mógł. Niektóre są naszym grzechem. Nie mogę sobie darować, że zabrało się z nami wówczas w „drugim wagonie" wielu ludzi zachowawczej konstrukcji. W toczącej się walce byli co prawda sojusznikami, ale byli jednocześnie balastem, hamulcem w procesie reform i odnowy. W aparacie władzy było wielu ludzi myślących, wykształconych, doświadczonych. Niestety, suma mądrych głów nie daje automatycznie przyrostu mądrości. Często ciągną w dół ci głupsi, którzy zacietrzewieniem, demagogią, tupetem nadają fałszywy ton nawet najlepszym decyzjom. Z przyczyn i obiektywnych, i subiektywnych nie udało się w sposób zasadniczy poszerzyć bazy rządzenia. Bardzo wielu wartościowych ludzi, nie chcących się wyraźnie angażować ani po jednej, ani po drugiej stronie, pozostało na uboczu. Przykłady błędów i słabości tego okresu mógłbym mnożyć. Zasługuje on na wnikliwą, *sine ira et studio*, analizę. Zasługuje na wiele pytań. Takich chociażby — czy proces poszukiwań porozumienia narodowego, zakończony „okrągłym stołem", nie trwał zbyt długo? Czy nie zmarnowaliśmy zbyt wiele społecznej energii? Czy słusznie gasząc pożary — nie wygasiliśmy wielu pozytywnych emocji? Ale również: kto o co walczył? Co było możliwe, a co nierealne? Jaką drogą powinniśmy wówczas iść? Dogłębną odpowiedź powinni dać historycy, socjologowie, politycy uczciwi i rozumni. Na to potrzeba więcej spokoju, czasu, dystansu.

Tak poważnych problemów nie uda się zbyć tanią frazeologią, zrzucaniem wyłącznie odpowiedzialności na „byłą władzę", „totalitaryzm", „komunę". Nie można posłać do piekła historii całej ówczesnej wielce skomplikowanej rzeczywistości. Najostrzejsza nawet krytyka i samokrytyka zmienić bowiem nie potrafi prawdy podstawowej — stan wojenny okazał się konieczny.

Mam nadzieję, że książka pozwoli lepiej tę prawdę odczytać, obalić różne uprzedzenia, fałsze i mity.

Rozdział 43

Kropla w strumieniu

W tych ciężkich tygodniach czułem się nieraz tak strasznie zmęczony, że sen wydawał mi się ważniejszy niż wszystko inne na świecie. Kładłem się spać z reguły po północy, a najczęściej dopiero nad ranem. Mam nawyk starego żołnierza, potrafię zasnąć wszędzie i o każdej porze doby. Ale tym razem po kilkunastu minutach okazywało się często, że nie potrafię przespać nawet tych dwóch czy trzech godzin. Różne myśli kłębiły się w głowie. Co dalej? Jak z tego wyjść? Stawały mi przed oczyma liczne listy, które otrzymywałem wówczas od obywateli naszego kraju. Przeważały podpisywane imieniem i nazwiskiem, nierzadko z podaniem adresu. Niekiedy miały formę apeli i nosiły dziesiątki, a nawet setki podpisów — czasem wręcz z numerami dowodów osobistych, aby wykluczyć podejrzenie o fałszerstwo.

Większość sprowadzała się właściwie do jednego okrzyku: „Generale, ratuj!" Część z nich pochodziła od ludzi zagrożonych przez „Solidarność" z najzupełniej uzasadnionych powodów: korupcji, uczestniczenia w klikach, sobiepaństwa. Takie listy łatwo było rozpoznać, ponieważ ich autorzy z reguły powoływali się na marksizm-leninizm, niewzruszone zasady socjalizmu.

Najbardziej przejmujące były te, w których pisano z lękiem i rozpaczą o zagrożeniu Polski. Błagano, abym udaremnił konflikt bratobójczy, wyciągnął wnioski z hekatomby Powstania Warszawskiego. Pisano, że zawiodę powinność żołnierza, jeśli nie uratuję ludzi przed głodem i chłodem.

Mimo pozorów jestem człowiekiem raczej twardym. Nie jest jednak tajemnicą dla psychologów, że również i tacy ludzie mają pewien odsłonięty punkt, jak żółw wrażliwe szpary w skorupie. Ja też jestem taki. Nasłuchałem się wyzwisk, obelg, zniewag pod swoim adresem. Niektóre bolały, nawet bardzo. Większość odbijała się jednak ode mnie jak mały kamyk od skorupy żółwia. Tak było i tak będzie na pewno do końca mojego życia. Co więc stanowi ten

„miękki punkt"? To właśnie głos zwykłych ludzi z imieniem i nazwiskiem, spoza wszelkich układów, których określamy jako „sól ziemi".

Są wartości, których ludzkość się domaga, walczy o nie — niezależnie od ustroju. Wiążą się one właśnie z położeniem i losem zwykłego człowieka. Jego nadzieje miał spełnić socjalizm. Nieszczęście polega na tym, że przyszedł on na świat w formie państwowej jak dziecko z nieuleczalną wadą. W kraju, który od stuleci nie zaznał rządów prawa, w morzu nędzy, wśród niepiśmiennych, sponiewieranych, upośledzonych. Że następnie upowszechnił się z reguły tam, gdzie rozwój cywilizacyjny był opóźniony. To w dużym stopniu wpłynęło na jego losy.

A przecież socjalizm to nie tylko różnego rodzaju błędy i wypaczenia. To również realne, niezaprzeczalne zdobycze i wartości społeczne. Uznają je miliony ludzi. Natomiast zwycięzca chętnie ulega samouwielbieniu. Dlatego bardzo trudno jest bronić pewnych racji, które nam — władzy — towarzyszyły w tamtym czasie.

Chcę powiedzieć jeszcze jedno. Polityka, ludzkie zobowiązania i motywy działań — to nie tylko suma racjonalnych przekonań. To również pewien rodzaj emocji, mitologii, legendy. Przez wiele lat stara piosenka wojskowa, znana jako „Pierwsza Brygada", wywoływała skurcz gardła nie tylko u legionistów. Wiem z opowiadań tych, którzy brali udział w Powstaniu Warszawskim, że dość banalna piosenka o „chłopcach od «Parasola»" do dziś wznieca wśród dawnych powstańców reakcje emocjonalne. Ja sam, kiedy słyszę melodię „Oki", doznaję wzruszenia.

„Solidarność" szybko dorobiła się tego rodzaju emocjonalnych znaków rozpoznawczych. Myślę nie tylko o słynnym napisie, lecz również o pieśniach, balladach, lepszej lub gorszej poezji.

Kiedy powstawała „Solidarność", nie przypuszczałem, że w tak krótkim czasie przekształci się ze związku zawodowego w wielki ruch polityczno-społeczny, który wytworzy cały system symboli, skupiających w sobie różnorodne tęsknoty i marzenia wielu pokoleń. Często wzajemnie sprzeczne, lecz potężne właśnie jako mit. Dziś, po latach, rozumiem, że wszystkich nas w kierownictwie państwa zawiodła wyobraźnia. Nieraz i pycha kazała sądzić, że poza naszym kanonem haseł i symboli nie może powstać nic bardziej sugestywnego, apelującego do odwiecznych dążeń człowieka: do godności, sprawiedliwości, wolności. Nie był to przypadek, ani świadoma manipulacja, że u narodzin „Solidarności" dominowała retoryka niemal żywcem zaczerpnięta z wczesnego, romantycznego stadium epoki rewolucyjnej.

Mitologia jest nieodłączną częścią życia społecznego. Taką też barwę uzyskało pojęcie „etos «Solidarności»", choć dziś już widać wyraźnie, jak dogasa jego żywot. Chyba Piłsudski powiedział, że Polacy „myślą nie faktami, lecz symbolami". Pragmatyzm w polityce ma swoje ogromne zalety i w gruncie rzeczy powinien być drogowskazem dla wszystkich ekip kierowniczych. Ale sam pragmatyzm nie wystarcza. Jest oschły i szary, jeśli nie idzie w parze z odwoływaniem się do emocjonalnych pokładów zbiorowej i jednostkowej świadomości.

Irytowało mnie — i nie tylko mnie — nadużywanie patriotycznych haseł, patriotycznego sztafażu w sprawach, które tego nie wymagają, a czasami wręcz odwrotnie. Powiedziałem kiedyś: „Nasz hymn narodowy, który pokolenia całe czciły jak świętość, jak relikwię — staje się przygrywką do różnych strajkowych i protestacyjnych akcji. «Jeszcze Polska nie zginęła» — a Polska ginie!"

W cywilizowanym świecie sądzi się za przestępstwa, za naruszenie prawa, ale nie za politykę. Myśmy swą politykę uwieńczyli porozumieniem „okrągłego stołu". Kościół stał się jego moralnym żyrantem. Oddaliśmy władzę nie na barykadach, ale „na talerzu".

Przebywałem niedawno w Hiszpanii, podziwiałem kulturę polityczną tego narodu. Hiszpanie przeszli przez piekło krwawej, przewlekłej wojny domowej, a jednak potrafili wznieść się ponad jej straszne dziedzictwo. Ich model porozumienia narodowego, determinacja w zasypywaniu wczorajszych przepaści — są imponujące. Porozumienie narodowe staje się udziałem zroszonych obficie krwią takich państw, jak Chile, Nikaragua, Salwador czy nawet Kampucza. Bo przyszłość musi przeważyć nad przeszłością.

Potrafiliśmy wybić się na suwerenność i demokrację. Czy potrafimy wybić się na zgodę narodową, na tolerancję? Obawiam się, iż różne odwetowe, „dekomunizacyjne" hasła mogą odwrócić uwagę, zdekoncentrować wysiłek naszego społeczeństwa. To byłoby dla Polski dosłownie zabójcze. W dzisiejszym świecie rywalizacji, wyścigu, współzawodnictwa, wyszukiwanie celów zastępczych i rozpraszanie energii społecznej musi być działaniem na szkodę kraju.

* * *

Nie wiem, czy przegrałem swe życie, czy je „wygrałem" w jednostkowym sensie. Kiedy runęło tyle „kamiennych tablic", kiedy nie wiadomo nieraz, gdzie noc, a gdzie dzień — patrzę ze smutkiem na niektóre swe decyzje i poczynania w minionej dekadzie. Iluż błędów powinienem był uniknąć, ilu słów powinienem się ustrzec!

Rok 1981 nie był w Polsce czasem dla natchnionych wizjonerów. Może po dwóch stuleciach klęsk, absurdów, nieskutecznych zrywów i „potępieńczych swarów" historia zażądała od nas polityków mniej efektownych, lecz przede wszystkim odpowiedzialnych? Może mnie właśnie przypadła rola odgromnika, piorunochronu, który odprowadza do ziemi wyładowania elektryczne z atmosfery?

Kiedy spoglądam dziś na tamten wielki i straszny rok 1981, to mój podstawowy wniosek brzmi tak — aby już nigdy więcej przeszłość nie zasłaniała nam horyzontu przyszłości. Chcę, aby lekcja lat 80. posłużyła następnym pokoleniom jako dowód naszej dojrzałości — a mówiąc „naszej" mam na myśli tych wszystkich, którzy po obu stronach ówczesnego szańca przyczynili się po raz pierwszy w tym stuleciu do zwycięstwa rozwagi nad szaleństwem, odpowiedzialności nad bezmyślnością.

Pisałem tę książkę pod natłokiem latami gromadzonych myśli, nazwisk, faktów, komentarzy, zarówno historycznych, jak i współczesnych. Przeżywałem w ten sposób na nowo burzliwe wydarzenia 1981 roku. Stąd jej wielowątkowość, a nawet gorączkowość. Nie chciałem jednak „przyczesać, ugłaskać" narracji. Taka przecież była ówczesna kipiąca, kłębiąca się rzeczywistość.

Inna uwaga. Cytuję obszernie różne wypowiedzi i publikacje dotyczące zwłaszcza okoliczności i ocen wprowadzenia stanu wojennego. Bardzo różni są ich autorzy, różny ciężar gatunkowy tych ocen. Ten fragment można uznać za przesadnie rozbudowany. Jestem tego świadom. Uważam jednak, iż w tak ważnej i czułej materii nie można pominąć żadnego świadectwa, żadnego źródła.

Pisałem tę książkę z myślą o odbiorcy otwartym, inteligentnym. Dziękuję wszystkim, którzy zechcieli ją przeczytać i odczytać wedle moich intencji, bez uprzedzeń. Jeśli udało mi się temu sprostać — będzie to dla mnie największa nagroda.

Dziękuję tym wszystkim moim byłym współpracownikom, szczególnie pani Annie Karaś i panu Krzysztofowi Potrzebnickiemu, którzy uczestniczyli w procesie powstawania tej książki.

Indeks nazwisk

Spis treści

Matka — Wanda

Ojciec — Władysław-Mieczysław, 1920 rok

Gimnazjum księży marianów. Autor pierwszy z prawej na dole. W środku córka Romualda Traugutta, z lewej ksiądz Józef Jarzębowski. W górnym rzędzie w środku wnuk, z prawej — prawnuk Romualda Traugutta.

Spacer z matką — Warszawa, 1932 rok

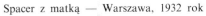

ZAŚWIADCZENIE

ważne do dnia 31.XII.1939 r.

Imię Wojciech.

nazwisko Jaruzelski.

ur. dn. 6 mies. lipca roku 1923

w Kurowie powiatu Puławskiego.

JEST HARCERZEM

Wstąpił do Związku Harcerstwa Polskiego

dn. 15 mies. września roku 1935 do drużyny

im. St. Żółkiewskiego Warszawie.

Złożył przyrzeczenie harcerskie dn. 18

mies. grudnia roku 1936 na

ręce dha. Millera hm.

Otrzymał krzyż harcerski L. 996 serja CLXXVI

(podpis drużynowego) H.Rp.

(Pieczęć K-dy Chor.) (Komendant Chorągwi) Otto Oppmann harcmistrz

dn. 1 LUTY 1939 193 r.

Harcerz

Podporucznik — 1944 rok, czas wojny

Ślub z Barbarą-Haliną — rok 1960

Z półtoraroczną córką Moniką

Po nominacji na generała brygady

Dowódca 12 Dywizji Zmechanizowanej w Szczecinie

Z ministrem obrony narodowej Marianem Spychalskim

Z generałem Charlesem de Gaullem przy Grobie Nieznanego Żołnierza w Warszawie

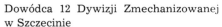

Ministrowie obrony państw-stron Układu Warszawskiego

Na ćwiczeniach. Z prawej Edward Gierek, z lewej Edward Babiuch

Wizyta Hansa Dietricha Genschera, marzec 1981 roku

Z marszałkiem Wiktorem Kulikowem

W ławach rządowych w Sejmie. Obok Roman Malinowski i Janusz Obodowski

Pierwsze spotkanie z Lechem Wałęsą

Z nowym prymasem ks. arcybiskupem Józefem Glempem

Na poligonie

Spotkanie w MSW. Gen. Czesław Kiszczak przejmuje od Mirosława Milewskiego resort spraw wewnętrznych

Po wyborze na stanowisko I sekretarza KC PZPR. Gratulacje od Stefana Olszowskiego. Obok Zofia Grzyb

13 grudnia 1981 roku

Stan wojenny na ulicach

Wojskowa Rada Ocalenia Narodowego

Pierwsza oficjalna wizyta w Moskwie. Od lewej marszałek Dmitrij Ustinow, autor, Leonid Breżniew, Nikołaj Tichonow, Andriej Gromyko

Z Janosem Kadarem i György Lazarem w Budapeszcie

Z Erichem Honeckerem w Berlinie

Z Todorem Żiwkowem w Warszawie

Z Nicolae Ceausescu w Bukareszcie

Z Gustavem Husakiem w Pradze

Z Janem Pawłem II w Watykanie

Wojciech Jaruzelski: Góra z górą...
Lech Wałęsa: Mam nadzieję, że już się nie rozejdziemy...

W nowojorskiej siedzibie ONZ

Z prezydentem Francji Françoise Mitterrandem w Gdańsku

Z premierem Wielkiej Brytanii Margaret Thatcher na Westerplatte

Z prezydentem Stanów Zjednoczonych George Bushem w Warszawie

Michaił Gorbaczow przekazuje dokumentację katyńską

W pochodzie pierwszomajowym z Mieczysławem F. Rakowskim

Z premierem Tadeuszem Mazowieckim u „Kościuszkowców"

W czasie pracy nad książką „Stan wojenny. Dlaczego..."